新編高麗史全文

세가12책

창왕-공양왕

目 次

『高麗史』卷五十 世家卷五十[卷四十五 世家卷四十五][1]

[輔國崇祿大夫·議政府左贊成·知集賢殿經筵春秋館成均事·世子賓客·臣金宗瑞奉教撰]

正憲大夫·工曹判書·集賢殿大提學·知經筵春秋館事兼成均大司成·臣鄭麟趾奉教修

昌王[辛昌]

[<u>昌王</u>, 諱昌, 禑王長子, 母謹妃李氏, 禑王六年庚申八月乙丑[7日]生, 性聰慧, 而<u>怠學</u>:追加].[2]

[戊辰昌王卽位年六月:追加]辛亥[9日], ^{左侍中曹}敏修以定妃教, 立□□^{禑子}昌,[3] [□^我太祖^{李成桂}, 於回軍之時, 與敏修, 議復立王後, 敏修, 亦以爲然. 及是日, 太祖欲擇立王氏, 敏修念仁任薦拔之恩, 謀立仁任外兄弟<u>李琳</u>之女謹妃之子昌, 恐諸將違己意立王氏. 以韓山君李穡, 爲時名儒, 欲藉其言, 密問於穡. 穡亦欲立昌, 乃曰, "當立前王之子". □^我太祖謂敏修曰, "其如回軍時所言何?", 敏修作色曰, "元子之立, 韓山君已定策矣, 何可違也?". 遂立昌:<u>節要轉載</u>], 年九歲.[4]

---

1) 이 篇目은 원래 世家권45인데, 筆者가 列傳에 編制되어 있던 禑王과 昌王代의 記事를 世家篇으로 移動시켰기에 卷數가 變改되었다. 또 筆者가 李成桂의 追從勢力 의해 政局이 運營된 廢小王 昌의 사실을 考慮하여 새로운 篇目으로 整備하였다.

2) 廢小王 昌은 1389년(창왕1) 11월 14일 侍中 李成桂에 의해 廢位된 후 江華島로 追放되어 12월 16일에서 27일 사이에 被殺되었다. 그래서 廟號가 없이 오랫동안 辛昌로 불리다가 近世에 이르러 昌王으로 敬稱되었다. 또 廢小王 昌은 1380년(우왕6) 8월 7일에 탄생하였고, 그의 品行은 알 수 없어 1389년(창왕1) 7월에 이루어진 尹紹宗의 上書에 의거하였다.

3) 添字는 『고려사절요』 권33에 의거하였다. 또 廢小王 昌이 즉위한 이날(辛亥, 9일)은 율리우스曆으로 1388년 7월 12일(그레고리曆 7월 20일)에 해당한다.

4) 『태조실록』에서는 李琳(昌王의 外祖父)과 曹敏修의 관계를 親族이라고 하였으나 事實을 적절히 敍述하지 못한 결과일 것이다. 또 중국 측의 자료에서 廢王 禑와 그의 아들 昌의 폐위가 李成桂에 의해 이루어졌다고 하지만, 記述에 誤謬가 있다.

· 『태조실록』 권1, 總書, 우왕 14년 6월, "禑遜, □^禑于江華. 太祖^{李成桂}欲擇立王氏之後, ^{家宰曹}敏修, 以禑舅<u>李琳</u>之族, 欲立禑子昌, 問於^{韓山府院君}<u>李穡</u>, 遂定議立之".

· 『明鑑綱目』 권1, 홍무 21년 4월, "[綱], 高麗<u>李成桂</u>囚其王<u>禑</u>, 而立<u>禑</u>之子昌. [目], <u>禑</u>欲寇遼東, 使<u>成桂</u>繕兵, <u>成桂</u>遣兵屯艾州, 以糧不繼而退. <u>禑</u>怒, 殺<u>成桂</u>之子, <u>成桂</u>還兵攻之, 囚<u>禑</u>偪使遜位於其子<u>昌</u>. 旣而又以<u>禑</u>本辛旽子, <u>禑</u>之子, 亦不可爲王氏後, 乃廢<u>昌</u>, 別求王氏疏屬, 定昌國

[→^{禑王14年6月} 然及禑廢, □^我太祖^{右侍中李成桂}欲擇立王氏之後, ^{左侍中曹}敏修念李仁任薦拔之恩, 謀立仁任外兄弟李琳女謹妃之子昌, 恐諸將違己意立王氏, 以韓山君李穡, 爲時名儒, 欲藉其言, 密問於穡. 穡亦欲立昌, 乃曰, "當立前王之子." □^我太祖謂敏修曰, "其如回軍時所言何?". 敏修作色曰, "元子之立, 韓山君已定策□矣, 何可違也". 遂立昌:列傳39曹敏修轉載].

[→遂以妃教, 立禑子昌:列傳2恭愍王妃定妃安氏轉載].

教曰,⁵⁾ "恭惟, 我太祖肇一三韓, 列聖相承, 罔不事大以禮, 撫下以仁, 以保宗社人民, 四百餘年于玆矣. 我先恭愍王, 寅恭小心, 畏天敬祖, 任賢聽言, 以明政教, 其功光祖考, 澤在生民, 至矣. 及遇皇明, 灼知天命, 率先諸國, 奉表稱臣, 天子嘉之, 封以王爵, 賜以金章, 以爲宗社生民之永賴. 不幸先王薨逝, 卿父嗣位, 事大撫下, 罔有所愆. 不圖爲崔瑩所惑, 進鷹犬, 以導田獵, 教刑戮, 以逞威虐, 乃至興師動衆, 構釁中國, 幾爲宗社生民之禍, 言之, 可爲痛心. 幸賴祖宗陰隲之佑, 崔瑩黜退, 王亦悔過, 自遜其位, 以宗社之祀·生民之命, 付之於卿, 厥責重矣. 咨爾世子, 夙興夜寐, 小心敬畏, 禮大臣, 尊師傅, 勤學好問, 從善納諫. 毋遠耆德, 毋邇頑童, 去聲色, 絶遊敗, 毋嗜酒以亂神心, 毋聽讒以害忠良. 于以修己德, 于以立國政, 庶可以上不負天子, 下不負宗社, 有一不謹, 天命人心, 可不畏歟. 嗚呼, 爲君不易, 懋敬之哉".

○是日, 尊母謹妃李氏, 爲王大妃^{太妃, 6)} 毅·淑·安·正·善·德六妃, 寧善^{七點仙}·和惠^{和順小梅香}兩翁主,⁷⁾ 皆歸私第, 絶其供上.

[→□□^{是時}, 臺臣, 以^{恭愍王}定妃^{安氏}及惠妃^{李氏}·愼妃^{廉氏}俱非正嫡, 請只給歲祿:列傳2恭愍王妃定妃安氏轉載].⁸⁾

院君瑤立之".

5) 현재의 『고려사』는 이 教書부터 1392년(恭讓王4) 7월 14일(癸巳)까지의 내용에 事實의 歪曲이 매우 심하므로 實證的 史料分析이 요청된다.

6) 이때 祖母인 定妃(恭愍王妃)를 王太后로 冊封하였던 것 같다.

7) 和惠翁主는 和順翁主 小梅香의 誤謬로 추측된다.

8) 惠妃李氏는 고려왕조가 멸망한 후 淨業院에 머물다가 1408년(태종 8) 2월 3일(그레고리우스曆으로 3월 9일)에 逝去하였다고 한다.

· 『태종실록』 권15, 8년 2월 3일, 惠妃李氏의 卒記, "壬午^{3日}, 賜賻惠和宮主李氏之喪. 宮主, 高麗侍中齊賢之女, 恭愍王無子, 選入後宮, 封惠妃. 後爲尼, 時住淨業院, 賻米豆三十石·紙百卷, 以昭悼君妻沈氏, 代爲淨業院住持".

[某日], 流諸妃之父^{前判三司事}姜仁裕·^{川陽府院君}崔天儉·^{密直副使}趙英吉·^{同知密直司事}申雅·^{知門下府事}王興·^{密直副使}吳忠佐等于遠地.

[某日, ^{左侍中曹}敏修白昌, 召李仁任·李崇仁, 仁任已死矣. 國人, 初聞召仁任, 恐其復亂國政, 又開攘奪之門, 俄而聞其死, 皆喜曰, "人不能誅, 天乃殛之":節要轉載].

[某日], 以^{左侍中}曹敏修爲楊廣·全羅·慶尙·西海·交州道都統使, 我太祖^{右侍中李成桂}爲東北面·朔方·江陵道都統使.⁹⁾

[甲寅^{12日}:追加], ^{密直提學}朴宜中還自京師, 禮部□^移咨曰, "本部欽奉聖旨, 高麗表云, '鐵嶺人戶事, 祖宗以來, 其文·和·高·定等州, 本隷高麗'. 以王所言, 其地合隷高麗, 以理勢言之, 其數州之地, 曩爲元統, 今合隷遼東. 高麗所言, 未可輕信, 必待詳察, 然後已.¹⁰⁾ ○且高麗隔大海, 限鴨綠, 始古自爲聲敎, 然數被中國累朝征伐者, 盖爲能生釁端. 昔者, 逆臣弑君, 朕命絶交, 彼遣人, 請聽約束. 數番不允, 數請不已, 然後索歲貢以表誠, 方許交往. 彼雖稱貢歲幣, 連歲皆不如約, 未幾遣人訴難. 准其訴難, 將前貢削去, 只許歲貢種馬五十匹, 決以諸色務純. 以此貢, 比前貢, 萬百分之一耳. 及其進也, 皆非奉上之物, 盡皆駑下之獸, 此侮之一也. 表稱謝恩, 以馬爲禮, 及其至也, 皆爛班雜色. 雖行商, 亦不以爲用者, 侮之二也. 時或遣人, 諳說溫·台·杭·紹·蘇之民, 密覘事勢, 致令發露, 侮之三也. 朕嘗諭諸來使, 毋作是姦, 休禁民生理, 聽民水陸往來, 明白興販, 何事不成, 何機不得. 暗生姦詐, 誘引下民, 致彼誆賺金帛, 妄言, 事勢公然, 被小人之誣, 是其愚哉, 侮之四也. 洪武二十年^{禑王13年}春, 朕以匹帛, 置遼左, 與高麗易馬, 伐胡. 彼陪臣等, 皆以駑來易, 以價較之, 本國一馬之價, 可得二三, 今二三馬價, 易一不堪, 駑馬, 終不爲朕用, 侮之五也. ○噫, 高麗地, 三面環海, 一面負山, 周數千里, 其中豈無賢智哉?. 凡所交往, 此以誠交, 彼以詐合, 將以罷交, 彼又卑辭, 若此之爲, 朕不知其何心?. 且朕觀

- 『梅軒集』 권3, 惠妃挽詞, "早歲封妃貴, 良多內助功, 柔嘉垂女範, 窈窕詠詩風, 事寄三生外, 身浮一夢中, 區區忝末戚, 執紼恨無窮".

9) 李成桂에 대한 기사는 『태조실록』 권1, 總書, 창왕 즉위년 7월에도 수록되어 있으나 冒頭에 七月이 탈락되었다.

10) 이상의 내용과 관련된 기사로 다음이 있다.

- 『태종실록』 권7, 4년 5월 己未^{19日}, "遣計禀使·藝文館提學金瞻如京師, 瞻與□^王可仁偕行. 奏本云, 照得, 本國東北地方, 自公嶮鎭歷孔州·吉州·端州^{樞州}·英州·雄州·咸州等州, 俱係本國之地. … 至當年六月十二日^{甲寅}, 朴宜中回自京師, 承準禮部咨, 該本部尙書李原明等官, 於當年四月十八日, 欽奉聖旨節該, '鐵嶺之故, 王國有辭', 欽此, 仍舊委定官吏管治".

累朝征伐高麗者, 漢伐四次, 爲其數寇邊境, 故滅之. 魏伐二次, 爲其陰懷二心, 與吳通好, 故屠其所都. 晋伐一次, 爲其侮慢無禮, 故焚其宮室, 俘男女五萬口, 奴之. 隋伐二次, 爲其寇遼西, 闕蕃禮, 故討降之. 唐伐四次, 爲其弑君, 幷兄弟爭立, 故平其地, 置爲九都督府. 遼伐四次, 爲其弑君, 幷反覆寇亂, 故焚其宮室, 斬亂臣康兆等數萬人. 金伐一次, 爲其殺使臣, 故屠其民. 元伐五次, 爲其納逋逃, 殺使者及朝廷所置官, 故興師往討, 其王竄耽羅, 捕殺之. 原其釁端, 皆高麗自取之也, 非中國帝王, 好呑幷而欲土地者也. 今鐵嶺之地, 王國有辭, 其耽羅之島, 昔元世祖牧馬之場. 今元子孫, 來歸甚衆, 朕必不絶元嗣, 措諸王於島上, 戍兵數萬, 以衛之, 兩浙發糧以贍之. 以存元之後嗣, 使元子孫, 復優游於海中, 豈不然乎?".[11]

[○自恭愍王朝, 朝聘者, 多賚金銀·土產, 市彩帛輕貨. 雖有識者, 迫於權貴所托, 私裝居貢獻十分之九. 中國以爲, 高麗人假事大, 貪貿易而來耳. 及林堅味·廉興邦用事, 其弊尤甚, 宜中之行裝, 無一物. 遼東護送鎭撫徐顯索布, 宜中傾囊示之, 解所衣紵衣, 與之. 顯嘆其淸高, 以告禮部, 帝引見, 待之有加, 又命禮部饗於會同館, 序前元平章·院使之上. 遂寢鐵嶺立衛之議:節要轉載].[12]

[→自恭愍朝, 奉使者多賚金銀·土產, 市彩帛輕貨. 雖有識者, 迫於權貴所托, 私裝居貢獻十分之九, 中國以爲, 高麗人假事大, 貪貿易來耳. 及林·廉用事, 其弊尤甚. 宜中不賚一物. 遼東護送鎭撫徐顯索布, 宜中傾囊示之, 解所著紵衣, 與之. 顯嘆其淸白, 以告禮部官, 天子引見, 待之有加. 顯出語人曰, 儗宰相而下, 吾所見高麗使臣多矣, 至尊禮待, 未有如朴宰相者. 帝又命禮部官, 享宜中于會同館, 坐之前元平章·院使上, 遂寢鐵嶺立衛之議. ○時張子溫死於錦衣衛, 其從行二人, 尙未東還, 帝附宜中遣之. 行數日, 遼東以崔瑩擧兵聞. 宜中到遼海, 從者恐爲遼東所

---

11) 이의 내용은 明太祖 朱元璋의 文翰官이 작성한 것으로 사실을 정확하게 記述하지 못한 것도 있다.

12) 鐵嶺衛의 설치가 중지된 것은 高麗가 明에 대해 外藩의 의무를 다할 것을 표방한 결과일 것이다. 또 임진왜란 때 遼東寬甸等處副總兵官, 都指揮使로서 參戰했던 佟蒙泉(佟登의 長子인 佟養正)의 墓誌銘에 의하면, 이때부터 明(帝國)은 鴨綠江 河口의 인근 지역에 國防施設을 설치하지 않았던 것 같다.

· 「龍虎將軍都督僉事佟蒙泉及妻王氏合葬墓誌」, "… 倭奴蹂躪朝鮮, 公奉調守鴨綠江口. 我國初, 朝鮮稱藩, 沿江抵海, 三百餘里, 原無烽堠. 公創若時, 率部卒建墩臺, 鑿濠塹, 計月而成, 一天險矣. 且造戰車·鉛鐵子·麻牌之類, 以供軍用. 運米萬餘·草百萬餘朝鮮, 以佐軍餉. 及深入平壤, 公應援, 率其旅若林, 一鼓而成, 擒者無□, 倭趨遁義州鎭. 勒碑志功, 進階神樞管副將後軍都督僉事, 復加俸二級. …"(張君弘 編 2013年 274面). 여기에서 奉調는 '命을 받들어 該當地域에 가서 執行하다'라는 의미가 있다고 한다.

執, 中路皆逃. <u>宜中</u>單騎到遼東, 略無懼色:列傳25朴宜中轉載].

　[<u>辛酉</u>^{19日}:追加],¹³⁾　賜^{左侍中}<u>曹敏修</u>及我太祖^{右侍中李成桂}忠勤亮節宣威同德安社功臣號, □^{我太祖}^{李成桂}以穆祖^{李安社}諱, 辭.¹⁴⁾

　○以張思吉爲密直副使. [思吉, 義州人:<u>節要轉載</u>], 義州地接遼東, 往來相繼, 而思吉以土人, 代父侶爲萬戶, 悉諳情勢, 特加褒獎, 以慰邊民.

　[○^{典校寺丞兼成均博士}<u>劉敬</u>爲通直郎·禮儀正郎兼成均博士:追加].¹⁵⁾

　[壬戌^{20日}, 京城大水:五行1水潦轉載].

　[某日], 誅死人等妻流外者, 皆許從便.

　[某日], 倭寇全州, 焚官廨, 又寇金提^{金堤}·萬頃·仁義等縣.¹⁶⁾

　[某日], 我太祖^{右侍中李成桂}以疾辭職, <u>不聽</u>.¹⁷⁾

　[某日], 以僧<u>混修</u>爲國師, 贊英^{粲英}爲王師.¹⁸⁾

　[某日], 昌, <u>下書</u>^{下敎}曰, "龔惟^{恭惟,19)} 我上王請命于王太后^{定妃}, 諭予小子曰, 若稽我忠烈王·忠宣王·忠肅王三代故事, 傳位于汝, 予將就居江都, 以頤養. 汝其毋

―――――――――――

13) 이날의 日辰은 下記의 「劉敬政案」에 의거하였다.

14) 이때 李成桂에게 하사한 功臣敎書로 추측되는 기사가 『태조실록』에 수록되어 있으나 온전하지 못하다. 또 守門下侍中은 右門下侍中으로 고쳐야 옳게 될 것이다. 또 李安社는 李成桂의 高祖父이다(『목은문고』 권15, 李子春神道碑).
 ・『태조실록』 권1, 總書, 창왕 즉위년 7월, "昌敎, 略曰, 守^右門下侍中李[太祖舊諱^{成桂}]. 以文武之略, 將相之才, 入參鼎鉉, 出將戎兵, 自己亥^{恭愍8年}用兵以來, 三十年間, 大小幾戰, 所至必捷. 其兵大焉者, 歲辛丑^{10年}, 關賊犯京, 國家播遷, 卿佐大相, 克殲凶醜, 以復京都. 胡人納哈出, 犯我東北鄙, 諸將敗走, 乘勝奄至高州之境, 卿卷甲兼行, 逐出疆外. 歲癸卯^{12年}, 庶孽德興君, 擧兵入西鄙, 卿率輕騎, 挫其鋒銳.　歲丁巳^{禑王3年}, 倭奴寇海州, 諸相奔潰, 卿獨身先士卒, 擊之幾盡. 歲庚申^{6年}, 倭奴自鎭浦下岸, 橫行楊廣·慶尙·全羅之境, 焚蕩郡邑, 殺掠士女, 三道騷然, 元帥裴彦·朴修敬等敗死. 卿出萬死不顧之計, 率其麾下, 鏖戰引月之驛, 捕擒無遺, 民賴以安. 其行師也, 動遵紀律, 秋毫不犯, 民畏其威, 民懷其德, 雖古名將, 何以加焉. 卿之豊功偉烈, 在人耳目者, 赫赫如此, 而不自矜伐, 歉然退托, 國人益以倚重".

15) 이는 「劉敬政案」, "洪武二十一年正月二十二日, 批朝奉郎·典校寺丞兼成均博士"에 의거하였다.

16) 여러 판본의 『고려사』에서 金提로 되어 있으나 金堤의 오자이다. 『고려사절요』 권33에는 옳게 되어 있다.

17) 이후 右侍中 李成桂의 빈번한 稱病辭職은 쿠데타를 일으켜 軍事權을 掌握한 者가 행한 日常事의 하나로서, 帝王에 대한 脅迫의 하나로 판단된다.

18) 贊英은 粲英의 誤字일 것이다.

19) 여러 판본의 『고려사』에서 龔惟로 되어 있으나 恭惟의 오자일 것이다.

逸遊, 毋驕傲, 親近忠良, 斥去憸佞. 遵守祖宗成憲, 以底于治. 惟予小子, 年方幼沖, 不堪負荷, 辭至再三, 不獲兪允. 乃告于宗廟, 越翌日辛亥⁹ᵈ, 遂卽王位. 爰當更始之初, 宜布惟新之典, 二罪以下, 咸宥除之.

□一. 其崔瑩, 專擅國柄, 殺戮無辜, 妾^妄興師旅,²⁰⁾ 獲罪上國, 見今申達朝廷, 瑩及囚貶一干人等, 未敢輕有^宥.²¹⁾

[→昌. 教曰‾. 近來, 豪强兼幷, 田法大壞. 其救弊之法, 仰都評議使司·司憲府·版圖司, 擬議申聞. 其料物庫屬三百六十莊·處之田, 先代施納寺院者, 悉還其庫. 東北面·西北面, 本無私田, 如有稱爲私田濫執者, 仰都巡問使, 痛行禁理, 其所執文契, 沒官:食貨1祿科田轉載].²²⁾

[□一. 貢賦之設, 自有定制, 近因多故, 徵斂無藝, 民受其害. 各道·州·府·郡·縣往年逋負, 未納貢物, 一皆蠲免, 今戊辰年貢物, 亦以被罪人等家財, 充用. 其有先納私錢, 下鄕倍徵者, 止償其本, 自己巳年^{明年,昌王1年}, 始納貢如舊, 其已發到官者, 不在此限:食貨3恩免之制轉載].

[□一. 令都評議使司·臺省·六曹, 各擧所知, 務得公廉有才幹者, 以委外任. 仰都巡問·按廉使, 嚴加考覈, 以憑黜陟, 其貪汚不材者, 痛行懲罰:選擧3選用守令轉載].²³⁾

[□一. 館驛之設, 所以傳命, 近因豪强兼幷, 失其土田. 廚傳如舊, 以致凋弊, 誠可憫焉. 仰都巡問·按廉使, 復其土田, 禁理枉道濫騎, 及過行隣驛者, 務加存恤, 毋致失所:兵2站驛轉載].²⁴⁾

[□一. 近年, 各道元帥·都巡問·按廉, 使州府大小軍民官, 營進私膳, 皆令禁斷, 違者罪之. 使命繁多, 害及於民, 今後, 都評議使□^司, 軍事, 下都巡問使, 民事, 下按廉使, 雜泛使命, 不許差遣. 其公行廩給外, 私幹往來者, 勿論尊卑, 悉停供給, 違者, 主客皆論其罪:刑法1職制轉載].

---

20) 여러 판본의 『고려사』에서 妾으로 되어 있으나 妄의 오자일 것이다.

21) 여러 판본의 『고려사』에서 有로 되어 있으나 宥의 오자일 것이다.

22) 이에서 '昌教曰'은 教令[便民事宜]의 條目을 나타내는 '一.'이 있었을 것인데, 이들 教令이 각 篇目으로 分散되어 收錄될 때 '昌教曰'이 덧붙여졌을 것이다.

23) 이 教令[便民事宜]의 序頭가 削除된 것으로 추측되며, 이로 인해 文章을 가다듬기 위해 令字가 추가되었던 것 같다.

24) 이 기사의 冒頭에 기록되어 있는 "辛禑十四年六月, 教曰"은 "辛禑十四年六月, 昌教曰"로 고쳐야 옳게 될 것이다.

[□一. 近來, 權奸用事, 招納賄賂, 奔競成風, 女謁盛行, 廉恥道喪. 仰司憲府, 痛行禁斷:刑法2禁令轉載].

[□一. 刑罰輕重, 當有定法, 近來, 中外官司, 出入由己, 致令平民, 冤抑無告, 召傷和氣, 實爲憐憫. 今後, 中外官司, 務加矜恤, 毋致冤枉. 其杖與贖, 毋得並行, 其徒役·沒官爲奴婢, 年限已滿者, 放遣:刑法2恤刑轉載]. 於戲, 愼終于始, 敢忘警戒之心, 發政施仁, 庶致豊平之理".

[→昌, 以卽位, 宥境內, 頒便民事宜:節要轉載].²⁵⁾

[辛未^{29日}, 以^{通直郎·禮儀正郎兼成均博士}劉敬爲軍簿正郎, 餘並如故:追加].²⁶⁾

[壬申^{30日}, 三角山國望峯崩:五行3轉載].

[秋]七月^{癸酉朔小盡,庚申}, 己卯^{7日}, 都堂以禑生日, 遣三司左使趙仁璧·同知密直□□^{司事}具成老于江華, 獻衣襨.

[某日], 昌, 奉□^壬大妃李氏, 徙居壽寧宮. 卽壽昌宮也, 避名改之.

[某日], 倭陷光州, 命楊廣·全羅·慶尙道都體察使皇甫琳·楊廣道副元帥都興·全羅道副元帥金宗衍·慶尙道副元帥具成老等, 救之.²⁷⁾

[□□^{是時}, 倭賊突入光州甲鄕, 州兵倉卒不得制. ^{判典校寺事康好文妻}文氏有二兒, 負幼携長, 將走匿, 忽被虜. 欲自絶不肯行, 賊繫其頸, 逼令前行, 又逼棄所負兒. 文氏知不免, 裏幼兒置樹陰, 謂長兒曰, "汝且在此, 將有收護者". 兒强從之. 行至夢佛山極樂菴畔, 有石崖, 高可千尺餘, 上有路如線. 文氏謂同被虜隣女曰, "汚賊求生, 不如潔身就死". 奮身而墜. 賊不及止之, 罵極口, 殺其兒而去. 崖下有蘿蔓, 蒲草又密, 得不死折右臂, 久而復蘇. 適里中人, 先在崖竇, 見而哀之, 饘粥而養. 居三日, 聞賊退, 乃還鄕里, 莫不驚嘆:列傳34康好文妻文氏轉載].²⁸⁾

---

25) 이때의 頒便民事宜는 上記 3種의 기사를 包含한 것으로 추측된다.

26) 이는 『劉敞政案』, "同年^{洪武二十一年}六月十九日, 批通直郎·禮儀正郎兼成均博士"에 의거하였다.

27) 金宗衍은 明年(창왕1) 10월 12일 全羅道兵馬都節制使兼羅州牧使로 赴任하였다가 12월 6일 遞任되었다(『금성일기』).

28) 이는 다음의 기사를 전재하였는데, 이와 같은 자료가 『신증동국여지승람』 권35, 光山縣, 烈女에도 수록되어 있다.
   · 열전34, 烈女, 康好文妻文氏, "文氏, 光州甲鄕人. 旣笄, 歸判典校寺事康好文. 辛禑十四年, 倭賊突入, 州兵倉卒不得制. 文氏有二兒, 負幼携長, 將走匿, 忽被虜. 欲自絶不肯行, 賊繫其頸,

[某日], 日本國使^{國師}妙葩·關西省探題^{鎭西探題}源了俊^{今川了俊}遣人來,²⁹⁾ 獻方物, 歸被虜二百五十人, 仍求藏經.

[某日], 鴨綠江迆西草賊, 寇義州青水口子.³⁰⁾

[某日, 執^{前侍中}崔瑩以來, 囚于巡軍, 鞫攻遼之罪:節要轉載].

[→辛昌立, 復執瑩囚巡軍, 令王安德·鄭地·柳曼殊·鄭夢周·成石璘·趙浚, 鞫瑩及內願堂僧玄麟等, 玄麟始與瑩謀發僧兵, 及回軍, 又與瑩拒戰者□^也:列傳26崔瑩轉載].

[某日, ^{簽書密直司事兼}大司憲趙浚等上書曰, "夫仁政, 必自經界始. 正田制, 而足國用, 厚民生, 此當今之急務也. 國祚之長短, 出於民生之苦樂, 而民生之苦樂, 在於田制之均否. 文·武·周公, 井田以養民, 故周有天下, 八百餘年, 漢薄田稅, 而有天下四百餘年, 唐均民田, 而有天下幾三百年, 秦毀井田, 得天下, 二世而亡. ○新羅之末, 田不均, 而賦稅重, 盜賊群起. 太祖龍興, 卽位三十有四日, 迎見群臣, 慨然嘆曰, 近世暴斂, 一頃之租, 收至六石, 民不聊生, 予甚憫之. 自今, 宜用什一, 以田一負, 出租三升, 遂放民間三年租. 當是時, 三國鼎峙, 群雄角逐, 財用方急, 而我太祖, 後戰功, 先恤民, 卽天地生物之心, 而堯·舜·文·武之仁政也. 三韓旣一, 乃定田制, 分給臣民, 百官則視其品而給之, 身沒則收之, 府兵則二十而受, 六十而還, 凡士大夫受田者, 有罪則收之, 人人自重, 不敢犯法, 禮義興, 而風俗美. 府衛之兵, 州郡津驛之吏, 各食其田, 土着安業, 國以富強. 雖以遼·金, 虎視天下, 而與我接壤, 不敢呑噬者, 由我太祖分三韓之地, 而與臣民, 共享其祿, 厚其生, 結其心, 爲國家千萬世之元氣故也. ○自是以來, 閑人·功蔭·投化·入鎭·加給·補給·登科·別賜之名, 代有增益, 掌田之官, 不堪煩瑣. 授田收田之法, 漸致隳弛, 奸猾乘閒, 欺蔽無窮. 已仕已嫁者, 尙食閑人之田, 不踐行伍者, 冒受軍田, 父匿挾而私授其子, 子隱盜而不還於公, 旣食役分, 又食閑人, 又食軍田. 授受之官, 不問其已見任在官, 而當食役分者耶, 未仕未嫁, 當食閑人者耶, 其身果府兵歟, 其父果入戍於鎭

逼令前行, 又逼棄所負兒. 文氏知不免, 裏幼兒置樹陰, 謂長兒曰, 汝且在此, 將有收護者. 兒强從之. 行至夢佛山極樂菴畔, 有石崖, 高可千尺餘, 上有路如線. 文氏, 謂同被擄隣女曰, '汚賊求生, 不如潔身就死'. 奮身而墜. 賊不及止之, 罵極口, 殺其兒而去. 崖下有蘿蔓, 蒲草又密, 得不死, 折右臂, 久而復蘇. 適里中人, 先在崖竇, 見而哀之, 饋粥而養. 居三日, 聞賊退, 乃還鄕里, 莫不驚嘆".

29) 日本國使는 日本國師의 오자인데, 『고려사절요』 권33에는 옳게 되어 있다. 또 關西省探題는 鎭西探題(친제탄다이, 九州探題)의 다른 표기일 것이다.

30) 青水口子는 義州의 州治에서 東北으로 95里에 위치한 山谷 또는 江岸에 설치된 堡였던 것 같다(『신증동국여지승람』 권53, 義州牧, 關防, 清水堡).

邊歟, 其祖果自異國而來投王化歟. ○祖宗授田收田之法, 旣壞而兼幷之門一開, 爲宰相而當受田三百結者, 曾無立錐之可資, 爲宰相, 而受祿三百六十石者, 尙不滿二十石. 兵者, 所以衛王室, 備邊虞者也, 國家割膏腴之地, 以祿四十二都府, 甲士十萬餘人, 其衣糧器械, 皆從田出. 故國無養兵之費, 祖宗之法, 卽三代藏兵於農之遺意也. 今也, 兵與田俱亡, 每至倉卒, 則驅農夫以補兵, 故兵弱而餌敵. 割農食以養兵, 故戶削而邑亡. 以祖宗至公分授之田, 爲一家父子之所私. 不一出門, 而仕朝行, 不一奉足, 而蹈軍門者, 錦衣玉食, 坐享其利, 蔑視公侯. 而雖以開國功臣之後, 夙夜侍衛之臣, 百戰勤勞之士, 反不得一畝之食, 立錐之耕, 以養其父母妻子, 其何以勸忠義, 而責事功, 礪戰攻, 而禦外侮哉. ○內而版圖·典法, 外而守令·廉使, 廢其本職, 日聽田訟, 不避寒暑, 揮汗呵筆, 勾稽文券, 檢覆證左, 訊之佃戶, 訊之故老. 凡其辭連, 盈獄滿庭, 廢農待決, 數月之案, 積如丘山, 一畝之爭, 連數十年. 忘寢廢食, 剖決不給者, 以私田爲爭端, 而訟煩也. 子之於父母, 一畝之求, 或不如意, 則反生怨恨, 如視路人, 甚者, 纔釋衰絰, 鞭其侍病之奴婢, 求其某田之公文. 至親尙爾, 而況於兄弟乎? 是以私田, 而陷人倫於禽獸也. 朝廷士大夫, 貌相好, 而心相猜, 至於陰中傷之, 此以私田, 而爲檻穽也. ○至於近年, 兼幷尤甚, 奸兇之黨, 跨州包郡, 山川爲標, 皆指爲祖業之田, 相攘相奪, 一畝之主, 過於五六, 一年之租, 收至八九. 上自御分, 至于宗室·功臣·侍朝文武之田, 以及外役·津·驛·院·館之田, 凡人累世所植之桑, 所築之室, 皆奪而有之, 哀我無辜, 流離四散, 塡于溝壑. 祖宗分田, 所以厚臣民者, 適足以害臣民也, 此以私田, 爲亂之首也. ○兼幷之家, 收租之徒, 稱兵馬使·副使·判官, 或稱別坐, 從者數十人, 騎馬數十匹, 陵轢守令, 摧折廉使, 飮食若流, 破費廚傳. 自秋至夏, 成群橫行, 縱暴侵掠, 倍於盜賊, 外方由此凋弊. 及其入佃戶, 則人厭酒食, 馬厭穀粟. 新米先納, 緜麻脚錢, 榛栗棗脩, 至於抑賣之歛, 十倍其租, 租未納而產已空矣. 及其履畝之際, 則負結高下, 隨其意出, 以一結之田, 爲三四結, 以大豆而收租, 一石之收, 以二石而充其數. ○祖宗之取民, 止於什一而已, 今私家之取民, 至於十千, 其如祖宗在天之靈何, 其如國家仁政何. 田以養民, 反以害民, 豈不悲哉. 民之出私田之租也, 稱貸於人, 而不能充也, 其所貸者, 賣妻·鬻子, 而不能償也. 父母飢寒而不能養也, 冤呼之聲, 上徹于天, 感傷和氣, 召致水旱. 戶口由是而一空, 倭奴以之而深入, 千里暴屍, 莫有禦者. 貪饕之聲, 聞于上國, 社稷宗廟, 危於累卵. ○臣等, 願遵聖祖至公分授之法, 革後人私授兼幷之弊. 非士非軍, 非執國役者, 毋得授田, 令終其身, 不得私相授受, 嚴立禁限, 與民更始, 以足國用, 以厚民生, 以優朝臣, 以贍軍士. 則國富而兵强, 禮義興而廉恥行, 人倫明而詞訟息. 社稷之基, 安盤石而壯泰山, 國家之威, 震雷霆而熾炎火, 雖有外侮, 將自焦而自糜矣. ○古人有言曰, 國無三年之蓄, 國非其國.[31] 近者, 西北之行, 纔數月耳, 尙且公私不支, 上下俱困, 脫有二三年水旱之災, 其何以賑之, 千萬軍, 饋餉之費, 其何以應之. 況今中外倉廩, 一時俱匱, 軍國之需, 無從而出. 邊警之虞, 在所不測, 如有倉卒, 難以戶斂. 今當量田之時, 定數給田之前, 限三年, 權行公收, 可以充軍國之需, 可以給在官之俸. 其正田制之目, 條具于後. 一. 祿科田柴. 自侍中至庶人在官, 各隨其品, 計田折給, 屬之衙門, 當職食之. 一. 口分田. 在內諸君, 及自一品, 以至九品, 勿論時·散, 隨品給之. 其受添設職者, 考其實職給之, 皆終其身. 其妻守節, 亦許終身. 現任外, 前銜與添設受田者, 皆屬五軍, 其在外者, 只給軍田充役. 凡受田者, 有罪, 則納之於公, 陞級, 以次加給. 一. 軍田. 試其才藝, 二十而受, 六十而還. 一. 投化田. 向國之人, 食之終身, 身歿則還公. 受官職, 有口分田者, 不許. 一. 外役田. 留守·州·府·郡·縣吏, 津·鄕·所·部曲·莊·處吏, 院·館直, 口分田, 前例折給, 皆終其身. 一. 位田. 城隍·鄕校·紙匠·墨尺·水汲·刀尺等位田, 前例折給. 一. 白丁代田. 百姓付籍, 當差役者, 戶給田一結, 不許納租. 其在公私賤人, 當差役者, 亦許給之, 明白書籍. 一. 寺社田. 祖聖以來, 五大寺·十大寺等, 國家裨補所, 其在京城者, 稟給, 其在外方者, 給柴地. 道詵密記外, 其新羅·百濟·高勾麗所創寺社, 及新造寺社不給. 一. 驛田. 其馬位口分田, 前例折給, 皆終其身. 一. 外祿田. 自留守·牧·都護, 至知官·監務, 隨品定, 從人口數, 計口, 給祿科田. 一. 公廨田. 視各司品秩高下, 吏員多少, 給之. 一. 凡作丁. 公私之田, 一切革去. 或以二十結, 或以十五結, 或以十結, 每邑丁號, 標以千字文, 不係人姓名, 以斷後來冒稱祖業之弊. 量田旣定, 然後分受之以法. 公私收租, 每一結, 米二十斗, 以厚民生. 一. 主掌官授田, 加給一結者, 加受一結者, 收田漏一結者, 還田匿一結者, 父子不告, 私相授受者, 父死, 其子不還父所食田者, 奪他人田一結以上, 匿公田一結者, 皆處死. 受代田白丁, 匿傍田一結者, 收租奴, 不受官牒, 不較官斗者, 杖一百. 收租奴, 增一斗以上者, 杖八十. 食田者, 知奴剩取田租, 不告者, 杖七十. 量田時, 匿田十卜以上者, 處死, 漏田者同. 收租奴二名·馬一匹, 違者, 主奴杖七十. 凡犯田禁者, 經赦不宥, 籍名於版圖

---

31) 이 구절은 다음의 자료를 인용한 것이다.
　·『春秋穀梁傳』 권3, 莊公第3, 28년, "臧孫辰[臧文仲]告糴于齊, 國無三年之蓄曰, 國非其國也".

及憲府, 其子孫不許臺省·政曹:食貨1祿科田轉載].

[□˥. 按廉之職, 國初節度使也, 摠攝軍民, 專制方面. 守令奉職, 而民安其業, 方鎭慴服, 而戰守必力, 事權歸一, 人無異望. 至今百姓, 號爲一方統察, 今也, 賊破州郡, 而方鎭無所畏憚, 擁兵養威, 坐視而不戰, 賊勢日益張. 守令自恣, 公行賄賂, 流連聲色, 百姓塗炭, 而不之恤. 爲按廉者, 區區於簿書錢穀之間, 而未能嚴於黜陟賞罰之典, 以振起軍民之政者, 無他, 知官皆正順□□^{大夫}·奉順□□^{大夫}之員, 方鎭·府尹·州牧·都護, 亦兩府之大臣, 奉翊之達官, 故按廉不以王人大體爲念, 反以秩卑小節爲嫌, 紀綱不振, 國事之誤, 一至於此. ○臣等, 願法祖宗遺兩府之成憲, 體唐室遣大臣之故事, 擇兩府有廉·威·明·幹□□^{四善}者, 爲都按廉黜陟大使, 以田野闢, 戶口增, 詞訟簡, 賦役均, 學校興, 巡察州郡, 而黜陟之, 以號令嚴, 器械精, 兵卒鍊, 屯田修, 海寇息, 巡臨方鎭, 而賞罰之, 而軍官敗績, 沒一州郡, 守令貪汚, 招納賄賂者斬, 次罪, 罷職論罪, 次罪, 論罰行公, 以振紀綱. 守令, 三年遞任, 不被都按廉譴責者, 卽除京職, 其都按廉使, 許令臺省薦擧, 候^候依貼出遣之, 自元帥以下, 皆郊迎, 呈參不許坐, 雖以五六品, 爲廉使者, 一年相遞之期, 黜陟考課之法, 與都按廉同, 更相迭遣, 不爲常例. 都按廉, 不能黜陟州郡方鎭者, 司憲府申聞, 罷職痛理, 爲守令者, 察民休戚, 斷獄訟均賦役, 父母斯民, <u>其職也</u>.³²⁾ □˥. [爲守令者, 察民休戚, 斷獄訟, 均賦役, 父母斯民, 其職也:刑法1職制轉載]. 巡問·按廉, 如調兵州郡也, 責辦其宰, 則民戶之多寡, 丁夫之壯弱, 其所知也, 兵必得其精. 今也, 巡問·按廉, 每所徵發, 慮守令私其邑也, 調南郡之兵, 則必命北郡之宰. 北郡之宰, 至於南郡也, 以未經之耳目, 恐其欺罔, 先施鞭撻. 俄而調兵, 北郡之牒, 至南郡, 南郡之宰, 投袂而起, 直趨北郡, 未下車, 而先刑人, 繫累其父母, 鞭撻其妻子. 非止調兵而然也, 凡戶口之點檢, 軍須之轉輸, 徵督百端, 無有紀極. 於是, 兩郡相怨, 遂成仇讎, 互相報復, □□□□^{英有仁愛}, 民不堪苦, 戶口蕭然. 其承流宣化之意, 安在. [州縣皆是, 生民奚賴. 今也, 雖使臺省·六曹, 各擧所知, 不革此弊, 則雖使龔·黃之輩, 盡爲州郡之守令, 未嘗一坐其邑, 而視事, 何益於民生哉:刑法1職制轉載]. 今願, 守令不許出境, 專理其邑, 有不勝其任者, 按廉卽罷其職, 而黜之, 申報朝廷, 以承其闕:刑法1職制轉載]. □˥. <u>使命之任</u>, 先王於巡問·按廉□^使之外, 不許發遣, 其愼重之意, 可見. 兵興以來, 使命煩多, 冠蓋相望, 乘驛者, 一匹之命, 矯至八九匹, 一使之供, 多至數十人. [察訪多而豺狼之迹未屛, 宣慰繁而破賊之書

---

32) 이 구절의 縮約이 志29, 選擧3, 選用監司에 수록되어 있는데, 添字는 이에서 달리 표기된 것이다.

蔑聞:兵2站驛轉載]. 加之以巡問·按廉之差使, 諸元帥之發遣, 亦皆乘驛, 橫行州郡, 馳騖館驛. 此門一開, 成衆·愛馬之往來, 京外閑散之私行, 紛如麻粟, 更出迭入, 公然受賕, 恬不知愧, 殘鄉破驛之吏, 垂頭拱手, 無所控訴. 以有限之供億, 應無窮之使客, 州郡凋弊, 驛路流亡. 願自今州郡庶務, 一委巡問·按廉, 以責其成, 雜冗使命, 不許發遣. 朝廷文字, 皆以懸鈴行移, 非軍情緊急重事, 不給驛馬, 非乘驛馬者, 不得入諸郡·各驛, 以受賕給. 違者, 主客皆罷職不敍. 使各道巡問·按廉, 一法朝廷此制, 不敢違越, 違者痛理之:節要轉載].33)

[□一. 近來, 戶籍法壞, 守令不知其州之戶口, 按廉不知一道之戶口. 當徵發之際, 鄕吏鄕吏欺蔽, 招納賄賂, 富壯免, 而貧弱行. 貧弱之戶, 不堪其苦而逃, 則富壯之戶, 代受其苦, 亦貧弱而逃矣. 其任徵發者, 憤鄕吏之欺蔽, 痛加酷刑, 割耳劓鼻, 無所不至, 鄕吏亦不堪其苦而逃矣. 鄕吏百姓, 流亡四散, 州郡空虛者, 戶口不籍之流禍也, 願今當量田, 審其耕作之田, 以所耕多寡, 定其戶上中下三等, 良賤生口, 分揀成籍. 守令貢于按廉, 按廉貢于版圖, 朝廷凡徵兵調役, 有所憑依, 及時發遣, 而守令·按廉, 如有違法者, 輒繩以理":食貨2戶口轉載].

[○諫官李行等, 又上疏曰, "豪强兼幷, 國用乏竭, 租稅苛倍, 生民凋悴. 强弱相吞, 爭訟繁多, 骨肉相猜, 風俗壞敗, 此私田之弊也. 富强失利, 怨謗難弭, 士族失業, 生理難繼. 田地廣多, 審覆難悉, 簿書煩多, 考核難精. 奸吏隱匿, 覺察難及, 風雨盜鼠, 藏積難密. 道路遠近, 轉漕難均, 出入歛散, 耗損難理, 此革弊之難也. 雖然, 事出於公正, 合於人心, 悅之者衆, 怨謗可弭矣. 士之無職者, 授田使得農耕, 有職者, 給俸以代其耕, 生理可繼. 擇公廉有重望者, 爲按廉, 擇廉敏精幹者, 爲守令. 守令各考一邑, 以核其事實, 按廉統察一道, 以黜陟守令之殿最, 田地審覆可悉, 簿書核察可精, 奸吏隱匿可察矣. 置倉府, 固門垣, 藏積可密矣, 計輕重, 度遠近, 給脚力之價, 漕轉可均矣, 平量槩, 明契卷, 耗損可理矣, 其救之之術, 何難之有. 至於倉廩實, 而儲胥有餘, 祿俸厚, 而廉恥可興. 橫歛息, 而民生可紓, 爭訟絶, 而風俗可厚. 田野闢, 而賦歛薄, 戶口繁, 而徭役均, 其革之之利, 爲如何哉. ○臣等, 謹按祖宗田制, 役口之分, 戶別之丁, 皆爲國田, 父不得與之子, 必告有司, 而與之, 如其無子, 且或有罪, 則必歸於公, 不敢私也. 自選軍之法廢, 而兼幷遂起. 稱爲雜件, 以爲己有, 指山川, 以爲標, 連阡陌, 而爲界, 雖宗室之胄, 功臣之嗣,

---

33) '使命之任' 이하의 구절은 지36, 兵2, 站驛에도 수록되어 있고, "察訪多而豺狼之迹未屛, 宣慰繁而破賊之書蔑聞"과 같이 추가된 구절도 있다.

與夫戎戰之卒, 侍衛之士, 至于小民, 曾無立錐之地, 父母妻子, 飢寒離散, 臣等甚痛之. 或曰, 今權豪之徒, 伏辜殆盡, 宜委□□뻐民辨正都監, 考察訟人高曾契卷, 其有年代久遠, 派系明白者, 各還其主, 則冤枉銷, 而國家無事. 臣等以爲不然, 惟我祖宗立法之意, 盖欲諸君兩府以下, 至于軍士, 皆受國田, 仰事俯育, 無至失所. 今也法廢, 田無限制, 老嫦幼子, 篤疾廢疾之徒, 不出其門, 持其祖父文卷, 坐食國田, 至百千結者, 有之. 雖使官司, 至公明決, 何有一毫之補於軍國哉. ○嗚呼, 三韓尺寸之地, 皆我太祖, 櫛風沐雨, 險夷艱難之所啓也. 今海寇縱暴, 封疆日蹙, 國田之租, 半入於無用之人, 軍士飢色, 轉輸告匱, 雖伊·周之相, 方·召之將, 不革私田, 而歸之國, 將何以爲今日社稷中興之計乎?. 臣等, 甚痛之. <u>傳曰, 更化, 則可善理</u>.[34] <u>又曰, 仁政, 必自經界始</u>.[35] 今殿下卽位之初, 不革私田, 以追祖宗之美意, 則何以發政施仁, 以開萬世太平之基乎. 伏惟殿下, 擧而行之": 食貨1祿科田轉載].

[○版圖判書黃順常等上疏曰, "足食安民之道, 在正田制而已. 本朝田法, 自文武官僚, 以至於軍, 各給土田, 公私兩足, 明有定制. 近年以來, 豪强之徒, 恣意兼幷, 良田沃壤, 悉爲已有, 高山大川, 以爲經界. 各家所遣奸猾之奴, 侵漁橫斂, 其害百端, 民不聊生, 邦本日危. 諸倉庫·宮司·御分之田, 並皆奪占, 私稅, 百倍於公賦. 倉廩空虛, 國用乏絶, 祿俸日減, 勸士無門. 各執高曾之卷, 互相爭奪, 于以詞訟日繁. 尊卑長幼, 視如仇讎, 兄弟親戚, 反爲途人, 風俗之敗, 實爲痛心. 因仍襲弊, 不革私田, 則奚啻民生凋瘵, 風俗不美而已. 倘有不虞之中, 興師動衆, 當時蓄積, 一月粮餉, 尙且不足, 況期年之師, 累歲之旅乎. 爲今之計, 一革私田, 正風俗, 厚民生, 廣蓄積, 以周國用, 幸甚": 食貨1祿科田轉載].

[○典法判書趙仁沃等亦上疏曰, "伏覩, 殿下深致意於田法之毁. 臣等, 亦以爲, 此正今日之急務, 社稷之安危, 生民之休戚, 係焉, 不可不重. 田法正, 則社稷安矣, 否則社稷安危, 未可知也. 竊惟, 祖宗分田之制, 躬耕籍田, 所以奉天地宗廟之祀也, 三百六十莊·處之田, 所以奉供上也. 田柴口分之田, 所以優士大夫, 礪廉恥也, 州·府·郡·縣·鄕·所·部曲·津驛之吏, 以至凡供國役者, 莫不受田, 所以厚民生, 而殖邦本也, 四十二都府, 四萬二千之兵, 皆授以田, 所以重武備也. 世守成憲, 社稷

---

34) 이 구절은 『漢書』 권56, 董仲舒傳第26, "更化, 則可善<u>治</u>, 善治則災害日去, 福祿日來"에서 따온 것이다. 이 기사에서 治가 理로 改字된 것은 成宗의 이름을 避諱한 것이다.

35) 이 구절은 『孟子』, 滕文公章句上, "夫仁政, 必自經界始, 經界不正, 井地不均, 穀祿不平"에서 따온 것이다.

盤安, 垂五百年. ○近來, 貪墨擅權, 莊·處田柴, 外役·軍田, 皆入其門, 粢盛供上, 或時而不繼, 士大夫之當職, 勞於王事者, 無以資其生, 養其廉. 州·縣·津·驛, 供國役者, 喪其田宅, 困於一田之五六主, 一年之五六收, 父母凍餒, 而不能養, 妻子離散, 而不能保. 無告流亡, 戶口一空, 是以, 國用·軍須·祿俸之出, 蕩然掃地. 國無旬月之儲, 軍無數月之食, 冢宰之俸, 徒存舊額, 今所受者, 纔十數石耳, 況其下官乎? ○府田亡, 而府兵亦亡, 無賴之徒, 安坐其家, 不知征役之苦, 以其先世私授之田, 謂之祖業, 食至千百結. 不以爲國家之田, 而以爲父母之德, 百無報國之心. 而從軍之士, 忘軀命, 冒矢石, 得生百戰之餘者, 反不得一畝之田, 軍士之赴敵者, 其父母妻子, 飢寒流移, 國無斗粟尺帛之賜, 而彼無賴坐食之徒, 馬厭粟, 而妾曳縠, 此非細故也. 奈何以太祖艱難所得之地, 不以養軍士, 反以資無賴之徒乎. 是故, 寇盜熾, 而莫之禦, 士馬困, 而無以養, 如有緩急, 將何以待之. 宗廟社稷, 危如累卵, 誠可痛惜. ○又有甚於此者, 兄弟爭田, 而或至於相殘, 將相爭田, 而或至於相殺. 骨肉反爲路人, 同列, 變爲仇敵, 獄訟煩, 而風俗敗, 陷人道於禽獸. 醜聲上聞, 雖歲勤貢獻, 不獲於天子者, 皆由田弊之所致也. 不正田弊, 不復祖宗之制, 而欲社稷之安, 臣等, 所未敢知也. <u>傳曰</u>, 國無三年之蓄, 國非<u>其國</u>.[36] 方今之積, 猶可哀痛, 國非其國, 則雖欲安富尊榮, 其可得乎? ○全羅·慶尙·楊廣三道, 國家之腹心, 倭奴深入, 虜掠我人民, 焚蕩我府庫, 千里蕭然. 而又西北之虞, 在於不測, 兵食匱竭, 人民困瘁, 此誠危急存亡之時也. 願殿下, 毋失事機. 自今年, 權收公私田租, 以備軍食, 然後, 復祖宗分田之法, 以待士民, 則軍國之務備, 而士民之<u>望安矣</u>":食貨1祿科田轉載].[37]

[□□□是時簡, 尹紹宗陞典校令, 與同僚奏, "本朝舊制, 凡圓丘·宗廟·社稷·山陵·眞殿·神祠祭享祝文, 道殿·佛宇詞疏, 本寺官一人, 每月輪直, 淸齋寫進上. 齋沐親押, 天地·宗社, 則必親祀, 佛宇·道殿·神祠, 則或命大臣攝行. 近以祈禳猥多, 或命正字小臣代押, 其源一開, 今唯四時大享親押, 其餘則皆代押, 甚遠誠敬之義. 願遵祖宗舊制, 祝文·詞疏, 齋沐親押, 圓丘·社稷·宗廟·籍田大享, 必皆親祀. 朔望奠及凡祈禳, 擇大臣攝行, 御正殿親授祝文詞疏". ○昌從之. ○又奏, "殿下, 既允臣等親祀之請. 今大享宗廟, 乃以大臣充太尉, 是殿下不欲親享也. 以謂, 禮文未備,

---

36) 이 구절은 창왕 즉위년 7월 某日의 注釋과 같다.

37) 『고려사절요』 권33에는 李行·黃順常·趙仁沃 등의 上疏를 "諫官<u>李行</u>·版圖判書黃順常·典法判書 <u>趙仁沃</u>等亦繼上書, 請革私田"으로 처리하였다.

奠物未具耶. 則苟有明信, 澗溪沼沚之毛, 可薦於神明. 豈以文之未備, 物之未具,
而并棄其誠也哉. 以謂, 權署國事, 不敢主祀耶. 則舜之受終, 禹之受命, 皆攝政也,
而率百官, 親格于文祖·神宗之廟. 舜·禹天下之大聖, 萬世帝王之所當法也, 殿下
不法之, 臣等竊爲殿下, 惜之. 今殿下之不親享, 有三不可焉. 吾不與祭, 如不祭.
則是不誠也. 無疾病大故, 而燕居九重, 使臣攝行, 則是不敬也. 既許親祀, 下之兩
府, 播之百姓, 未幾而有攝祭之命, 是示國人以不信也. 夫誠·敬·信三字, 人君之大
寶也. 捨是三者, 能有其國者, 未之有也. 禮將祭, 散齋四日, 致齋三日. 今殿下端
拱, 日御經筵, 聞正道, 近正人, 則散齋固無嫌矣. 願自今日, 致齋思誠, 格于太廟,
躬服衰冕, 以告卽位, 以申孝思". ○昌下都堂議:列傳33尹紹宗轉載].[38]

　[某日], 遣門下贊成事禹仁烈·政堂文學偰長壽如京師,[39] 告禑遜位, 請昌襲封,
兼奏崔瑩興師攻遼之罪. 禑表曰, "臣在蒙幼, 先臣恭愍王顯薨逝, 惟賴祖母洪氏訓
誨, 又不幸而祖母亡, 有兵馬都統使崔瑩, 進鷹犬, 導田獵, 罷去書筵, 臣由是, 無
所聞知. 近瑩因誅權臣林堅味等, 遂爲門下侍中, 擅執軍國之柄, 恣行誅殺, 從臾興
師, 將攻遼陽, 諸將皆以爲不可. 臣竊自念, 瑩之至此, 實由臣致, 慚懼殞越, 無所
逃罪. 況臣素嬰疾病, 國事且繁, 情願閑居頤養, 謹依臣高祖忠烈王昛·曾祖忠宣王
謜璋·祖忠肅王燾三代,[40] 退位於子故事, 於洪武二十一年六月初八日庚戌, 令臣男昌,
權行勾當. 伏望陛下, 恕臣妄作,[41] 諒臣愚衷, 俾臣男昌, 獲霑恩命, 襲臣名爵, 不
勝幸甚".

　○長壽帶領崔瑩所拘李恩敬等, 以行.

　[某日, 左侍中曹敏修, 請禮葬李仁任, 遣使弔誅追贈, 典儀難之, 謝病不出. 典儀
副令孔俯, 慨然曰, "吾而不謚諡廣平, 則誰敢爲之", 獨至典儀, 議謚諡曰荒繆,[42] 李
崇仁·姜淮伯·河崙等, 折辱之. 俯, 以詼諧對, 其後臺諫論仁任罪, 自俯發之:節要

---

38) 이 기사의 冒頭에 '辛昌立'이 있다.

39) 『고려사절요』 권33에는 禹仁烈이 削除되어 偰長壽만이 派遣된 것과 같이 되어 있다. 禹仁烈은
　　10월 20일(庚申) 應天府에서 表를 올려 禑王이 아들 昌에게 遜位한다고 告하자, 明帝가 李成桂
　　의 謀略이라고 하면서 향후의 變亂을 기다려 보자고 하였다(『명태조실록』 권194).

40) 이 表에서 忠宣王의 이름인 璋을 初名인 謜으로 改書한 것은 朱元璋의 이름과 같았기 때문일
　　것이다.

41) 延世大學本과 東亞大學本에는 妄이 妾으로 되어 있으나 오자일 것이다.

42) 荒繆(황무)는 荒唐하다는 의미이고, 諡法에서 繆는 다음과 같다고 한다.
　・『자치통감』 권197, 唐紀13, 太宗貞觀 17년(643) 11월 己卯, "… 詔黜其贈官, 改諡曰繆, 削所
　　食實封[胡三省注, 諡法, 名與實爽曰繆, 蔽仁傷賢曰繆]".

轉載]."

[→昌賜教曰, "終始哀榮, 君無憾矣, 左右輔弼, 予何望焉", 人皆笑之. ^{左侍中曹}敏修請禮葬, 遣使弔誄贈諡, 典儀官難之, 皆謝病不出. 副令<u>孔俯</u>, 慨然曰, "吾而不諡廣平, 誰敢爲之", 獨至典儀, 議諡曰荒繆. ^李崇仁·河崙·姜淮伯等, 折辱之, 俯以詼諧對. 其後臺諫疏論仁任罪, 亦自俯發之:列傳39李仁任轉載].⁴³⁾

[某日, 流崔瑩于忠州, 斬^{前密直副使}<u>鄭承可</u>, 杖流^{前密直副使}<u>趙珪</u>于角山, ^{前密直司使}<u>趙琳</u>于豊州, 又斬^{前門下評理}<u>安沼</u>·^{前門下贊成事}<u>宋光美</u>·^{前判密直司事}<u>印元寶</u>^{印原寶}于流所:節要轉載].⁴⁴⁾

[→遂流瑩于忠州, 杖流趙珪于角山, 密直使趙琳于豊州, 斬^{前密直副使鄭}承可·^{前門下評理安}<u>沼</u>·^{前門下贊成事宋}光美·^{前判密直司事印}原寶于流所:列傳26崔瑩轉載].

[某日], 流^{左侍中}<u>曹敏修</u>于昌寧. [敏修, 當林·廉之誅, 恐禍及己, 凡攘奪民田, 悉還其主, 旣得志, 稍稍還奪, 復肆貪婪, 沮革私田. ^{簽書密直司事兼}大司憲趙浚劾, 而逐之:節要轉載].

[→□^當林·廉誅, 敏修恐禍及己, 所嘗攘奪田民, 悉還其主. 至是, 稍稍復奪, 肆其貪婪. 又沮革私田之議, 踵仁任所爲. 趙浚上疏劾之, 流于昌寧, 并流其鎭撫南成理于公州, 許珝于鳳州. ○昌使左代言權近, 賜敏修酒曰, "卿雖有罪, 然功可相掩, 不宜流竄. 但在卽位之初, 諫臣之言, 不可不聽耳":列傳39曹敏修轉載].

[癸巳^{21日}, 大風拔木, 市廊頹:五行3轉載].

[某日, 以崔兢爲慶尙道按廉使:慶尙道營主題名記].

[是月頃, 以朴可實爲元帥兼雞林府尹:追加].⁴⁵⁾

[○司憲執義<u>李詹</u>書'唐太宗帝範', 以進曰, "王者, 高居深宮, 虧聽阻明, 恐有過而不聞, 有闕而莫補. 所以設鞀樹木, 思獻替之謀, 傾耳虛心, 竚忠正之說. 故忠者瀝其心, 知者盡其策, 臣無隔情, 君無偏照. 昏主則不然, 自聖而拒諫, 故大臣惜祿而莫諫, 小臣畏誅而不言. 肆其荒暴, 自以爲德兼三皇, 功過五帝, 至於身亡國滅, 豈不悲哉? 臣嘗得是書而讀之, 人主飭躬闡化之道, 求賢納諫之方, 去邪誠盈之訓, 備載其中. 臣今承乏言責, 雖使臣觸冒天威, 抗辭極諫, 豈出於是書之外哉? 伏惟□□^{殿下}, 萬機之暇, 幸垂睿覽":列傳30李詹轉載].

---

43) 이때 典儀副令 孔俯와 관련된 기사로 다음이 있다.
　· 『태종실록』 권32, 16년 10월 乙丑^{7日}, 孔俯의 卒記, "… 嘗任典儀副令, 諡故相李<u>仁任</u>爲荒繆, 其宗黨切齒, <u>俯</u>不爲動".
44) 印元寶는 印原寶의 오자일 것이다.
45) 이는 『동도역세제자기』에 의거하였다.

八月^{王寅朔大盡,辛酉}, [某日], 以^{韓山府院君}李穡爲門下侍中,⁴⁶⁾ 我太祖^{李成桂}△爲守侍中, [安宗源爲門下贊成事·判厚德府事·提調銓選事:追加].⁴⁷⁾

[→昌, 起^{檢校門下侍中李}穡, 拜門下侍中, 賜推忠保節同德贊化輔理號, 賜馬一匹. 王大妃, 亦遣宦官饋酒果:列傳28李穡轉載].

[某日], 開書筵, 以^{門下侍中}李穡△爲領書筵事, 門下評理鄭夢周△爲知書筵事, 左代言權近·左副代言柳琰·成均大司成鄭道傳, 並充書筵侍讀. 又令司憲府·重房·史官各一人, 更日入侍.

[某日], 密直^{同知密直司事}李光甫, 本市井無賴人也, 禑樂遊東江, 遊戲忘返, 光甫逢迎, 所欲必中, 禑大悅, 朝夕不離側. 至是, 下獄杖死.

[某日], 都評議使司議定田制.

[某日], 左司議大夫李行等上疏曰, "名器, 國家所以養賢, 而待士也. 設官分職, 自有定制, 銓選擢用, 已有成法, 故必待奇材茂績,⁴⁸⁾ 而登庸之. 自權臣擅政以來, 多開驟進之門, 窮鄕晚進, 當途少年, 恥不若人, 則籍蒼赤以賂之, 用田宅以賄之, 又求珍玩以充之, 飼犬馬以足之, 相勝以力, 相高以言. 得先指占, 批敎未下, 而某爲某官, 道路喧傳, 名分混淆, 祖宗崇賢重祿之意, 安在. 近來, 添設之多, 車不勝載, 田翁樵子, 亦賤之若泥沙. 然由是, 士無忘軀犯顔之節, 兵乏狥義守死之心. 乞殿下, 淸淨爲心, 以公滅私, 當注擬遷擢之際, 恐或有惡德私昵之及. 與一二大臣, 考其功績, 察其德行, 然後授之, 則便佞阿諛之徒, 無所容其足矣. 且添設, 勢在不得已而用之, 除軍功外, 一皆禁斷. 百僚各有職事, 其無職事者, 一皆汰去. 義成·德泉諸倉庫, 錢穀所在, 乞依豊儲·料物例, 復設使·副·丞·注簿. 至如省府·察院, 殿下所與共理天職者, 不可不愼簡也. 宜遵祖宗成規, 以新一代之理".

○昌下都評議使司.

[某日], 以^{門下評理}鄭地爲楊廣·全羅·慶尙道都指揮使. 時倭寇三道, 自夏至秋, 屠燒殺掠, 所至將帥·守令, 莫有禦者, 以地威名, 足以慴伏倭寇, 命與金伯興·金用鈞等, 往擊之:節要轉載].

---

46) 이때 李穡은 推忠保節同德贊化輔理功臣·壁上三韓三重大匡·門下侍中·判典理司事·領孝思館書筵藝文春秋館事·上護軍·韓山府院君에 임명되었던 것 같다(『목은집』연보).

47) 安宗源은 그의 墓碑銘에 의거하였다.

48) 奇材는 延世大學本과 東亞大學本에는 奇林으로 되어 있으나 오자일 것이다(東亞大學 2008년 12책 320面).

[→時倭寇三道, 自夏至秋, 屠燒州郡, 將帥·守令, 莫有禦者. 以地威名讋倭寇, 命爲楊廣·全羅·慶尙道都指揮使, 與諸將往擊之:列傳26鄭地轉載].

[某日], 司憲府請禁奔競.

戊申[7日], 以昌生日, 放囚. 趙英吉·[前同知密直司事]申雅·[前判三司事]姜仁裕·吳忠佐及[前門下左侍中]曹敏修·[前判密直司事]鄭熙啓·安柱·許贇·孫光裕·梁顥, 亦皆放歸田里. 給毅·淑·德·安·善五妃米, 月三十石.

[→昌, 以生日宥罪, 放[前門下左侍中曹]敏修歸田里:列傳39曹敏修轉載].

[某日], 以倭寇大熾, 遣慈惠府尹曹彦·密直副使崔七夕·張思吉·和寧尹鄭曜, 禦之.

[某日], 倭寇巨濟, 鎭撫韓元哲獲一艘, 斬十八級.

[某日], □[門干]評理尹虎奔競權門, 坐免.

[某日], 改諸道按廉使爲都觀察黜陟使,[49] 楊廣道政堂文學成石璘,[50] 慶尙道前平壤尹張夏,[51] 全羅道前密直副使崔有慶,[52] 交州·江陵道前密直商議金士衡, 西海道密直提學趙云仡, 皆用臺諫之薦. 令各擧副使·判官, 改量土田.[53]

[→國家議革私田初, 改按廉爲都觀察□□[黜陟]使, 金士衡爲交州·江陵道都觀察□

---

49) 都觀察黜陟使에 관련된 기사로 다음이 있는데, 都觀察黜陟使가 파견되었을 때는 監營이 설치되었던 것 같고, 慶尙道의 경우 麗末鮮初에 慶州에 설치되어 있었던 것 같다.
· 지31, 百官2, 外職, 按廉使, "辛昌□□□[即位年]八月, 以按廉□使秩卑, 改爲都觀察黜陟使, 以兩府大臣爲之, 賜敎書斧鉞, 以遣之".
· 열전25, 趙云仡, "[禑王]十四年, 復起爲典理判書, 遷密直提學. 時議按廉秩卑, 不能擧職, 選兩府有威望者, 爲都觀察黜陟使, 授敎書·鈇鉞以遣".
· 지32, 食貨1, 經理, "□[辛]昌, 令六道觀察使, 各擧副使·判官, 改量土田".
· 『태종실록』권14, 7년 10월 己丑[10日], "平壤府尹尹穆, 上便宜事目八條, 下政府擬議, … 一. 平壤, 自檀君, 箕子建都之後, 爲西北一方本營, 又設土官, 號曰西都. … 今有移營安州, 減削當府奴婢之議, 人民缺望, … 臣以爲諸道之本營, 若慶尙之雞林, 全羅之完山, 豊海之豊州, 忠淸之淸州, 東北之永興, 皆非道之中央, 獨於西北, 何必移營".

50) 成石璘과 관련된 자료로 다음이 있다.
· 『獨谷集』行狀, "是年夏, 除楊廣道都觀察黜陟使兼監倉安集轉輸勸農管學事·提調刑獄兵馬公事. 自是革按廉□[使], 以兩府以上除監司, 受敎書而往".

51) 慶尙道觀察黜陟使 張夏는 9월에 赴任하였다(『경상도영주제명기』). 또 그는 1379년(우왕5) 5월 倭賊에 의해 피살된 晋州戶長 鄭滿의 夫人인 崔氏의 사적을 보고하여 旌門을 내리게 하였다고 한다.
· 열전34, 烈女, 鄭滿妻崔氏, "後十年[昌王即位年], 都觀察使張夏以事聞, 乃命旌表其閭, 蠲習吏役".
· 『潘谿集』권7, 題烈婦崔氏傳後, 崔氏晋州戶長鄭滿妻, 洪武己未, 倭陷晋州, 露刃怯崔氏, 欲汚之, 崔逾罵賊不從, 死之. 其後觀察使張夏上其事, 旌門, 免子聟鄕役云, 郊隱鄭以吾嘗作傳.

52) 全羅道觀察黜陟使 崔有慶은 11월 20日 羅州牧에 들어왔다(『금성일기』).

53) 이 기사를 압축한 것이 지29, 選擧3, 選用監司, "諸道都觀察黜陟使, 皆用臺諫之薦"이다.

□^{黜陟}使, 公明威惠, 綽有聲稱:列傳17金士衡轉載].[54]

○下書^{干敎}曰, "予以幼沖, 叨居臣民之上, 任大責重, 惟不克負荷, 是懼. 輔臣·憲臣, 交章以爲, 近權姦用事, 好惡由己, 賞罰無章, 有功不賞, 有罪不罰. 法毀弊生, 民受其害, 宜分遣大臣, 巡行方鎭·州郡, 以申黜陟. 予聞是言, 良用惕然, 命卿等, 爲諸道都觀察黜陟使, 授鉞以遣. 嗚呼, 賞罰, 國家之大柄, 所以勸有功, 懲有罪也. 凡大小軍民官, 苟能禦寇制勝, 施惠安民, 戎功政跡, 最殊者, 在所當勸, 具狀以聞. 其或失律喪師, 望敵畏避, 州郡陷沒, 不及赴救者, 贓汚不法, 惰慢不任, 方命虐民者, 在所當懲. 兩府以上, 監禁聽候, 奉翊以下, 以其所犯, 輕重直斷之. 卿等之行, 猶予親往, 當體至懷, 敬哉".

[某日], 倭寇連山縣開泰寺.

[某日, 始復銓選法. 舊制, 文武銓注, 吏·兵部分掌之, 府衛則自隊正以上, 諸司則自九品以上, 與夫府史·胥徒, 皆著其年月, 錄其功過, 每於歲杪, 陞黜, 謂之都目政. 自禍幼年卽位, 權姦竊國, 私其親姻, 貪于賄賂, 官爵一出私門, 都目之政久廢. 至是, 追錄其勞, 仕者大悅:節要·選擧2選法轉載].[55]

[某日, ^{簽書密直司事兼}大司憲趙浚□□□^{等憲司},[56] 陳時務曰, "謹按周禮天官, 冢宰以卿一人, 掌邦之六典, 以佐王治邦國, 其司徒以下, 各以其職聽屬焉, 而六卿之屬, 又有三百六十. 是則三百六十之屬, 統於六卿, 而六卿又統於冢宰也. 官職之增損, 名義之沿革, 代有不同, 大義不出乎此六部也. ^{洪惟}我太祖, 開國之初, 設官分職, 置宰相, 以統六部, 置監寺倉庫, 以承六部, 甚盛制也. 法久而弊, 爲典理者, 不知選擧, 而流品濫, 爲軍簿者, 不知^典兵額, 而武備弛. 至於戶口之盈縮, 錢穀之多寡, 獄訟之無章, 盜賊之不理, 爲版圖·典法者, 漫不知爲何事. 禮儀之禮, 典工之典, 果能各擧其職乎? 蓋六部, 百官之本, 而政事之所出也, 本亂而末治者, 未之有也. 於是, 百僚庶司, 渙散無統, 不務庶績, 名存而實亡. 雖君相憂勤, 而政事之修擧, 其亦難矣. □一. ^{臣等}願以六典之事, 歸之六部, 以各司, 分屬乎六部, 宰臣自

---

54) 이때 金士衡(金永煦의 孫, 密直副使 金葳 子)과 관련된 자료로 다음이 있다.
  ·『太宗實錄』권14, 7년 7월 辛巳^{30日}, 金士衡의 卒記, "戊辰^{昌王卽位年}秋, 太上^{門下守侍中李成桂}當國, 一新庶政, 分遣大臣, 專制方面, 以士衡爲交州·江陵道都觀察黜陟使, 部內以治".
55) 이 기사에서 歲杪는 歲末, 年末을 가리키는데, 지29, 選擧3, 選法에는 歲抄로 되어 있으나 오자일 것이다. 또 兩者間에 字句의 出入이 있다(→현종 9년 8월 某日의 脚注).
56) 이 上疏의 일부가 지35, 兵1, 五軍에 收錄되어 있는데, 그것에 의하면 '憲司上疏曰'로 되어 있다. 그렇다면 이 上疏는 簽書密直司事兼大司憲 趙浚의 單獨에 의한 것이 아니므로 添字가 덧붙여져야 할 것이다.

侍中以下, 以次判司事, 密直, 又以次兼判書, 提綱於上, 以奉翊爲六部判書, 領諸郎及所屬攸司, 各以其職, 聽命於下, 大事則六部郎, 小事則六色掌, 以時奉承行移. 如是則簡以制繁, 卑以聽尊, 上下相維, 大小相統, 如綱擧而目張, 領挈而裘順, 君相優游於上, 而百職奔走於下, 敎令易行, 政事易擧也. □一. 人主之職, 論相而已, 宰相之職, 進君子退小人, 以正百官而已, 相得其人, 則天下理矣, 況一國之政乎? 周·召·太公, 文·武·成·康之相也, 蕭·曹·房·杜, 漢祖·唐宗之相也. 本朝之制, 中書則曰令, 曰侍中, 曰平章, 曰參政, 曰政堂, 五者, 法天之五星也, 樞密之七, 則法天之北斗也. 宰臣·樞密之合坐, 始於事元之初, 至于近代, 坐都堂與國政者, 至六七十人, 官爵之濫, 古未有也. 願自今, 非論道經邦, 燮理陰陽, 正己以正百官者, 非淸白忠直, 疾惡好賢, 國爾忘家者, 非戰勝攻取, 勇寇^冠三軍,[57] 威加殊俗者, 不許兩府. 漢之光武, 以天下之廣, 四海之富, 減損吏員, 十置其一, 以致中興之理. 凡不急之官, 雜冗之吏, 一皆汰去, 以復祖宗代天設官之成憲, 以示盛朝惟新之化. □一. 六寺七監, 本無判事, 近來, 又階通憲□□^{大夫}·奉翊□□^{大夫}, 不親視事, 曠官廢職, 坐費天祿. 願自今, 陞通憲□□^{大夫}·奉翊□□^{大夫}之階者, 如有材幹者, 降其階, 使親其職, 新授者, 不許階通憲□□^{大夫}·奉翊□□^{大夫}. 春秋書'天王, 使仍叔之子來聘',[58] 夫子蓋傷夫周家, 以父兄之故, 官其幼弱之子弟, 尸天祿而曠天工也. 我文廟三十有八年之理, 蔚有太平之盛者, 以其所用, 皆老成之人也. 願自今, 公卿·士大夫幼弱之子弟, 不許拜東班九品以上之官, 其有冒受者, 罪其父兄.[59] 糾正, 職察百官, 爲人主之耳目, 凡祭祀·朝會, 以至錢穀出納, 悉皆監檢, 秩卑而責重. 願自今, 令臺諫薦擧, 以授其職, 陞其秩於正言之次, 以振紀綱. 守令, 近民之職, 不可不重, 近日所除守令, 頗有士林所不知者. 願自今, 非經各司顯秩有名望者, 非歷試中外有聲績者, 不許除授. 其田獵·宴飮之事, 一皆痛禁監. 監務·縣令職, 又近民, 近世仕出多門, 人恥爲之, 乃以除府史·胥吏□□^{除之}, □使不學墻面之輩, 以毒于民. 願自今, 以臺諫·六曹所擧, 有才幹者, 差遣, 陞階參官, □□□□□□^{使與州牧同批}, 以重其任. □^諸安集, 一切罷之, 其府史·胥吏之徒, 只除權務之職.[60] 其公私奴隷·州驛吏·工商·雜類, 冒受官職者, 請許憲司不論官品, 皆奪其職.[61] [□一. 有旨, 館驛受害, 特加存恤, 臣等以爲, 雖有仁心仁聞, 不

---

57) 여러 版本의 『고려사』에서 寇로 되어 있으나 冠이 옳을 것이다(東亞大學 2006년 26책 441面).
58) "天王, 使仍叔之子來聘"은 『춘추좌씨전』傳, 桓公 5년, 夏에 있다.
59) 이와 같은 기사가 지29, 選擧3, 選法에도 수록되어 있는데, 添字는 이에 의거하였다.
60) 이와 같은 기사가 지29, 選擧3, 選用守令에도 수록되어 있는데, 添字는 이에 의거하였다.

行先王之政, 則民不被其澤矣:兵2站驛轉載].[62] 供驛署, 專掌八道之驛, [上國之賓, 朝聘之使, 巡問·按廉諸奉使者, 以至出將入相之鋪馬起發. 以他官, 兼其使:兵2站驛轉載]. 近年不坐公廳□□^{關印}, 而在私家行移文牒, □□□□^{人輕職要}, 凡以權勢·豪强之托, 親戚·朋友之請, 乘馹騎而率郵吏者, 絡繹不絶, 驛卒凋殘, [→推審田民, 還徵稱貸. 看病問安之往來, 大而正馬, 細而知路, 交錯於前, 絡繹於後, 驛馬僵仆而日減, 驛卒困苦而日散, 舘驛凋殘:兵2站驛轉載], 職此之由. 願自今, 以供驛署, 屬□^乎軍簿司, [指路·知路, 亦據都堂公緘,[63] 常坐本司, 開印發遣:兵2站驛轉載]. □^凡馬匹·驛卒, 據都堂文字, 方許發遣. □^一. 司僕, 掌乘輿^{之馬政, 周之伯囧之任}也, 親近左右, 其選最重, 近代別立內乘, 內竪之徒, 專擅其職, 日者, 縱暴尤甚, 其收芻槁也, 劫奪萬端, 輸轉入城也. 農牛瘵仆,[64] 殘破畿縣, 毒流諸郡, 一州之內, 穀草之價, 布幾至九百匹. 州郡皆是, 而又驅其貢戶, 名爲驅從, 至千百人, 不付公籍, 私置農莊, 而役使之, 若奴隷然, 害民病國, 甚可哀痛. 願自今, 以尙乘屬之司僕寺, 不許內竪除授, 謹擇廉幹者任之, 更日入直, 凡其芻豆, 身親量給, 畿內芻槁, 計馬定數, 分月而供. 且使糾正監檢, 每一番, 置獸醫五人·驅從三十人, 餘皆罷之, 屬之府兵.[65] □^一. 凡都監, 有事則置, 事已則罷, 例也. 造成都監, 初, 因宮闕之作

---

61) 이 기사와 관련된 기사로 다음이 있다.
· 지38, 刑法1, 職制, "公私奴隷·鄕吏·驛子·工商·雜類, 冒受官職, 請令本府, 不論官品, 直收爵牒".
62) 이 구절은 지36, 兵2, 站驛에서 더 찾아지는 內容이다.
63) 여기에서의 公緘은 唐代의 通行證인 過所·公驗, 行牒·往還牒 등과 같은 文書를 指稱하는 것 같다(礪波 護 1993年 ; 程喜霖 2000年 ; 荒川正晴 2011年 ; 櫻田眞理繪 2011年 ; 佐藤ももこ 2014年).
· 『자치통감』 권195, 唐紀11, 太宗貞觀 14년(640) 11월 丙子^{13일}, "司門員外郞韋元方給給使過所稽緩[胡三省注, 唐司門郞掌天下諸門·諸關出入往來之籍. 凡天下之關二十有六, 所以限內外, 隔華夷, 設險作固, 閑邪正禁者也. 凡度關者, 先經刑部司門請過所. 給使, 禁中給使令者, 宦官也. 唐內給使無常員, 凡無官品者, 號內給使, 屬宮閫署令], 給使奏之, 上怒, 出元方爲華陰令".
· 『자치통감』 권224, 唐紀40, 代宗大曆 5년(770) 1월 己巳^{5일}, "… ^{行內侍監魚}朝恩養子令徽尙幼, 爲內給使, 衣綠[胡三省注, 唐制, 內給使無常員, 屬內侍省. 凡無官品者, 號內給使, 掌諸門進物之曆. 宋白曰, 掌諸門進物·出物之曆], 與同列忿爭, 歸告朝恩. 朝恩明日見上^{代宗}曰, …".
64) 瘵仆는 延世大學本에는 瘵什으로 되어 있으나 오자일 것이다(孫曉 等編 2014年 3609面).
65) 이 구절은 兵志2, 站驛, 刑法志1, 職制 ; 列傳31, 趙浚 등의 內容과 比較하면, 위와 같은 追加, 添字에서 차이가 있으므로 三者의 比較가 要請된다(蔡雄錫 2009년 287面).
· 지36, 兵2, 站驛, "八月, 趙浚等又上疏曰, 有旨, 舘驛受害, 特加存恤, 臣等以爲, 雖有仁心仁聞, 不行先王之政, 則民不被其澤矣. 供驛署, 全掌八道之驛, 上國之賓, 朝聘之使, 巡問·按廉諸奉使者, 以至出將入相之鋪馬起發. 以他官, 兼其使, 不坐公廳開印, 私家行移文牒, 人輕職要. 凡權勢豪强之托, 親戚朋友之請, 推審田民, 還徵稱貸. 看病問安之往來, 大而正馬, 細而知

而置, 後以繕工之職歸之, 使管一國材鐵之用, 遣官吏而煩驛騎, 竭民財而盡其力, ^{一木之曳, 至斃十牛, 一爐之冶, 至廢十農, 一束之麻一把之葛, 至費十布.} 取之於民也. 剝膚槌髓, 用之於私也, 如泥如沙, 願罷都監, 屬繕工寺, 幷罷防禦·火㷛都監, 屬之軍器寺, 愼揀廉正者官之, 且使紏正監檢.⁶⁶⁾ 以壺串宮闕之材瓦, 被罪籍沒之居室, 兩江之材, 諸窯之瓦,⁶⁷⁾ 供諸營造. 凡斫木·瓦窯^{陶瓦}之役, 且停三年, 以休民力. □一. 都城根本之地, 風化之所先, 其民衛王室而已. 近來, 敎養無法, 姦詐相習, 力役煩重, 日就凋弊, 臣願罷都摠都監, 將五部屬之開城府, 每一里, 擇耆老有學者爲社長, 依黨序之法, 敎養子弟. 其賤人及工商子弟, 各事所業, 毋使群戲街巷, 以長浮薄之風, 違者, 罪社長及父兄. 其都官·宮司·倉庫奴婢, 及近日誅流人祖業奴婢·新得奴婢^{祖業新得奴婢},⁶⁸⁾ 令□□^{田民}辨正都監, 皆計口成籍, 毋使遺漏, 每有土木營繕之役, 賓客·佛神之供, 皆以役之. 其於坊里雜役, 一皆除去, 以安其生, 以衛王室. □一. 李仁任專擅威福, 踰二十年, 罪盈惡積, 幸天殄之. 願削官爵, 不賜諡^謚誄, 以懲爲惡之人, 貞烈公慶復興, 淸白自守, 爲仁任等所逐, 卒於貶所, 願賜敎書, 弔祭其墓. □^守侍中李子松, 廉謹守節, 死非其罪, 國人惜之, 願賜諡^謚誄, 厚恤其家. □一. 祖宗衣冠禮樂, 悉遵唐制, 迨至元朝, 壓於時王之制, 變華從戎, 上下不辨, 民志不定. 我玄陵, 憤上下之無等, 赫然有志於用夏變夷, 追復祖宗之盛. ^{上表天朝,} 請革胡服, 未幾上賓. 上王^{禑王}繼志得請, 中爲執政所改. 殿下卽位, 親服華制, 與一國臣民, 渙然更始, 而尙猶不順其品制, 以梗惟新之政令. 願令憲司, 限日^{定卅}從制, ^{其不從令者, 一皆科理.} □一. □□^{竊見}近年姦凶, 相次執政, 隨賄厚薄, 高下其官, 視其從違, 殺活其人, 士風一

路, 交錯於前, 絡繹於後, 驛馬僵仆而日減, 驛卒困苦而日散, 舘驛凋殘, 職此之由, 願自今, 以供驛署, 屬之軍簿司, 指路·知路, 亦據都堂公緘, 常坐本司, 開印發遣".

· 지38, 刑法1, 職制, "一. 司僕, 掌乘輿之馬政, 周之伯冏之任也. 昵近左右, 其選最重, 近代, 別立內乘, 內竪之徒, 專擅其職. 日者, 縱暴尤甚, 其收芻蒿也, 劫奪萬端, 轉輸入城也, 農牛瘠仆. 殘破畿縣, 流毒諸郡, 一州之納, 穀草之價, 布幾至九百匹. 州郡皆是, 而又驅其貢戶, 名爲驅從, 至千百人, 不付公籍, 私置農莊, 而役使之, 若奴隸然, 害民病國, 甚可哀痛. 願自今, 以尙乘, 屬之司僕寺, 不許內竪除授, 謹擇廉幹者, 任之, 更日入直. 凡其芻豆, 身親量給, 畿內芻蒿, 計馬定數, 分月而供. 且使紏正監檢, 每一番, 置獸醫五人·驅從三十人, 餘皆罷之, 屬之府兵".

66) 이 건의에 의거하여 火㷛都監이 폐지되었던 것 같다(지31, 百官2, 火㷛都監, "辛昌罷, 屬軍器寺").

67) 고려시대에 설치된 瓦所로서 文獻에서 찾아지는 곳은 永同縣의 栗谷瓦所가 唯一하고, 그 遺址로 추측되는 곳은 大田市 中區 舊完洞에 있다고 한다(李貞信 2007년 ; 洪榮義 2020년).

· 『세종실록』 권149, 지리지, 淸州牧, 永同縣, "土姓四, 金·張·吉·申, 亡姓二, 任·高; 亡, 楓谷·仰巖二部曲姓二, 公·孫, 栗谷瓦所姓一, 廉".

68) 『고려사절요』의 '祖業奴婢·新得奴婢'는 열전31, 趙浚에는 '祖業新得奴婢'로 되어 있다.

變, □□□^{賢奸伝}, □□□□^{而鄙廉恥}, 朝夕奔走於權門, □□□□^{盜竊天祿}, 虛曠天工. □□
□□□□^{方今更化之初}, □□□□^{餘風未殄}, □□□□^{各司怠職}, 願令攸司, 各以斷獄決訟之事,
當兩衙日上之, 各司日坐本司視事, 其有奔走權門, 不供其職者^{不坐攸司者, 憲司} 停職徵
祿.⁶⁹⁾ □一. 刑無定法, 內外官司, 出入由己, 今典校官, 皆文學之臣, 無他所掌, 願
委刪定刑書, 以惠萬世. 又中外官司, 相接之節, 文書相通之格, 亦使刪定頒行.⁷⁰⁾
□一. 古者, 風淳俗厚, 詐僞不生, 百官謝牒, 堂後官署之. 世道日降, 姦詐日滋, 近
來, 上將軍以下, 令軍簿司印之, 奉翊□□^{大夫}以下, 典理司印之, 防詐冒也. 今都評
議使□^司, 移文中外官司者, 皆出納錢穀, 殺生威福, 發號施令等事, 所係至重, 而
使一錄事署名, 非通變防姦之道也. 願依印朝謝之例, 凡都堂文牒, 必令印之. 舊
制, 下王牌於諸倉庫·宮司, 必印以行信寶, 今內豎, 獨署其名, 亦非所以防姦也.
願凡所內用, 令都評議使□^司供之, 毋下王牌, 以塞內豎盜竊之源. □一. 凡^{士大夫}於聽
訟決事之官, 出納錢穀之司, 交通私書, 顚倒是非, 耗竊官物, 其弊彌甚. 願一切禁
止, 如有違者, 其請與聽者, 以不廉論, 各司各成衆·愛馬之求索, 外官之贈遺者, ^如
^{有違者}亦以不廉論.⁷¹⁾ □一. 古者, <u>民年十六爲丁, 始服國役, 六十爲老, 而免役</u>.⁷²⁾
州郡, 每歲計口籍民, 貢于按廉□^使, 按廉□^使貢于戶部, 朝廷之徵兵·調役, 如指諸

---

69) 이 구절은 지38, 刑法1, 職制에도 수록되어 있는데, 添字는 이에 依據하였다.

70) 이 구절과 같은 기사로 다음이 있다.
  · 지38, 刑法1, 職制, "一. 典校一官, 皆文學之臣, 無他所掌, 願委刪定刑書, 以惠萬世. 凡朝廷儀
    禮, 中外官司相接之節, 文書相通之格, 亦使刪定頒行, 如有稽緩, 令憲司科之".

71) 이 구절과 관련이 있는 기사로 다음이 있다.
  · 지38, 刑法1, 職制, "一. 聽訟決事, 及出納錢穀之司, 交通私書, 顚倒是非, 耗竊官物, 其弊彌
    甚, 一切禁止, 如有違者, 請者·聽者, 以不廉論".
  · 지39, 刑法2, 禁令, "各司各成衆·愛馬求請, 及外官員餽謝, 一皆禁止. 如有違者, 與者·受者,
    以不廉論".

72) 이 句節은 아래의 資料를 염두에 두고 구체적인 說明이 있어야 할 것이다.
  · 『자치통감』 권192, 唐紀8, 高祖武德 9년(626) 12월 己巳, "上厲精求治, 數引^{諫議大夫}魏徵入臥內,
    訪以得失, 徵知無不言, 上皆欣然嘉納. 上遺使點兵, ^{右僕射}封德彛奏, '中男雖未十八, 其軀幹壯大
    者, 亦可幷點[<u>胡三省注</u>, 唐制, 民年十六爲中男, 十八始成丁, 二十一爲丁, 充力役]'. 上從之.
    敕出, <u>魏徵</u>固執以爲不可, 不肯書敕[注, 按唐制, 中書舍人則書敕. <u>魏徵</u>時爲諫議大夫, 抑太宗
    亦使之連書邪?], 至于數四. 上怒, 召而讓之曰, '中男壯大者, 乃姦民詐妄以避征役, 取之何害,
    而卿固執至此. 對曰, …. 乃不點中男, 賜<u>徵</u>金甕一".
  · 『자치통감』 권208, 唐紀24, 中宗神龍 1년(705) 5월, "… 上官婕妤勸韋后襲則天故事, … 又請
    百姓年二十三爲丁, 五十九免役[<u>胡三省注</u>, 唐制, 二十一爲丁, 六十爲老], 改易制度以收時望,
    制皆許之.
  · 『신당서』 권51, 지41, 식화1, "^{玄宗}天寶三載, 更民十八以上爲中男, 二十三以上成丁".

掌. 近來, 此法一毁, 守令, 不知其州之戶口, 按廉□^使, 不知一道之戶口, 當徵兵·調役之際, 而鄕吏欺蔽, 招納賄賂, 富壯免, 而貧弱行. 貧弱之戶, 不堪苦而逃, 則富壯之戶, 代受其苦, 亦貧弱而逃矣. 其任徵發者, 憤鄕吏之欺蔽, 痛加酷刑, 割耳劓鼻, 無所<u>未至</u>^{不至}, 鄕吏亦未堪其苦, 而逃矣. 鄕吏·百姓, 流亡四散, 州郡空虛者, 戶口不籍之流禍也. 願今當量田, 審其所耕之田, 以田多寡, 籍其戶之上中下三等, <u>與夫良賤</u>^{又戶分良賤}, 守令貢于按廉□^使, 按廉□^使貢于版圖. 朝廷凡徵兵·調役, 有所憑依, 及時發遣. 而守令·按廉□^使, 如有違者, 輒繩以理. □一. 諸道魚鹽·畜牧之蕃, 國家之不可無者也, 我神聖之未平新羅·百濟也, 先治水軍, 親駕樓船, 下錦城而有之, 諸島之利, 皆屬國家, 資其財力, 遂一三韓. 自鴨綠以南, 大抵皆山, 肥膏□□^{不易}之田, 在於濱海, 沃野數千里之稻田, 陷于倭奴, 蒹葭際天, 國家旣失魚鹽·畜牧之利, 又失沃野良田之入. 願用漢氏募民實塞下, 防<u>凶奴</u>^{匈奴}之故事,[73] 許於亡邑荒地開墾者, 限二十年, 不稅其田, <u>不役其民</u>, 專屬水軍萬戶府, 修立城堡, 屯聚老弱, 遠斥候, 謹烽火, 居無事時, 耕耘·魚鹽, 鑄冶而食, 以時造船, 寇至, 淸野入堡, 而水軍□□^{世船}擊之. 自合浦以至義州, 皆如此, 則不出數年, 流亡, 盡還其鄕邑. 而邊境州郡旣實, 諸島漸次而充, 戰艦多而水軍習, 海寇遁而邊郡寧, 漕轉易而倉廩實矣. 水軍萬戶·諸道元帥, 能置屯田, □^能修戰艦, □^能結人心, □^能施號令, □^能滅賊, □^能安邊者, 賜之島田, 世食其入, 傳之子孫. 其失一城堡, <u>亡</u>一州郡者, <u>處以軍法</u>, 毋得輕宥, 以示勸懲.[74] □一. 全羅·慶尙·楊廣三道, 貢賦之所出, 國家之腹心. 今也, 倭奴橫行, 攻陷我州郡, <u>踐踏</u>^{踐踐}我禾稼, 殺戮我老弱, 奴婢我丁壯, 而擁旌節

---

73) 添字와 같이 고쳐야 옳게 될 것이다(孫曉 等編 2014年 3612面).

74) 이 구절과 같은 기사로 다음이 있다.

· 지36, 兵2, 屯田, "諸島漁塩之利, 畜牧之蕃, 海産之饒, 國家之不可無者也. 我神聖之未定新羅·百濟也, 先<u>理</u>水軍, 親<u>御</u>樓船, 下錦城而有之, 諸島之利, 皆屬國家, 資其財力, 遂一三韓. 自鴨綠以南, 大抵皆山, 肥膏<u>不易</u>之田, 在於濱海, 沃野數千里之稻田, 陷于倭奴, 蕪葭際天, <u>倭奴之來</u>, <u>前無橫草</u>, <u>出入山郡</u>, <u>如蹈無人之地</u>. 國家旣失諸島漁塩畜牧之利, 又失沃野出穀之府. 願用漢氏募民實塞下, 防<u>凶奴</u>^{匈奴}故事, 許於亡邑荒地開懇者, 限二十年, 不稅其田, <u>不使國役</u>. 專仰水軍萬戶府, 修立城堡, 屯其老弱, 遠斥候謹烽燧, 居無事時, 耕耘·漁鹽·鑄冶而食, 以時造船, 寇至, 則淸野入保, 水軍<u>出船</u>擊之. 自合浦, 以至義州, 皆如此, 則不出數年, 流亡盡還其鄕邑, 而邊境州郡旣實, 則諸道漸次而充. 戰艦多而水軍習, 海寇遁而邊郡寧, 漕轉易而京師富. 水軍萬戶, <u>各道</u>元帥, 能<u>立</u>屯田, <u>能修戰艦</u>, <u>能結人心</u>, 能施號令, 能滅賊, 能安邊者, 賜之島田, 世食其入, 傳之子孫, 其失一城堡, 一州郡者, <u>軍法從事</u>, 毋得輕宥, 以示勸懲".

이에서 밑줄(under line, 下部線)은 본문에 전재된 『고려사절요』의 내용과 표기가 달리 된 것인데, 이는 『고려사절요』의 편찬자가 潤文할 때 발생한 것으로 추측된다.

者, 嬰城竄伏, 莫有鬪志, 賊勢日熾, 願令大擧, 及時掃淸. 西北一面, 國家之藩屛, 頃者, 姦兇擅國, 廣置私人, 元帥·萬戶, 加於舊額, 州郡供億不貲, 民不堪命, 相與流亡. 願自今, 擇文武兼備, 威望夙著者, 每一道, 元帥一人, 上·副萬戶各一人二人, 餘皆罷之. 商賈之徒, 競托權門, 以干千戶之任, 侵漁掊克, 靡所不至. 願自今, 令其道元帥, 擇威惠爲民, □□~~素所~~信服者, 除授之, 毋數易置.[75] □一. 權勢之家, 競爲互市, 貂皮·松子·人蔘·蜂蜜·黃蠟·米豆之類, 無不徵歛~~徵斂~~, 民甚苦之, 扶老携幼, 渡江而西, 可爲痛哭. 願自今, 抑買之弊~~抑買者~~, 一切禁止, 如有違者, 痛繩以法. 前此, 被罪姦兇之徒, 抑買之貨, 其在民間未畢收者, 宜令刷括, 以充官用. 其鷹鷂·貂皮之曲獻, 乞皆痛禁.[76] □一. 水尺~~禾尺~~·才人,[77] 不事耕種, 坐食民租, 無恒產, 而無恒心, 相聚山谷, 詐稱倭賊, 其勢可畏, 不可不早圖之. 願自今, 所居州郡, 課其生口, 以成其籍, 使不得流移, 授以曠地, 俾勤耕種, 與平民同. 其有違者, 所在官司, 繩之以法".[78] ○昌, 下其書都堂:節要轉載].[79]

[某日], □倭又寇淸州·儒城·鎭岑.

[丙辰15日:比定], 都堂以秋夕, 遣知密直□□~~司事~~李彬等, 獻禑衣襨·酒果.

[丙辰15日:追加],[80] 以洪永通△爲領門下府事. 國人皆曰, "以彼貪婪, 得面正月之誅, 今値更化之初, 尙不見斥, 又位上相, 眞福人也":節要轉載].

[→禑王十四年昌王卽位年, 八月以洪永通爲領門下府事. 人皆謂, "貪婪如永通, 尙免林·廉之禍, 旣不見斥, 又位上台, 眞福人也":列傳18洪永通轉載].

---

75) 이 구절과 관련된 기사로 다음이 있다.

- 지35, 兵1, 五軍, "憲司上疏曰, 西北一面, 國之藩屛, 頃者, 奸凶擅國, 廣置私人, 元帥·萬戶, 加於舊額, 州郡供億不貲, 民不堪命, 相與流亡. 願自今, 擇文武兼備, 威望宿著者, 一道元帥一人·上副萬戶各一人, 餘皆罷之. 商賈貪徒, 競托權門, 以干千戶之任, 侵漁掊克, 靡所不至. 願自今, 令其道元帥, 擇威惠爲民, 素所服信者, 除授, 毋數易置".

76) 이 구절과 관련된 기사로 다음이 있다.

- 지39, 刑法2, 禁令, "權勢之家, 反同稱名, 競爲互市, 凡珍異之物, 無不徵歛, 民甚苦之, 自今, 一切禁止, 違者, 痛繩以法".

77) 水尺은 열전, 趙浚에는 禾尺으로 되어 있는데, 後者가 옳을 것이다(盧明鎬 等編 2016년 828面).

78) 이 구절은 관련된 기사로 다음이 있다.

- 지38, 刑法1, 戶婚, "憲司上疏曰, "禾尺·才人, 不事耕種, 相聚山谷, 詐稱倭賊, 不可不早圖. 願自今, 所在州郡, 課其生口成籍, 不得流移, 擇曠地, 勒令耕種, 與平民同, 違者, 所在官司, 繩之以法".

79) 이상의 上疏는 열전31, 趙浚에도 수록되어 있는데, 添字는 이에 의거하였다.

80) 이날의 日辰은 下記의 「劉敞政案」에 의거하였다.

[是日], 以^{奉常大夫·藝文應教兼成均直講·知製教}李詹爲門下舍人·知製教兼春秋館編修官,⁸¹⁾ ^{通直郎·軍簿正郎}劉敬爲奉善大夫·試成均司藝·藝文館直提學:追加].⁸²⁾

[某日], 倭寇樂安郡·高興·豊安等縣, 屠燒民戶.

[某日, 令臺諫·六曹, 擧堪爲守令者:節要轉載]. [又復以士人, 爲縣令·監務. 自禍□^王時, 權奸秉政, 競用私人, 隨喜怒, 以爲黜陟, 或一年三四易. 諸州縣安集□□^{別監}, 例多不識字者, 奪人田民, 納之權門, 至養權臣馬牛·鷹犬, 求媚媒進. 貪殘之禍, 甚於胥吏, 至是, 始用士流:選擧3選用守令轉載].⁸³⁾

[某日], □^倭又寇晉州, 牧使李贇戰死.

[某日, 慶尙道都巡問使朴葳·安東□^道元帥崔鄲, 擊倭于尙州中牟縣, 破之. 各賜弓·馬:節要轉載].⁸⁴⁾

[某日], 以我太祖^{守侍中李成桂}△爲都摠中外諸軍事, 以陸麗爲東北面元帥, 鄭曜爲都巡問使兼和寧尹.

[某日, 倭自咸陽, 踰雲峰八羅峴, 至南原, □□^{三道}都指揮使鄭地, 督^{全羅道}都巡問使崔雲海·副元帥金宗衍·助戰元帥金伯興·陳元瑞·全州牧使金用鈞·楊廣道上元帥

---

81) 이는 『쌍매당협장집』연보에 의거하였다.

82) 이는 「劉敞政案」, "同年^{洪武二十一年}八月十五日, 批奉善大夫·試成均司藝·藝文館直提學"에 의거하였다.

83) 이와 같은 기사로 다음이 있다.
   - 『고려사절요』 권34, 창왕 즉위년 8월, "某日, 復以士人, 爲縣令·監務. 舊制, 縣令·監務, 皆用登科士流, 近世, 專以諸司胥吏爲之, 貪汚虐民, 階皆七八品秩卑人微, 豪强輕之, 恣行不法, 鄕邑殘亡. 恭愍王因^{慶尙道觀察使·禮部侍郎}全以道之言, 雖以五六品爲安集□□^{別監}, 欲革舊弊. 然, 安集□□^{別監}, 非出於批目, 皆用時宰所擧, 白牒之任. 至禍時, 權姦秉政, 專用私人, 隨其喜怒, 以爲黜陟, 諸縣安集□□^{別監}, 多不識字者, 奪人田民, 納之權門, 求媚媒進, 貪殘之禍, 甚於胥吏. 至是, 始用士流, 秩五六品".
   - 『신증동국여지승람』 권8, 砥平縣, "建置沿革, 本高句麗砥峴縣. … 恭讓王三年, 置鐵場于縣境, 設監務以兼之. 本朝太宗十三年, 例改爲縣監[注, 前朝之季, 諸縣監務皆以參外及權務與諸司吏典爲之, 秩卑人微, 世皆賤之. 洪武二十一年^{昌王卽位年}, 始擇朝官六品以上差遣, 以重其任. 然監務之名猶在, 至是乃改之. 諸道倣此".
   - 지10, 지리1, 廣州牧, 砥平縣, "… 辛禍四年, 以乳媼張氏之鄕, 置監務. 後罷之. 恭讓王三年, 置鐵場于縣境, 設監務, 以兼之".
   - 『세종실록』 권148, 지리지, 廣州牧, 砥平縣, "… 恭讓王三年辛未, 置鐵場于縣境, 始置監務以兼之. 本朝太宗癸巳, 例改爲縣監[注, 鐵場則以産鐵不多, 革去]".

84) 崔鄲은 匡靖大夫(正2品下)로서 前年(우왕13) 9월 安東道元帥兼安東大都護府使로 赴任하여 是年 11월에 遞任되었다(『안동선생안』). 또 이 기사는 열전29, 朴葳에도 수록되어 있는데, 이에는 禑王의 하사품이 弓矢와 綵段으로 되어 있다.

都興·副元帥李承源等, 奮擊大破之, 斬五十八級, 獲馬六十餘匹. 賊夜遁, 地以諸軍無食, 不能追. 賊乃登船. 昌, 賜地等宮醞·叚絹段絹:節要轉載].[85]

[→倭自咸陽, 踰雲峯八羅峴, 至南原, 地帥都巡問使崔雲海, 副元帥金宗衍, 助戰元帥金伯興·陳元瑞, 全州牧使金用鈞, 楊廣道上元帥都興, 副元帥李承源等, 奮擊大破之, 斬五十八級, 獲馬六十餘匹. 賊夜遁, 地以諸軍無食, 不能追. 時人謂, 非此戰, 則三道民幾盡矣. 禑昌, 賜宮醞·段絹:列傳26鄭地轉載].[86]

[某日, 以贊成事王安德爲六道都統察使:節要轉載].

[某日], 慶尙道副元帥具成老斬倭五級, [以獻:節要轉載].

[某日], 倭寇沃州·黃澗·永同等縣.

[某日, 昌, 敎□曰, "私田之租, 一皆公收, 則朝臣, 必患艱食, 姑今半收其租, 以充國用":節要·食貨1祿科田轉載].

[乙丑^{24日}, 鎭星犯軒轅大星. 熒惑退入羽林:天文3轉載].

[是月, 知申事李種學, □□□□□^{掌成均館試}, 取孟思謙等九十九人:選擧2國子試額轉載].[87]

[是月甲寅^{13日}, 高麗千戶陳景來降, 言, 其故爲高麗國元帥崔完者部曲, 是年四月, 國王王禑欲寇遼東, 率其都軍相崔瑩·李成桂繕兵於西京, 成桂使景屯艾州, 以糧餉不繼退師, 王怒殺. 成桂之子率兵還王城, 成桂乃以兵逼王, 攻破王城, 囚王及崔瑩, 景懼禍及, 不敢歸. 時景妻子已爲遼東白帖木兒招諭入境, 故與其屬韓成·李帖木兒來降. 上知其故, 敕遼東謹烽堠嚴守備, 仍遣人以偵之:追加].[88]

[是月頃, 以鄭元厚爲羅州牧使, ^{朝奉郎·三司都事}趙庸爲雞林府判官兼勸農·防禦使:追加].[89]

---

85) 崔雲海는 全羅道元帥兼都巡問使로서 3월 17일 羅州牧에 들어왔고[下界], 陳元瑞는 明年(창왕 1, 1389) 12월 8일 全羅道兵馬都節制使兼羅州牧使 金宗衍(10월 12일~12월 6일 在職)의 後任者로 赴任하였다가 1390년(공양왕2) 4월 13일 遞任되었다(『금성일기』).

86) 여기에서 禑王은 昌王의 오류이다.

87) 이와 관련된 기사로 다음이 있는데, 이때 進士·典儀寺錄事 安純이 生員試[司馬試]에 합격하였다.
  ·『양촌집』 권40, 李穡行狀, "… 公^{李穡}三男, … 次曰種學, … 戊辰^{昌王即位年}, 掌成均試".
  ·『敬齋遺稿』 권1, 安純墓誌銘, "戊辰, 中司馬試".

88) 이는 『명태조실록』 권193, 홍무 21년 8월 甲寅을 전재하였는데, 『명사』 권320, 열전208, 외국1, 朝鮮에 축약되어 있다.

89) 이는 『금성일기』; 『동도역세제자기』에 의거하였다. 또 趙庸은 三司都事를 거쳐 雞林判官에 임명되었다고 한다(『세종실록』 권24, 6년 6월 辛未).

九月^{壬申朔小盡.壬戌}, [某日], 遣^{贊成事}王安德, 享禑于江華. 安德言, 將遷王于驪興. 禑喜, 賜安德馬一匹.

[某日], 都堂獻禑衣服·鞍馬, 給侍女·內竪·宦者冬衣.

[某日, ^{慶尙道都巡問使}朴葳擊倭于高靈縣, 斬三十五級:節要轉載].⁹⁰⁾

[某日, 知門下府事柳曼殊免, 諫官言, "曼殊, 由門蔭得官, 致位宰相, 而乃不孝其母, 人皆賤之. 又强奸故少尹崔秀瞻處女, 又奪占人播種之田, 使本主含冤, 請令鞫訊, 以礪風俗." 憲府又劾, 罷之:節要轉載].

[→諫官^{右常侍}許應等上疏曰, "曼殊, 由門蔭, 致位宰相, 而不孝於母, 人皆賤之. 又强姦少尹崔秀瞻處女. 又廉興邦嘗奪人平州田, 及被誅, 還爲其主所有, 曼殊公然奪占, 使其主痛哭含冤, 請令推鞫, 以礪風俗. 近憲司上疏以爲, 宰相須用爕理陰陽, 正己以正百官, 威加敵國者, 不爾不許入兩府. 未知, 曼殊有一於此乎? 自今, 新拜兩府者, 令應敎別爲一批, 錄其功德, 使士大夫, 皆知其拜相之由". ○辛昌只罷其職, 時人恨之:列傳18柳曼殊轉載].

[某日, 右常侍許應等上疏曰, "臣等, 近與司憲府·版圖·典法, 交章申聞, 請復先王均田之制, 而殿下依允, 四方聞者, 莫不欣悅. 惟巨家世族之兼幷者, 獨以爲不便, 嘵嘵多言, 變亂衆聽, 一時士大夫有田者, 同聲應之. 尋有不收宗廟·社稷·道殿·神祠·功臣·登科田之議. 臣等以爲, 此必有倡之, 以起廢法之端者, 不日, 果有半收之命. 夫立法, 所以革弊也, 法立而弊未生, 遽曰中止, 無乃不可乎. 近來, 以國用軍需, 俱不足故, 故初有均田之議. 今若信浮言, 行之未竟, 則祿俸糧餉, 何以足之. 常程緩急, 何以當之. 上國立衛遼東, 窺覘我疆者, 有年, 又海寇深入作耗, 無所不至, 是誠畏首畏尾之時也. 捨此不慮, 乃以國家之公田, 以與無功坐食之人, 非計之得也. 伏惟殿下, 任衆口之煩囂, 復均田之舊制, 使軍國之須^需, 皆有贏餘, 士大夫, 無不受田, 則國家幸甚". ○昌, 遂寢私田半收之令:食貨1祿科田·節要轉載].⁹¹⁾

[某日, 西海道□^都觀察□□^{黜陟}使趙云仡, 將行上書曰, "^{臣聞芳餌之下, 必有巨魚, 重賞之下, 必有良將. 又曰行虛惠而受實福, 斯言至矣.} 凡爲國者, 當家給人足, 內外無患之時, 猶且思危. 況我本朝, 水近倭島, 陸連胡地, 固不可以不虞也. 國界, 自西海歷楊廣·全羅, 至

90) 이 기사는 열전29, 朴葳에도 수록되어 있다.
91) 『고려사절요』 권33에서는 내용이 약간 축약되어 있는데, 添字는 이에 의거하였다.

于慶尙, 海道幾二千餘里. 有水中可居之洲, 曰大靑·小靑·喬桐·江華·珍島·絶影·南海·巨濟等, 大島二十, 小島不可勝數. 皆有沃壤·魚鹽之利, 今廢而不資, 爲可嘆已. 乞於五軍將帥·八道軍官, 各給虎符金牌, 至于千戶·百戶, 授以牌面, 仍以大小海島, 爲其食邑, 傳諸子孫, 則不惟將帥一身之富貴, 亦且子孫萬世, 衣食有餘矣, 誰不人人各自爲戰乎. 人人各自爲戰, 則戰艦自備, 兵糧自賫, 而爲遊兵, 無時擊之, 則賊不敢窺覦, 民得以富庶, 煙火相望, 雞犬相聞, 民獲魚鹽之利, 國無漕轉之虞, 祖宗土地, 復全於今日矣. 願與大臣咨議施行". ○昌, 下其書都堂:節要轉載].[92]

[癸未[12日], 都評議使司, 據朝廷[明]頒降儀注及本國舊儀, 參定. 群臣見殿下, 稽首四拜. 三品見一品, 四品見二品, 五品見三品, 六品見四品, 七品見五品, 八品見六品, 九品見七品, 拜禮則頓首再拜, 揖禮則躬身, 擧手齊眼下, 致敬. 上官居上, 下官居下, 行禮, 上官隨坐隨立, 無答. 路次, 下官避馬, 不及避馬, 則下馬, 上官不下馬, 放鞭過行. 憲司·省郎所屬六部官及師長·親戚, 不在此限. 其上官, 從優答禮, 亦許任意行私禮. 自一品至九品, 差一等者, 拜禮則頓首再拜, 上官控首答拜. 揖禮, 則躬身, 擧手齊口下, 致敬, 上官擧手齊心答禮. 路次, 下官避馬, 不及避, 則下馬, 上官亦下馬, 揖禮如上儀. 諸官品相等者, 拜禮, 則控首再拜, 揖禮, 則左右各擧手齊口下, 致敬, 東西相對行禮. 路次, 馬上擧鞭相揖. 凡民間拜禮, 子孫弟姪甥壻見尊長, 生徒見師範, 婢僕見本使, 行頓首四拜. 其長幼親戚, 照依等次, 行頓首再拜禮, 答受從宜. 平交者, 行控首再拜禮. 凡民間揖禮, 驗尊卑長幼, 行上中下禮. 凡官民相見, 不許行胡禮, 跪見, 路次, 不許行拜禮, 止行揖禮:禮10朝野通行禮儀轉載].[93]

[某日], 禑, 自江華, 遷驪興郡, 以其郡兵宿衛, 收稅供奉.

[是時, 陞驪興郡爲黃驪府:地理1黃驪縣轉載].

[某日], 遣三司左使趙仁璧·□□[門下]贊成事池湧奇·同知密直[簽書密直司事]禹洪壽·密

92) 이 기사는 열전25, 趙云仡에도 수록되어 있지만 字句의 出入이 있고, 添字는 더 있는 것이다. 또 이때 趙云仡에 관한 기사로 다음이 있다.
· 열전25, 趙云仡, "… 云仡觀察州郡, 頓綱振紀, 抑强扶弱, 有犯法者, 毫髮不貸, 部內大治".
· 『태종실록』 권8, 4년 12월 壬申[5日], 趙云仡의 卒記, "戊辰[禑王14年], 起爲密直提學. 時朝議以各道按廉使秩卑, 不能擧職, 選兩府有威望者, 爲都觀察黜陟使, 授敎書鉞斧遣之. 云仡爲西海道, 頓綱振紀, 抑强扶弱, 有犯法者, 毫髮不貸, 部內以治.[昌王元年], 召拜簽書密直司事".
93) 明帝國의 儀注는 대체로 唐·宋의 제도를 바탕으로 만들어졌다고 한다(『명사』 권54, 지30, 禮8, 嘉禮2, 冊皇后儀, "… 明儀注, 大抵參唐·宋之制, 而用之").

直副使柳濬等, 享禍于通津.[94)

[某日], 以軍器少尹高鳳禮爲濟州畜馬兼安撫別監, 遣之.

己丑[18日], 雨雹.[95)

○雉集壽寧宮, 設金經道場, 以禳之.[96)

[某日, 改政房爲尙瑞司:節要轉載].

[→政房, 或稱知印房, 或稱箚子房. 辛昌, 改政房爲尙瑞司, 判事四人, 兩府兼之, 尹一人, 代言兼之, 少尹一人, 丞·注簿·直長·錄事各二人, 亦皆以他官兼之:百官2尙瑞司轉載].

[某日, 寢園署啓曰, "宗廟之祭, 國之大事. 簠簋·籩豆之實,[97) 犧牲·粢盛之具, 各有攸司, 近來紀綱陵夷, 無所考課, 犧牲·奠物, 不豊不潔, 甚非報本追遠之意. 乞令攸司, 務盡豊潔, 以致誠敬, 其典校祝版, 亦令長官, 齋沐齎進, 其或不虔, 令臺省糾治", 從之:節要轉載].

[某日], 遣門下評理徐鈞衡·密直副使兪光祐如京師, 賀平定胡人, 獲寶璽. 表曰, "天戈攸指, 聖謨如神, 寶玉是俘, 胡種自屈, 懽均萬姓, 功冠百王. 欽惟陛下, 性稟剛明, 資兼勇智, 聲敎, 同朔南之被, 車書, 臻混一之期. 蕞爾虜酋, 阻于荒裔, 方聞師旅之出討, 已見部落之來投, 景命惟新, 貞符益求. 伏念, 臣生遭熙運, 權守弊封, 告厥成功, 莫詣駿奔之列, 矢其文德, 聊申虎拜之詞".

[某日], 典法司上疏曰, "政以立法, 刑以補理, 法如不行, 不可無刑以齊之. 然書曰, 敬哉敬哉, 惟刑之恤哉.[98) 又曰,[99) 明德愼罰,[100) 則刑者, 所不能無者, 而亦不

---

94) 禹洪壽(禹玄寶의 長子)는 1389년(창왕1, 己巳) 簽書密直司事에 임명되었다는 기록이 있고, 이후에도 簽書密直司事商議, 簽書密直司事로 재직하고 있었음을 보아 同知密直司事[同知密直]는 簽書密直司事의 오류일 것이다.
· 『태조실록』 권1, 1년 8월 壬申[29日], 禹洪壽의 卒記, "… 己巳, 拜僉書密直司事".

95) 이와 같은 기사가 지7, 五行1, 水, 雨雹에도 수록되어 있다.

96) 꿩[雉]이 모여서 壽寧宮에 날아온 날도 18일(己丑)이다(지7, 五行1, 火行).

97) 이에서 '簠簋·籩豆'는 '籩豆·簠簋'로 순서를 바꾸는 것이 좋을 것이다(→현종 20년 4월 27일의 脚注).

98) 이 구절은 『尙書』 권1, 舜傳第2, 禹書, "欽哉欽哉, 惟刑之恤哉"를 인용한 것이다.

99) 又는 延世大學本과 東亞大學本에서 入으로 되어 있으나 誤字일 것이다(東亞大學 2012년 19책 623面).

可不恤者也. 自古, 理天下國家者, 必先修其典, 輕重有差, 而臨刑者不迷, 受罪者無嫌矣. 前元有天下, 制以條格·通制, 布律中外, 尙懼其煩而未究, 復以中國俚語, 爲律, 而名之曰, 議刑易覽, 欲令天下之爲吏者, 皆得而易曉也. 然本朝俚語, 與中國不通, 則尤難曉之, 又無講習者, 故凡施刑者, 皆出妄意, 而或受賄賂, 或諂權勢, 或諱親故, 而罪雖可殺, 尙不受一笞一杖. 而無辜, 或陷於極刑, 至於愚婦赤子, 咸被殺戮, 恨成怨積, 而乾文失道, 地怪屢警, 歲不登, 而民不聊生, 兵不暫停, 而國以日縮, 三韓之業, 幾復墜矣. ○今殿下, 年方幼冲, 人心所歸, 遞卽父位, 鑑何遠取. 伏惟殿下, 遠小人, 親君子, 鷄鳴而興, 暮夜而休, 不廢學業, 崇信德敎, 平其政刑, 以事大國. 今大明律, 考之議刑易覽, 斟酌古今, 尤頗詳盡, 況時王之制, 尤當倣行. 然與本朝律不合者有之, 伏惟殿下, 命通中國與本朝文俚者, 斟酌更定. 訓導京外官吏, 一笞一杖, 依律而施行之, 若不按律, 而妄意輕重者, 以其罪之. ○司掌刑之官, 而一國刑戮, 摠不得知, 固非立官之意也. 今後, 京外官司, 若有刑戮者, 須令通報於司, 按律行移, 然後施行之, 毋得擅行. 但外官守令, 則罪之合於笞者, 依律直行, 杖者報觀察使, 受命而施行. 大辟則除將軍臨戰外, 具罪狀, 報都觀察使, 使轉告于司, 司按律可殺而後, 報都評議使, 使具聞于上. 上察而命司, 依律行移, 而後施行之, 則人無枉死者矣. 向者, 罪及妻孥, 而家財·田民, 亦皆沒官, 古無其法, 須當停息. 近年, 官司賤口, 冒受官職者, 難以數計, 今後, 雖參以上, 如有現告, 除守直受判, 直取謝貼, 親問論罪. 諸色匠人, 受官職者, 如有問罪事, 亦如之. ○去洪武三年^{恭愍19年}十二月日, 判付內, 田民推決, 至於仍執等田民事, 付版圖·都官, 司則專掌刑決禁亂. 近年, 不依判旨, 因循前習, 田民推徵等事, 日繁月積, 而所掌刑決禁亂, 尙爲餘事, 冤獄久滯, 囚繫致死者多. 今後, 田民事, 一依前判, 各還都官·版圖, 至於推徵雜務, 亦付主掌開城府, 司則專修所職. ○判, 付都評議使□^쿄, 擬議施行”:刑法1職制轉載].

[是月頃, 以鄭有爲知永州事:追加].¹⁰¹⁾

[秋某月, 以^{宣德郞·長興庫使}李垠爲承奉郞·軍器主簿:追加].¹⁰²⁾

---

100) 이 구절은 다음의 자료를 인용한 것이다.
· 『상서』 권8, 康誥第2, 周書, “左成二年, 周書曰, 明德愼罰, 文王所以造周也, 明德務崇之謂也, 愼罰務去之之謂也”.
101) 이는 『영천선생안』에 의거하였다.

[冬]十月^{辛丑朔大盡,癸亥}, [某日]^{簽書密直司事兼}大司憲趙浚等上書, 陳時務曰, "□一. 古之爲國者, 必先立紀綱, 國之有紀綱, 猶身之有血脉也. 身無血脉, 氣有所不通, 國無紀綱, 令有所不行, 法令不行, 國非其國矣. 殿下卽位, 大開言路, 相臣·憲臣, 各陳時務. 然, 舊弊甫革, 新法不行, 怨讟方興, 紀綱紊亂, 病自血脉, 達于膏肓, 雖有扁鵲, 卒難治也. 願自今, 判付法制, 刊板施行, 堅如金石, 信如四時, 敢有犯法觸禁者, 一委憲司治之.¹⁰³⁾ □一. 謹按寢園署禮文, 凡與祭者, 不飮酒·不茹葷, 凡四日, 是謂散齋. 或居於本司, 或在於尙書省, 齋明端坐, 致其誠敬, 凡三日, 是謂致齋. 今則不然, 諸執事者, 自散齋至于致齋之日, 各於其家, 或與婦女狎處, 且不習禮文, 故其祼獻登降, 贊謁奠徹, 皆不合度, 甚不敬也. 其於殿下報本追遠之意, 爲如何哉? 願自今, 凡與祭者, 散齋四日, 在於其家, 則令糾正監之, 正順□□^{大夫}以下, 令錄事察之. 致齋三日, 則集於公所, 以習禮文, 以致誠敬, 違者以不敬論. □一. 本朝樂節, 凡宴饗·賓客, 必作^用唐樂, 繼以鄕樂, 今娼妓歌舞, 聲音之節, 終不合於中和, 殊失禮樂之本矣. 謹按朝廷儀□^註, 其視朝宴饗, 只使伶人按樂, 而娼妓不與焉. 願遵此法, 宮中宴饗, 只奏唐樂, 毋令娼妓近前. □一. 南州之民, 近因兵亂, 板蕩失業, 又因水災, 禾穀耗損, 咸不聊生, 誠宜培養邦本, 俾不搖動. 各道, 旣有節制使, 又有觀察使, 徵兵·調役, 紛擾如雲, 民不堪苦, 其節制·觀察使外, 諸奉使者, 一皆召還. □一. 士大夫之仕宦于朝者, 旣已委質從仕, 克勤乃職, 固其分也. 今則不然, 顯官任職者, 託以覲親省墓^{士家}, 冒干口傳, 便歸鄕曲, 淹延歲月, 曠官廢職, 非事君致身之義也. 願自今, 父母奔喪外, 不許出關外, 其事有不獲已者, 必辭職, 然後乃行, 違者痛理.¹⁰⁴⁾ □一. 州縣之吏, 在京都, 典掌其鄕之事, 曰其人, 法久弊生, 分隷各處, 役之如奴隷, 不堪其苦, 至有逋亡者. 主司督京□^畿主人, 日徵闕^{徵贈}布人一匹, 主人, 稱貸於人, 而不能償之, 直趨州郡, 乃謂京中貸借, 倍數督徵, 縱暴侵掠, 州郡凋弊, 亦或由此. 頃者, 繕工寺, 日徵其人之闕^{贈布}, 以供無名之費, 至不仁也. 旣不能當其任, 以供其州之事, 又不能用其人之力, 以供國役, 徒剝民膏, 而用如泥沙, 斲喪邦本, 殊失殿下憂民之心也. 願自今, 一切罷去, 使還鄕里, 其各殿之役, 以近日革罷倉庫奴婢, 代之. 各司之役使者, 亦以□□^{田民}辨正都監屬

---

102) 이는 다음의 자료에 의거하였다.
　　·『梅軒集』권6, 梅軒先生行狀, "戊辰秋, 拜軍器主簿, 階承奉郞".
103) 이 구절은 지38, 刑法1, 職制에도 수록되어 있다.
104) 이 구절은 지38, 刑法1, 職制에도 수록되어 있고, 내용도 동일하다. 이에 비해 열전31, 趙浚에는 省墓가 上冢으로 달리 표기되어 있고, 也가 탈락되었다(東亞大學 2012년 19책 624面).

公^{所屬}奴婢充之. 司設·幕士·注選之屬, 亦皆革去, 以安民生": 節要轉載].[105]

[丙午^{6日}: 追加],[106] 以^{門下侍中}李穡·我太祖^{守侍中李成桂}及^{門下評理}文達漢·^{贊成事·藝文閣大提學} 安宗源, 兼判尙瑞寺事^{判尙瑞司事}, 右副代言李行兼尙瑞尹, 大司成李至兼尙瑞少尹, 趙浚△^爲知門下府事兼大司憲, [^{奉善大夫·試成均司藝·藝文館直提學}劉敬爲奉常大夫, 餘並如 故: 追加].[107]

[某日], 取及第李致等.[108]

[某日], 遣門下侍中李穡·簽書密直司事李崇仁·同知密直□□^{司事}金士安, 如京 師, 賀正, 且請王官監國, 子弟入學.[109]

---

105) 이 기사는 지38, 刑法1, 職制와 열전31, 趙浚에도 수록되어 있는데, 字句의 出入이 많으므로 三 者를 比較하여야 할 필요성이 있다(東亞大學 2012년 19책 625面).

106) 이날의 日辰은 下記의 '劉敬政案'에 의거하였다.

107) 이는 '劉敬政案', "同年^{洪武二十一年}十月初六日, 批奉常大夫, 餘並如故"에 의거하였다.

108) 이와 관련된 기사로 다음이 있는데, 李致는 李垠의 初名으로 추측된다.
· 지27, 선거1, 科目1, 選場, "辛昌位之年十月, 密直提學鄭道傳知貢擧, 知申事權近同知貢擧, 取進士, □□^{某甲}, 賜李致等三十三人及第".
· 『태종실록』 권17, 9년 2월 丁亥^{14日}, 權近의 卒記, "戊辰夏, 太祖^{右道都統使李成桂}擧義回軍, 執退^六 ^{道都統使崔}瑩, 拜左代言, 尋遷知申事, 同知貢擧, 取李垠等三十三人".
· 『세종실록』 권16, 4년 5월 乙丑^{9日}, 朴訔의 卒記, "錦川府院君朴訔卒. 訔字仰止, 全羅道羅州 潘南縣人, 高麗判典校寺事尙衷之子, 生六歲, 父母俱歿, 零丁孤苦, 稍長, 奮發自知讀書, 年十 九登第, 補厚德府丞, 累轉至開城少尹". 朴訔의 政案이 16세기 後半까지 남아 있었던 것 같다 (『嘯皐集』 권4, 錦川府院君平度公^{朴訔}政案題後誌).
· 『梅軒集』 권5, 題李翰林垠卷, [注, 戊辰科壯元], "戊辰貢擧是吾兄^{權近}, 供奉當年獨有名, 黔日 遠分鴻雁序, 愛君還似一家情. [自注, 時家兄陽村謫在全羅金馬郡]".
· 『月澗集』 권3, 李守仁墓誌, "府君諱守仁, … 贊成^{事舒原}生諱垠, 初諱致, 擢魁科, 入我朝爲司憲 府大司憲". 여기에서 添字는 필자가 추가한 것이고, 僉議贊成事 李舒原은 당시의 資料에서는 확인되지 않는다.
이때 ^{生員}李致·^{生員}金貂·朴希文(乙科3人), ^{新進士}鄭包桑·^{進士}朴訔·^{生員}崔濆·^{生員}金峙·^{進士}鄭井· ^{生員}姜魯·韓殷(丙科7人), ^{生員}南夏·金思敏·安㙉·^{新進士}孟思謙·^{生員}金租·^{進士}金耻·^{生員}金科·^{別將}張允和· ^{生員}郭騭·鄭虎·^{軍器直長}鄭需·^{生員}朴淏·^{生員}朴寬·^{都錄事}文中庸·^{生員}李章·^{厚德府主簿}梁中寬·^{生員}崔宏· 安從約·^{生員}尹逢·^{生員}朴軒·^{生員}趙啓生·^{生員}李師且(同進士23人)이 급제하였다(『등과록』; 『전조과 거사적』, 朴龍雲 1990년; 許興植 2005년).

109) 李穡은 12월 12일(壬子) 應天府에서 표를 올려 明年 正旦을 하례하고 金龍頭雙臺盞 1·金盂 1·鍍金銀蓮花臺盞 2·銀盂 30·入鏤金銀罐 1·鍍金盆 6·銀壺 3·鏤金銀絲龍頭鐙 2·黃白黑布 80疋·花席 40領을 바치고, 綺·鈔를 받았다(『명태조실록』 권194). 또 이때 明帝가 李穡을 引見 하고 禮로서 대우하였는데, 李穡이 王의 親朝를 요청하였다고 한다(열전28, 李穡; 『양촌집』 권 40, 李穡行狀; 『호정집』 권3, 李穡墓誌銘).

○請監國表曰, "保國在於事大. 綏遠在於置監, 玆殫卑忱, 庸瀆聰聽. 竊惟, 小邑邈處邊陲, 雖蒙聲教之漸, 尙昧禮義之習, 冀王官之來莅, 惟聖化之是宣. 伏望陛下, 度擴兼容, 仁推一視, 命設員吏, 俾安要荒. 臣謹當守侯度, 以罔愆, 祝皇齡於有永".

○請入學表曰, "帝王作人, 以隆至治, 子弟入學, 是慕華風, 仰瀆高明, 俯增兢惕. 竊念, 臣祖恭愍王臣顓, 於洪武五年^{恭愍王21年}閒, 上表請子弟入學, 欽蒙俞允, 先祖奄辭於昭代, 生徒未赴於上庠. 伏望陛下, 諒臣向化之誠, 許臣繼先之志, 遂令蒙幼之輩, 得齒俊秀之倫. 臣謹當獲霑一視之仁, 永祝萬年之壽".

[→自恭愍□壬薨, 帝每徵執政大臣入朝, 皆畏懼不敢行. 及穡爲相^{門下侍中}曰, "今國家有釁, 非王及執政親朝, 無以辨之. 王幼不能行, 是老臣之責也". 卽自請入朝, 我太祖^{守侍中李成桂}稱之曰, "慷慨哉, 是翁". 昌及國人, 皆以穡老且病, 固止之, 穡曰, "臣以布衣, 位至極品, 常欲以死報之, 今得死所矣. 設死道路, 以屍將命, 苟得達國命於天子, 雖死猶生". 遂與李崇仁・金士安, 如京師賀正, 且請王官監國. 穡以我太祖^{李成桂}, 威德日盛, 中外歸心, 恐其未還, 乃有變, 請一子從行. □^我太祖^{李成桂}以我太宗^{李芳遠}爲書狀官:列傳28李穡轉載].

[→自玄陵之薨, 天子每徵執政大臣入朝, 皆畏懼不敢行. 及穡爲相, 自請入朝, 以我太祖^{李成桂}威德日盛, 中外歸心, 恐其未還乃有變, 請一子從行. □^我太祖^{李成桂}, 以我太宗^{李芳遠}爲書狀官. 及入朝, 道有一官人, 語穡曰, "汝國崔瑩, 將精兵十萬, 李[太祖舊諱]執之, 易如捕蠅, 汝國之民, 李[太祖舊諱]罔極之德, 何以報之":節要轉載].¹¹⁰⁾

[丙辰^{16日}, 月食, 旣:天文3轉載].¹¹¹⁾

[某日, 置給田都監:節要轉載].

[是月, 羅州某寺僧興連・從普等木彫阿彌陀佛坐像改金佛事畢:追加].¹¹²⁾

---

110) 이와 같은 기사가 『태조실록』 권1, 總書, 창왕 즉위년 10월에도 수록되어 있다.

111) 이날 明에서도 월식이 있었다. 이날은 율리우스曆의 1388년 11월 14일이고, 월식 현상이 심했던 때의 世界時는 12시 42분, 食分은 1.34이었다(渡邊敏夫 1979년 486面).
· 『명태조실록』 권194, 홍무 21년 10월 丙辰, "夜, 月食".

112) 이는 光州市 東區 芝山2洞 紫雲寺 木彫阿彌陀佛坐像(보물 제1507호) 腹藏의 改金發願文(紙片)에 의거하였는데(松廣寺博物館 所藏, 宋日基 2004년), 이 시기의 羅州牧使는 鄭元厚였다(『錦城日記』).
· 題記, "冒頭破損 …」 生, 一切娑婆世界.南贍部洲高麗國羅」 州止接比丘 興連,從普,鑑□,□□,」 … 大和尙□□,」 … 修補改金量 …」 … 戊辰孟冬十六日,同發誓願, 法界含靈,同生正覺之願」 … 詔文記官羅手決」 … 伏願」 主上殿,下壽千秋, 兩大殿下,壽無疆」 文武官僚,忠貞奉□」

[○北元天元帝脱古思帖木兒, 爲其部下也速迭兒所弑. 後追謚益宗:追加].[113]

十一月^{辛未朔大盡,甲子}, [某日], ^{前密直副使}趙英吉潛入京, 獲之, 杖百, 復流于順天.

[某日, 司憲府劾判開城府事文達漢, 憑外戚之勢, 縱肆貪婪, 流于合浦. 都堂乞置近地, 乃移鐵原, 達漢, 李琳之妹婿也:節要轉載].

[乙酉^{15日}, 冬至. 木稼:五行2轉載].

丙戌^{16日}, 大霧.

[某日], 倭寇求禮等處, 以金宗衍爲^{全羅道}元帥.

… 化南謹誌,」洪武二十一年戊辰十月十六日,」…,」…,」典香比丘 手決,」前開城尹金手決,」牧使鄭手決^{元浮}.」".

113) 北元의 皇帝 脱古思帖木兒(Tugus Temur, 益宗, ?~1388)의 被殺에 대한 기록으로 다음이 있다. 天元帝(益宗)는 前年(天元9, 洪武20, 1387) 6월 자라이루 부족 무카리國王의 後裔인 나가추[納哈出]가 遼東 金山에서 20만의 몽골군을 거느리고 明에 투항하자, 취약해진 遼東戰線을 보강하기 위해 出進하였다. 이해(1388)에 明軍의 기습을 받아 大敗하고, 數十騎의 護衛 하에 카라코룸[和林, 現 몽골 哈爾和林]으로 播遷하여 丞相 咬住(Yeju)에게 依託하려고 하였다. 그렇지만 토라江邊에 이르러 아리부카(阿里不花, 쿠빌라이의 弟)의 後裔인 예스데러[也速迭兒]의 麾下軍에 의해 太子 天保奴와 함께 絞殺되고 말았다. 이로써 쿠빌라이의 後孫에 의해 이어져 온 大元蒙古帝國의 帝位는 단절되고 말았다(神田喜一郎 1941年 ; 方齡貴 1984年 ; 宮脇淳子 2018年 ; 張東翼 2009년 該當時期).

· 『명태조실록』권194, 홍무 21년 10월, "丙午^{6日}, 故元國公老撒·知院捏怯來·丞相失烈門, 於耦兒千地, 遣右丞火兒灰·副樞以剌哈·尚書答不歹等, 率其部三千人至京, 進馬乞降. 命錦衣衛指揮答兒麻失里, 賞白金·綵叚, 往賜之. 初虜主脱古思帖木兒, 在捕魚兒海, 爲我師所敗, 率其餘衆, 欲還和林, 依丞相咬住, 行至土剌河, 爲也速迭兒所襲擊, 其衆潰散, 獨與捏怯來等十六騎遁去, 適遇丞相咬住·太尉馬兒哈, 咱領三千人來迎, 又以闊闊帖木兒人馬衆多, 欲往依之. 會天大雪三日, 不得發, 也速迭兒遣大王火兒忽答孫·王府官李羅追襲之, 獲脱古思帖木兒, 以弓絃縊殺之, 并殺其太子天保奴, 故捏怯來等恥事之, 遂率其衆來降".

· 『明鑑綱目』권1, 홍무 21년, "[綱], 冬十月, 元伊遜岱爾[注, 舊作也速迭兒, 今改], 弑其主特古斯特穆爾^{脱古思帖木兒}. [目], 特古斯特穆爾既遁, 將依丞相耀珠[舊作咬住, 今改]於和林, 行至圖拉河, 爲其下伊遜岱爾所襲, 衆遂散. 獨與十六騎俱, 耀珠來迎, 欲共往依庫庫特穆爾[注, 舊作闊闊帖木兒, 與前係兩人], 會大雪不得發, 伊遜岱爾兵猝至, 遂遇害, 并殺添保努^{天保奴}[注, 自是, 不復紀年, 五傳至琨特穆爾, 被弑, 有郭勒齊者, 簒立, 稱汗去國號, 遂稱韃靼云. 按琨特穆爾, 舊作坤帖木兒, 郭勒齊, 舊作鬼力赤, 今並改].

· 『十駕齋養新錄附餘錄』권9, 順帝後世次, "… 子脱古思帖木兒嗣位, 上廟號曰昭宗, 改元天元, 入十年, 爲其下也速迭兒所弑, 實洪武二十一年也".

· 『兩山墨談』권12, "元順帝駐應昌而殂, 明年上都破, 太子愛猷識里達臘逃入沙漠, 傳□^脱古思帖木兒後爲也, 速迭兒所殺, 其部屬奔散來附".

[某日], 遣密直使<u>姜淮伯</u>·副使<u>李芳雨</u>如京師, 請朝見. 表曰, "禮莫重於朝覲, 心用切於籲呼, 惟先臣恭愍之時, 值中國聖神之作, 奉表內附, 稱臣東藩. 第在遐陬, 仍遭多故, 雖勤歲時之進貢, 尙阻天日之親瞻. 以臣之微, 承父之命, 玆權署於小邑, 當述職於帝庭. 伏望陛下, 度擴兼容, 仁推一視, 遂令廁質, 獲覩耿光, 臣謹當參萬國之會同, 祝一人之富壽".[114]

[某日], 諫官上疏, 劾知密直□□^{司事}<u>李茂</u>·李彬曰, "往者, ^{前密直副使}<u>趙英吉</u>擅離貶所, 潛入京城, 其跡詭秘, 事涉可疑. 英吉之來也, 茂·彬等, 悉知其情, 不卽具聞, 罪固不細矣. 猶握重任, 在於左右, 使人情洶洶. 若不早除, 安危之勢, 未可知也. 宜付憲司, 痛行推鞫, 以安反側". 疏上, 止罷其職.

○又上疏曰, "^李茂·^李彬黨於姦臣<u>李仁任</u>, 位至宰相, 頗張威福, 以氣陵人. 幸蒙<u>聖慈</u>, 以保其位, 誠宜小心翼翼, 以補維新之政. 乃與英吉反側之謀, 茂借馬招致, 彬比隣相從, 昌濟姦謀, 罪莫大焉. 止令罷職, 爲惡者, 無所懲艾, 乞令憲司, 收其職牒, 嚴加鞫問". 乃流茂于谷州, 彬于安邊.

[某日, 復囚^{前門下侍中}<u>崔瑩</u>于巡軍. 典法·臺諫上書, 以爲瑩雖有功, 決意攻遼, 獲罪上國, 功不掩罪, 請誅之, 以解上國之怒:節要轉載].

[→後復執瑩, 囚巡軍. ○典法判書<u>趙仁沃</u>·李濟等上疏曰, "崔瑩事我玄陵, 定亂興王, 驅僧北鄙. 逮奉上王, 却倭寇於昇天, 以存社稷, 瀁群兇於今春, 以濟生民, 功則大矣. 然闇於大體, 不顧群議, 決策攻遼, 獲罪天子, 幾至覆國, 所謂功不掩罪者也. 願殿下, 念事大畏天之意, 明正其罪, 以告祖宗之靈, 以解天子之怒, 以開三韓萬世之太平". ○門下府郎舍<u>許應</u>等上疏曰, "崔瑩以開國功臣之後, 遇知玄陵, 奮其忠義. 歲癸卯, 德興將以孼代宗, 瑩出萬死, 以正國統. 至上王朝, 海寇猝犯畿甸, 瑩督諸軍, 力戰却之, 以安社稷. 林堅味等濁亂朝政, 斲喪王室, 天怒於上, 民怨於下. 瑩奮忠義而廓淸之, 誠社稷之臣也. 然不學無術, 加以老耄, 昧於事大之禮, 勸上西幸, 立威脅衆, 獨斷自用. 遂發攻遼之師, 得罪天子, 流毒生民, 幾覆社稷, 前功盡弃. 以瑩之功, 不幸有此叛逆之罪, 誠一國所不忍, 然在天下之議, 所謂

---

114) 姜淮伯은 明年 1월 20일(庚寅) 應天府에서 昌王[權署國事 王昌]의 入朝를 請하자, 明帝가 王位 廢立의 잘못을 指摘하고 禮部로 하여금 入朝를 不許하는 咨文을 보내게 하였다. 또 遼東都指揮使司에 命하여 高麗國王이 遼東에 이르면 還國하게 하고, 使臣이 이르면 沮止하지 말게 하였다(『명태조실록』 권195).

人得而誅之者也. 願殿下, 斷以大義, 亟命決罪, 以謝天子". ○昌從之:列傳26崔瑩轉載].

[丙申²⁶日, 亦如之^{木稼}:五行2轉載].

[是月頃, 以^{奉翊大夫}朴宜中爲安東道元帥兼府使:追加].¹¹⁵⁾

十二月^{辛丑朔大盡,乙丑}, [某日], 憲司, 以惠·愼·定·賢四妃, 俱非正嫡, 請依忠惠王慶妃故事,¹¹⁶⁾ 罷供上, 給歲祿.

[某日], 帝遣前元院使喜山·大卿金麗普化等來, 求馬及閹人, 喜山等, 皆我國人也, 禮畢下庭, 稽首四拜, 昌立受之. 喜山等, 又傳聖旨云, 征北歸順來的達達親王等八十餘戶, 都要敎他耽羅住去. 恁去高麗, 說知, 敎差人那里, 淨便去處, 打落了房兒, 一同來回報. 於是, 遣典理判書李希椿于濟州, 修茸新舊可居房舍八十五所.

[某日, 典法判書趙仁沃等上疏曰, "佛氏之敎, 以淸淨寡欲, 離世絶俗爲宗, 固非所以治天下國家之道也. 近世以來, 諸寺僧徒, 不顧其師寡欲之敎, 土田之租, 奴婢之傭, 不以供佛, 僧而以自富其身, 出入寡婦之家, 汚染風俗, 賄賂權勢之門, 希求巨刹, 其於淸淨絶俗之敎何. 願自今, 選有道行無利欲者, 住諸寺院, 其土田之租, 奴婢之傭, 令所在官收之, 載諸公案, 計僧徒之數而給之, 禁住持竊用. 凡留宿人家之僧, 以犯奸論. 貴賤婦女, 雖父母喪, 毋得詣寺, 違者以失節論. 其爲尼者, 以失行論. 敢祝婦人髮者, 加以重罪. 鄕吏驛吏, 及公私奴婢, 勿許爲僧. 僧徒恒留宿人家者, 俾充軍籍, 其主家亦論罪":節要轉載].

[→辛昌立, ^趙仁沃與同列上疏曰, "佛氏之敎, 以淸淨寡欲, 離世絶俗爲宗, 非所以治天下國家之道也. 近世以來, 僧徒不顧其師寡欲之敎, 土田之租, 奴婢之傭, 不以供佛, 僧而自富. 其身出入寡婦之家, 汚染風俗, 賄賂權勢之門, 希求巨刹, 其於淸淨絶俗之敎何. 願自今選有道行者, 住諸寺院, 其田租奴婢之傭, 令所在官收之, 載諸公案, 計僧徒之數而給之, 禁住持竊用. 凡僧留宿人家者, 以姦論充軍籍, 其主家亦論罪. 貴賤婦女, 雖父母喪, 毋得詣寺, 違者以失節論. 敢祝婦人髮者, 加以重罪,

---

115) 朴宜中은 是年 11월 이후에 奉翊大夫(從2品上)로서 安東道元帥兼安東大都護府使로 赴任하여 明年(창왕1) 8월에 遞任되었다(『안동선생안』).

116) 慶妃는 忠惠王妃 銀川翁主 林氏를 指稱하는 것 같다(열전2, 후비2, 충혜왕, 銀川翁主林氏).

其爲尼者, 亦論以失節. 州縣吏·驛吏及公私奴婢, 勿許爲僧尼”:列傳24趙暾轉載].[117]

[某日, 右司議□□^{大夫}尹紹宗等上疏曰, “竊見李仁任, 以柔媚之資, 挾其詐慝, 事我玄陵, 竊位宰相. 影殿之役, 中外嗷嗷, 侍中柳濯, 請俟^候農隙, 忤旨見罷, □^而仁任, 遂代其位. 當國秉政, 迎合獻諛, 竭民財力, 毒痛三韓, 卒致甲寅^{恭愍25年}之禍. 上王, 幼沖嗣位, 仁任專擅國柄, 乃謀一身百年之富貴, 不顧三韓萬世之社稷. 殺忠賢, 而竄大臣, 罷書筵, 而進頑童, ^{蔽上聰明}導上聲色, 娛上游畋, 使上王, 不暇親政. 宦官·宮妾·饔夫·內竪, 爵祿以悅之, 餼遺以結之, 使爲耳目, 日夜稱譽於上, 甘言小惠, 愚弄國人, 皆得懽心. 以林堅味·廉興邦, 爲腹心, ^{雄唱雌和}. 貨官市獄, 門如沸湯. ○苟且附托者, 爲賢才, 節行廉恥者, 爲不肖, ^{鍾鼎出於一笑, 刀鋸起於一嚬}. 兩府·百司, 藩鎭·守令, 咸出其門, 言官·要職, 列其私親. 谿壑其欲, 不知紀極, <u>攘人土田, 奪人奴婢</u>^{田園遍於諸道,} ^{金帛充於列屋}, 富家之翁, 唱以封君, 姻婭·乳臭, 工商·賤隸, 坐耗天祿, 宿衛之臣, 百戰之士, <u>曾不得斗粟而食</u>^{未食斗粟}. 四境多虞, 軍旅方殷, 而仁任, 不以爲念, 敗軍之將, 納賄則不問, 破賊之帥, 非略則不賞. 於是, 一國之人, 以奔競爲急, 賄略爲功, 知有私門, 而不知有王室矣. ^{境內丁壯, 咸托兇黨, 免於戎行, 戍兵羸弱, 倭奴橫行, 前無結草. 濱海沃野, 五六千里, 暴骨荒墟, 而內地州郡, 蕩爲戰場. 八道蕭然者, 由仁任之壞軍政也. 長養林·廉群兇之黨, 奪人土田, 奪人奴婢, 賊害無告, 殘虐生靈, 惡聲達于上國, 而仁任自疑, 不敢入朝. 其金銀馬布之貢, 輕薄謏詐之責, 鐵嶺立衛之議, 實仁任召之也.}. 盧氏宮妾也, 崔氏院婢也, 探旨封妃, 以配正宮, 倚其內助, 以固其權. 猶慮其計之未周也, 乃納家婢, 戴爲小君, 俯伏稱臣, ^{滅我列聖五百年正家之法, 敗我東方數千載秉禮之俗}. 汙穢王室, 羞辱祖宗, 播醜天下, 天子以爲, 三韓無人. 論其罪惡, 自開國以來, 未有如仁任之甚者也. ○其林^{堅味}·廉^{興邦}之惡, 皆仁任之醞釀也. 群兇旣族, 而仁任, 乃保首領以死, 但削其爵, 而其家得全, 是勸來世之姦賊也. ^{天子豈不以臣等爲黨惡, 而不能聞於殿下, 以正其罪耶? 其爲中興更化之累, 莫大焉.} 願殿下, 奮乾剛之□^而斷, 數仁任之罪, 斬棺瀦宅, 以解□□^{天地}祖宗之怒, 以快臣民^{臣鄰億兆}之憤. 其家舍·奴婢·財物, 一皆籍沒, 其子孫, 遠竄禁錮, 使國人, 曉然知姦賊誤國之罪. 雖其身已死, 不得逃於天誅, 則爲惡者懼, 爲善者勸, 人心正, 而國祚長矣. ○林^{堅味}·廉^{興邦}之族誅, 誠社稷之福也, 今殿下憫其罪及無罪, 還其家産, 誠天地生物之心也. 然其支黨, 假群兇之威福, 病國毒民, 所畜聚者, 豈在無辜之列乎? 不問有罪無罪, 一切還之, 豈不有戾於聖王懲惡勸善之政乎? 豈不有戾於天道福善禍淫之理乎? 願命憲司, ^林堅味以

---

117) 이 기사를 통해 볼 때 『고려사절요』의 내용은 原文을 적절히 축약하지 못했던 것 같다.

下諸姦, 並不還一錢外. 其支黨奴婢家財, 明覈其罪之輕重, 雖在還給之限, 止給其祖先相傳文卷明白者, 其他橫得者, 一切不許還給, 以充雜貢". ○疏上, 命禁錮子孫:節要轉載].[118]

[某日], 誅^{前門下侍中}崔瑩.[119]

[→斬崔瑩. 瑩, 鐵原人, 惟淸五世孫也. 風姿魁偉, 膂力過人, 剛直忠淸^{剛直忠淸}. 每臨陣對敵, 神氣安閑, 矢石交於左右, 略無懼色, 戰士却一步者悉斬, 期以必勝. 以故大小百戰, 所向有功, 未嘗一敗, 國賴以安, 人受其賜. ○初, 瑩年十六, 父元直, 臨終, 戒之曰, 見金如石. 瑩, 佩服遺訓, 不事產業, 居第湫隘, 服食儉素, 其視乘肥衣輕者, 如犬豕然. 雖久爲將相, 手握重兵, 關節不到, 世服其淸. 務持大體, 不究細理, 終身掌兵, 麾下軍士所識面者, 不過數十. ○然, 性少戇, 不學無術, 凡事斷以已意, 喜殺立威. 及其衰耗, 識慮顚錯, 妄興攻遼之師. 諫大夫^{右司議大夫}尹紹宗, 論曰, "功蓋一國, 罪滿天下". 世以爲名言. 臨刑, 辭色自若. 死之日, 都人罷市, 遠近聞者, 至于街童·巷婦, 皆爲之流涕. 屍在道傍, 行者下馬, 都堂, 賻米豆百

---

118) 이 기사는 열전39, 李仁任에도 수록되어 있으나 자구에 출입이 있고, 文章의 순서가 顚倒되어 있다. 또 이 기사는 열전33, 尹紹宗에 "俄拜右司議大夫, 極論李仁任罪"로 縮約되어 있다.

119) 前門下侍中 崔瑩이 一時나마 그의 手下였을 叛亂軍의 首魁와 그 追從者들에 의해 刑을 받은 日辰은 是月(12월)의 記事 構成을 볼 때 中旬 무렵으로 추측된다. 그 날짜는 10日(庚戌, 율리우스曆으로 1389년 1월 7일, 그레고리曆으로 1월 15일)에서 30日(庚午立春, 율리우스曆으로 1월 27일, 그레고리曆으로 2월 4일) 사이에 該當할 것이다.

· 『목은문고』 권12, 判三司事崔公畫像讚, "… 洪武十二年夏四月乙丑, 中官傳旨, 若曰, '判三司事崔瑩事我先考^{恭愍王}, 竭力奮義, 扞我外侮, 克至于今日休, 予甚嘉之. 今其麾下圖鴻山破陣之狀, 將垂示無窮, 汝穡其讚之'. … 判三司事, 卽尙書令. 自庚寅年^{忠定2年}以來, 禦寇海隅, 敵愾河南, 定難興王, 驅僧北鄙. 大小戰八十七次, 批亢擣虛, 遇險出奇, 而年過六十, 氣益不衰, 非天錫勇智, 何以至此". 여기에서 河南은 1354년(공민왕3) 10월 이래 高郵城과 그 인근의 六合城에서 張士誠과 그를 支援했던 南部地域 紅巾賊(朱元璋도 포함됨)의 토벌에 참전했던 高麗軍이 最前線에서 攻城戰을 展開했던 것을 가리킨다(→공민왕 3년 10월의 여러 脚注). 이 자료의 일부는 『대동운부군옥』 권24, 衰, 六十不衰에 인용되어 있다.

· 『운곡행록』 권4, 聞都統使崔公被刑寓歎, 三首, "○水鏡埋光柱石頹, 四方民物盡悲哀. 赫然功業終歸朽, 確爾忠誠死不灰. 紀事靑篇曾滿帙, 可憐黃壤已成堆. 想應杳杳重泉下, 抉眼東門憤未開. ○獨立朝端無敢干, 直將忠義試諸難. 爲從六道黔黎望, 能致三韓社稷安. 同列英雄顔更厚, 未亡邪佞骨猶寒. 更逢亂日誰爲計, 可笑時人用爭姦. ○我今訃作哀詩, 不爲公悲爲國悲. 天運難能知否泰, 邦基未可定安危. 銛鋒已折嗟何及, 忠膽常孤恨不支. 獨對山河歌此曲, 白雲流水摠噫嘻".

· 『춘정집』 권2, 哭崔侍中瑩, "奮威匡國鬢星星, 學語街童盡識名. 一片壯心應不死, 千秋永與太山橫".

五十碩·布二百五十匹:節要轉載].

[→遂斬瑩, 年七十三. 臨刑, 辭色不變. 死之日, 都人罷市, 遠近聞之, 街童巷婦皆爲流涕. 屍在道傍, 行者下馬, 都堂賻以米豆布紙. ○瑩, 剛直忠淸, 臨陣對敵, 神氣安閑, 矢石交於左右, 略無懼色. 莅軍嚴峻, 期以必勝, 戰士却一步, 便斬之, 以故大小百戰, 所向有功, 未嘗一敗. ○初, 瑩年十六, 父臨終戒之曰, "汝當見金如石". 瑩佩服, 不事產業, 居第甚隘陋, 處之怡然. 服食儉素, 屢至空匱, 見乘肥衣輕者, 不啻如犬豕. 雖身都將相, 久典兵權, 關節不到, 世服其淸. 務持大體, 不究細理, 終身將兵, 麾下士卒所識面者, 不過數十. ○在鞍馬間, 往往賦詠爲樂, 一夕, 與諸相飮聯句. 慶復興唱云, 天是古天人不古. 瑩對云, 月爲明月相無明. 見人不義, 必深惡痛斥. ᴸᵉ仁任·ᴸⁱⁿ堅味提調政房, 專權自恣, 安烈等同心用事. 有人求官, 瑩曰, "汝學工商, 自可得官. 盖譏秉政者, 用行賄輩也". 入政房, 必擇有功能者用之, 如無可擧者, 輒退不與. 諸相或有謀產業爭田民狗私隳紀綱者, 瑩皆欲矯之. 嘗謂仁任曰, 國家多難, 公爲首相, 何不憂慮, 但以家產爲念. 仁任默然. 每赴都堂, 正色直言, 不少隱, 左右無應者, 獨自歔欷而已. 嘗語人曰, "吾於國事, 中夜思之, 詰朝語同列, 則諸相無與我同心者, 不如致仕閑居". ○性少戇, 且無學術, 事皆斷以己意. 喜殺立威, 罪不至死, 亦多不免. 諫大夫ʳⁱᵍʰᵗ尹紹宗論瑩曰, "功盖一國, 罪滿天下". 世以爲名言. ᵗᵃᵉʲᵒ⁵ʸᵉᵃʳ,諡武愍,[120] 子潭, 大護軍:列傳26崔瑩轉載].

[□□ˢʰⁱ, 門下侍中李穡·簽書密直司事李崇仁等至應天府, 上表賀正旦. 帝素聞穡名, 引見數四, 禮待甚厚. 從容賜語曰, "汝在元朝爲翰林, 應解漢語". 穡乃以漢語, 遽對曰, "請親朝". 帝未曉曰, "說甚麼". 禮部官傳奏之. 穡久不入朝, 語頗艱澁. 帝笑曰, "汝之漢語, 正似納哈出":列傳28李穡轉載].

[○奉常大夫·門下舍人·知製敎兼春秋館編修官李詹爲典理摠郎·進賢館直提學兼成均直講, 尋加知製敎:追加].[121]

---

120) 이와 관련된 기록으로 다음이 있다. 崔瑩將軍의 墓所(赤墳, 京畿道記念物 第23號)는 高陽市 德陽區 大慈洞 山70-2에 있고, 祠堂은 洪州(현 忠淸南道 洪城郡 洪北面 魯恩里 114-1)에 있다.
  ·『태조실록』권10, 5년 10월 壬寅¹⁸ᵈᵃʸ, "命奉常寺, 諡前朝侍中崔瑩".
  ·『신증동국여지승람』권19, 洪州牧, 山川, "三峯山, 在州東二十三里, 中峯有崔瑩祠".
  ·『芝峯集』권13, 崔將軍祠幷序, "將軍名瑩, 墓ᵉˢᶜ在洪州, 世傳將軍死而顯聖, 鄕人立祠, 至今禱祀之. …". 여기에서 添字와 같이 고쳐야 옳게 될 것이다.

121) 이는 다음의 자료에 의거하였다.
  ·『쌍매당협장집』연보, "冬十二月, 拜奉常大夫·典理摠郎·進賢館直提學兼成均直講. 又拜奉常大

[是年,　并嶺東西爲交州江陵道,　以忠州所管平昌郡,　來屬.　又以西北面管內黃州·安岳·鐵和·長命鎭,　復屬西海道:轉載].[122]

[○敎,　科擧之法,　一依<u>己酉年</u>^{恭愍18年}之規,　以時擧行,　州縣之學貢士,　不充額數者,　罪及守令:選擧1科目轉載].[123]

[○又置折給都監:百官2折給都監轉載].[124]

[○復改安集別監爲縣令·監務,　秩仍五六品:百官2外職轉載].

[○以^{門下評理}鄭夢周爲三司左使:列傳30鄭夢周轉載].

[○以^{判典儀寺事}趙仁沃爲典法判書:追加].[125]

[○以<u>李原</u>爲司僕寺丞:追加].[126]

[○以<u>康得和</u>爲延安府使,　尋以崔乙雨代之,　又以鄭習仁代之:追加].[127]

[○以<u>羅士冲</u>爲知寧海府事,　尋以李逢春代之:追加].[128]

[○以<u>吉再</u>爲諄諭博士,　尋爲成均博士:追加][129]

[○以^{生員}許稠爲中郎將.　稠,　年二十:追加].[130]

夫·典理摠郎·知製敎,　餘□^並如故".

122) 이는 다음의 기사를 전재하였다.
　　· 지12, 지리3, 交州道, "辛禑十四年, 并嶺東西, 爲交州江陵道, 以忠州所管平昌郡, 來屬".
　　· 지12, 지리3, 北界, "後以黃州·安岳·鐵和·長命鎭, 來屬. 辛禑十四年, 復屬西海道".
123) 이는 다음의 자료를 전재한 것인데, 이 時期는 是年(1388) 또는 1389(창왕1) 중의 하나일 것이다. 여기에서 1369년(己酉, 공민왕18)에서 시행된 科擧方式은 元代의 三場法을 가리킨다(→공민왕 18년 6월 21일).
　　· 지27, 選擧1, 科目, "辛昌, 敎, 科擧之法, 一依<u>己酉年</u>^{恭愍18年}之規, 以時擧行, 州縣之學貢士, 不充額數者, 罪及守令".
124) 이 역시 原文에는 "辛昌又置"로 되어 있어 是年(창왕 즉위년) 또는 明年(창왕1)을 판가름하기가 어렵다.
125) 이는 『太祖實錄』 卷10, 5년 9월 己巳^{14日}, 趙仁沃의 卒記, "… 累遷至上護軍. 戊辰, 從上至威化島, 與議回軍, 拜典法判書"에 의거하였다.
126) 이는 『容軒集』附錄, 李原神道碑에 의거하였다.
127) 이는 『연안부지』에 의거하였다.
128) 이는 『영해선생안』에 의거하였다.
129) 이는 『冶隱先生言行拾遺』卷上, 年譜에 의거하였다.
130) 이는 다음의 자료에 의거하였다.
　　· 『敬齋遺稿』 권1, 許稠墓誌銘, "戊辰, 以蔭補中郎將".

[○縊殺^{前成均祭酒}金文鉉于洪州伊山營. 子士淸:列傳44金文鉉轉載].¹³¹⁾

[○晋州人河有宗造成長者院. 有宗嘗欲於故第側開一院, 往來登望, 以效思亭之遺意, 且惠及行旅, 以便止宿. 而因上王^{禑王}十年晋州牧使朴子安重修開經院之傍助順延, 至是工畢:追加].¹³²⁾

[○倭賊, 猝至安陰縣, 執散員潘腆父, 以歸. 腆, 以銀錠·銀帶, 赴賊中乞哀請買父, 賊義而許之:列傳34潘腆轉載].¹³³⁾

---

131) 原文에는 "^{禑王}十四年, 縊殺于伊山營. 子士淸"으로 되어 있다. 또 金士淸(1359~?)이 判尙州牧事[判尙州牧使]에 이르렀고, 그의 세 아들이 仕宦했던 점을 볼 때 亂世에는 邪惡한 者의 後孫도 차별 대우를 받지 않았던 것 같다.
 · 『세종실록』 권92, 23년 3월 戊申^{11日}, "掌令金召南啓, '臣父士淸, 年今八十三歲, 遭繼母喪, 蔬食已經數月, 日漸羸疲. 臣欲勸肉, 計臣父性本勁直, 難以奪情, 無他族親尊長, 臣不勝痛悶. 願上降命以保老臣餘年'. 上曰, '繼母與親母有間, 況年踰七十者, 不可以經情直行'. 卽命中官齎酒肉, 賜其第".
 · 『문종실록』 권12, 2년 3월 戊戌^{5日}, "右獻納趙元禧啓曰, 高麗之季, 金文鉉弑父, 其子士淸, 得拜樞密, 士淸子召南拜掌令, 如晦拜郞官, 若晦又拜顯官. 夫罪莫大於弑父, 國家不知而誤用之, 請自今禁錮直孫, 其外孫亦勿敍東班".
 · 『단종실록』 권5, 1년 3월, "丁丑^{20日}, 三館牒報禮曹曰, '生員金富弼曾祖文鉉, 弑父與兄, 覆載所不容, 請永停富弼赴擧'. 禮曹報議政府以啓曰, '文鉉年代久遠, 事涉曖昧, 且親子士淸官至二品, 孫若晦登武擧, 今富弼許令赴試爲便', 從之".
 · 『단종실록』 권8, 1년 10월 戊子^{5日}, "藝文奉敎金勇·成均博士安重厚·校書郞任淑等上書曰, '臣等竊謂, 科擧, 國家之重選, 弑逆, 天下之大惡. 以大惡之裔, 得與重選, 大非人倫世敎幸也. 臣等謹按高麗史, 金文鉉黨附逆旽, 潛殺父兄. 其交構誣陷之事, 辛旽·李春富之所常說, 一國臣民之所共知, 其父臨死亦言, 爲文鉉所陷. 及憲司請誅, 而文鉉逃, 則文鉉誠弑逆之尤者, 而覆載所不容, 千載所不赦, 雖至子孫, 固當迸諸四裔, 不與同中國者也. 豈可使得齒士類, 以亂名敎哉. 其孫富弼, 去春場赴擧時, 臣等以事由報該曹. 該曹受敎節該, 富弼曾祖文鉉罪狀, 年代久遠, 事涉曖昧. 其親子士淸, 二品授職, 親孫召南, 法司除授, 若晦又中武擧, 今差守令. 改文鉉爲文久者, 非富弼所爲, 乃自祖先而已改, 遂許赴擧. 臣等久抱鬱悒, 反覆思之, 凡亂臣·賊子, 身無存沒·時無古今, 人得而討之, … 伏望殿下斷以大義, 俯從臣等之請, 文鉉之後, 勿使赴擧, 以正綱常, 以正朝廷, 人倫幸甚, 世敎幸甚'. 命示于政府".
132) 이는 다음의 자료에 의거하였다(→우왕 10년 是年條 開慶院의 脚注).
 · 『신증동국여지승람』 권30, 晋州牧, 驛院, 開慶院, "… 高麗之季, 倭寇陷晋, 民居蕩然, 而院亦及焉. 今京山府使河公有宗浩甫, 鄕之孝友君子也. 嘗欲於故第側開一院, 往來登望, 以效思亭之遺意, 且惠及行旅, 以便止宿, 今之長者院是也. … 後五年戊辰, 更具材力, 而長者之院成, 是河公之本意也".
133) 이는 다음의 자료에 의거하였다.
 · 열전34, 孝友, 潘腆, "… 安陰縣人. 以散員居鄕里. 辛禑十四年, 倭賊猝至, 執其父歸. 腆以銀錠·銀帶, 赴賊中乞哀請買父, 賊義而許之".
 · 『신증동국여지승람』 권31, 孝子, "潘腆, 洪武戊辰, 倭寇縣, 執父淑以歸, 持銀帶·銀塊赴賊中, 請買父, 賊義而許之".

[是年頃, 以^{密直副使}權近爲厚德府尹:列傳20權近轉載].

[○都評議□^使司六色掌, 改爲吏禮戶刑兵工六房錄事, 又知印二十員, 分十人爲知印, 十人爲宣差, 宣差任使外. 又以開城·厚德·慈惠府判事及尹, 皆兼都評議□^使司:百官2都評議使司轉載].¹³⁴⁾

己巳[昌王]元年, (11月)[恭讓王]元年, 明洪武二十二年, [西曆1389年]

1389년 1월 28일(Gre2월 5일)에서 1390년 1월 16일(Gre1월 24일)까지, 354일

[春]正月^{辛未朔小盡,丙寅}, [某日], 藝文春秋館·典校寺上言, "藝文掌詞命, 春秋掌記事, 典校掌祀典而修祝文, 此三者, 皆重事也. 是以, 先王置官禁中, 仍號禁內, 而今館寺在外, 非先王設官之意也. 願自今, 以史翰二人·典校一人·正字一人, 入直于內, 以復舊制", 從之.

[乙酉^{15日}, 木稼:五行2轉載].

[是月頃, 以金楊俊爲羅州牧判官:追加].¹³⁵⁾

二月^{庚子朔大盡,丁卯}, [某日, 昌, 許葬李仁任. ^{右司議大夫}尹紹宗又與同舍許應·閔開等, 復疏論仁任罪, 日暮不得上. 會紹宗疽發背, 請告, 應等寢其書不上. ○仁任族黨, 疾紹宗, 至欲殺之. 及紹宗遷成均大司成, 乃得葬之:節要轉載].

[→又與同舍許應·閔開等, 復疏論仁任, 日暮不得上. 會疽發背請告, 應等寢其書. 紹宗遷大司成, 赴書筵, 以前疏進. ○仁任族黨疾之, 至有欲殺者, 語在仁任傳:列傳33尹紹宗轉載].

[→明年^{昌王元年}, ^{右司議大夫}尹紹宗又與同舍許應·閔開等, 疏論仁任, 適紹宗病, 應等寢不上. ○及^尹紹宗遷大司成, 昌乃許葬仁任, 其壻姜蓍往京山府葬之. 紹宗赴書筵, 以疏進, 昌命權近讀之. 疏曰, "臣等, 前日論李仁任罪惡, 請斬棺潴宅. 而殿下記其人所不知, 餉軍出奇制勝, 援立事大之功, 而宥其三韓所知, 殘民賊君, 誤國滔

---

134) 原文에는 辛昌時로 되어 있어 是年(창왕 즉위년) 또는 明年(창왕1)을 판가름하기가 어렵다.
135) 이는 『금성일기』에 의거하였다.

天之罪. 誠國人之所失望, 爲惡者之所喜幸, 爲善者之所沮喪. 一代人心之所以不正, 而臣等所以爲殿下, 懼開萬世禍亂之原, 於中興之初政也. 夫以四百餘年聖繼神承之國家, 至我玄陵^{恭愍王}, 仁儉勤政, 歷年之所積畜者, 果如亡秦, 兵火之餘, <u>關中</u>之匱竭, 而仁任有<u>蕭何</u>給軍食之功乎?[136] 以我玄陵之明, 得人之多, 曾謂仁任得專良·平·淮陰, 出奇制勝之功哉. 丙申·己亥·辛丑·癸卯之難, 廟堂帷幄, 則有洪彦博諸公, 干城折衝, 則有李承慶·安祐·李芳實·金得培·崔瑩諸將相, 功名卓卓, 在百姓耳目. 而今也, 謂仁任一身, 兼<u>三傑</u>之功者,[137] 臣等所未知也. 三韓之人無智愚, 皆指仁任, 爲林·廉群賊之魁, 而犬豕之矣, 罵詈之矣, 而不知仁任有尺寸之功. 假令仁任, 雖小有勞, 果足以掩其當國十四年, 賣官而靑紫如泥, 鬻獄而姦宄得志, 毁軍政而州郡爲墟, 鑄群兇而斲喪邦本之罪乎? ○大明龍興, 續中原之正統, 玄陵先天下, 而奉正朔, 將請衣冠, 而變胡服, 下令國中, 禁人剃頭. 昇遐不日, 仁任以侍中, 剃玄陵所長之髮, 於是, 國人知仁任, 有無君之心, 無事大之志矣. 上王^{禑王}無他兄弟, 明德太后, 以五朝三韓之母, 太任·太姒之聖, 擁立上王於膝下, 謂仁任有援立之功, 臣等所未知也. 玄陵之薨, 上王之嗣, 王人之不返, 三者皆國之大事也. 宜每事, 各遣一使亟奏, 而仁任乃遲回, 經涉數月, 方遣一介微臣崔源以行逶啓. 天子疑我之心, 被我以不道, 大惡之名, 可謂能盡事大之禮乎. 仁任當國, 逆天子徵執政之命, 不肯入朝. 凡遣使臣, 輒見拘囚, 推鞫竄逐. 上下阻隔, 人情疑懼, 訛言屢興, 國幾於亡, 能盡事大之禮者, 固如是乎. ○夫治國, 莫先於正人心, 人心旣正, 則敎易入, 而令易行, 姦不生而亂不作. 仁任當國, 徇私情而害公義, 窮人欲而滅天理. 生有罪而殺無辜, 賞無功而誅有功. 貴貪黑而賤淸白, 好姦回而惡正直, 進小人而退君子, 溺人心於汚濁. 三韓之人, 以禮義廉恥, 爲貧賤禍敗之檻穽, 而惟恐或陷於其中. 民焦虐焰, 國幾顚覆, 尙賴天地之相, 祖宗之靈, 啓我上王, 廓淸群兇, 再安社稷, 人心一正. 然臣瑩不知春秋討賊之大法, 上戾天心, 下違人望, 釋首惡而不

---

136) 여기에서 關中은 秦의 領域을 가리키는데, 秦이 멸망할 때 關中에 먼저 進入한 漢軍의 蕭何가 軍糧을 확보했던 功績을 例로 들어 前門下侍中 李仁任이 그러한 位相을 지녔는가라고 非難한 것이다.
   · 『자치통감』 권8, 秦紀3, 二世皇帝 2년(BC208), "初, 楚懷王與諸將約, '先入定關中者王之[<u>胡三省</u>注, 秦之西有隴關, 東有函谷關 , 南有武關, 北有臨晋關, 西南有散關, 秦之居其中, 故謂之關中], …".

137) 三傑에 대한 설명으로 다음이 있다.
   · 『여유당전서』 권25, 小學紺珠, 三之類, "三傑者, 漢家佐命之臣也. 文成侯<u>張良</u>[注, 封於留], 文終侯<u>蕭何</u>[封於酇], 淮陰侯<u>韓信</u>[本封楚], 此之謂三傑也. 三傑之名, 出'漢書'[注, 高祖紀]".

誅. 於是, 國人見賊魁之得全, 則又飜然, 而改其心曰, '彼林·廉之敗者, 姦之未熟耳. 姦之熟, 則人不得而罪也, 天不得而禍也, 爲惡誠無害也'. ○夫人之情, 誰不樂富貴哉, 誰不厭貧賤哉. 若不忠·不義, 窮凶極惡, 而得保富貴, 以遺其子孫, 而無後災, 則誰復有爲忠爲義, 以遺其貧賤於子孫哉. 今殿下私賊魁, 而全其家, 則三韓之人, 父勉其子, 妻勸其夫, 使學賊魁之深姦. 弃忠弃義, 惑世誣民, 人人皆欲賣殿下之社稷, 而求富貴矣. ○仁任之逆命不朝, 與崔瑩攻遼之計, 其罪一也. 若原其情, 則瑩之攻遼, 不忍坐視祖宗封疆之削也, 仁任不朝, 只爲苟安待死之謀耳. 瑩之淸白, 將相三十餘年, 不取民之一毫. 續癸卯已絶之國統, 扶昇天幾覆之社稷, 掃群兇於戊辰, 拯億兆於湯火. 一攻遼之謬擧, 殿下旣斷以大義, 而不敢私矣. 至於仁任, 敗國逆命之罪, 乃何必欲保全, 以勸萬世之不忠不義乎? 願殿下, 一依前疏所言, 下憲司施行, 以懲爲惡, 以正人心":列傳39李仁任轉載].

[某日], 遣同知密直司事尹師德如京師, 奏誅崔瑩.

[某日], 慶尙道元帥朴葳擊對馬島.[138)

[是時, 揭榜諭對馬島軍民曰, "惟我 本國與日本國隔海相望, 各守封疆, 或時通好, 使兩國生靈得安其所. 不圖彼國海島之民, 群聚爲盜, 侵凌我邊鄙, 殺掠我人民, 積有年矣. 是不惟爲本國之害, 在其國法, 亦所當戮. 不惟犯其國之法, 亦播其惡於天下也, 罪盈惡積, 人怨天怒, 所以問罪之擧不能已也." 殿下命臣等帥戰艦一千艘, 戰士五萬人, 往征其罪. 惟爾對馬·一岐兩島群盜, 若能悔禍自新, 迎降軍前, 貸以不死. 其或執迷不悟, 敢與我掠衝, 苟大軍所臨, 玉石俱焚, 雖悔何及. 其他平日謹守其國束者, 按堵如古無恐」":追加].[139)

138) 倭寇討伐에 努力한 朴葳의 功績에 대한 다음의 자료가 있다. 이에서 孔熾는 猖獗을 意味한다.
· 『경상도지리지』, 慶州道, 密陽都護府, "朴葳, 智略出衆, 高麗之季, 倭寇孔熾, 南方之民, 父母妻孥, 不能相保, 被殺擄者, 不知幾何. 于時, 公爲將帥, 百戰百勝, 使倭寇不得肆□㬥, 民受其賜, 至今稱之謂智將, 位至門下評理".
· 『태조실록』 권14, 7년 8월 己巳[26日], 朴葳의 卒記, "葳, 密陽人, 初仕恭愍, 以至僞朝, 歷仕中外, 見稱才能. 金海·晋州·雞林·永興, 皆其所歷. 屢擊倭寇, 國家知有將略, 累遷至密直副使, 出鎭合浦, 領舟師攻破對馬島. 及上[李成桂]卽位, 朴仲質等在逮辭及, 臺諫連章請置極刑, 上營救俾全, 陞參贊門下府事, 命典禁軍. 至是, 諸王子召之, 率甲士出闕門遲回, 以至於死. 子耆".
· 『詩經』, 小雅, 南有嘉魚之什, 六月, "玁狁孔熾, 我是用急[毛傳, 熾, 盛也]".
139) 이는 다음의 자료를 전재하였다.
· 『쌍매당협장집』 권22, 雜著, 高麗國水軍摠制府榜, "惟我 本國與日本國隔海相望, 各守封疆, 或時通好, 使兩國生靈得安其所. 不圖彼國海島之民, 群聚爲盜, 侵凌我邊鄙, 殺掠我人民, 積

[→慶尙道元帥^{兼都巡問使}朴葳, 以兵船一百艘, 擊對馬島, 燒倭船三百艘·廬舍, 殆盡. 元帥金宗衍·崔七夕·朴子安等繼至, 搜^{本國}被虜民百餘以還. ○昌, 賜葳衣服·鞍馬·銀錠, 獎諭之. 人以爲葳, 但燒廬舍·舟楫, 實無<u>俘獲</u>:節要轉載].¹⁴⁰⁾

[→^{禑王4年頃前判事鄭}之祥妻寡居潭陽, 爲倭賊所害. 辛昌時^{元年}, 子從爲典理佐郞, 上復讐策, 自請爲召募別監, 得兵百餘人, 隨朴葳, 擊對馬島. 後改渾:列傳27鄭之祥轉載].¹⁴¹⁾

[某日, 諫官上疏論府兵曰, "竊惟我太祖, 設府兵, 令軍簿司典馬攝之政, 身彩武藝備完者, 得與其選. 是以, 將得其人, 卒伍精强. 近年以來, 入仕多門, 兵政一壞, 或拘於都目, 或出於請謁, 不問老幼才否, 而授之. 於是, 襁褓幼子·工商·奴隷, 無尺寸之功, 坐耗天祿, 一有緩急, 將何以用之. 甚非先王設兵之意也. 願令精選勇略兼備者, 充之, □□□□□^{以代尸祿之輩}, 常習武藝, 考覈其能否, 而黜陟之. 大護軍·上護軍, 王之爪牙, 兵之師表, 毋令老耄與童稚爲之. 諸色工匠, 其有勞者, 賞以錢穀, 不許職事. 除先王所設官額外, 增置員數, 一皆削之":節要·兵1五軍轉載].¹⁴²⁾

三月^{庚午朔小盡,戊辰}, [某日], 憲府^{司憲府}劾閔中理. 嘗爲晉州牧使, 奔父喪, 載魚肉以行. 又托姨父李穡, 除版圖判書, 不待起復之命, 視事受祿. 流之. 初, 憲府^{司憲府}不署中理告身, 持平<u>金瞻</u>私署與之. 又有富商家女, 殺孕婦, 瞻, 故脫其罪, 及瞻赴衙, 糾正等不庭迎.¹⁴³⁾

有年矣. 是不惟爲本國之害, 在其國法, 亦所當戮. 不惟犯其國之法, 亦播其惡於天下也, 罪盈惡積, 人怨天怒, 所以問罪之擧不能已也.」 殿下命臣等帥戰艦一千艘, 戰士五萬人, 往征其罪. 惟爾對馬·一岐兩島群盜, 若能悔禍自新, 迎降軍前, 貸以不死. 其或執迷不悟, 敢與我掠衝, 苟大軍所臨, 玉石俱焚, 雖悔何及. 其他平日謹守其國束者, 按堵如古無恐"﹒

140) 이때 昌王이 내린 獎諭教書가 열전29, 朴葳에 수록되어 있다.

141) 鄭渾(鄭之祥의 子)은 堂後官, 校書少監, 禮曹·刑曹議郞, 京畿左道按廉使 등을 거쳐 左司議大夫에 이르렀다(『태종실록』 권13, 7년 6월 癸卯^{21日}).
· 『목은시고』 권29, 鄭堂後渾, 得孟雲先生^{韓脩}詩, 來視予, 且告菁城之行, 觀其意, 在於求詩, 次其韻也. 竹亭鄭之祥子也.
· 『신증동국여지승람』 권31, 河東縣, 人物, "鄭渾, 初名從, 之祥子. 其母寡居潭陽府, 爲倭寇所害. 辛昌時, 渾爲典理佐郞, 上復讐策, 自請爲召募別監, 隨朴葳征對馬島".

142) 添字는 지35, 兵1, 五軍에 의거하여 추가한 것이다. 또 이 기사의 冒頭에 '恭讓王元年二月'로 되어 있으나 現在의 우리에게는 '昌王元年二月'로 받아 들여져야 될 것이다.

143) 金瞻은 通憲大夫 金景先(茂珍金氏)의 3子 中 長子인 것 같다(『목은문고』 권10, 茂珍金氏三子名字說).

[壬午^{13日}, 重房, 祭太祖眞殿. 舊制, 三月三日祭之, 歲以爲常:禮3吉禮大祀轉載].

[乙酉^{16日}, 禮曹請受朝用樂. 昌, 從之:節要·樂1軒架樂獨奏節度轉載].¹⁴⁴⁾

[某日], 憲府^{司憲府}劾李仁任黨李養中·全子忠, 壓良爲賤, 削職流之.

丁亥^{18日, 密直使}姜淮伯等還自京師, 禮部奉聖旨, 回咨曰, "高麗限山負海, 風殊俗異, 雖與中國相通, 離合不常. 今臣子逐其父, 立其子, 請欲來朝, 盖爲彝倫大壞, 君道專無, 不臣之逆大彰. 諭使者歸, 童子不必來朝, 立亦在彼, 廢亦在彼, 中國不與相干".¹⁴⁵⁾

[某日], 史官崔蠲等上書曰, "史官之任, 君上之言行政事, 百官之是非得失, 皆得直書, 以示後世, 而垂勸戒. 故自古有國家者, 莫不以史職爲重. 是以, 本朝設藝文·春秋館, 選有文行者八人, 同任史翰之職. 又置兼官, 以領之, 所以重其任也. 近年以來, 史翰岐而爲二, 兼官亦不供職, 但以供奉以下四人當之, 具少秩卑. 故九重之事, 廟堂之議, 至於關得失垂勸戒者, 皆不能備記, 實非國家置史之本意也. 願自今, 以史翰八人, 同其職任, 各修史草二本, 秩滿當遷, 一納于館, 一藏于家, 以備後考. 兼官充修撰□官以下, 各據聞見, 錄爲史草, 悉送史館. 又本館, 直牒京外大小衙門, 凡所施爲之事, 一一報館, 以憑記錄, 永爲恒式".¹⁴⁶⁾

[○昌, 從之:節要轉載].

[庚寅^{21日}, 內乘災:五行1火災轉載].

[春某月, 以朴文富爲知寧海府事兼兵馬使:追加].¹⁴⁷⁾

---

144) 이와 관련된 기사로 다음이 있는데, 이에서 恭讓王은 現在의 時点에서 볼 때 昌王으로 바꾸어
  야 옳게 될 것이다.
 · 지24, 樂1, 軒架樂獨奏節度, "恭讓王^{昌王}元年, 三月乙酉, 禮曹請朝會用樂, 從之".
145) 相干은 '干涉하다', '關係하다'라는 의미를, 不相干은 '서로 간섭하지 않는다'라는 의미를 지니고
  있다.
 · 『淮南子』 권1, 原道訓, "是故, 聖人使人, 各處其位, 守其職, 而不得相干也"(21句節 중에서
  19句節에 있음).
 · 『후한서』 권18, 陳俊列傳第8, "… ^{建武}八年, 張步畔, 還琅邪, 俊追討, 斬之. ^{光武}帝美其功, 詔俊
  得征靑·徐. 俊撫貧弱, 表有義, 檢制軍吏, 不得與郡縣相干, 百姓歌之".
146) 이의 축약이 지30, 百官1, 春秋館에도 수록되어 있는데, 添字는 이에 의거하였다.
147) 이는 다음의 자료에 의거하였는데, 朴文富는 兵馬使를 겸직하였던 것 같다.
 · 『양촌집』 권11, 寧海府西門樓記, "… 己巳之春, 兵馬使朴侯文富寔來, 惻念遺黎, 務行寬政,

[夏]四月^{己亥朔大盡,己巳}, [庚子^{2日}, 禮儀司, 請每月用六衙日, 朝參:節要轉載].

[→庚子, 禮儀司請, "依皇朝禮, 群臣每月用六衙日朝參", 從之:禮9一月三朝儀轉載].¹⁴⁸⁾

[某日], ^{門下侍中}李穡等還自京師, 宣諭聖旨, "我這裏有幾箇孩兒, 恁高麗有根脚好人家女孩兒, 與將來敎做親".

[→穡至渤海, 與二客船同行, 及半洋山, 颶風大作, 二客船皆沒, 太宗所乘船, 亦幾不救. 人皆驚懼顚仆, 太宗神色自若, 竟得全而歸. ○穡還, 語人曰, "今此皇帝, 心無所主之主也. 我意帝必問此事, 則帝不之問, 帝之所問, 皆非我意也". 時論譏之曰, "大聖人度量, 俗儒可得而議乎?":節要轉載].¹⁴⁹⁾

乙巳^{7日}, 隕霜.

[○月犯軒轅大微^{太微}:天文3轉載].

[某日, 都評議使司啓, 自立春至立秋, 停死刑, 在京五覆啓, 在外三覆啓, 方許斷罪, 事干軍機及叛逆, 不在此限:刑法1職制·刑法2恤刑·節要轉載].¹⁵⁰⁾

[某日, 都評議使司議田制. 時田制大毁, 兼幷之家, 攘奪土田, 籠山絡野, 毒痛日深, 民胥怨咨. 我太祖^{守侍中李成桂}與^{知門下府事兼}大司憲趙浚, 欲革私田, ^{門下侍中}李穡以爲不可輕改舊法, 持其議不從, 而李琳·禹玄寶·邊安烈, 皆不欲革. 以穡爲儒宗, 藉其口, 以惑衆聽, 革復之論未決. 藝文館提學鄭道傳·大司成尹紹宗, 同浚議, 厚德府尹權近·判內府寺事柳伯濡, 同穡議, 贊成事鄭夢周, 依違兩間. 乃令各司議革復利害, 議者五十三人, 欲革者, 十□^之八九, 其不欲者, 皆巨室子弟也:節要轉載].¹⁵¹⁾

民之失業而移者懷之, 吏之私度而剃者還之, 俟其勞賑其饑, 煦濡撫摩, 不翅赤子".

· 『盈寧志』 권2, 官案, 名宦, "朴文富, 爲兵馬使, 治績詳載西門樓記".

148) 이 기사의 冒頭에 禑王十四年四月로 되어 있으나 昌王元年四月의 오류이고, 『고려사』의 記載 方式에 따르면 恭讓王元年四月로 고쳐야 될 것이다(桑野榮治 2004年).

149) 明太祖 朱元璋은 한미한 출신으로 執權過程에서 수많은 惡行을 恣行하였고, 心思가 變化無常하여 無辜한 臣僚들을 叛逆의 名目으로 처형하였다. 當時 中原의 儒者들에게 비교적 잘 알려진[知人善任] 李穡도 自身의 出自인 人民의 여망을 저버린 주원장의 作態를 잘 파악하고 있었던 것 같다.

150) 이 기사가 수록된 여러 典據 중에서 지39, 刑法2, 恤刑에는 이 기사의 冒頭에 '恭讓王元年十二月'이 있으나 '昌王元年四月'의 오류이다(校正事由 ; 蔡雄錫 2009년 302面·564面).

151) 이때의 田制改革에 대한 기사로 다음이 있다.
· 열전28, 李穡, "時田制大壞, 我太祖^{李成桂}與大司憲趙浚, 欲革私田. 都評議使司議田制, 穡以爲

[某日], 全州元帥陳乙瑞獻倭捷, 昌賜帛·馬匹.

[甲寅^{16日}, 月食:天文3轉載].¹⁵²⁾

[某日, 禮儀判書閔霽請更定群臣儀從·蓋·扇, 有差, 從之, 竟不行:節要轉載].

[→禮儀司請, 更定群臣儀從, 蓋扇有差. 侍中十二人, 省宰九人, 密直八人, 六部判書·代言·班主七人, 上將□^軍·判事六人, 單三品五人. 四品四人, 五·六品三人, 參外二人. 捕盜巡綽官, 不在此限. 又暑月, 只着紗帽, 觸熱甚艱, 自四月至八月, 兩府用重簷靑色盖, 六部判書·代言·班主·通憲·散騎以上用單簷靑色盖, 臺·省用平簷皂盖. 三品用圓扇, 四品至六品用鶴翎扇. 以上顯任官, 雨雪外, 不許着高頂帽, 文武官, 朝覲·會同, 禁用灰白色. 事竟不行:輿服1百官儀從轉載].

[甲子^{26日}:追加], 以旱宥.

[→甲子, 以旱宥, 雨:五行2轉載].

[某日, 置十學敎授□^官:節要轉載].¹⁵³⁾

[→置十學敎授官, 分隷禮學于成均館, 樂學于典儀寺, 兵學于軍候所, 律學于典法, 字學于典校寺, 醫學于典醫寺, 風水陰陽等學于書雲觀, 吏學于司譯院:百官2轉載].

[是月甲寅^{16日}, □□^{明帝}, 詔故元諸王來降者, 俾居耽羅國, 且遣中使往諭其國, 爲

不可輕改舊法, 持其議不從".
- 열전31, 趙浚, "先是, 田制大壤, 兼幷之家, 奪占土田, 毒痡日深, 民皆怨咨. 我太祖與浚·鄭道傳, 議革私田, 浚與同列, 上疏辛昌極論之, 語在食貨志. 舊家世族, 交相謗毁, 執之愈固. 都堂議利害, 侍中李穡以爲不可輕改舊法, 持其議不從. 李琳·禹玄寶·邊安烈及權近·柳伯濡附穡議, 道傳·紹宗附浚議, 鄭夢周依違兩間. 又令百官議, 議者五十三人, 欲革者十八九, 其不欲者皆巨室子弟也". 여기에서 趙浚이 簽書密直司事兼大司憲으로 同僚와 함께 개혁 상소를 올린 1388년(창왕 즉위년) 8월 이전에 수록되어 있는데, 時期의 整理에 오류가 있다.
- 『太祖實錄』 권4, 2년 9월 己未^{17日}, 尹紹宗의 卒記, "移成均大司成. 上^{李成桂}與趙浚等欲革私田, 令百官議可否, 俱以爲不可, 紹宗與鄭道傳等, 力請革之".
- 『太祖實錄』 권1, 總書, "恭讓王^{昌王}元年己巳[洪武二十二年], □□^{四月}, 是時, 田制大毁, 兼幷之家, 攘奪土田, 籠山絡野, 毒痡日深, 民胥怨咨. 太祖與大司憲趙浚, 議革私田, 以杜兼幷, 以厚民業. 於是中外大悅, 民心益附". 여기에서 添字가 추가되어야 事實이 더 명확해 질 수 있다.
152) 이날(甲寅)은 율리우스曆의 1389년 5월 11일이고, 月食의 現象이 심했던 때인 15일(癸丑)의 世界時는 18시 41분, 食分은 1.33이었다(渡邊敏夫 1979年 486面).
153) 다음의 資料에 의하면, 密直提學 鄭道傳이 前年(창왕 즉위년, 1388)에 十學都提調가 되었다고 한다(宋春永 1997년).
- 『太祖實錄』 권14, 7년 8월 己巳^{26日}, 鄭道傳의 卒記, "戊辰, 上當國, 召拜大司成, 屢獻計, 陞密直提學, 知貢擧. 爲十學都提調, 敎詳明'太一諸算法', 移藝文提學, 作胗脈圖訣^{胗脈圖訣}".

造廬舍, 處之:追加].¹⁵⁴⁾

五月^{己巳朔小盡,庚午}, [某日], 憲府^{司憲府}以前判事表瑩, 壓異母弟爲賤, 劾論之.

乙亥^{7日}, <u>雨雹</u>¹⁵⁵⁾.

[○蟲食松葉:五行2轉載].

[乙未^{27日}, 令重房, 率五部人, 捕松蟲:五行2轉載].

六月^{戊戌朔小盡,辛未}, [辛丑^{4日}, 設大般若法席于龜山寺, 以禳之^蟲:五行2轉載].

[乙巳^{8日}, 月犯歲星:天文3轉載].

[某日], 遣門下評理<u>尹承順</u>·簽書密直司事<u>權近</u>, 如京師, 請親朝, 且稟處女事.

[某日], 以沈德符△^爲判三司事, <u>安宗源</u>△^爲門下贊成事^{·判版圖司事, 156)}, 贊成事鄭夢周 △^爲藝文館大提學, 丁令孫·李舒源並△^爲密直副使, [^{奉常大夫·典理摠郎·進賢館直提學兼成均直講·} ^{知製教}李詹爲中顯大夫·試司憲執義·進賢館直提學:追加].¹⁵⁷⁾

[某日, 慶尙道都節制使<u>朴葳</u>, 捕倭船一艘, 斬三十<u>二級</u>:節要轉載].¹⁵⁸⁾

[是時, 改都巡問使爲<u>都節制使</u>, 元帥爲節制使, 或帶州府之任. 先是, 巡問·元 帥, 皆以京官口傳, 至是, 始用除授, 以專其任, 置經歷·都事:百官2外職轉載].¹⁵⁹⁾

[某日], 遣^{門下贊成事}<u>安宗源</u>如京師, 賀聖節, 密直使<u>皇甫琳</u>, 賀千秋節.¹⁶⁰⁾

[某日], 慮囚, 宥二罪以下.

---

154) 이는 『명태조실록』 권196, 홍무 22년 4월 甲寅을 전재하였다.

155) 이와 같은 기사가 지7, 五行1, 水, 雨雹에도 수록되어 있다.

156) 이때 安宗源은 重大匡·門下贊成事·判版圖司事에 임명되었다고 한다(安宗源墓碑銘).

157) 이는 『쌍매당협장집』 연보에 의거하였다.

158) 이 기사는 열전29, 朴葳에도 수록되어 있다.

159) 이는 다음의 기사를 전재하여 적절히 변개하였다.

· 지31, 百官2, 外職, 節制使, "恭讓王元年, 改都巡問使爲都節制使, 元帥爲節制使, 或帶州府之 任. 先是, 巡問·元帥, 皆以京官口傳, 至是, 始用除授, 以專其任, 置經·歷都事".

160) 皇甫琳은 9월 5일(庚午) 文華殿에서 群臣과 함께 皇太子 標의 生日[千秋節]을 箋을 올려 賀 禮하였고, 方物을 바쳤다. 또 安宗源은 9월 18일(癸未) 奉天殿에서 群臣과 함께 天壽聖節을 賀禮하였다(『명태조실록』 권197).

[某日], 京畿沿海節制使<u>朴子安</u>, 與倭戰, 擒斬三十餘級.¹⁶¹⁾

[秋]七月^{丁卯朔小盡,壬申}, [某日], 倭船二十艘來, 泊海州, 遣節制使<u>柳曼殊</u>·我恭靖王^{李芳果}, 禦之, 賜弓矢:節要轉載].¹⁶²⁾

[某日], 判慈惠府事<u>安慶</u>卒.

癸酉^{7日}, [立秋]. 以禑生日, 放輕繫.

[丙子^{10日}, 烈風, 且雹:五行3轉載].

[某日], <u>我太祖</u>^{守侍中李成桂}與判三司事<u>沈德符</u>·判開城府事<u>裴克廉</u>·門下評理<u>鄭地</u>等, 享禑于黃驪府.

[某日, 大司成<u>尹紹宗</u>^{在書筵}, 上書曰, "易曰, 蒙以養正, <u>聖功也</u>.¹⁶³⁾ 天命之性, 本善無惡, 人與堯舜, 初無小異. 古之聖王, 固稟胎教, 及在襁褓, 有保, 以保其身體, 而適起居之宜, 有畏愼之心. 有傅, 以傅之德義, 而節嗜好之過, 防聞見之非. 特選端士, 與之出入起居, 所見必正事, 所聞必正言. 外物之誘, 無自入, 天性之眞, 得其養. 方寸之間, 受教之地, 澄靜無蔽, 故皆可以, 爲堯舜矣. 臣竊見殿下, 受讀論語, 今十有三月矣, 每日所新知者, 多不過三四字而已. 尙或難讀, 以殿下明睿之才^彙, 得於天稟, 其於受學, 非不能也. 但由殿下, 暫御書筵, 須臾入內, 狃於近習, 必繫外物, 而不在於書故也. 至於近日, 怠學之端, 形於外, 師傅未退, 音訓^{訓音}未通, 輒讀輒起. 俄稱御膳失時, 輒入於內, 聖學何由而進, 聖德何由而明乎?. ○上王初立, 聰明向學, 而姦臣爲盜國之計, 卽罷講筵, 誤我上王, 幾覆宗社. 殿下傳位^{御位}之初, 大臣以前朝爲戒, 首開經幄, 以勸聖學, 以堯舜之聖, 望殿下矣. 如或怠學, 則

---

161) 이와 관련된 자료로 다음이 있는데, 公廨는 守令의 居所[居處]이다.
  · 『신증동국여지승람』권12, 江華都護府, 宮室, "公廨. 鄭以吾記, 江爲府屬畿內, 四面環海, 其土彊沃美, … 歲己巳^{昌王1年}春, 今同知密直司事兼都評議使司事朴公<u>子安</u>, 以京畿左右道沿海等處水軍都節制使·知招討營田事, 實兼江華府使, 盡心乎民事, 竭力乎戎務, 通其政, 壯其威. 嘗遇賊船, 長驅迫逐, 中流而敗之, 由是海道永淸. 向之流民, 復渡江引還, 田其田, 廬其廬, 安生振業".
  · 『가정집』권6, 韓州重營客舍記, "… 李君<u>自長</u>繼政益勤, 知無不爲, 則曰, '國制守令之居, 謂之公廨. 此州之守, 無所於寓, 寓於民家, 何以州爲?', 命其州吏分曹部役, 不日而成"(『신증동국여지승람』권17, 韓山郡, 宮室, 客館에 인용됨).
162) 이와 같은 기사가 열전18, 柳珣, 曼殊에도 수록되어 있다.
163) 이 구절은 『周易上經』, 蒙, 坎下艮上에 나오는 말이다.

棄宗廟何, 奈生靈何?. 今孟秋吉, 傷穀風作, 害國家生民之大命, 上天之譴, 莫大焉. 洪範曰云, '曰聖時風若, 曰蒙恒風若'.[164] 殿下怠學之端見, 而咎徵之風應之, 天之以蒙, 徹戒殿下之意, 豈不明甚哉?. 古之時, 八歲而入小學, 十歲而出就外傅, 居焉. 昔者, 魯襄公, 年才纔六歲, 而出從天下諸侯之會同, 何嘗御膳, 必於深宮之中乎?. 昔, 程子爲講官, 而上書曰, 人主一日之內, 親寺人·宮妾之時少, 接賢士大夫之時多, 則自然氣質變化, 德器成就.[165] ○願殿下, 每旦每朝問安慈闈之後,[166] 出御便殿, 命進御膳.[167] 命諸諫講官·館閣學士, 常侍左右. 從容宴語, 開說道理, 至於日昃, 至於夜分, 天命之去留, 人心之向背, 稼穡之艱難, 征戍之勞苦, 治亂之原源, 興亡之跡, 古今禮樂, 人物賢否. 日陳於前, 則上聽積久, 自然通達, 習與性成, 堯舜同德. 比之常在深宮之中, 薰染婦寺之邪, 化聖爲蒙, 其益豈不甚大哉?. 便嬖近習之褻慢, 實害聖德之莨莠也, 賢士大夫薰陶之益, 乃養聖德之雨露也. 凡宮人·內臣, 亦願用程子經筵之奏, 並選年四十·五十以上厚重之人, 以備左右, 其年少者, 不使進於左右, 以絶其導上邪私之源原. 大內宂服御器用, 以紂之玉盃·象箸爲戒, 以禹之惡衣服爲法. 侈麗之物, 不進於前, 後俗之言, 不接於聽. ○今領書筵·知書筵, 古之太師·太傅也, 侍讀, 古之少師·少傅也. 願自今, 正殿受讀之際, 知書筵進, 則必爲之起, 避席受經, 退則亦爲之起, 侍讀進退, 亦爲之避席改容, 以致尊師·尊傅之意. 此所謂湯之於伊尹, 必學焉而後臣之, 故不勞而王, 桓公之於管仲, 必學焉而後臣之, 故不勞而霸者也, 養成聖德, 莫急於此.[168] 願殿下, 上念太祖五百年之垂統, 下念三韓億兆之向望, 不罪微臣懇懇之言, 察納修省, 以開千萬世之太平". 侍讀鄭道傳見之曰, 議論

---

164) 이 구절은 『書經』, 洪範, 庶徵에 나오는 말이다.

165) 이 구절은 다음의 자료를 인용한 것이다.
- 『四書章句集注』(『孟子集疏』 권11), 告子章句上, "程子爲講官, 言於上曰, '人主一日之間, 接賢士大夫之時多, 親宦官·宮妾之時少, 則可以涵養氣質, 而薰陶德性'. 時不能用, 識者恨之".
- 『송사』 권427, 열전186, 程頤, "大率一日之中, 接賢士大夫之時多, 親寺人·宮女之時少, 則氣質變化, 自然而成".

166) 이에서 每旦이 李成桂의 改名인 旦을 回避해서 每朝로 改書된 것 같다. 처음 『고려사』를 편찬할 때는 조선왕조 초기 國王의 御諱[名字, 이름]는 避諱되지 않았지만, 『고려사절요』를 편찬할 때 任意로 改名되었던 것 같다.

167) 이 구절의 命字는 열전33, 尹紹宗에는 없지만, 『고려사절요』에 수록되어 있는데 잘못 들어간 글자[衍字]일 것이다.

168) 이 구절은 다음의 자료를 인용한 것이다.
- 『孟子』, 公孫丑章句下, "故湯之於伊尹, 學焉而後臣之, 故不勞而王, 桓公之於管仲, 學焉而後臣之, 故不勞而霸".

~~切至，深得告君之體~~:節要轉載].[169]

[某日]，前判事金二貴妻，與典獄鏁匠金都赤通，憲府[司憲府]劾論之.[170]

[某日]，憲府[司憲府]以前知永州事李斯芳，阿林堅味意，認良爲賤，劾流順天.[171]

[某日]，倭寇咸陽，晉州節制使[晉州等處兵馬節制使]金賞往救之,[172] 與戰敗北．官軍不救，賞棄馬走，腸爛而死．遣體覆別監李雍，鞫之．以副鎭撫河致東·陪吏波豆等，嘗不救李贇之死，今又不救，斬之．都鎭撫河就東等十三人，各杖一百.

[某日]，全羅道都節制使金宗衍獻倭捷.[173]

[某日]，以[門下侍中]李穡△[爲~~壁上三韓三重大匡~~·]判門下府事[~~判尙瑞司事~~.~~右文館大提學~~.~~領書筵春秋館事~~.~~士護軍~~.韓山府院君·功臣號餘如故],[174] 李琳△[爲]門下侍中，洪永通△[爲]領三司事.[175]

[→門下侍中李穡，乞解職，擧李琳自代．以穡△[爲]判門下府事，琳爲侍中，洪永通△[爲]領三司事．穡，嘗與永通·李茂方[~~李茂芳~~]等，設白蓮會於南神寺，佛者，以穡藉口，益肆其說:節要轉載].[176] [→識者，譏其佞佛:節要轉載].[177]

[→穡，謁禑于黃驪府，未幾乞解職，擧李琳自代．昌以穡爲判門下府事．穡嘗與洪永通·李茂方[~~李茂芳~~]等，設白蓮會於南神寺，佛者，以穡藉口，益肆其說:列傳28李穡轉載].

---

169) 이 기사는 열전33, 尹紹宗에도 수록되어 있는데, ~~添字~~는 이에 의거하였다. 또 ~~添字~~는 古典刊行會本(民族文化推進會, 『국역고려사절요』4책, 경인문화사, 1977, 599面)에 수록되어 있는데, 이것이 最近世에 活字로 組版될 때 윤소종의 열전을 바탕으로 追加된 것으로 추측된다.

170) 金二貴는 延世大學本과 東亞大學本에는 金一貴로 되어 있다(東亞大學 2008년 12책 324面).

171) 李斯芳은 1386년(우왕12) 9월에서 1387년 7월까지 知永州事로 在職하였다(『영천선생안』).

172) 晉州節制使는 晉州等處兵馬節制使의 약칭이다(→공양왕 2년 4월 9일). 또 이때 驛丞 鄭寅의 妻 宋氏가 倭賊에게 피살되었던 것 같다.
- 『태종실록』 권25, 13년 2월 “丙辰[7日]，命旌表孝子節婦之門. … 慶尙道都觀察使報，… 咸陽人前驛丞鄭寅妻宋氏，歲己巳[昌王1年]，被倭虜掠，倭欲汚之，宋氏誓死不從，倭卽殺之”.
- 『신증동국여지승람』 권30, 咸陽郡, 烈女, “宋氏，驛丞鄭寅妻也. 洪武中[己巳]，有倭寇，宋被掠. 賊欲汚之，誓死不從，遂見害. 事聞旌閭”.

173) 金宗衍은 이해의 10월 12일에 全羅道兵馬都節制使兼羅州牧使로 到任하여 12월 6일에 遞任되었다(『금성일기』).

174) ~~添字~~는 『목은집』연보에 의거하였다.

175) 이때 李成桂는 守門下侍中으로 留任되었던 것 같다(→是年 9월 某日).

176) 이 밑줄의 以下는 古典刊行會本에 수록되어 있는 것이다.

177) 이 구절은 蓬左文庫所藏本에 수록되어 있는 것이다.

[是月壬午^{16日}, 簽書密直司事李崇仁撰'診脈圖訣'跋:追加].¹⁷⁸⁾

[增補].¹⁷⁹⁾

八月^{丙申朔大盡,癸酉}, [某日], 典農副正金摯上書, 請禁金銀帶, 以從儉約.

[某日, ^{知門下府事兼}大司憲趙浚等上疏曰, "□￣. 竊惟, 私田, 利於私門, 而無益於國, 公田, 利於公室, 而甚便於民. 利於私門, 則兼幷以之而作, 用度由是而不足, 利於公室, 則倉稟實, 而國用足. 爭訟息, 而生民安矣. 有國家者, 當以經界, 爲仁政之始, 豈可開兼幷之門, 使民陷於塗炭乎? ○夫田本以養人, 而適足以害人, 私田之弊, 至此極矣. 幸賴天佑, 國家聖神誕作, 袪曠世之積弊, 其革復利害, 分明可見. 而世臣巨室, 猶蹈弊風, 以爲本朝成法, 不可一朝遽革, 苟革之, 則士君子, 生理日蹙, 必趨工商. 相與胥動浮言, 以惑衆聽, 欲復私田, 以保富貴, 其爲一家之計, 則得矣, 其如社稷生民何. 如或復之, 是擧三韓百萬之衆, 而納之膏火之中也. 今欲圖治, 而反貽患於生靈, 無乃不可乎? 竊謂, 當以京畿之地, 爲士大夫衛王室者之田, 以資其生, 以厚其業, 餘皆革去, 以充供上祭祀之用, 以足祿俸軍需之費, 杜兼幷之門, 絶爭訟之路, 以定無疆之令典:食貨1祿科田·節要轉載].¹⁸⁰⁾

---

178) 이는 다음의 자료에 의거하였다.
· 『도은집』권4, 診脈圖誌, "… 洪武歲在己巳秋七月既望,陶隱道人李崇仁識".
· 『태조실록』권14, 7년 8월 己巳^{26日}, 鄭道傳의 卒記, "… 戊辰^{昌王即位年}, 上當國, 召拜大司成, 屢獻計, 陞密直提學, 知貢擧, 爲十學都提調, 敎詳明太一諸算法, 移藝文提學, 作'診脈圖訣'. 己巳^{1年}, 與趙浚等, 請革私田".

179) 明에 파견된 고려의 사신단 尹承順과 權近의 7월의 일정은 다음과 같다.
· 7월 1일(丁卯), 尹承順과 權近이 遼東에 到着하자 都指揮使 賈珍, 都司指揮同知 朱勝, 胡旻이 羊·酒·酒肴를 보내왔다.
· 7일(癸酉), 連山島驛에서 宿泊하였다.
· 15(辛巳), 燕臺驛에 도착하여 燕府에 進見하려 하자 先太后의 忌日이라고 禮를 받지 않고 奉祠 葉鴻으로 하여금 館에서 接伴하게 하였다.
· 16일(壬午), 典儀所의 案內를 받아 承運門에서 燕王(朱棣, 朱元璋의 第4子, 後日의 永樂帝)에게 禮를 올렸다.
· 18일(甲申), 燕王에게 下直人事를 하고, 通州府 通津驛(現 北京 通縣)에 도착하여 夜中에 桑乾渡(白河, 潞河)에서 發船하였다.
· 19일(乙酉), 直沽里(現 天津直轄市 內獅子林橋 西部地域)에 도착하였다(이상 『陽村集』권6, 奉使錄).

180) 이 기사는 지32, 食貨1, 祿科田에 '昌王元年八月'로 수록되어 있는데, 여타의 기록에는 모두 '昌王元年'을 이해의 12月에 즉위한 '恭讓王元年'으로 표기한 것에 비해 예외적인 사례이다. 또 『고

[一. 都官所屬奴婢, 宮司倉庫奴婢, 及近日誅流貝將祖業奴婢, 新得奴婢, 令□□^{冊民}辨正都監, 亦計口成籍. 毋使遺漏. 每有土木營繕之役, 賓客佛神之供, 皆以役之, 其於坊里雜役, 一皆除去, 以安其生, 以衛王室":刑法2奴婢轉載].[181]

[某日], 琉球國中山王察度, 遣玉之, 奉表稱臣, 歸我被倭賊虜掠人口, 獻方物硫黃三百斤·蘇木六百斤·胡椒三百斤·甲二十部.[182] 初, 全羅道都觀察使^{都觀察黜陟使崔有慶}報, 琉球國王, 聞我國伐對馬島, 遣使到順天府.[183] 都堂以前代所不來, 難其接待. ○昌曰, "遠人來貢, 待之薄, 則無乃不可乎? 使之入京慰送, 可也". 以前判事陳義貴爲迎接使.

[某日], 諫官李舒等, 以私田不可復, 上書爭之. 左司議□□^{大夫}文益漸, 附穡·琳·玄寶, 移病不署名:節要轉載].[184]

[翼日], 徑赴書筵. ^{知門下府事兼大司憲}趙浚劾曰, "文益漸, 本以遺逸, 躬耕晋鄙, 以賢良, 拜諫大夫, 置之左右. 以資淸問, 誠宜進盡忠言, 敷陳治道, 以補聖治, 而依違苟容, 無諫爭之節, 傴僂束手, 唯唯諾諾. 頃者, 同舍郎吳思忠·李舒, 各自上疏, 極言時事, 益漸持祿, 患失無一語及之. 又同舍郎, 聯名上疏, 極論田制, 益漸, 依阿權勢, 稱疾不與, 自以爲得計. 上累殿下知人之明, 下負士林期待之望. 是宜削其官爵, 放歸山野, 以爲有言責而不言者之戒也. 卽罷益漸":節要轉載].[185]

려사절요』 권33에는 밑줄이 있는 글자가 탈락되어 있는데, 이는 潤文에 의한 것이기도 하지만 聖神誕作으로 표현된 고려왕조의 神聖스러움을 排除하려고 한 意圖도 있을 것이다.

181) 이 기사의 冒頭에 "十四年六月, 辛昌立. 八月, 憲司上疏"가 있다.

182) 『태조실록』에 의하면 이 시기의 전후에 流球國에는 中山王 察度, 山南王(혹은 南山王) 承察度, 北山王 怕尼芝 등이 있었던 것 같지만, 이의 실체는 분명하지 않다(吉成直樹·福寬美 2006年 224~227面).

183) 全羅道都觀察黜陟使 崔有慶은 前年(昌王 卽位年) 11月 20日 羅州에 들어왔고, 그의 後任者 盧嵩은 이해(昌王1)의 9月 全羅道에 赴任하여 倭寇의 討伐에 紀綱을 嚴重히 하고, 全州 龍安城·羅州 榮山城을 築造하였다고 한다(『금성일기』).
· 『태종실록』 권28, 14年 8月 甲辰^{4日}, 盧嵩의 卒記, "… 己巳^{昌王1年}, 爲全羅道都觀察使, 時倭寇絡繹, 濱海州郡蕭然, 嵩振起頹綱, 威惠並行. 請于朝, 復民租三年. 先是, 近海無城, 輸租待漕之弊, 民不能堪, 嵩相地之宜, 城全之龍安, 羅之榮山, 輸租以便轉漕. 且諸州舊無義倉, 又請于朝, 始置之".

184) 이때 私田 문제에 대한 관료들의 형편은 다음과 같다.
· 열전24, 文益漸, "辛昌立, 以左司議□□^{大夫}侍學, 上書論爲學之道. 時諫官李舒等, 以私田不可復, 上書爭之, 益漸附李穡·李琳·禹玄寶, 移病不署名".

185) 文益漸(1329~1398)은 현재의 경상남도 山淸郡 新安面 新安里 177의 道川書院에 祭享되어 있고, 그가 木花를 재배하였다는 곳은 丹城面 沙月里이다[사적 제108호, 具山祐 2008년 221面].

[→翌日, 徑赴書筵. 大司憲趙浚劾曰, "益漸, 本以遺逸, 躬耕晉鄙. 殿下以賢良, 徵拜諫大夫, 置之左右, 以資淸問, 誠宜進盡忠言, 敷陳治道, 以補聖治. 而乃日侍經帷, 依阿苟容, 以飾忠直之狀, 承順逢迎, 而無諫諍之節, 傴僂束手, 唯唯諾諾. 頃者, 同舍郞吳思忠·李舒, 各自上疏, 極言時事, 益漸, 持祿患失, 無一語及之. 又同舍郞聯名上疏, 極論田制, 益漸依阿權勢, 稱疾不仕, 不與其議. 規避衆謗, 自以爲得計, 上累殿下知人之明, 下負士林期待之意. 是宜削其爵位, 放歸田野, 以爲有言責而不言者之戒". 乃罷之. 子中庸·中誠·中實·中晉·中啓:列傳24文益漸轉載].[186)]

壬寅[7日], 以昌生日, 宥二罪以下.

[某日], 始置義倉.[187)]

[某日], 昌, 以琉球國所獻蘇木·胡椒將用諸宮中. 判內府寺事柳伯濡諫曰, "昔忠肅王置醞瓮宮中, 史書之, 傳以爲笑". 不從.

[某日], 以門下評理鄭地爲楊廣·全羅·慶尙道都節制体察使兼總招討營田繕城事.

[某日], 遣典客令金允厚·副令金仁用, 報聘于琉球國, 答書曰, "高麗權署國事王昌, 端肅復書琉球國中山王殿下. 我國與貴國, 隔海萬里, 未嘗往來, 竊聞芳譽, 景慕久矣. 今者, 專使辱書, 副以嘉貺, 仍將本國被虜人口送還, 感喜之情, 難以言盡. 但以館待來使, 不克如禮, 良用慊然. 今差典客令金允厚等, 聊致菲儀, 幸照亮. 來書云, '被虜人口, 來年皆許回鄕'. 益增感喜, 乞於允厚等回刷送, 令其父母妻子宗聚, 幸甚". 禮物, 鞍子二·銀鉢匙筯各二·銀盞盃各一·黑麻布二十四·虎皮二領·

---

186) 이 기사에서 文益漸은 다섯 아들이 있다고 하였으나 그의 卒記에는 3人만을 기록하고 있는데, 어떤 착오일 것이다. 또 그가 逝去한 날짜는 율리우스曆으로 1398년 7월 26일(그레고리曆 8월 3일)에 해당한다.
  · 『태조실록』 권14, 7년 6월 丁巳[13日], "… 洪武乙卯[禑王1年], 召益漸爲典儀注簿, 積官至左司議大夫. 卒年七十, 至國朝, 以議者之言, 贈參知議政府事·藝文館提學·同知春秋館事·江城君. 子三, 中庸·中實·中啓".
187) 이때의 '始置義倉'은 다음의 자료를 통해볼 때 오류일 것이다. 이때의 措置는 成宗代 이래 整備된 義倉制度를 全國的으로 再整備한 것을 서술한 것일 것이다.
  · 『고려사절요』 권34, "楊廣道都觀察□□[黜陟]使成石璘請州郡置義倉, 從之".
  · 지34, 食貨3, 常平·義倉轉載, "辛昌元年, 楊廣道都觀察□□[黜陟]使成石璘啓, 道內之民, 因水旱, 不得耕耨, 種食俱乏, 今後, 請於州郡, 置義倉, 從之". 이 기사에서 是年을 '恭讓王元年'으로 기록하지 아니하고, '辛昌元年'으로 기록하고 있는 점이 특이하다.
  · 열전30, 成石璘, "拜政堂文學, 出爲楊廣道都觀察□□[黜陟]使. 時適饑荒, 石璘請置州郡義倉, 從之. 仍令諸道, 皆置義倉".

豹皮一領·<u>滿花席</u>四張·箭一百枚·畫屛一副·畫簇一雙.[188]

[某日], 司宰副令文允慶, 烝其父妾, 又盜官物. 法司劾奏, 絞允慶及妾, 以徇于市.

[自四月至是月, 恒雨, 水湧山崩:五行2轉載].

[是月, 知申事權鑄, □□□□□^{掌成均館試}, 取黃訥等九十九人:選擧2國子試額轉載].

[○知興海郡事<u>趙友良</u>起興海城役:追加].[189]

[是月庚子^{5日}, 優婆塞辛某·前開城府尹某·寧越郡夫人<u>辛氏</u>等發願, 鐵原郡<u>深原寺</u>無量壽如來· 觀音菩薩·大勢至菩薩改金佛事工畢:追加].[190]

[是月頃, 以<u>鄭澹</u>爲知永州事:追加].[191]

[增補].[192]

---

188) 이때 보다 100년 뒤에 朝鮮을 訪問한 董越에 의하면, 푸른 색깔의 滿花席은 자주 접어도 파손되지 않았다고 한다.
- 『신증동국여지승람』 권1, 京都上, 國都, "大明<u>董越</u>'朝鮮賦', … 惟有五葉之蓂, 滿花之席[注, 五葉蓂, 卽'本草'所謂新羅人蓂也. 滿花席之草色黃而柔, 雖摺不斷, 比蘇州者更佳]. 歲貢闕庭, 時供上國".

189) 이는 『양촌집』 권11, 興海郡新城門樓記에 의거하였다.

190) 이는 서울시 恩平區 龜山洞 314번지에 위치한 守國寺 大雄殿의 木造阿彌陀佛坐像의 腹藏 遺物의 하나인 改金記에 의거하였다. 이 불상은 원래 鐵原郡 寶盖山 深原寺에 소장되어 있었던 것이라고 한다(文明大 2007년 ; 南權熙 2014년 ; 崔聖銀 2013년 289面).
- 改金記, "洪武二十二年己巳七月二十二日」起始, 無量壽如來, 金伍束三貼·泥金五錢」觀音菩薩金三束一貼泥金二錢」大勢至菩薩金三束三貼泥金二錢」八月初五日, 紅錦綵坐子, 進呈安坐」化主知識辛□」施主前開城□□^{尹某}, 寧越郡夫人<u>辛氏</u>".

191) 이는 『영천선생안』에 의거하였는데, 鄭澹은 鄭道傳의 아들로 明年(1390, 공양왕2) 윤4월에 永州守로 재직하고 있었다.
- 『양촌집』 권7, 南行錄, 雜著序, "夏閏四月, 又遷金海, 路于永, 永之守鄭君, 三峰相之嗣, 僕嘗試其入學者也".

192) 明에 파견된 고려의 사신단 尹承順과 權近의 8월의 일정은 다음과 같다.
- 8월 1일(丙申), 宿遷縣(현 江蘇省 北部의 宿遷市) 鍾吾驛을 통과하였다(『陽村集』 권6, 奉使錄).
- 8일(癸卯), 應天府에서 洪武帝에게 昌王[權國事 王昌]의 入朝를 請賀하였으나 허가를 받지 못하였다. 또 洪武帝는 禮部尙書 李原名에게 廢立의 부당성을 말하며, 昌王의 來朝를 못하게 하였다(『명태조실록』 권197). 이보다 먼저 會同館에 머물면서 홍무제를 謁見하고, 이날 大闕에 나가 賜宴을 謝恩하고 下直人事를 드렸다(『陽村集』 권6, 奉使錄).
- 10일(乙巳)頃, 儀眞縣(現 江蘇省 揚州의 西南面의 儀微)을 通過하면서 舟中에서 高麗人出身으로 南蠻征伐에서 功을 세워 儀眞縣 指揮에 任命된 鄭郎只夕과 金義(也列不哥, Ile Buqa)를 만났다. 이때 金義는 고려에 生存해 있는 母(尙州 官婢)의 형편을 듣고서도 슬퍼하지 않았다고 한다(『양촌집』 권6, 奉使錄 ; 열전44, 반역5, 金義).

九月^{丙寅朔大盡,甲戌}, [某日], 昌, 將親朝, 以領三司事洪永通·判門下府事李穡·判三司事沈德符·門下評理偰長壽·厚德府尹李種學, 爲從行官. [李穡曰, "遼野寒甚, 宜早行":<u>節要轉載</u>]. 旣而, 昌母^{王大妃}李氏, 憫其年幼, 言於都堂, 寢<u>其行</u>.¹⁹³⁾

[某日], 雞林□^漕兵馬節制使<u>朴可實</u>擊倭, 獻捷.

[某日], 給田都監啓, "分掌宗室諸君於宗簿司^{宗簿寺}, 文班於典理司, 武班於軍簿司, 前銜各品於開城府, 令擇其可受科田者, 以憑考核^{考覈}".¹⁹⁴⁾

[某日, 永興君<u>環</u>, 嘗以事流武陵島, 不知存沒者十九年. 妻辛氏, 聞環飄風至日本國, 請於朝, 使家奴隨使物色求之者數四. 至是, 其奴, 以所謂環者偕來, 爲人甚癡, 形容不類, 語言多忘, 不知祖父名姓及所居田里. 辛氏弟^{從姪}前判事<u>克恭</u>及其姻親前判開城府事<u>朴天祥</u>·前密直副使<u>朴可興</u>·知密直□□^司事<u>李崇仁</u>·<u>河崙</u>曰, "此實非環也".¹⁹⁵⁾ 辛氏, 自京山府來見, 喜甚曰, "人之知, 豈若妻之知耶?". 遂訟于憲府, 憲府聚宗室及祥天等, 對辨. 環二子及兄僧呂髓·宗室諸君, 皆曰, "眞永興也". 於是, 劾天祥等坐誣, 崇仁逃, 獄卒反接崇仁子<u>次若</u>, 索之, 鞭背流血. 道遇我太祖^{李成桂}, 獄卒匿次若于路傍家, 次若大聲號曰, "願令公活我". 太祖驚而召問之, 謂獄卒曰, "豈可責子以索父耶?". 卽命釋之, 且使從者一人, 歸次若于家. 乃與侍中<u>李琳</u>, 白昌曰, "卽位之初, 宜布寬仁, 乞宥天祥等, 且崇仁, 侍講書筵, 啓沃有日, 乞令供職". 於是, 流天祥等四人于遠地. ○崇仁乃出赴書筵, 憲府又劾之. 時^{大司成}<u>尹紹宗</u>嫉崇仁才高, 又忌李穡譽崇仁而不譽己, 讒毀<u>多方</u>:節要轉載].¹⁹⁶⁾

· 15일(庚戌), 沐陽縣(현 宿遷市 管內의 沐陽縣) 僮陽驛에서 숙박하였다.
· 16일(辛亥), 上莊驛에서 숙박하였다.
한편 이 시기에 鄭郎只夕·金義 등과 같은 高麗人들이 遼瀋地域(後日 東寧府가 위치함)이 여전히 많이 거주하고 있었고, 그들의 後裔가 明代에 揚州府(現 揚州市 地域一帶) 儀眞衛隷下 右所·中所·前所의 千戶·百戶 등의 軍官職을 세습하고 있었던 것 같다. 또 고려인의 후예는 隣近의 揚州衛와 그 隷下의 泰州守禦千戶所의 軍官職도 세습하고 있었던 것 같다(『儀眞縣志』, 隆慶刊, 권13, 武備考 ; 『儀眞縣志』, 康熙 32年刊, 권6, 武備志, 권9, 人物志下 ; 『揚州府志』, 萬曆 33年刊, 권14, 兵防志下 ; 楊曉春 2001年).

193) 이 기사는 열전28, 李穡에도 수록되어 있다.
194) 添字와 같이 고쳐야 옳게 될 것이다.
195) 朴天祥과 朴可興은 父子로서 본관은 順天이고, 朴錫命(1370~1406, 歸義君 王瑀의 壻)의 父祖라고 하며, 조선왕조 개창 후에도 생존하였다(『태종실록』권12, 6년 7월 庚子^{13日}, 朴錫命의 卒記 ; 『세종실록』권37, 9년 8월 丙子^{21日}, 朴可興의 卒記 ; 『淵齋集』권32, 高麗判尹朴公可權遺墟碑).
196) 이 구절은 열전33, 尹紹宗에도 수록되어 있다("初, <u>紹宗</u>嫉<u>李崇仁</u>才高, 又忌李穡譽<u>崇仁</u>, 而不譽

[→環, 封永興君, □^從妻弟辛珣, 附辛旽伏誅, 緣坐流武陵島. 不知存沒者十九年, 妻辛氏, 聞環飄風至日本國. 請都堂, 私備金銀, 令家奴, 隨回禮使, 物色求之者, 數四. 辛昌^{昌王}元年, 其奴以所謂環者來, 爲人形容不類, 甚癡, 不知祖父名及所居田里. 辛氏從弟^{從姪}前判事克恭及其姻親前判開城府事朴天祥·前密直副使朴可興·知密直□□^{司事}李崇仁·河崙曰,[197] "吾等識環甚熟, 此實非環也". 辛氏, 自京山府來見, 喜甚曰, "知夫莫若妻". 遂訟于憲府, 憲府與門下府郎舍·典法司·巡軍, 雜治, 聚宗室及天祥等對辨. 環二子及兄僧呂髓·宗室諸君, 皆曰, "眞永興也". 環女壻前判書李崇文, 崇仁弟也, 當初對以不知眞幹, 及鞫之, 乃曰, "眞吾婦翁也". 於是, 天祥·克恭·可興·崙等, 坐誣流遠地:列傳4神宗王子襄陽公恕轉載].

[→辛昌時, 與朴天祥·河崙等, 辨永興君環眞僞, 坐誣, 憲司請置極刑. 崇仁逃, 獄卒反接崇仁子次若索之. 鞭背流血, 過梨峴, 適遇我太祖^{李成桂}. 獄卒匿次若路傍家, 次若大呼曰, "願令公活我". 太祖驚問之, 謂獄卒曰, "豈可責子索父耶?". 卽命釋之, 令從者一人, 歸次若于家. 乃與侍中李琳白^奏昌曰, "卽位之初, 宣布寬仁, 請宥天祥等. 且崇仁侍講書筵, 啓沃有日, 乞令供職". 於是, 流天祥等于遠地, 崇仁乃出赴書筵. 憲司劾之, 崇仁辭, 不允:列傳28李崇仁轉載].

[某日], 命^{判門下府事}李穡·^{門下侍中}李琳及我太祖^{守侍中李成桂}, 劍履上殿, 贊拜不名, 各賜銀五十兩·彩叚^段十匹·馬一匹. 從^{門下贊成事}鄭夢周之請也. 下敎曰, "尊師重傳, 所以爲斯道, 崇德報功, 所以勸將來, 襲惟我列廟在位時, 則有若侍中·貞肅公趙仁規, 功在社稷, 德在生民, 特令劍履上殿, 贊拜不名, 事載國史, 予甚慕焉. 韓山府院君李穡, 早遊中原, 高捷制科, 學通天人, 識貫今古. 事我先祖恭愍王, 大爲所重, 從容啓沃, 恊^協贊政機, 潤色討論, 顯揚國美. 至使人知濂洛之學, 俗變鄒魯之風, 實卿之力. 及至上王^{禑王}, 起卿視事, 屢以疾辭. 然而國家大計, 必就而咨, 裨益弘多. 自我在東宮之日, 以至踐祚之初, 訓誨弼亮, 厥功尤著, 是用陞^降之左揆, 倚以仰成. 自^{門下侍中}崔瑩構逆之後, 人心虞疑, 卿以六十之年, 疾病之餘, 慨然自請, 肩輿就道, 入覲天子, 奏對詳明, 天子嘉納. 上下之情以通, 宗社之計以定, 比之先正, 益有光焉.[198] ○門下侍中李琳, 爰自先世, 爲國重臣, 積德之久, 寔生聖善, 配我上王, 以

己, 及永興君獄起, 紹宗讒崇仁於^趙浚, 欲殺之"). 또 次若은 李崇仁의 2子로 知大丘郡事에 이르렀던 것 같다(『세종실록』 권49, 12년 8월 丁亥^{19日}).

197) 永興君 環의 妻인 辛氏는 辛珣의 從兄弟[姉氏]이므로 克恭(辛珣의 長子, ?~1423)은 辛氏의 從姪에 해당되므로 添字와 고쳐야 옳게 될 것이다.

助內理. 予在襁褓, 而多疾病, 卿乃盡心保佑, 式至于今日, 臨御有衆, 功莫大焉. 夫以元舅之親, 居冢宰之位, 非予私之, 實公論所歸也. ○守門下侍中李[太祖舊諱]成桂, 以文武之略, 將帥之才, 遇知先祖, 逮事上王, 入參鼎鉉, 出將戎兵. 自己亥^{恭愍8年}用兵以來, 三十年間, 大小幾戰, 所至必捷. 其大焉者, 歲辛丑^{恭愍10年}, 關賊^{紅巾賊}犯京,[199] 國家播遷, 卿佐大將, 克殲兇醜, 以復京都. 胡人納哈出, 犯我東北鄙, 諸將敗走, 乘勝奄至高州之境, 卿卷甲兼行, 逐出疆外. 癸卯^{恭愍王12年}庶孽德興君, 擧兵入西鄙, 卿率輕騎, 挫其鋒銳, 丁巳^{禑王3年}倭寇海州, 諸將奔潰, 卿獨身先士卒, 擊之幾盡. 庚申^{禑王6年}倭自鎭浦下岸, 橫行楊廣·慶尙·全羅之境, 焚蕩郡邑, 殺掠士女, 三道騷然, ^{雞林府尹·}元帥裴彦, ^{慶尙道都巡問使}朴修敬等, 皆敗死. 國家憂之, 遣卿及九元帥, 諸將逗遛不進, 卿獨奮然, 率其麾下, 鏖戰引月之驛, 捕獲無遺, 民賴以安. 其行師也, 動遵紀律, 秋毫無犯, 軍畏其威, 民懷其德, 雖古名將, 無以加焉. 卿之豊功偉烈, 在人耳目者, 赫赫如此, 而不自矜伐, 歉然退托, 國人益以倚重, 及崔瑩安興師旅, 以圖猾夏, 禍在朝夕, 在朝之臣, 畏瑩之威, 無敢言者, 卿以宗社·生靈之大計, 請命上王^{禑王}, 執退^{門下侍中}崔瑩. 事大益虔, 再安社稷, 予實嘉之, 處以端揆,[200] 仍摠軍政. 卿性行淑均, 局量寬洪, 讀書不倦, 事必師古. 置書筵, 勸我進學, 開言路, 教我從諫. 遣大臣黜陟守令, 而民生安, 選勇將, 扞禦要害, 而邊警息. 用人材, 則搜揚茂異, 施政敎, 則振起紀綱. 正經界, 而均田法. 禁奔競, 而美士風. 匡救不逮, 期至中興之理, 所謂社稷之臣也. 載惟幼沖, 荷此艱大, 若涉淵水. 苟非師傅之訓誨, 元舅之保佑, 元勛之匡救, 曷其能濟. 其令卿等, 劍履上殿, 贊拜不名, 宥十罪, 以及子孫. 於戲, 卿其祗服休命, 益勵忠誠, 以勖我沖人, 追配于先王, 卿其永有辭於後世".

[○^{門下侍中李}琳乞解職, 不聽:列傳29李琳轉載].

---

198) 여러 판본의 『고려사』에서 陞으로 되어 있으나 降의 오자이다(東亞大學 2008년 12책 325面).

199) 關賊은 紅巾賊을 指稱하는 것으로 그들의 지휘관 關鐸(혹은 關先生, ?~1362)에서 유래한 것 같다.

200) 端揆는 唐制에서 尙書省의 長官인 左右僕射를 指稱하지만, 여기서는 李成桂의 職責인 守門下侍中을 가리키는 것 같다.
  · 『자치통감』 권195, 唐紀11, 太宗貞觀 13년(639) 1월, "戊午, 加左僕射房玄齡太子少師, 玄齡自以居端揆十五年[胡三省注, 左右僕射, 尙書省長官, 故曰端揆], 男遺愛尙上女高陽公主, 女爲韓王妃, 深畏滿盈, 上表請解機務, 上不許, 玄齡固請不已, 詔斷表, 乃就職[注, 今之讓官者, 奉表三讓, 不許, 敕斷來章, 則閤門不復受其表, 卽唐制之斷表也]".

[某日, 遣密直副使柳爰廷, 祭侍中慶復興墓曰,[201] "我先祖恭愍王, 擢卿憲司, 任卿紀綱, 引入御寢, 咨訪達旦. 凡百姓苦樂, 士大夫忠姦, 亶聰灼知, 興利除害, 進賢退不肖. 遂能內誅奇轍, 外殲紅賊. 德興之亂, 卿與崔瑩, 奮忠擊走, 以存我社稷, 及逆旽以左道, 惑我先祖, 領□帶僉議事, 三韓卿大夫, 昏夜走謁, 惟恐不及, 其門湯沸. 旽亦歆卿淸忠, 欲屈卿而致之門, 倚以爲重, 屢通殷勤之意, 而卿不一進其門, 旽乃譖卿. 於是, 有明夷之行, 三韓之人, 知與不知, 莫不泣下. 旽旣伏誅, 我先祖悔甚, 卽日召卿, 復卿左相. 及我上王嗣位, 賊臣李仁任, 乘閒專恣, 鬻官貨獄, 尙賴卿之在朝, 五六載之間, 社稷粗安. 而仁任憚卿, 不能縱其谿壑之欲, 朝夕側目, 但以我王母明德妃, 信卿之深, 未敢發也. 及明德昇遐, 而仁任, 嗾群兇而逐卿, 於是, 仁任窮兇極惡, 冤塞覆載. 嗚呼, 卿位極人臣, 而無一畝於京甸, 無斗粟於家甁, 簞食水飮, 弊裘瘦馬, 求之千萬載之上, 如卿者, 幾何人哉? 卿之忠淸義烈, 足以範三韓, 而聳萬世, 予嘉乃忠, 特遣使往尊, 歆玆異數, 永祐我王家":節要轉載].

[→辛昌立, 賜祭曰, "嗚呼, 我先祖恭愍王, 有周宣中興之志, 有漢祖知人之明. 卽位之初, 側席求賢, 旰食圖理. 擢卿百寮之中, 置之憲司, 引入御寢, 咨訪達旦. 潛邸元從, 莫有知者. 凡百姓苦樂·士大夫忠姦, 亶聰灼知, 興利除害, 進賢退不肖. 遂能內誅奇轍, 外殲紅賊, 文德武烈, 聞於天下. 元季, 東南割據, 若方國珍·張士誠輩, 皆遣使款獻, 我先祖中興之烈, 有光于祖宗, 卿有力焉. 迨至癸卯, 賊臣崔濡, 夤緣轍黨, 推奉孽醜德興, 請兵元朝, 突入鴨綠. 我先祖授卿節鉞, 與崔瑩等擊走, 以存我社稷, 功在帶礪, 賜券圖形. 及逆旽以左道惑我先祖, 領僉議事, 三韓卿大夫, 望塵趨拜, 昏夜走謁, 惟恐不及, 其門湯沸. 旽亦歆卿淸忠狷愷, 欲屈卿而致之門, 倚以爲重, 屢遣私人, 通慇懃之意於卿, 而卿不一進其門. 旽乃譖卿, 而我先祖方委政於旽, 難違其言. 卿於是, 有明夷之行, 三韓之人, 知與不知, 莫不泣下. 旽謀旣覺而誅, 我先祖悔甚, 卽日召卿, 復卿左相. 及我上王嗣位, 賊臣李仁任, 乘閒專恣, 鬻官貨獄, 敗我先祖嚴恭抑畏事大之禮. 尙賴卿之在朝五六載之間, 社稷粗安, 而仁任憚卿, 不能縱其谿壑之欲, 朝夕側目. 但以我王母明德妃, 信卿之深, 未

---

201) 慶復興의 墓所는 臨津江 남쪽의 長湍 부근에 있었던 것 같다
· 『태조실록』 권11, 6년 2월, "辛亥28日, 上次于臨津, 其南有前朝侍中·貞烈公慶復興墓. 上曰,
'慶侍中慷慨淸直, 位侍中, 視予猶子, 予亦父事之'. 乃遣僉節制使趙思義致祭".
· 『태조실록』 권13, 7년 3월, "戊申朔, 至所磨洞駐駕, 與右政丞金士衡·宜城君南誾, 論潛邸相得之
情及開國勤勞之事, 酒杯相屬, 親如平昔. 行至長湍, 命應敎李愃, 製文致奠于前朝侍中慶復興墓".

敢發也, 及明德昇遐, 仁任嗾群兇而逐卿. 於是, 仁任窮兇極惡, 籠山川以爲田, 認良民而爲隸, 冤塞覆載, 醜聞上國. 遂致天子欲立衛於鐵嶺, 社稷幾顚, 而崔瑩奮忠, 廓淸群兇, 上王命予小子, 乃權國事, 一新庶政. 予惟, 汲黯在漢而淮南之謀不得行, 孔父在宋而華督之惡不敢作. 卿在上王朝, 身佩王室安危朝廷輕重, 卿誠唐之郭汾陽^{郭子儀}·裴晋公^{裴度}之儔也. 嗚呼, 卿位極人臣, 而無一畝於京甸, 無斗粟於家瓶. 簞食水飮, 敝裘瘦馬, 求之千載, 如卿者幾何. 卿之忠淸義烈, 足以範三韓而聳萬世. 今遣密直副使柳爰廷, 往奠卿墓, 英靈有知, 歆玆異數, 諒予至懷, 永佑我王家". 子補·璪·儀:列傳24慶復興轉載].

[某日], 以^{慶尙道都觀察黜陟使}張夏·^{政堂文學}成石璘△^並爲門下評理, ^{簽書密直司事}趙云仡·金士衡·崔有慶△△^{並爲}同知密直司事,²⁰²⁾ 權鑄△^爲密直提學, 閔霽△^爲開城尹, 李行△^爲知申事, 李懃△^爲左副代言, 吳思忠·南在△^{爲左·}右司議□^{大夫,203)} 趙璞△^爲門下舍人, 權湛△^爲司憲掌令, 金爾音·崔士威△△^{並爲}持平.

[某日], 取及第金汝知等.²⁰⁴⁾

---

202) 열전17, 金方慶, 士衡에는 "明年^{昌王1年}, 知密直司事·同知經筵事"로 되어 있으나 "明年^{昌王1年}, 爲同知密直司事, 恭讓王二年, 兼同知經筵事"의 오류일 것이다. 또 崔有慶(1343~1413)의 墓所는 京畿道 龍仁市 器興邑 芝谷里에 있다(龍仁市 2001년 26面).

203) 이후 左司議大夫 吳思忠은 私田의 폐단을 論하고, 昌王에게 諫言을 올렸던 것 같다.
  • 열전33, 吳思忠, "辛昌時, 爲□^左司議大夫, 上疏論復私田之弊, 從之. 又與同列上書曰, '往者, 群姦秉權, 援引朋黨, 用舍顚倒. 骨鯁忠直之士, 指爲迂闊, 排而斥之, 貪邪諂諛之徒, 號稱賢能, 崇而陞之. 絶塞言路, 蒙蔽聰明, 邦家殄瘁. 幸賴天地宗社之靈, 群兇伏誅, 朝野廓淸. 殿下, 初卽大寶, 旁搜賢俊, 布列庶官, 芻蕘必採. 其禮樂制度之宜, 救時拯民之策, 臺省交章申奏, 殿下, 聽而行之. 然法雖立, 而民未見効. 革私田正經界之論, 巨室之所大忌, 有志之士, 勁直之言, 邪黨之所深疾, 胥動浮言, 以惑衆聽, 中外嘵嘵, 此扇亂之漸也. 況天變屢見, 星躔失度, 霜降之餘, 迅雷不收, 立冬之後, 蒸霧發洩, 此二氣有乖之驗也. 臣等竊謂, 殿下, 當克謹天戒, 好學從諫, 修省於上. 群臣當各供其職, 無敢怠荒, 恐懼於下. 然後, 天變可消, 人孼不作, 能保無窮之業. 今也, 大臣每用樂宴飮, 供費十千, 實非敬天勤民, 憂災恤變之道. 願自今, 迎餞上國使臣, 及勞慰有功將帥外, 凡中外公私, 宴飮用樂, 痛行禁斷, 以謹天戒, 以節國用, 以厚民生'. ○昌納之".

204) 이와 관련된 기사로 다음이 있다.
  • 지27, 선거1, 科目1, 選場, "^{昌王}元年九月, 判開城府事柳源知貢擧, 厚德府尹李種學同知貢擧, 取進士, □□^{朱甲}, 賜金汝知等三十三人及第".
  • 『양촌집』 권40, 李穡行狀, "… 公^{李穡}三男, … 次曰種學, … 己巳^{昌王1年}, 知貢擧".
  • 『세종실록』 권27, 7년 1월 壬申朔, "前參贊金汝知卒. 汝知字子行, 黃海道延安人, 高麗密直提學濤之子. 中高麗己巳科第一人, 時年二十, 拜司憲糾正".
  • 『敬齋遺稿』 권1, 安純墓誌銘, "明年, 擢丙科第".
    이때 ^{別將}金汝知·^{內侍前別將}文襞·^{生員}金悟(乙科3人), ^{生員}高遟·^{長興直長}安純·^{成均生員}崔匡之·^{新進士}黃訥·^生

[某日], ^{門下評理}尹承順·^{簽書密直司事}權近還自京師,²⁰⁵⁾ 禮部奉聖旨, 移咨都評議使司曰, "洪武二十二年^{昌王1年}八月初八日, 本部尚書李原明^{李原名}等官,²⁰⁶⁾ 於奉天門, 欽奉聖旨. 高麗國中多事, 爲陪臣者, 忠逆混淆, 所爲皆非良謀. 君位自王氏被弑絶嗣, 後雖假王氏, 以異姓爲之, 亦非三韓世守之良法. 古有弑君之賊, 由君惡貫盈. 凡弑君者, 雖在亂臣賊子, 亦有發政施仁, 以回天意, 以安有衆. 今高麗陪臣等, 陰謀疊詐, 至今未寧. 設使以逆得之, 以逆守之可乎? 若以逆爲常, 則逆臣繼踵而事之. 皆首逆者敎之, 又何怨哉. 禮部移文前去, 童子不必赴京. 果有賢智陪臣在位, 定君臣之分於上, 造安民之計於國, 雖數十歲不朝, 亦何患哉. 連歲來朝, 又何厭哉, 又命勿送處女".

[○權近, 中路, 私自開見, 旣還, 先示李琳私第, 然後乃付都堂:節要轉載].

[→權近賚禮部責異姓爲王咨, 還中路私自拆視. 旣至, 先詣昌舅李琳私第示之, 然後付都評議使司:列傳20權近轉載].

[某日], 憲府^{司憲府}以前知春州事徐彦, 盜用官物, 請鞫問, 從之.

[己丑^{24日}, 夜, 有黑氣:五行1黑眚黑祥轉載].

[→霧:五行3轉載].²⁰⁷⁾

[壬辰^{27日}, 月入大微^{太微}:天文3轉載].

[某日, 都堂啓, "散騎^{左右散騎常侍}以上妻, 爲命婦者, 毋使再嫁, 判事以下, 至六品

<hr>

員柳潤·^{生員}吳乙濟·^{生員}閔進(丙科7人)·^{生員}玉斯溫·^{軍器直長}金後·^{生員}卓愼·^{前別將}黃喜·^{生員}權增·^{生員}曹尙周·^{司儀令}李子拱·^{生員}張賨·^{內侍散員}崔克孚·^{生員}陳自成·^{生員}崔直之·^{生員}崔之雅·^{內侍生員}崔渭·^{前別將}柳漢·^{指諭}安允時·^{生員}金履祥·^{新進士}任卜童·^{別將}權可均·^{生員}李伊·^{生員}魯舒·^{生員}李之柔·^{進士}任衝·^{別將}姜淮季(同進士23人)가 급제하였다(『등과록』；『전조과거사적』, 朴龍雲 1990년；許興植 2005년).
또 이때 발급된 崔匡之紅牌는 다음과 같고(全羅北道 扶安郡 扶安邑 蓮谷里 留節庵 所藏), 이에 찍힌 璽印은 "高麗國王之印"이다(박성호 2016년).
· "□□^{王旨}," 成均生員崔匡之丙科第三人及第者," 洪武貳拾貳年玖月 日".

205) 尹承順과 權近은 다음의 자료에 의하면 10월 某日에 귀국하였다고 되어 있으나 오류일 것이다 (→공양왕 1년 11월 15일).
· 『동문선』권23, 左侍中沈德符敎書, "洪武二十二年十月間, 門下評理尹承順等, 回自京師, 敬奉聖旨, 責本國以君位絶嗣, …".

206) 李原明은 『명태조실록』에는 李原名으로 달리 표기되어 있다.(『明史』권136, 열전24, 李原名)

207) 지9, 五行3, 土行에는 "恭讓王元年十月己丑, 霧, 丙午, 亦如之, 癸丑, 霧三日, 戊午, 朝霧, 癸亥, 亦如之, 甲子, 霧塞"로 되어 있다. 이 기사는 "恭讓王元年^{十月}^{九月}己丑, 霧, □□^{十月}丙午, 亦如之, 癸丑, 霧三日, 戊午, 朝霧, 癸亥, 亦如之, 甲子, 霧塞"로 고쳐야 옳게 될 것이다.

妻, 夫亡三年, 不許再嫁, 違者, 坐以失節. 散騎^{左右散騎常侍}以上妾及六品以上妻妾, 自願守節者, 旌表門閭, 仍加賞賜”:刑法1戶婚轉載].

[是月, 優婆夷張氏<u>妙愚</u>寫成‘白紙墨書妙法蓮華經’:追加].[208]

[○韓山君<u>李穡</u>撰‘藏乘法數’跋. 先是, 僧<u>無學自超</u>重刊‘藏乘法數’, 功畢請於<u>穡</u>其跋:追加].[209]

[是月頃, 以<u>金湊</u>爲慶尙道都觀察黜陟使:追加].[210]

[增補].[211]

[冬]十月丙申□^{朔小盡,乙亥}, <u>霧</u>.[212]

丁酉^{2日}, 大雨, 震電.

---

208) 이는 다음의 자료에 의거하였다(보물 제315호, 安東市 西後面 廣興寺 所藏, 國立慶州博物館 委託保管, 南權熙 2002년 383面 ; 張忠植 2007년 256面).
　　·『白紙墨書妙法蓮華經』권3, 末尾題記, “優婆夷張氏<u>妙愚</u>,謹誠發心,書寫此經,用遷先亡,」 父母及一切有情,同入一乘者.洪武廿二年己巳九月 日誌”.
209) 이는 다음의 자료에 의거하였다(삼성미술관 소장, 보물 제703호, 尹炳泰 1969년 ; 郭丞勳 2021년 703面).
　　·『藏乘法數』跋, “… 無學大師重刊功畢求余跋, 余觀卷首, 吾坐奏<u>圭齋先生</u>^{歐陽玄}之序, 完然余其側 … 蒼龍己巳九月日韓山君<u>李穡</u>跋”.
210) 이는 『慶尙道營主題名記』에 의거하였는데, 金湊는 10월에 부임하였던 것 같다.
211) 明에 파견된 고려의 사신단 尹承順과 權近의 9월 日程은 다음과 같다. 여기에서 總旗船은 使臣團을 護送하던 50人 정도의 軍士를 거느리던 軍官인 總旗의 船舶을 指稱하는 것 같다.
　　· 9월 2일(丁卯), 蓬萊驛에서 發船하여 沙門島(現 山東省 蓬萊 管內)에 碇泊하여 바람을 기다렸다.
　　· 3일(丙辰), 發船하려다가 總旗船 1隻이 도착하지 못하여 中止되었다.
　　· 4일(己巳), 二更에 바람을 얻어 출발하였다.
　　· 5일(庚午), 旅順口(遼東半島의 南端에 위치한 大連市 管轄下의 旅順市 旅順口區)에 到着하여 木場驛에서 宿泊하였다(이상 『양촌집』 권6, 奉使錄, 嚴耕欽 2004년).
　　·『명사』 권90, 지66, 兵2, 衛所, “太祖下集慶路爲吳王, 罷諸翼統軍元帥, 置武德·龍驤·豹韜 … 宣武·羽林十七衛親軍指揮使司. 革諸將襲元舊制樞密·平章·總管·萬戶□^等諸官號, 而覈其所部兵五千人爲指揮, 千人爲千戶, 百人爲百戶, 五十人爲總旗, 十人爲小旗. 天下旣定, 度要害地, 係一郡者設所, 連郡者設衛, 大率五千六百人爲衛, 千一百二十人爲千戶所, 百十有二人爲百戶所, 所設總旗二, 小旗十, 大小聯比以成軍”.
　　·『增定史文輯覽』 권3, 旅順等口, “在錦州衛南, 凡海運舟至此登岸”(18面左1行).
212) 丙申에 朔이 탈락되었다.

庚子^{5日}, 雷電.

[→雷電以雨:五行1雷震轉載].

丙午^{11日}, 霧.

○典法司劾判密直司事<u>吳仲華</u>, 爲官馬色提調, 將官馬輕價自買, 至五六匹, 且謗訕法官, 罷其職.

[某日], 諫官請書筵, 除宦官入侍. 不從.

[某日, 倭寇楊廣道^{庇仁縣}都屯串, <u>都體察使王安德</u>與戰, 大敗:節要轉載].²¹³⁾

[→倭賊屯<u>古庇仁</u>境, ^王安德與廣州節制使崔雲海, 楊廣道都節制使李承源, 追至九十里, 與戰于都屯串, 大敗. 安德墜馬僅免, 士卒死者四十餘人:列傳39王安德轉載].

[某日], 遣<u>門下贊成事</u>^{門下評理}<u>裴克廉</u>·密直副使朴經, 如京師, 賀正.²¹⁴⁾

[己酉^{14日}, 郎將星出<u>大微</u>^{太微}, 入東蕃:天文3轉載].

[某日, 諫官^{左司議大夫}<u>吳思忠</u>等劾藝文館提學<u>李崇仁</u>曰, "崇仁, 性禀姦貪, 言行邪佞, 才無經國, 慮不及遠, 但以文墨末藝, 出身盜名, 久居樞要. 往者, 仁任用事, 此人黨附, 堅味盜國, 又爲腹心, 頗張威福, 恣行不法. 父母之喪, 未滿三年, 不得掌試, 國家之制也. 而崇仁爲<u>散騎常侍</u>, 當母憂, 求爲監試試員, 而不可以朝服試之, 故以□□^{散騎}常侍高官, 降求上護軍, 以掌其試. 且母死, 纔踰百日, 啗肉自若, 以毁人紀, 是不孝也. 比來上國, 以群兇貪饕, 絶我國矣. 而群兇伏誅, 聖上中興, 侍中李穡入朝, 而崇仁從行, 不改本心, 身親買賣, 有同商賈, 使中國之人, 唾我三韓士大夫之面目. 雖詩成七步, 口誦堯舜之言, 曾犬豕之不若, 眞所謂小人儒也. 豈可以爲侍讀, 而置諸左右乎? 至于近日, 肆其姦謀, 誣陷宗親, 欲敗父子兄弟夫婦之大倫, 而情見辭窮, 違命隱匿. 殿下以侍讀之故, 特赦勿問, 又降宣麻, 優禮待之. 而崇仁不知天地包容之恩, 遲留旬月, 不卽進謝, 其無上毁禮之意甚矣. 其爲不敬, 孰大於此. 願令憲司, 案罪痛理, 遠竄四裔, 以懲不孝不敬, 與夫辱國之罪, 以正人倫, 以勵士節". ○昌, 下其疏于憲府, 究問其罪, 崇仁又逃, 索獲之, 流京山府. 憲

213) 門下贊成事 王安德은 前年(창왕 즉위년) 8월 某日에 六道都統察使에 임명되었는데, 이를 都體察使로 표기한 것 같다.

214) 門下贊成事는 門下評理의 오류일 것이다. 裴克廉은 이해의 11월 16일(甲午)에 門下贊成事에 임명되었다. 그는 明年(홍무23, 공양왕2) 1월 29일(癸巳) 表를 올려 正旦을 賀禮하고 方物을 바치고, 文綺·鈔를 差等있게 받았다(『명태조실록』권199).

府又劾<u>朴惇之</u>, 嘗烝妻母, 今又從穡入朝, 親自買賣, 流于遠州. <u>惇之</u>, 與崇仁素善, 故及:節要轉載].

[→諫官具成佑·吳思忠·南在·沈仁鳳·李堂等上疏, 劾^{藝文館提學李}崇仁曰, "傳曰, 爲人臣止於敬, 爲人子<u>止於孝</u>.²¹⁵⁾ 此天下古今之常典也, 苟爲臣子而不孝不敬, 罪莫大焉. 臣等竊惟, 崇仁性禀姦貪, 言行邪佞. 才無經國, 慮不及遠, 但以文墨末藝, 出身盜名, 久居樞要. 往者, 仁任用事, 旣爲黨比, 堅味盜國, 又爲腹心, 頗張威福, 恣行不法. 父母之喪, 未滿三年, 不得掌試, 國家之制也. 而崇仁爲<u>散騎常侍</u>, 當母憂, 求爲監試試官. 而不可以朝服試之故, 以□□^{散騎}常侍高官, 降求上護軍, 以掌其試. 且母死纔踰百日, 啗肉自若, 以毁人紀, 是不孝也. 比來, 上國以群兇貪饕, 絶我國矣. 而群兇伏誅, 聖上中興, 侍中李穡, 以天下名望, 力疾入朝. 而崇仁從行, 不改本心, 身親買賣, 有同商賈, 以浼我侍中之行, 而使中國之人, 唾我三韓士大夫之面. 雖詩成七步, 口誦堯舜之言, 曾犬豕之不若, 眞所謂小人儒也. 豈可以爲侍讀而置諸左右乎? 至于近日, 肆其姦謀, 誣陷宗親, 欲敗父子兄弟夫婦之大倫, 而情見辭窮, 違命隱匿. 殿下以侍讀之, 故命赦勿問, 又降宣麻, 優禮待之. 而崇仁不知天地包容之恩, 遲留旬月, 不卽進謝, 其無上毁禮之意甚矣. 其爲不敬, 孰大於此? 敗常亂俗, 帝王所不宥. 願令憲司, 案罪痛理, 遠竄四裔, 以懲不孝不敬, 與夫辱國之罪, 以正人倫, 以勵士節. ○昌下其疏于憲司, 令究問. 是夜, 憲司使臺卒, 守崇仁家, 崇仁穴墻逃, 獲之. 上疏劾流京山府. 又劾前秘書監<u>朴敦之</u>^{朴惇之}, 嘗烝妻母, 今又從李穡入朝, 親自買賣, 并流遠州. <u>敦之</u>^{惇之}卽啓陽也, 與崇仁素善, 故及":列傳28李崇仁轉載].²¹⁶⁾

[某日, 簽書密直司事<u>權近</u>上書, 論救<u>崇仁</u>曰, ^{"近日, 臺省論執崇仁罪狀, 殿下優容復其爵位, 而論者愈堅, 指爲不忠不孝. 殿下重違諫憲, 擯黜崇仁, 以示至公. 然有君如殿下之明, 有臣如崇仁之賢, 而反以大惡得罪, 以}

---

215) 이 구절은 다음의 자료를 인용한 것인데, 첫머리[冒頭]의 '詩云'은 大雅의 文王之什, 文王에서 따온 것이다.
  · 『大學』第2段 3節, "… 詩云, 穆穆文王, 於緝熙敬止. 爲人君止於仁, 爲人臣止於敬, 爲人子止於孝, 爲人父止於慈, 與國人交止於信".
  · 『詩經』, 大雅, 文王之什, 文王, "… 穆穆文王, 於緝熙敬止, 假哉天命, 有商孫子, …".

216) 朴敦之(朴啓陽의 改名)는 후일 承樞府提學(密直提學의 改稱)에 이르렀으나 여전히 같은 罪名의 罪案이 刑曹에 보관되어 있었고, 이로 인해 司諫院의 彈劾을 받았다고 한다.
  · 『태종실록』 권7, 4년 5월 乙卯^{15日}, "司諫院上疏, 請知議政府事<u>李詹</u>·前承樞府提學<u>朴惇之</u>及刑曹典書<u>李士穎</u>等之罪. … <u>惇之</u>, 古名啓陽, 少登科光顯矣. 有人訴其烝於妻母, 典法司欲執而鞠之, <u>啓陽</u>逃. 法司以在逃獄成, 載其名於罪案, 後乃改今名".

累聖明, 甚可惜也, 不得不辨. 夫謂崇仁爲不孝者, 以母歿三年之內, 爲試員也. 然當是時, 其父元具, 旣老且病, 命在朝夕, 恤恤然, 欲及其生, 得見其子掌試之榮也. 國家重崇仁之才, 憫元具之志, 俾掌監試. 若崇仁苟辭, 則是知有死母, 而不知有生父也, 欲免其身後之謗, 而不恤其父當時之志也, 故雖內不自安, 而黽勉就職. 是雖有過, 孔子所謂'觀過知仁者'也.[217] 是誠孝子之不幸, 不可謂之不孝也. ○今之仕者, 或有父母俱歿, 三年之內, 冒干口傳, 赴試登第者, 或有踐華要, 坐府司, 刑人殺人, 不以爲愧者, 不審, 此人父母俱歿, 爲誰榮乎? 爲自己也. 爲父忍母, 猶爲不孝, 爲自己忘父母, 得爲眞孝乎? 況我國人, 能行三年喪者, 萬或有一, 國家又設起復之法, 以奪其情. 若罪崇仁, 必求能行三年喪者用之, 則是棄萬得一, 臣恐殿下, 不能得人而用之也. 不察崇仁愛父之情, 累以不孝之名, 豈不甚可惜乎? 夫謂崇仁, 爲不忠者, 以其推辨永興眞僞之事, 旣稟上命, 宜卽自詣, 遷延不進, 以至隱避也. 然崇仁大臣, 永興眞僞之辨, 言語之小失也. 以國家舊法處之, 不過送一公緘, 問之而已. 又況前日, 憲司上書, 以爲大臣犯法, 不使就吏戮辱, 殿下然之, 定爲判格. 故崇仁恃國家之舊法, 信殿下之判旨, 不卽就辨, 及至憲司發怒推致, 然後, 知舊法之不足恃, 判旨之不足信. 勢窮事迫, 至於隱避, 是雖怯弱, 亦由處之失道, 使之驚懼, 非是崇仁心懷不忠, 敢拒上命也. 其涉永興眞僞之事, 蓋其天性慈祥, 篤愛朋友, 適與可興輩, 比隣相從, 得聞其言, 非是崇仁誕妄, 倡爲此言也. 及復爵位, 不卽進謝者, 誠畏憲司, 亦非不敬上命也. ○若夫奉使中國, 身親買賣之事, 其致謗有由焉. 指揮姓陳者, 其妻, 卽崇仁妻之宗族也. 因往其家, 經過市巷, 又欲遊觀, 行于道上, 有與崇仁不協者, 因爲此言, 以誣毀之, 聽者不察, 以爲實然. 若果買賣, 以辱國家, 則臣之奉使, 適在崇仁使還之後, 當得聞之. 臣在中國, 未嘗一聞崇仁買賣辱命之事. 不審議者, 其足, 未嘗躡中國之境, 其耳何得聞此事乎? 謗者, 果能賢於崇仁者乎? 徒信謗者之言, 而不信崇仁之行, 又何偏也? ○惟我國家, 臣事大明以來, 表箋詞命, 多出崇仁之手, 恭愍得謚, 上王襲爵, 皆崇仁文章之力也. 得免歲貢金銀馬布, 亦崇仁之力也. 皇帝屢稱文章之美, 謂我國有人物者, 亦是崇仁之功也. 崇仁文章, 簡潔高古, 間世挺生, 中國罕有, 國家詞命, 不可不使此人掌之也. 議者, 不此之察, 反信小人陰毀之言, 敢以大惡加之, 豈不甚可惜乎? ○親親尊賢二者, 爲天下國家之大經也. 殿下親重宗室, 欲雪其恥, 特命所司, 以明永興眞僞之由, 親親之道, 可謂得矣. 崇仁, 久爲侍讀之官, 殿下所受敎之臣也. 纔有疑謗, 不爲辨理, 卽

---

217) 이 구절은 『논어』, 里仁第4, "… 子曰, 人之過也, 各於其黨. 觀過斯知仁矣"를 인용한 것이다.

命放黜, 尊賢之道, 有未至焉, 臣竊爲殿下惜之也. 亦宜爲之特命所司, 推明其謗自出之由. 謗者, 果能不買中國一毫之物者乎? 崇仁行貨, 必不能神轉而鬼輪, 用車幾兩, 馱馬幾匹, 其車, 果皆崇仁之貨乎? 其馬, 果倍他人之例乎? 一一推明, 謗者, 眞無一毫之買. 車皆崇仁之貨, 馬倍他人之例, 然後明正崇仁之罪, 則崇仁自服, 而萬世稱殿下之公矣. 若謗者, 亦有販買之物, 其車非盡崇仁之貨, 其馬非倍他人之例, 則謗者, 眞誣陷君子之小人也. 宜正謗者誣陷之罪, 以雪賢臣受屈之辱, 則尊賢之道亦得, 而萬世皆稱殿下之明矣. ○議者又以爲, '崇仁讀書通理, 素有重名, 難同其他無知之人, 所犯雖小, 宜置極刑'. 又何不思之甚也? 不識義理, 無輔^補國家者, 有所犯, 則以爲不足數, 恒容而保之, 能通文章, 有益邦國者, 小有疑, 則以爲不可救, 必推而陷之, 則是後進之士, 皆欲爲苟免無恥之人. 誰肯苦心極力, 窮經通理, 得虛名而取實禍乎? 其毀人心術, 墮士風, 而誤後學也, 甚矣. 自古有議賢議能議功之法, 賢者能者, 或有所失, 議其賢能, 從以末減, 所以使人人, 皆勉於爲賢能也. ○今之議者, 反重賢能之罪, 是沮後人爲善之志也. 假使崇仁, 誠爲有罪, 若議文章之功, 特加赦宥, 後進之士, 皆勉於爲學矣. 況今崇仁之罪, 如臣所陳, 皆有可議者乎? 伏望殿下, 下臣此書于都評議使□^㖸·門下府·司憲府^{憲司}, 推詰謗者, 明其曲直, 以雪其恥, 以褒其賢, 以尊師儒, 以勸後學, ^{公道幸甚. 昔周公·孔子, 皆大聖也, 周公未} ^{免於有過, 孔子未免於被毁. 微孟子之辨, 則匡章未免爲不孝, 無同舍之歸, 則不疑未免爲盜金. 古之聖賢, 不幸被謗, 亦多} ^{有之. 願殿下, 不以被謗而輕崇仁也. 殿下若以臣言爲可, 擧而施之, 以爲不可, 宜付有司, 以正臣朋比罔上之罪. 臣寧欲與} ^{崇仁, 同被重責, 雖死無恨. 不欲坐見崇仁以誣得罪, 而貪位畏威, 苟容緘默也"}. 不報. ○^{知門下府事兼}大司憲趙浚, 時起復故, 以'父母俱歿三年內, 踐華要坐府司'等語, 爲已發也, 深銜之. 崇仁信^雖有才, 然行已則, 所失亦多, 近之論救, 亦不可謂至公之言. ^{近嘗言, "穡之入朝也, 士安} ^{儼從, 商人白巨麻, 多齎金銀以行, 崇仁令減其數, 巨麻恨之, 構虛事". 昌下近書于都評議使司令議, 使令移門下府, 門下府} ^{牒憲府. 問崇仁伴行通事宋希正, 希正云, 崇仁齎白金·苧麻布, 入市買彩段十六匹·絹二十餘匹·木縣五匹·色絲五六斤. 又鞫私} ^{隷白仁者, 亦如希正言}:節要轉載]. [218)

[某日, 判門下府事李穡乞退, 不允. 穡又上箋曰, "臣於去歲, 賀正京師, 副使崇仁, 今被彈劾流竄, 臣不敢自安, 乞辭職事". ○不允, 下敎, 賜酒慰諭:節要轉載].

[某日, 諫官^{左司議大夫}吳思忠等上疏, 論權近黨附崇仁之罪, 流牛峯縣:節要轉載].

---

218) 이 기사는 열전28, 李崇仁에도 수록되어 있으나 添字는 내용의 追加 또는 字句에 出入[不一致]이 있는 곳이다.

[→^權近上書論辨李崇仁罪, 諫官劾以黨比崇仁, 欺詐罔上, 流牛峯縣:列傳20權近轉載].

[→諫官上疏論近曰, "臣等上疏, 論崇仁罪, 殿下命憲司鞫之, 崇仁逃匿. 簽書密直權近上疏, 極言崇仁無罪, 且揚其賢, 請鞫論崇仁者. 臣等不得不辨, 乞賜垂察. 惟我先王, 上法三代, 以立喪制. 及國家多故, 權從唐宋之制, 奪情起復. 然其起之也甚謹, 必使禮部奉旨牒中書, 中書牒諫院, 諫院牒憲司, 憲司復牒禮部, 督起視事. 故名卿大儒, 固有不得已而起復者, 盖急於用人才, 非所以榮其人也. 是以, 宗廟大享·正·至·誕節, 與夫八關·燃燈·凡諸朝會, 則不與焉. 此國家成法也. 雖頑愚之人, 至於吉禮, 皆曰, '吾父母三年之內, 不敢與焉'. 況冠帶而掌國試乎? 崇仁讀書登第, 盜名一世, 斬焉在衰絰之中, 諂附林·廉, 求爲□□^{散騎}常侍而處華省, 又掌國試. 夫□□^{散騎}常侍諫官也, 不可以公然毁禮, 故降求上護軍, 爲監試試官. 以吉服, 入文宣王廟, 坐明倫堂, 啗肉自若, 揚揚然榮輝於人, 以禽獸之行, 導三韓後學之輩. 臣等誠恐以不正之學, 累殿下惟新之理故, 不得不追論之也. ○權近反以其掌試爲孝父, 是欺殿下而毁人倫也. 近非不知崇仁之犯法毁禮爲有罪, 而臣等之論劾爲有理也. 但阿私所好, 飾詐文非, 蒙蔽上聰, 欲害所司耳. 且崇仁誣陷宗親, 詐窮獄成乃逃, 殿下以侍讀之故, 命赦之. 臣等再論其罪而又逃, 其爲不敬, 孰大於此? 而近反謂之賢, 以臣等爲誣陷君子, 請加推鞫. 是欲使諫官杜口, 而開殿下拒諫之漸也, 所謂一言喪邦者也. 其買賣之事, 一行宋希正及白仁等, 明白納辭, 而近黨比崇仁, 欲害所司, 敢以妄言, 欺罔上聰, 其罪莫甚. 乞下憲司, 收其職牒, 與希正·白仁等對鞫, 以正其罪". ○下都評議使司, 議之:列傳28李崇仁轉載].

[○郞舍復上疏曰, "崇仁誣陷宗親, 欲毁人之大倫, 其罪一也. 母喪三年之內, 吉服掌試, 啗肉自若, 以毁風俗, 其罪二也. 奉使上國, 身親買賣, 與市人爭利, 失使臣之節, 其罪三也. 所司法官奉王命, 辨宗親眞僞, 而逆命逃匿, 其罪四也. 所司劾奏, 殿下赦勿問, 又降宣麻, 優禮待之, 而不卽進謝, 其罪<u>四也^{五也}</u>.²¹⁹⁾ 崇仁之罪如此, 而權近朋比飾詐, 欲以掩庇, 謀害所司, 其罪有甚於崇仁. 固不在赦, 不宜付相府而更議也. 且案罪定法, 非宰相之事也, 乞下憲司, 收其職牒, 明正其罪". 昌命勿鞫, 奪告身, 流牛峯縣. ○起居舍人<u>孟思誠</u>, 以嘗受業於近, 不署名於疏:列傳

---

219) 여러 版本의 『고려사』에서 '四也'라고 되어 있으나 添字와 같이 고쳐야 옳게 될 것이다(東亞大學 2006년 26冊 396面).

28李崇仁轉載].

癸丑^{18日}, 霧三日.

[某日, <u>李穡</u>歸長湍別業. 昌, 遣知申事<u>李行</u>, 賜酒慰諭, 令視事. 穡不起:節要轉載].

[→初, ^李崇仁副穡赴京, 至是, 崇仁以買賣事, 被劾流竄, 穡不自安, 上牋乞退. 昌不聽, 命中官賜酒慰諭, 猶不出. 昌趣令視事, 又命贊成事<u>禹仁烈</u>, 賜酒于第, 穡又上牋辭, 昌不聽. 盖穡甞愛崇仁文章, 其再上牋, 意欲救之也. 穡遂歸長湍別業, 昌, 遣中使<u>李匡</u>存問, 又遣知申事<u>李行</u>賜酒, 敦諭請還, 穡不起:列傳28李穡轉載].

[某日], 永寧君瑜卒.

[戊午^{23日}, 朝霧:五行3轉載].

[○虹見北方:五行1虹霓轉載].²²⁰⁾

[某日, 以^{門下評理}<u>金湊</u>爲慶尙道都觀察黜陟使:慶尙道營主題名記].²²¹⁾

[某日, 以<u>朴麟祐</u>爲楊廣左右道水軍都萬戶, 下旨曰, "領道內兵船, 察其萬戶·千戶·領船頭目人等能否, 有不能者, 擇有才幹威望者, 代之. 令預備器械, 追捕倭賊. 若各船萬戶等, 擅自放軍, 以營己私, 隱泊深浦, 不及應變者, 各船大小軍官及都萬戶, 依軍法斷罪":兵3船軍轉載].²²²⁾

甲子^{29日晦}, 霧.

[→霧塞:五行3轉載].

○舊例, 登第者, 雖參上, 皆分三館, 知申事<u>李行</u>聽^{厚德府尹}<u>李種學</u>之請, 以新及第^{內侍·前別將}<u>文褧</u>爲內侍, 城上員^{參士員·別將}<u>金汝知</u>·^{長興庫直長}<u>安純</u>·^{持論}<u>安允宜</u>·^{軍器庫直長}<u>金後</u>·^{前別將}<u>柳漢</u>·^{別將}<u>姜淮季</u>, 並不分館, 皆勢家子弟也.²²³⁾

---

220) 이때의 무지개[虹]에 관련된 기록으로 다음이 있다.
· 『竹軒遺集』권上, 感懷[注, <u>恭讓王</u>^{昌王}元年十月, 虹見于北城, 半日不消, 當時有異虹半日, 國祚三年之讖]. 여기에서 恭讓王은 廢王[禑王]의 아들인 昌王이 적절하므로 中原 史書의 慣例에 따른다면 廢小王[廢帝], 또는 黜小王[出帝]이라고 表記하는 것이 좋을 것이다.

221) 이해에 金湊가 경상도도관찰출척사가 된 것은 自身이 지은 密陽의 嶺南樓記文에도 기록되어 있다(『신증동국여지승람』권26, 밀양도호부, 嶺南樓).

222) 이 기사의 冒頭에 恭讓王元年十月로 되어 있으나 現在의 時点에서는 昌王元年十月로 해야 읽기가 좋을 것이다.

223) 여러 판본의 『고려사』에서 城上員으로 되어 있으나 參上員의 오자일 것이다(東亞大學 2008년

[是月, 興海城工畢:追加].²²⁴⁾

[是月頃, 門下贊成事安宗源還自京師:追加].²²⁵⁾

[○以林溼爲兵馬節制使兼雞林府尹:追加].²²⁶⁾

十一月^{乙丑朔大盡,丙子}, [某日], 全羅道節制使朴子安擊倭, 獻俘.

己巳^{5日}, 霧.

[→朝霧:五行3轉載].

甲戌^{10日}, 地震.

乙亥^{11日}, [大雪]. 雷.²²⁷⁾

[丁丑^{13日}:追加], 前太護軍^{大護軍}金佇·前副令鄭得厚, 潛往黃驪□^府, 謁見禑.²²⁸⁾
佇, 崔瑩甥也, 隨瑩日久, 頗用事, 得厚亦瑩族黨□^也. 禑泣謂曰, "不堪鬱鬱居此,
斂手就死, 但得一力士, 害李侍中^{守侍中李成桂}, 吾志可濟也. 吾素善禮儀判書郭忠輔,
汝往見圖之". 仍遺一劍于忠輔曰, "今八關日, 可擧事, 事成, 妻以妃妹, 富貴共
之". 佇來, 告忠輔, 忠輔陽諾, 奔告□^{我太祖守侍中李成桂}.

戊寅^{14日}, 八關小會, □^我太祖^{守侍中李成桂}在邸, 不與會, 佇·得厚, 夜詣太祖邸, 爲門
客所執. 得厚自刎死. 囚佇巡軍獄,²²⁹⁾ 與臺諫雜治, 辭連前判書趙方興, 并下獄. 佇
曰, "邊安烈·^{門下侍中}李琳·禹玄寶·^{門下贊成事}禹仁烈·^{判三司事}王安德·^{簽書密直司事}禹洪壽, 共
謀迎驪興王^{禑王}, 爲內應".²³⁰⁾ ○於是, 遷禑于江陵, 放昌于江華, 廢爲庶人.²³¹⁾

12책 327面).

224) 이는 『양촌집』 권11, 興海郡新城門樓記에 의거하였다.

225) 이는 「安宗源墓碑銘」에 의거하였는데, 그는 겨울[多]에 귀환하여 11월 15일(己卯) 공양왕이 즉
     위한 후 藝文館大提學·監春秋館事에 임명되었다고 한다.

226) 이는 『동도역세제자기』에 의거하였다.

227) 이와 같은 기사가 지7, 五行1, 水, 雷震에도 수록되어 있다.

228) 여러 판본의 『고려사』에서 太護軍으로 되어 있으나 大護軍의 오자이다.

229) 『고려사절요』 권34에는 '囚佇巡軍獄' 앞에 丁丑(13일)이 있으나 오류일 것이다.

230) 金佇의 말은 열전39, 邊安烈에도 수록되어 있다.

231) 이때 李成桂가 昌王을 廢位한 것을 기록한 중국 측의 자료도 있다. 또 昌王이 廢位된 이날(戊
     寅, 14일)은 율리우스曆으로 1389년 12월 1일(그레고리曆 12월 9일)에 해당한다.
     · 『명태조실록』 권198, "是歲. 高麗李成桂廢其主王昌. 而立定昌國^府院君王瑤".

十二月^{乙未朔大盡,丁丑}, [戊申^{14日}:追加], <u>恭讓王</u>遣政堂文學<u>徐鈞衡</u>, 誅<u>禑</u>, 藝文館大提學<u>柳珣</u>, 誅<u>昌</u>.²³²⁾ [上王<u>禑</u>, 在位十四年, 壽二十五. 少王<u>昌</u>, 在位二年, 壽十:追加]. <u>寧妃崔氏</u>大哭曰, "妾之至此, 吾父之過也". 十餘日不食, 日夜哭泣, 夜必抱<u>禑</u>屍而宿. 得粒, 輒精舂供奠, 時人憐之.

[→<u>禑</u>妻<u>崔氏</u>^{前門下侍中崔瑩女}, 大哭曰, "妾之至此, 吾父之過也". 十餘日不食, 日夜哭泣, 夜必抱尸而宿, 得粒, 輒精舂供奠. 時人憐之:節要恭讓王1年12月14日轉載].

[仁同人 張東翼 校注, 增補].

---

232) <u>禑王</u>과 <u>昌王</u>의 處刑이 執行된 것은 處刑者의 往復을 감안하면 12월 15일(己酉)에서 27일(辛酉) 사이일 것으로 추정되고, 이 사실이 29일(癸亥) 太祖 王建의 祠堂인 孝思觀에 告由되었다. 그러므로 두 帝王이 絶命한 것은 율리우스曆으로 1390년 1월 1일에서 13일의 사이, 그레고리曆으로 1월 9일에서 21일의 사이일 것이다. 또 1761년(영조37) 겨울[冬] 驪州 寧陵(孝宗)의 參奉[寢郎]에 임명되었던 申光洙(1712~1775)에 의하면 禑王의 墓所는 驪州 淸心樓 隣近에 있었던 것 같다(『石北集』권6, 驪江綠下篇, 寒食日過辛禑墓). 또 이때 恭讓王에게 禑王 父子의 處刑을 建議한 司宰副令 尹會宗(尹澤의 孫)은 李成桂의 黨與인 尹紹宗의 弟인데, 祖父가 쌓은 功德은 헤아릴 수 없을 것인데[無量], 그것이 어디에 갔는지를 알 수 없다(→공양왕 1년 12월 14일).

恭讓王 一

恭讓王, 諱瑤, 定原府院君鈞之子, 神宗七世孫, 母曰國大妃王氏, 忠穆王元年二月五日^{庚申}生, 性慈仁柔懦, 優游不斷, 初封定昌府院君.

辛昌元年十一月丁丑^{13日}, □^諩大護軍金佇與禑謀作亂, 事覺, 下佀獄.

戊寅^{14日}, 遷禑于江陵.

[→禑之移江陵也, ^{前知門下府事柳}曼殊與^{前門下評理}尹虎等押行:列傳18柳曼殊轉載].

○我太祖^{守侍中李成桂}與判三司事沈德符·□□^{門下}贊成事池湧奇·^{門下贊成事}鄭夢周·政堂文學偰長壽·□□^{門下}評理成石璘·知門下府事趙浚·判慈惠府事朴葳·密直副使鄭道傳,¹⁾ 會□^於興國寺, 大陳兵衛. 議曰, "禑·昌, 本非王氏, 不可以奉宗祀. 又有天子之命, 當廢假立眞, 定昌□^{府院}君瑤, 神王^{神宗}七代孫, 其族屬最近, 當立". 浚曰, "定昌□^{府院}君, 生長富貴, 但知治財, 不知治國, 不可立". 石璘曰, "立君, 當擇賢, 不必論其族屬親疎". 於是, 書宗室數人名, 遣德符·石璘·浚, 詣啓明殿, 告太祖, 探籌, 果得定昌□^{府院}君名.

翼日^{己卯15日}, 質明, 我太祖^{守侍中李成桂}與德符等八人, 詣恭愍王定妃宮, 衛以兵仗, 宗親·百官皆從之. 奉妃敎, 放昌于江華, 迎□□□□□^{定昌府院君}立王.²⁾ 王驚懼而辭, 妃手授以印. 其敎曰, "自我太祖, 以至恭愍王, 子孫相承, 以奉宗廟·社稷. 不幸恭愍□^王薨逝無嗣, 當時, 宗戚·群臣, 議立宗室之賢者. 迺緣權臣李仁任, 久執國柄, 多行不義, 市恩於人, 窺免己罪. 以逆賊辛旽之子禑, 冒名恭愍王後, 殺所生母, 以滅其口. 嫁以姪女, 以固其寵, 神人積忿, 十有五年. 禑乃多殺無辜, 取怨國人, 舉兵猾夏, 得罪天子, 此正王氏復祀之秋. 而大將·^{前門下左侍中}曹敏修, 以仁任之親, 爲上相, 繼仁任之邪謀, 立禑子昌. 以惡繼惡, 權柄所歸, 勢難卒去. 於洪武二十二年^{昌王1年}九月間, 門下評理尹承順等, 回自京師, 欽奉聖旨, 節該, '高麗君位, 自王氏被弑絶嗣, 後雖假王氏, 以異姓爲之, 非三韓世守之良謀. 果有賢智陪臣在位, 定君臣之分, 則雖數十歲不朝, 亦何患哉?' 欽此, 詢諸國論, 宗戚·大小臣僚, 僉曰, '宗親定昌府院君瑤, 乃太祖正派, 神王^{神宗}七代孫, 族屬最近, 宜爲恭愍王後.' □^乃命瑤

---

1) 이에서 政堂文學 偰長壽와 門下評理 成石璘의 記載 順序가 바뀌었다.

2) 添字는 『고려사절요』 권34에 의거하였다.

卽王位, 以奉宗廟·社稷, 其禍及昌, 廢爲庶人. 嗚呼, 子^{小帝}弘廢, 而代王^{文帝}, 復漢家之祀, 以基四百年^{大平}太平之業, 以今視古, 其理一也. 咨爾有衆, 體余至懷".

[→太祖與諸大臣定策, 奉□^妃妃敎, 迎立恭讓王:列傳2恭愍王妃定妃安氏轉載].[3]

己巳[昌王, 恭讓王]元年, 明洪武二十二年, [西曆1389年]

十一月^{乙丑朔大盡,丙子}, 己卯^{15日}, 王卽位于壽昌宮, 降^{上王}禑·^{國王}昌爲庶人, 流^{門下侍中}李琳及子貴生·女壻柳琰·崔濂·外孫女壻盧龜山·姪李懃于遠地.[4]

[→恭讓卽位, 金佇·邊安烈之獄起, 辭連琳及子貴生, 流遠地. □□^{是後}, 遣執義南在等鞫之:列傳29李琳轉載].

○遣定陽君瑀, 帥師鎭長湍, 以備非常.[5]

○王憂懼, 方夜不眠, 謂左右曰, "余平生, 衣食使令皆足, 乃今負荷如此其重,

---

3) 이때 昌王을 폐위시키고 공양왕을 추대한 인물에 대한 기록으로 다음이 있다.
· 열전27, 池湧奇, "從^{我太祖}^{李成桂}定策立恭讓, 擢門下贊成事, 賜中興功臣錄券, 封忠義君".
· 열전29, 沈德符, "^{我太祖}^{李成桂}與^沈德符·池湧奇·鄭夢周·偰長壽·成石璘·趙浚·朴葳·鄭道傳議曰, 禑·昌, 本非王氏, 不可奉宗祀. 又有天子之命, 當廢假立眞. 奉定妃敎, 放昌于江華, 迎立定昌府院君瑤, 是爲恭讓王. …".
· 열전29, 朴葳, "後以判慈惠府事, 從^{我太祖}^{李成桂}, 定策立恭讓, 拜知門下府事, 封忠義君, 賜功臣錄券及廐馬一匹·白金五十兩·帛絹五^端段".
· 열전30, 鄭夢周, "從^{我太祖}^{李成桂}, 定策立恭讓, 拜門下贊成事·同判都評議使司事·^{戶曹}^{版圖司}尙瑞司事·進賢館大提學·知經筵春秋館事兼成均大司成·領書雲觀事. 封益陽郡忠義君, 賜純忠論道佐命功臣號. 敎曰, 撥亂反正, 誠社稷之忠臣, 崇德報功, 實國家之令典. 惟卿天人之學, 王佐之才, 射策而連捷魁科, 廬墓而克伸孝志. 惟根本培植於內者, 確乎不拔, 故英粹發越於外者, 煥乎有文. 先王任用而俾掌絲綸, 後生景慕而如仰山斗. 倡鳴濂洛之道, 排斥佛老之言. 講論惟精, 深得聖賢之奧, 敎誨不倦. … 是用立閣圖形, 勒碑紀績, 追贈三代祖考, 宥及永世子孫. 錫之土田, 副以臧獲, 仍賜白金五十兩·廐馬一匹. 於戱, 予惟襲艱大之業, 思免厥愆, 卿盍輸弼亮之誠, 以永終譽".
· 열전31, 趙浚, "… 從我太祖, 定策立恭讓".
· 열전32, 鄭道傳, "… 從^{我太祖}^{李成桂}定策立恭讓, 封忠義君, 賜推忠論道佐命功臣號, 拜三司右使. …".

4) 恭讓王이 즉위한 이날(己卯, 15일)은 율리우스曆으로 1389년 12월 2일(그레고리曆 12월 10일)에 해당한다. 이때 昌王을 廢位시키고 恭讓王을 推戴한 두 主役[共謀]은 守門下侍中 李成桂와 判三司事 沈德符였다고 한다(『동문선』 권23, 左侍中沈德符敎書).

5) 定陽君 王瑀에 대한 자료로 다음이 있는데, 芳蕃은 神德王后 康氏의 長子이다.
· 『태조실록』 권11, 6년 2월 丁未^{10日}, 王瑀의 卒記, "丁未, 歸義君王瑀卒. 禮葬之, 贈諡景僖. 瑀, 恭讓君母弟, 主王氏祀者□^世. 子珇·瑄, 女適撫安君芳蕃".

不知所爲". 遂泣.

[○大霧:五行3轉載].

庚辰^{16日}, 御正殿, 受朝聽政, 尊母王氏爲福寧宮主, 封妃盧氏爲順妃, 長子定城
君奭爲世子, 宥境內.

[→立^{妃盧氏}爲順妃, 開府曰懿德, 置僚屬:列傳2恭讓王妃盧妃轉載].

○[李穡自長湍, 詣闕賀. 王召入內, 下床而待, 乃曰, "平生閑遊, 不意今日得此
也, 願卿輔之". 復:<u>節要轉載</u>]以李穡△^爲判<u>門下府事</u>,⁶⁾ 邊安烈△^爲<u>領三司事</u>, <u>沈德</u>
<u>符</u>爲門下侍中,⁷⁾ 我太祖^{李成桂}△^爲守門下侍中, 王安德△^爲判三司事, 鄭夢周·池湧奇
△^竝爲門下贊成事, 趙仁璧△^爲判懿德府事, <u>偰長壽爲政堂文學</u>, <u>成石璘爲門下評</u>
<u>理</u>,⁸⁾ 趙浚△^爲知門下府事兼司憲府大司憲, 朴葳△^爲判慈惠府事, 鄭道傳爲三司右
使, 李皐爲司憲執義. <u>宋文中爲上護軍兼司憲執義</u>, 文中曾爲羅州牧使, 有不廉之
名, 故不署告身.⁹⁾ [→罷執義宋文中. 文中, 嘗牧羅州, 有不廉之名, 臺諫不署告
身. 遂罷:節要轉載].¹⁰⁾

---

6) 이상의 李穡에 관한 사실은 열전28, 李穡에도 수록되어 있다.
7) 이때 沈德符는 李成桂의 辭讓으로 인해 門下侍中에 임명되었다고 한다(『태조실록』 권1, 總書,
   공양왕 1년 11월, "恭讓以太祖爲侍中, 太祖讓之, 乃以爲守侍中<u>沈德符爲侍中</u>").
8) 이에서 政堂文學 偰長壽와 門下評理 成石璘의 記載 順序가 바뀌었다.
9) 宋文中은 1384년(우왕10) 8월 18일 通憲大夫(從2品下)로서 羅州牧使에 赴任하여 1386년(우왕
   12) 7월 16일 遞任되었다(『금성일기』, 우왕 10년).
10) 이 시기에 趙浚은 同僚와 함께 우왕·창왕대에 이루어진 일들을 혁파할 것을 청한 上疏를 올렸다
    고 한다.
   · 열전31, 趙浚, "… 尋知門下府事, 仍兼大司憲, 賜推忠勵節佐命功臣號. 從<u>我太祖</u>^{李成桂}, 定策立
   恭讓, 與同列上疏曰, 罰國之大柄也. 有功而不賞, 則人無以勸, 有罪而不罰, 則人無以懲. 守文
   之主猶然, 況殿下中興之初政乎? 我國家自太祖統三以來, 聖子神孫, 繼繼相承. 至于玄陵, 不幸
   絶嗣, 祖宗艱大之業, 歸于辛氏. 國統中絶, 王氏之廟, 不得血食者, 十有六年, 民怨於下, 神怒
   於上. 守侍中李[太祖舊諱], 出萬死之計, 奮其忠義, 與一二大臣, 定大策戴殿下, 入承大統, 克
   紹前烈. 三綱九疇, 旣斁而復敍, 天命人心, 旣去而復留. 雖平勃之安劉氏, 張狄之復唐室, 豈能
   加於此乎? 誠宜特加殊禮, 賜劍履上殿, 贊拜不名, 錫之茅土, 宥及十世. 立閣圖形, 以報大功,
   則後之爲善者, 知所勸矣. 魯國大長公主, 玄陵之配也, 而以僞后韓氏, 爲配以忝宗廟, 宜亟撤之.
   且韓氏之懿陵·禑昌之胎藏, 亦宜掘破, 以雪神人之憤. 其勢是憑, 濫加官號, 若沔城·黃驪·固城·
   禮安諸郡, 一皆降從本號. 其妃曰謹·曰懿·曰淑·曰憲·曰安·曰寧·曰靖·曰賢·曰善諸妃, 及諸翁
   主, 無論貴賤, 以一時之寵愛, 皆封爵賜印, 內帑珍寶, 錫與無算. 願令攸司收印章, 徵其珍寶,
   以還內府, 其有係公私之賤者, 各還本役. 諸妃翁主之父母兄弟, 濫入樞省, 或至府院君, 封國大
   夫人·翁主·宅主者, 亦當收其爵牒. 其中憑勢逞惡者, 流竄遠方, 則後之爲惡者, 知所懲矣. 苟賞
   罰不明, 則紀綱不立, 而無以興善理矣'. ○王皆允之".

壬午[18日]，帝召還拍拍[伯伯]太子之子<u>六十奴</u>及火者卜尼. 初，帝討雲南，流拍拍太子及子六十奴于濟州，至是召之.[11]

[癸未[19日]，<u>大微[太微]</u>犯西蕃上將:天文3轉載].

甲申[20日]，王親祼<u>大廟[太廟]</u>，告卽位. 禮畢，百官上箋陳賀.

[○有司請撤禑母神主，[判門下府事]<u>李穡</u>曰，"此事未保其終，姑徐之":節要轉載].

[→王親祼太廟，告卽位，將事之夕，有司請撤禑母神主. 穡曰，"此事未保其終，姑徐之":列傳28李穡轉載].

○還宮，猶推讓，不坐南面，[判門下府事]<u>李穡</u>進曰，"上已告卽位，今又不南面，無以答臣民之望"，王從之. 謂<u>我太祖</u>[守侍中李成桂]及[門下侍中]<u>沈德符</u>曰，"余本無德，再辭不獲，得忝大位，卿其善圖之". 潛然涕下.

丙戌[22日]，宴功臣，賜<u>我太祖</u>[守侍中李成桂]及[門下侍中]<u>沈德符</u>馬各一匹.

○[前大護軍]<u>金佇</u>暴死獄中，斬尸于市. 時佇辭，多連巡軍官，故人皆疑之. 於是，流門下評理鄭地·<u>李居仁</u>·前判厚德府事柳惠孫·[前知門下府事]<u>李乙珍</u>·前密直李惟仁·[前密直司使]<u>柳蕃</u>[柳藩]·[前判事]<u>趙瑚</u>·安柱等二十七人，[12] 以與佇謀也.[13]

[○亦如之[大霧]:五行3轉載].

丁亥[23日]，倭寇求禮等處，以金宗衍爲全羅道元帥.

己丑[25日]，斬[前判書]<u>趙方興</u>.

[○王，卽位之夕，王瑤姜淮季父著，入內，謂王曰，"諸將相立殿下者，只欲圖免己禍，非爲王氏也. 殿下愼勿親信，思所以自保. 王瑤禹成範，侍側聞之，告其母尹氏，其從兄紹宗，傳聞，以告九功臣. 功臣等，進言於王曰，殿下甫卽位，讒言遽入，臣等惶懼無已，殿下若信讒言，卽罪臣等. 若以臣等，黜退僞姓，復立王氏，爲有功[於宗社]，請罪讒人，使上下無間焉". 王顧左右，<u>默然</u>:節要轉載].[14]

---

11) 六十奴는 몽골어로 Liosliu로 읽는다(朱釆赫 2011년 312面).

12) 柳蕃은 前密直司使인 柳藩의 오자일 것이다.

13) 이 사건에 관련된 기사로 다음이 있다. 이날(丙戌, 22日)은 율리우스曆으로 1389년 12월 9일(그레고리曆 17월 17일)에 해당한다.
   · 열전26, 鄭地, "… <u>金佇與邊安烈</u>等謀迎辛禑，事覺，<u>地以辭連，流于外</u>".

14) 이 기사는 열전29, 沈德符에도 수록되어 있는데, 添字는 이에 의거하였다.

庚寅^{26日}, [冬至]. 遣順安君<u>昉</u>·同知密直司事<u>趙胖</u>, 如京師, <u>告卽位</u>.¹⁵⁾ 奏曰, "高麗國定昌府院君臣王瑤謹奏, 臣係本國始祖王建正派, <u>神王</u>^{神宗}晫七代之孫, 世襲前項名分, 別無才德, 兢懼自處, 期盡天年. 洪武二十二年^{昌王1年}十一月十五日, 大小宗戚·臣僚·閑良·耆老等, 欽奉聖旨事意, 共議於國, 以恭愍王無子薨逝之後, 權臣李仁任等所立辛禑父子, 實爲異姓, 而王氏之祀, 不可無主. 乃以臣於宗族之屬, 爲近且長, 啓奉恭愍王妃安氏^{定妃}之命, 俾臣權國, 以承祭祀, 臣進退俱難, 措身無地. 竊見, 洪武七年^{恭愍王23年}李仁任等, 擅立異姓以來, 政敎乖方, 習俗浮薄, 臣願使之漸磨聖化, 以復眞淳. 欽望聖慈, 許臣親朝面奏, 以安一國之民. 幷進啓本于<u>皇太子標</u>". 又都評議使司申禮部, 請奏啓施行.

○是日, <u>冬至</u>, 王率百官, 向闕遙賀.

辛卯^{27日} 以<u>陳乙瑞</u>爲全羅道節制使, 王承貴爲楊廣道節制使.¹⁶⁾

十二月乙未朔^{小盡,丁丑}, 罷^{判門下府事}<u>李穡</u>及子<u>種學</u>職, 廢^{前門下左侍中}<u>曹敏修</u>爲庶人.

[→左司議□□^{大夫}吳思忠·門下舍人趙璞等上疏曰, "<u>判門下府事李穡</u>, 事我玄陵, 位至輔相, 及玄陵薨無嗣, 群臣議立宗室之賢者. 權臣李仁任, 自欲擅權, 貪立<u>僞主</u>,¹⁷⁾ 而穡助議立禑. 及戊辰^{禑王14年}, 諸將回軍, 議立王氏之際, 大將曹敏修, 以仁任姻親, 欲立子昌, 以繼其邪謀, 問計於穡, 穡亦嘗以昌爲心, 遂定議立之. 其子種學, 宣言於外戚曰, '群臣議立宗室, 卒立世子, 吾父之力也'. 及天子有命曰, '雖假王氏, 以異姓爲之, 非三韓世守之良謀'. 忠臣·義士, 擬復王氏, 以遵天子之命, 而賊臣邊安烈, 欲立奇功, 以要富貴, 與穡及禑舅李琳及金佇·鄭得厚等, 謀迎辛禑,

---

15) 이 기사는 열전3, 顯宗王子, 平壤公基에도 수록되어 있다. 또 順安君 昉은 明年 1월 19일(癸未) 應天府에서 國王 王昌은 王氏의 後裔가 아니라 辛旽의 아들인 禑(禑王)의 아들이기에 王氏의 宗親인 定昌^府院君 王瑤를 擁立하였으니 許諾해 달라고 청하였다. 이에 明帝는 禮部尙書 李原名에게 眞僞를 알 수 없으나 만약 本國의 臣民의 推戴가 옳다면 허락하고 거짓이면 禍亂이 일어날 것이라는 것을 咨文을 보내 알리게 하였다(『명태조실록』 권199). 또 이때 柳亮(柳繼祖의子)이 書狀官으로 참여하였던 것 같다.
  · 『태종실록』 권31, 16년 4월 甲子^{2日}, 柳亮의 卒記, "己巳冬, 隨順安君<u>王昉</u>赴京, 會有讒人造言, 交構於上國者, <u>亮</u>, 隨事辨析".
16) 全羅道兵馬節制使兼羅州牧使 陳乙瑞는 12월 8일에 赴任하여 明年(庚午, 공양왕2) 4월 13일 遞任되었다(『금성일기』).
17) 僞主는 열전28, 李穡에는 幼主로 되어 있다(盧明鎬 等編 2016년 845面).

以沮復立王氏之議. ○且穡, 世仕王氏, 受恭愍罔極之恩, 附仁任, 則立辛禑而絶王氏, 諸將議立王氏, 則附敏修, 黜禑而立昌. 忠臣·義士, 議復王氏, 則附安烈, 黜昌而迎禑, 再絶王氏之祀, 其在禑·昌, 亦爲反側之臣. 然此不足論也. 世爲王氏之臣, 謟附賊臣, 使王氏之宗祀永絶, 其爲罪惡, 天地·宗社之所不容也". ○又曰, "穡爲仁任所重, 保其富貴, 而仁任與其黨堅味·興邦, 恣行貪慾, 鬻官·賣獄, 賄賂公行, 奪占田民, 怨積罪盈, 卒致敗亡. 而穡不言其非, 爲禑師傅, 屢受賞賜, 乳臭子弟, 咸擢高科, 布列要職. 見禑肆其暴虐, 殺戮無辜, 而穡不正其過, 見禑妄興師旅, 將犯上國之境, 以基東方無窮之禍, 而穡又不言之. ○國家以私田, 瘠公家而害民生, 興詞訟而毀風俗, 議欲革之, 以正田法. 而穡爲上相, 固執不可, 李琳, 貪墨屢劣, 國人所知, 而穡又欲納交外戚, 以圖保全, 薦琳自代. 又以儒宗佞佛, 毀人心術, 敗亂風俗. 反復多詐, 托以李崇仁被劾, 歸于長湍, 觀望事變, 及殿下卽位, 公然而來, 受判門下□事之職, 立於百官之上, 了無怍色. 曲學阿世, 飾詐釣名, 卒至反復, 以抵大罪. ○請下攸司, 論穡父子及敏修之罪, 以戒後世爲人臣而不忠者. 仁任之罪, 亦殿下之所親見也, 委諸憲司, 斬棺瀦宅, 以聲其罪. 又曰, 三司右使金續命, 倡爲未辨其母之說, 見黜而死. 公山府院君李子松, 諫禑興師, 遂爲大戮. 請殿下命攸司, 致祭其墓, 錄其子孫, 以慰忠魂". ○命罷穡父子, 廢敏修, 爲庶人:節要轉載].

[→左司議□□^{大夫}吳思忠·門下舍人趙璞等上疏曰, "判門下□□^{府事}李穡, 事我玄陵, 以儒宗位輔相. 及玄陵薨無嗣, 權臣李仁任自欲擅權, 貪立幼主, 而穡助議立禑. 諸將回軍, 議立王氏之際, 大將曹敏修, 以仁任姻親, 欲立子昌, 以繼其邪謀, 問計於穡, 穡亦嘗以昌爲心, 遂定議立之. 其子種學, 宣言於外戚曰, '群臣議立宗室, 卒立世子, 吾父之力也'. 穡之回自京師也, 與李崇仁·金士安等相期, 謁禑於驪興, 而穡先期獨見, 其獨見之際所言, 公歟私歟, 是未可知也. 及天子有命曰, '雖假王氏, 以異姓爲之, 非三韓世守之良謀'. 忠臣義士, 議復立王氏, 以遵天子之命, 而賊臣邊安烈, 欲立奇功, 以要富貴, 與穡及禑舅李琳及金佇·鄭得厚等, 謀迎辛禑, 以沮復立王氏之議. 若以爲旣已十五年, 委質爲臣, 而不可復有他心, 則何負於五百年之王氏, 而忠於十五年之辛氏哉. 穡世仕王氏, 受恭愍罔極之恩, 附仁任, 則立辛禑而絶王氏, 諸將議立王氏, 則附敏修, 黜禑而立昌. 忠臣義士, 議復王氏, 則附安烈, 黜昌而迎禑. 其在禑·昌, 亦爲反側之臣矣. 然此不足論也, 世爲王氏之臣, 謟附賊臣, 使王氏之宗祀永絶, 其爲罪惡, 天地宗社之所不容也. 嗚呼, 王莽簒漢^{簒漢}, 成於張禹者, 非禹與其謀, 而効其力也. 但以禹爲儒宗, 素有重望者, 而附於莽,

則莽無所忌憚, 國人亦且信從, 而不附於莽者, 反爲罪人. 然不能自解於朱雲之請斬, 不能自逃於後世之公論. 穡附禑·昌, 爲國人倡罪, 反有重於禹也. 且穡爲仁任所重, 保其富貴, 而仁任與其黨堅味·興邦, 恣行貪欲, 鬻官賣獄, 賄賂公行, 奪占田民. 怨積罪盈, 卒致敗亡, 而穡不言其非. 爲禑師傅, 屢受賞賜, 乳臭子弟, 咸擢高科, 布列要職. 見禑肆其暴虐, 殺戮無辜, 而穡不正其過. 見禑妄興師旅, 將犯上國之境, 以基東方無窮之禍, 而穡又不言之. 國家以私田, 瘠公家而害民生, 興辭訟而毀風俗, 議欲革之, 以正田法, 而穡爲上相, 固執不可. 使其子種學, 揚言於人, 以倡巨室怨謗之端. 李琳貪墨孱劣, 國人所知, 穡又欲納交外戚, 以圖保全, 薦琳自代. 又以儒宗佞佛, 印成藏經, 擧國爭効, 惟恐不及, 以誤風俗. 使子弟言於人曰, 非吾父意, 追祖穀之志耳. 是則陷父於異端, 而不之恤也. 又以奉昌朝見, 迎立辛禑之計未遂, 托李崇仁被劾, 歸于長湍, 觀望事變, 及殿下卽位, 公然而來, 受判門下之職, 立於百官之上, 了無怍色. 曲學阿世, 飾詐釣名, 請下攸司, 論穡父子及敏修之罪, 以戒後世爲人臣而不忠者". ○王命罷穡·種學, 奪敏修<u>告身</u>:列傳28李穡轉載].[18]

戊戌[4日], 徙^{前簽書密直司事}權近于寧海.

[○司憲府上疏, 論權近私坼咨文之罪曰, "此咨, 本國宗社存亡所關, 宜直付都堂, 會宰相開坼, 近, 乃累日私藏, 私自開坼, 隱密謀議, 漏洩天機, 陰謀難測, 不忠莫甚. 請追身究問, 依律決罪, 以戒後人". ○王命勿問, 流遠地:節要轉載].

[→憲府上疏曰, "今以權近私拆咨文之, 故問尹承順, 承順言, '與近復命, 約明朝謁侍中李琳'. 翌日, '將往琳第, 道遇近, 近曰, 吾已謁, 然旣相遇, 更與之進, 旣見琳, 予以病在家, 近將咨文, 藏聖旨筒, 置於其家, 開見後, 乃付都堂'. 臣等謂, 此咨本國宗社存亡所關, 宜直付都堂, 會宰相同拆. 近累日私藏, 私自開拆, 隱密謀議, 漏洩天機. 陰謀難測, 不忠莫甚, 請更究問, 依律決罪. ○王命勿問, 遠配寧海:列傳20權近轉載].

己亥[5日], ^{左司議大夫吳思忠·門下舍人趙璞等}諫官請誅^{上王}禑·^{前王}昌, 又論^{判門下府事}李穡·^{前門下侍中}李仁任等罪, 瀦仁任宅, 流穡父子及^{前簽書密直司事}李崇仁·^{前簽書密直司事}河崙·宦官李芬,[19]

---

18) 이와 관련된 기사로 다음이 있다.
· 열전39, 曹敏修, "恭讓卽位, 諫官吳思忠·趙璞等上疏以爲, '諸將回軍, 議立王氏之際, <u>曹敏修以李仁任</u>姻親, 欲立昌. 問計於穡, 遂定議立之, 請下攸司論罪'. 王命削職".

19) 河崙은 明年(1390, 庚午) 1월 무렵[庚午春] 蔚州로 流配된 것 같다.
· 『신증동국여지승람』 권21, 慶州府, 驛院, "惠利院, 在府東南三十二里. <u>河崙</u>序, 雞林新羅氏之古

徙^{前門下左侍中}曹敏修于三陟, ^{前簽書密直司事}權近于金海, 收^{門下評理}文達漢職牒.²⁰⁾

[→^{左司議大夫吳思忠·門下舍人趙璞等}臺諫, 交章上疏曰, "今殿下, 上承天子之命, 下應臣民之望, 撥亂反正, 紹我祖聖旣絶之大統. 廢辛禑父子爲庶人, 此則正名分, 定民志, 以開萬世太平之時也. 昔, 衛君待孔子爲政, 孔子欲先正名曰, '名不正, 則民無所措手足矣'.²¹⁾ 漢呂后, 取宮妾子弘, 爲惠帝嗣, 太尉周勃, 以弘非惠帝子, 而誅之, 迎立代王, 以定民志, 以開四百年之太平. 唐則天后, 廢其子中宗, 欲立異姓武三思, 爲太子, 丞相張柬之, 誅則天之黨張易之·昌宗等, 復立中宗. 留三思, 以待中宗自誅之, 薛季昶等, 謂柬之曰, '去草不去根, 後必復生. 三凶雖誅, 三思尙存, 公輩終無葬地矣. 若不早圖, 噬臍無及'. 柬之等, 不從曰, '大事已定, 彼一三思, 猶机上肉耳'. 後三思, 果殺柬之等, 而中宗亦遇弑矣.²²⁾ 君子論之曰, '則天旣得罪於唐之宗廟, 中宗亦不得私於其母. 柬之等旣立中宗, 以則天賜死, 而中宗以大義, 不與其議, 則可以解祖宗之怒, 而天地之常經立矣'. 亦孔子正名之義也. ○今一二大臣, 推戴殿下, 以繼恭愍王後, 以正辛禑非恭愍王之子, 布告中外. 三韓億兆之民, 相謂曰, '吾生復見太祖之孫矣'. 往者, 洪倫之亂之源, 及禑母般若之言之死, 亦殿下之所明知也, 聖天子之所已聞也. 今^李穡, 心亦知其非, 於^李仁任擁立辛氏之際, 曾無一言. ^曹敏修立昌之時, 首倡定策. 今年, 又欲復立辛禑, 其罪前疏未盡之矣. 今殿下, 旣紹正統, 李種學獨倡言於人曰, '玄陵^{恭愍王}旣以禑封江寧君, 而立府矣, 而又天子爵命禑矣, 李[^{太祖舊諱}]^{成桂}何人, 敢違玄陵之命, 廢我驪興王乎?'. 今殿下, 不正禑父子之罪, 以告大廟^{太廟}, 以定民志, 又不正穡父子附禑父子之罪, 以絶群小^{群少}之陰謀, 則殿下, 亦不可一日, 安天位也. 或曰, '禑^{辛氏}父子, 天子所知, 不可不待明降, 而正其罪', 是大不然. 天子, 旣責三韓陪臣, 以異姓爲君矣, 又安有

都, 入前朝爲巨府, 人物之繁夥, 史具可見也. 及其叔世倭寇爲患者數十年, 可悲之甚矣. 予於庚午春, 將適蔚州, 道遇城南, 寄宿天王寺, 堂頭然上人接以良話, 明日出門, 則寺以東查無人煙, 行九十餘里, 以至于蔚州, 則孤城, 去海不滿十里, 賴有戰艦分泊浦口, 以備不虞耳. 其戍卒率兩月一更代, 魚塩之貿易者時至, 其於九十里往還之間, …".

20) 權近은 1389년(공양왕1, 己巳) 12월 4일(戊戌) 寧海에 유배되었다가 明年(1390년) 1월 興海郡으로 量移되었다고 한 점을 보아, 이날(5일)의 金海로의 移配[徙]는 이루어지지 않았던 것 같다.
· 『양촌집』 권13, 淸河縣義倉廨舍記, "己巳之冬, 予謫寧海, 明年春, 量移興海".
21) 이 구절은 『논어』, 子路第13의 一部 句節을 크게 壓縮한 것이다.
22) 이 구절은 다음의 자료를 인용한 것이다.
· 『자치통감』 권208, 唐紀24, 中宗 神龍 1년(705) 2월 乙卯, "… 洛州長史薛季昶謂張柬之·敬暉曰, '二凶雖除, 產祿猶在, 去草不去根, 終當復生'. 二人曰, 大事已定, 彼猶机上肉耳 …".

二命乎? 且或上國, 欲存辛禑, 則未審, 殿下亦可存, 而不定民志乎? 春秋之法, 亂臣·賊子, 人得而誅之, 先發後聞可也. 又何待於明降乎? ○李仁任, 推戴辛氏之罪, 乃太祖列聖在天之靈, 所共誅者也, 乃何不從臣等之請. 此而不誅, 則是開萬世亂賊之門也. 宜令有司, 斬棺瀦宅, 籍沒家產. 穡·種學父子, 止於罷職^{停職屬散}, 則萬世姦賊, 何所懲乎? 宜下攸司, 明正其罪. 李崇仁·河崙, 前爲^李仁任腹心, 後徇^李穡姦計, 以督辛昌朝見, 而欲立辛禑, 以永絶列聖之血食, 罪不容誅者也, 亦令攸司論罪. 又^李種學, 以立昌, 爲父之功, 言於宦官李芬, 李芬言於李琳之女, 黨附李琳, 欲遂姦計, 願下芬于攸司, 推鞫情狀^{鞫其情狀}, 以正其罪. 權近, 私坼聖旨, 先示李琳, 又示李穡, 其心不在王氏, 明矣. 旣而, 托以崇仁事, 上書被劾, 其間亦未可知, 止流遠方^{上流遠方}, 不正其罪, 則何以懲後世不忠之臣乎? 前漢陽尹^{漢陽府尹}文達漢, 以琳姻戚, 居中用事, 恣行不義, 琳之族屬, 已皆流竄, 而獨在輦下, 請收職牒, 斥去外方. 又黜僞朝宦者, 以備不虞之患, 且遵文廟之制, 止留十數人, 以充宮內掃除. 又依忠烈王故事, 不許拜六品". ○於是, 瀦^李仁任宅, 流^李穡父子·^李崇仁·^河崙·^李芬·文達漢, 徒^李敏修于三陟, 宦官供職如舊:節要轉載].[23]

[○是時, 復置內侍府, 階三品:百官2內侍府轉載].[24]

[□又依舊制, 宦官不許拜六品, 在僞朝, 已拜參官者, 追奪告身, 放還田里:選擧3宦寺轉載].

[□又請, 罷無功封君者:選擧3封贈轉載].

[□又請罷僞朝添設職, 汰恭愍王丙申^{5年}·癸卯^{12年}二年添設之職. 命汰丙申年添設:選擧3添設轉載].

---

23) 이와 관련된 기사로 다음이 있다.
· 열전27, 文達漢, "恭讓卽位, 臺諫交章以爲, 達漢以李琳妹壻, 居中用事, 恣行不義. 琳之族屬, 皆已流竄, 而達漢獨在輦下, 請收告身斥黜. 乃流于外".
· 열전28, 李穡, "^{左司議大夫吳}思忠等, 復上疏論劾, 流穡于長湍, 種學于順天".
· 열전28, 李崇仁, "恭讓時, 諫官論, 崇仁與河崙, 前爲仁任腹心, 後徇穡姦計, 以督辛昌朝見. 而欲立辛禑, 以絶王氏之血食. 徙流他郡".
· 열전33, 吳思忠, "恭讓初, ^{吳思忠}與舍人趙璞等上疏, 極論李穡·曹敏修之罪. 又曰, 李仁任擁立辛禑之罪, 殿下之所親見也. 請委諸憲司, 斬棺瀦宅, 以聲其罪. 又曰, 三司右使金續命, 倡爲未辨其母之說, 見黜而死. 公山府院君李子松, 諫禑興師, 遂爲大戮. 請命攸司, 祭其墓, 錄其子孫, 以慰忠魂. ○命罷穡父子, 廢敏修爲庶人".
· 열전39, 李仁任, "恭讓卽位, 諫官吳思忠等又上疏, 請斬棺瀦宅, 籍沒家產. 於是, 命瀦其宅".
24) 原文에는 "恭讓王復之, 階三品"으로 되어 있다.

[庚子^{6日}, 遣司平巡衛府提控朴爲生, 命前判門下府事李穡, 出居長湍:追加].²⁵⁾

壬寅^{8日}, 撤禑母懿陵^{恭愍王妃韓氏}.

[某日, 遣司憲糾正田時于昌寧, 鞫^{前門下左侍中}曹敏修, 時欲以敏修立昌之謀, 出於李穡取辭, 敏修不服曰, "立昌之罪, 予固獨當, 穡實無與焉". 累日逼之, 乃服:節要轉載].

[→遣糾正田時, 鞫敏修于昌寧. 時欲以敏修立昌之謀, 出於穡取辭, 敏修不服曰, "立昌之罪, 予固獨當, 穡實無與焉". 累日逼之, 乃服:列傳28李穡轉載].²⁶⁾

[丙午^{12日}, 命三司右使鄭道傳曰, "都評議使司, 實予相臣, 左右我寡躬者也, 當政之始, 而使司廳適成, 卿宜記其顚末, 明示後世":追加].²⁷⁾

戊申^{14日}, 司宰副令尹會宗上疏, 請誅^{上王}禑·^{前國王}昌.²⁸⁾

[→^{尹會宗,} 累官至司宰副令. 恭讓卽位, 上疏曰, "玄陵^{恭愍王}上賓之後, 權臣李仁任等, 以逆旽之子禑, 嗣我王氏, 九廟絶祀者, 十有六年. 幸賴天祐, 王室旣亡而復興. 殿下宜深思明斷, 以辛禑父子, 告于祖廟, 而斬于都市. 然後, 得以慰九廟之靈, 答臣民之望, 而杜禍亂之源矣. 夫管叔兄也, 周公弟也, 管叔與武庚, 流言倡亂, 周公誅而王室安焉. 王莽簒位, 天下思漢, 長安中, 有自稱成帝子子興者, 莽殺之. 邯鄲卜者王郎, 詐稱眞子興而稱帝, 天下響應, 衆至數百萬. 光武困於滹沱, 幾塡於餓虎之喙, 然後, 能克而斬之, 以中興帝室. 曹操盜漢家四百年之天下, 及其子丕, 稱帝改元, 以據中夏. 諸葛亮相昭烈^{劉備}, 以圖興漢, 其言曰, '漢·賊不兩立, 當獎率三

---

25) 이는 다음의 자료에 의거하였는데, 여기에서 兩侍中은 門下侍中 裵克廉과 守侍中 李成桂일 것이다.
  ·『목은시고』권34, 己巳十二月初六日, ^{司平}巡衛府提控朴爲生來, 傳內教, 命臣出居長湍新居, 臣向」闕肅拜致詞」兩侍中^{裵·李}, 別提控上馬. ….
  ·『목은집』연보, 洪武廿二年己巳, "十二月, 貶居長湍".

26) 이와 관련된 기사로 다음이 있다.
  ·열전39, 曹敏修, "復遣司憲糾正田時, 鞫之".

27) 이는 『삼봉집』권4, 高麗國新作都評議使司廳記에 의거하였다. 이에 의하면 廳舍의 건립은 門下贊成事 禹仁烈, 門下評理 偰長壽·金南得, 政堂文學 金湊, 同知密直司事 柳和, 簽書密直司事 李恬(李壽山의 子), 慈惠府尹 兪光祐 등이 담당하였다고 한다. 또 이때 門下侍中 沈德符·守門下侍中 李成桂가 判事에, 判三司事 王安德·門下贊成事 鄭夢周·三司右使 鄭道傳 등이 同判事에, 判密直司事 金士安 등이 使에 각각 임명되었다고 한다.

28) 尹會宗(尹澤의 孫, 紹宗의 弟)의 職責은 司宰副令인데, 司宰署는 屠殺이 本業이다.

軍, 北定中原, 攘除姦兇, 復興漢室'.[29] 其志將欲繫頸曹丕, 告于高祖·光武之廟而斬之, 然後, 足以小謝天下也. 當是時, 天下皆爲魏有, 而昭烈所據之地, 唯蕞爾之蜀耳. 作史者, 皆書曹丕之年, 以帝魏矣. 獨朱文公修綱目, 黜曹丕之年, 而特書昭烈皇帝章武元年, 以正漢家之統. ○唐之則天后廢中宗,[30] 而自立爲帝, 改國號曰周, 欲傳天下於武氏, 唐已亡矣. 張柬之等擧兵, 復中宗之位, 誅張易之·張昌宗, 遷則天於上陽宮, 復國號曰唐. 後之君子責^{夏官尙書張}柬之等, 不能以大義, 處非常之變, 而討唐室之罪人, 乃曰, '以武后至太廟, 數其九罪, 廢爲庶人, 賜之死而滅其宗, 中宗不得而與焉. 則足以慰在天之靈, 雪臣民之憤, 而天地之常經立矣'. 此言深切而著明矣. 初, 二張之伏誅也, 洛州長史薛季昶謂柬之等曰, '二兇雖誅, 産·祿猶在, 去草不去根, 終當復生'. 柬之曰, '大事已定, 彼猶机上肉耳. 夫何能爲?'. 季昶歎曰, '吾不知死所矣'. 謂賊武三思, 尙在故也.[31] 旣而, 中宗與韋后, 復信用三思, ^{中書令張}柬之等五王, 果爲武三思所殺, 天下悲之.[32] ○彼辛禍父子, 盜據王位, 十有六年, 姻親豪右, 布列中外. 萬一姦兇之徒, 推擁而出, 則臣恐噬臍無及, 而殿

---

29) 이 구절은 「出師表」 前·後를 적절히 변용한 것인데, 그의 兄 紹宗도 「前出師表」를 인용한 적이 있다(→공민왕 22년 5월 某日의 脚注).
  ·『삼국지』 권35, 蜀書5, 諸葛亮傳第5, "^{章武}五年, ^{諸葛亮}率諸軍北駐漢中, 臨發, 上疏曰, … 今南方已定, 兵甲已足, 當獎率三軍, 北定中原, 庶竭駑鈍, 攘除姦兇, 興復漢室, 還于舊都. 此臣所以報先帝^{昭烈皇帝劉備}, 以忠陛下之職分也"[前出師表].
  ·『삼국지』 권35, 蜀書5, 諸葛亮傳第5, "^{章武}六年春, ^{諸葛亮}揚聲由斜谷道取郿, 使趙雲·鄧芝爲疑軍, 據箕谷, 魏大將軍曹眞據衆拒之. 亮身率諸軍攻祁山, … 於是以亮爲右將軍, 行丞相事, 所統如前[注, 漢春秋曰, … 亮聞孫權破曹休, 魏兵東下, 關中虛弱. 十一月, ^{諸葛亮}上言, '先帝^{昭烈帝}心慮漢·賊不兩立, 王業不偏安, 故託臣以討賊也. … 凡事如是, 難可逆見, 臣鞠躬盡力, 死而後已, 至于成敗利鈍, 非臣之明所能逆覩也'. 於是有散關之役. 此表^{諸葛亮集}所無, 出張儼默記"[後出師表]. 여기에서 '張儼默記'는 張儼(?→266)의 『默記』 3권을 가리킨다.
30) 以下의 則天武后와 관련된 사항은 『자치통감』 권208, 唐紀24, 中宗神龍 1년(705)의 記事를 설명한 것 같다.
31) 이 구절은 다음의 자료를 인용한 것인데, 添字는 筆者가 追加하였다.
  ·『자치통감』 권208, 唐紀24, 中宗神龍 1년(705) 2월, "… 二張^{易之·昌宗}之伏誅也, 洛州長史薛季昶謂張柬之·敬暉曰, '二兇雖除, 産·祿猶在[胡三省注, 産·祿, 謂武三思等], 去草不去根, 終當復生'. 二人曰, '大事已定, 彼猶机上肉耳. 夫何能爲? 所誅已多, 不可復益也'. 季昶歎曰, '吾不知死所矣'. 朝邑尉·武强□□^{縣人}劉幽求, 亦謂桓彦範·敬暉曰, '武三思尙存, 公輩終無葬地, 若不早圖, 噬臍無及', 不從".
32) 여기에서 五王은 705년(神龍1) 武三思(?~707, 則天武后의 姪)의 세력을 抑制하려던 宰相 張柬之·崔玄暉·袁恕己, 納言 敬暉, 桓彦範 등인데, 明年 5월에 武三思의 逆攻을 받아 諸王으로 冊封되었지만, 이는 失權措置를 위한 책봉이었다. 이들 5人은 6월 이후 刺史로서 出鎭했으나 7월 무렵에 被殺되었던 같다(唐紀24, 中宗神龍 2년).

下之大事去矣. 周公之於管叔, 至親也, 而猶爲天下誅之. 則天, 中宗之母也, 君子,
以不誅爲責. 況今賊臣之子孫, 非有管叔·則天之親, 今旣反正, 有何所疑, 猶廩養
而不誅, 以啓群邪之心乎? 其於祖宗十六年, 絶祀之意, 何如. 其於季昶去草之說,
何如? 夫天下之變, 常起於所忽, 終至於不可得而制也. 其於殿下社稷之大計, 可
不爲深慮乎? 今在廷之臣, 孰不欲言之. 其不言者, 恐其言之不行, 而有後悔也. 經
曰, '君不密則失臣, 臣不密則失身, 幾事不密則害成'.[33] 願殿下與大臣, 謀於禁中,
以禍父子, 告于太廟而誅之, 明示中外, 毋令再亂王室, 再毒生民, 以垂萬世之統".
○王從之. 會宗, 臣事禑·昌, 職非言官, 而上書請誅. 人有議者:列傳33尹會宗轉載].

○王歷問諸宰相, 皆默然, 我太祖^{守侍中李成桂}獨曰, "此事不易, 旣以安置江陵, 聞
于朝廷, 不可中變. 且臣等在, ^{上王}禑雖欲爲亂, 何憂哉?". 王曰, "^{前上王}禑多殺無辜,
宜其自及". 命知申事李行下旨^{下教},[34] 遣政堂文學徐鈞衡于江陵, 誅^{上王}禑, 藝文館
大提學柳珣于江華, 誅^{前國王}昌.

庚戌^{16日}, 宗室享王.

[某日, 左司議□□^{大夫}吳思忠·門下舍人趙璞等上疏曰, "宦寺, 本以宮內掃除爲
職, 無與外事, 至秦毀古制, 以趙高爲中車府令, 而二世死於其手. 西漢以弘恭爲中
書令, 殺戮忠良, 而王莽簒. 曹節等用事, 而東漢亡. 唐以仇士良爲中尉, 廢置人主,
宋以童貫爲將帥, 陷二帝于女眞, 前元, 院使用事, 遂失天下, 古今之明鑑也. 在我
祖宗之制, ^{宦寺無官, 文廟之世, 時號太平, 我朝賢聖之君也,} 而宦官^{宦寺}給事, 不過數十人, 亦未嘗
食祿. ^{忠烈王朝. 亦不拜參官.} 至于玄陵^{恭愍王}, 刑餘熏腐, 布列朝班^{使宦寺, 得與兩府八衛之列}, 卒致
萬生之變, 亦殿下之所親見也. 殿下卽位, 復立內侍府, 階三品, 是殿下, 以中興之
主, 復蹈亡國之轍也. 願自今, 宮中宦官給事者, 只給衣食, 罷內侍府". ○不聽^{判曰,}
^{自今, 不許朝官, 毋革內侍府}:節要轉載].[35]

---

33) 이 구절은 다음의 자료를 인용한 것이다.
· 『易經』하, 繫辭上傳, "不出戶庭. 無咎. 子曰, 亂之所生也, 則言語以爲階. 君不密則失臣, 臣不
密則失身, 幾事不密則害成. 是以君子愼密, 而不出也".
34) 旨는 教로 고쳐야 옳게 된다.
35) 이 기사는 열전33, 吳思忠 ; 지29, 選擧3, 宦寺에도 수록되어 있는데, 添字는 이에 의거하였다.
이에서 주목되는 점의 하나는 공양왕에 의해 내려진 敎令을 判日로 表記하고 있는 점이다. 大元
蒙古國의 압제 하에서 諸侯國으로 격하된 고려왕조는 國王의 命令을 王旨, 敎旨, 또는 批判으
로 표기하였는데, 判日은 下批判日의 축약이다. 이것이 『고려사』를 편찬하던 과정에서 下制日을
判日로 改書하였고, 그 殘在가 현재의 『고려사』에 그대로 남겨져 있다.

[某日, 門下府郎舍具成祐等上疏曰, "名器爵祿, 所以養賢而待士也, 官職自有定制, 銓選亦有成法. 我太祖統三之初, 省五樞七之設, 國人所傳聞也. 自事元之後, 省樞之合坐始, 而添設倍多, 東西各品, 無不繁冗. 不幸甲寅以來, 奸臣擅政, 籍蒼赤田宅以賄之, 則不論人之賢不肖, 擢以省樞. 賄賂多而官數少, 遂稱商議, 數至七八十矣. 其爲省樞者, 則雖有合坐之名, 旅進旅退, 不與國政者多. 於是, 名器混淆, 而官爵亂矣. 夫人主之職, 論相而已, 相得其人則治, 不得其人則亂. 宰相之職, 論道經邦, 燮理陰陽, 正心以正百官, 進君子, 退小人而已. 今之五六十宰相, 果能一一如是乎? 古者, 無其人, 則闕其位. 願殿下, 遵太祖之成法, 勿以親疎新舊之殊, 惟賢不肖之爲察, 以官擇人, 則官有餘而人不足. 其省五樞七之制, 何患不復乎? 宜自今, 非論道經邦, 燮理陰陽, 正己以正百官者, 非淸白忠直, 國耳忘家者, 非戰勝攻取, 勇冠三軍, 威加敵國者, 則不許入兩府": 選擧3選法轉載].

[某日, 都評議使司啓, "自立春, 至立秋, 停死刑, 在京, 五覆啓, 在外, 三覆啓, 方許斷罪, 事干軍機及叛逆, 不在此限": 刑法2恤刑轉載→昌王 1年 4月로 옮겨감].[36]

壬子[18日], 教曰, "恭惟, 我太祖開國以來, 子孫相承, 克奉宗祀, 至恭愍王, 不幸無子薨逝. 賊臣李仁任, 欲專政權, 貪立幼孽, 詐以辛禑稱王氏, 立以爲主. 禑乃頑凶狂悖, 將欲陵犯遼陽, □守侍中李[太祖舊諱]成桂等, 以社稷大計, 諭衆回軍, 議立王氏. 主將·前門下左侍中曹敏修, 以仁任之黨, 復擅權柄, 繼其奸謀, 乃沮衆議, 立禑子昌. 王氏絶祀, 神人共憤者, 十有六年□矣. 於洪武二十二年[昌王1年]十一月十五日, □守侍中李[太祖舊諱]成桂, 奮忠倡義, 乃與門下侍中沈德符·門下贊成事鄭夢周·門下贊成事池湧奇·政堂文學偰長壽·門下評理成石璘·知門下府事朴葳·知門下府事趙浚·三司右使鄭道傳等□□決策[37]   上奉天子明命, 謀及宗親·耆老·文武臣僚, 啓奉恭愍王定妃之命, 廢禑·昌父子, 以予於王氏最親, 俾承祖宗之統. 雖予寡德, 未堪負荷. 李[太祖舊諱]成桂等, 正名興復, 再造王室. 其功實不在太祖開國功臣之下, 帶礪難忘, 壁上圖形, 父母妻封爵, 子孫蔭職, 宥及永世[十世], 主者施行".[38]

또 공양왕대의 內侍府의 復置에 대한 기사로 지31, 百官2, 內侍府, "辛禑罷之, 恭讓王復之, 階三品"이 있다.

36) 이 기사는 冒頭에 '恭讓王元年十二月'이 있지만, 『고려사절요』 권34와 지38, 刑法1, 職制에는 昌王 元年 4월에 수록되어 있다(校正事由 ; 蔡雄錫 2009년 302面).

37) 添字는 『고려사절요』 권34 ;『태조실록』 권1, 總書, 공양왕 1년 12월에 의거하였다.

38) 永世는 『고려사절요』 권34 ;『태조실록』 권1, 總書, 공양왕 1년 12월에는 十世로 달리 표기되어 있다.

[〇^{知門下府事·}大司憲趙浚等上疏曰, ^{“東方自朝鮮之季,} 離爲七十, 合爲三韓. 干戈爛熳而相尋, 生民之肝腦塗地者, 歷兩漢·三國·六朝·隋·唐, 迄于五代而未息. 我太祖受命, 起而拯之, 躬擐甲冑, 櫛風沐雨, 南征北征, 始成一統, 垂五百年于玆矣. 聞者, 僞辛盜國, 宗廟絶祀, 殿下新紹三十一代中絶之統, 三韓億兆之民, 懽欣拭目, 以望殿下中興之理. 殿下一身, 皇天上帝之所眷命, 太祖列聖之所付托, 山川鬼神之所依歸, 百萬生靈之所寄命. 崇高之極, 有甚於萬仞, 負荷之艱, 有萬於泰山. 一言之出, 如雷霆之動於天, 而三韓莫不聞. 一事之行, 如日月之出於天, 而三韓莫不覩.. ^{敬之一字,} 帝王所以作聖之基, 公之一字, 帝王所以致治之本. 請殿下, 上畏皇天之鑑臨, 下畏億兆之瞻仰. 賞一人, 則恐不合於上帝福善之心, 罰一人, 則恐不合於上帝禍淫之鑑, 衆悅而後命賞, 衆棄而後加刑. ^{弊袴必藏, 一笑必惜. 命一官則曰,} '斯人也果君子, 而可以理天工, 可以養天民, 而天不罪我乎? 潛邸之舊, 畏上帝而不敢私以賞, 戚里之親, 畏上帝而不敢私以爵. ^{勤咨訪, 以廣聰明,} 好學問, 以崇德業, 接群下以禮, 奉母后以孝. 去邪勿疑, 出令必行. 處九重, 則念民之不庇於風雨, 御八珍, 則念民之不足於糟糠. 服輕暖, 則念蠶婦之赤立, 而法大禹之惡衣. 臨宴享, 則念農夫之饑死^{餓莩 39)}, 而體隋文之一肉. 崇儉戒邪^奢, 節用愛民. 君子小人之分, 人主所當知也. 正色立朝, ^{樂直言而惡面從, 親君子而遠小人.} 夫^{極言不諱,} 巍然特立^{面折廷爭}, 無小回互, ^{知有社稷, 不知其有家}者, 君子也. 殿下親之信之, 則堯舜之治理, 可坐而致, 太祖之業, 可繼而興矣. 姻婭必欲進, 恩怨必欲報, 聞百姓之疾苦, ^則泰然曰, '何與於吾身'. 見人主之過失, 嘿不敢言^{則默然}曰, '口是禍門也'. 唯行諂佞, 以盜富貴, ^{知有其家, 而不知有社稷}者, 小人也. 殿下悅而容之, 則桀紂之亡, 可立而待, 太祖之烈, 不旋踵而敗矣. ^{二帝三王, 莫不由學. 精一執中, 堯·舜之學, 建中建極, 湯·武之學也.} 願殿下, 擇鴻儒之通經史正心術者, 更日入直, 討論經史, 商確治道, 以成緝熙光明之學, 且令史官, 更迭侍側, 左言右事, 無不悉書, 以詔萬世. 又爲世子, 特開書筵, 以當世大儒, 爲師傅, 經明行修之士, 爲僚佐, 朝夕與居, 講明經籍, 以明端本澄源之學. ^{又今之學}者, 以彫篆之學, 幸中科第, 取榮一身, 自以爲足. 從仕之後, 盡棄所業, 昧於施措, 以負國家崇儒重道之意. 願自今, 聚各年及第四品以下, 對策殿庭, 中者, 使掌製敎, 不中者, 左遷以振儒風 40) □一. 府兵領於八衛, 八衛統於軍簿, 四十二都府之兵, 十有二萬, 而隊有正, 伍有尉, 以至上將, 以相統屬, 所以嚴禁衛, 禦外侮也. 自事元以來, 昇平日久, 文恬武嬉, 禁衛無人. 乃於近侍·忠勇, 皆設護軍以下等官, 以代禁衛之任, 而祿之. 於是, 祖宗八衛之制, 皆爲虛設, 徒費天

_____

39) 이때 일본에서는 是年부터 明年(明德1) 7월까지 거의 모든 地域에서 饑饉이 심하였다고 한다.
　·『續史愚抄』29, 明德 1년 7월, “七日丁酉, … 自去年至今月, 天下大飢”.

40) 이 구절은 지27, 選擧1, 科目을 轉載한 것이다. 이것이 文敎에 대한 내용이어서 筆者가 任意로 이곳에 編入시켰다.

祿. 而其亏達赤·速古赤·別保等, 各愛馬, 寒暑夙夜, 勤勞甚矣, 而不得食斗升之
祿, 而食四十二都府五貝·十將·尉·正之祿者, 非幼弱子弟, 卽工商·賤隷. 或食其
祿, 而曠其職, 或勤於王事, 而不得食, 豈祖宗忠信重祿之意哉?[41] □伏願殿下, 倂
近侍於左右衛, 倂司門於監門衛, 倂司楯於備巡衛, 倂忠勇於神虎衛, 其餘各愛馬,
以類倂於諸衛, 使之輪日入直, 考其勤怠, 各以其衛內護軍以下, 至於尉·正之職,
隨品錄用, 使食其祿, 而勤其職, 則人樂仕, 而國祿省, 禁衛嚴, 而武備張矣.[42] □
一. 司幕, 古之尙舍, 而今之司設也, 司饔, 古之尙食, 而今之司膳也. 今則司, 設食
其祿, 而廢其職, 司幕, 勤其事, 而不食祿, 司饔以下之職, 亦然. 願以司幕·司饔等
愛馬, 倂於六局, 以復先王之舊, 以革近代之弊, 則名實相稱, 而職事立矣. 非有功
不候, 我朝之法也. 金侍中富軾, 削除僭亂, 平定西都, 進封樂浪侯, 金政丞方慶,
伐叛耽羅, 問罪東倭, 得封上洛公, 願自今, 宰相非安社·定遠功臣, 毋得封君.[43] □一.
宦官, 自國初, 至慶陵朝忠烈王, 不得參官, 近來, 以宮中傳命之任, 得與論道經邦之
列, 非所以尊朝廷也. 願自今, 宦官除授, 遵慶陵之制, 不許拜朝官.[44] 又軍器·繕
工, 務劇貝少, 請以□□重房上·大將軍, 郞·別將, 爲兼判事·注簿等官, 如此則祿不
費, 而事功擧矣. 其務煩寺·監, 倣此兼攝, 庶便於公.[45] □一. 學校, 風化之源, 國
家理亂, 政治得失, 莫不由斯. 近因兵興, 學校廢弛, 鞠爲茂草, 鄕愿之托儒名, 避
軍役者, 至五六月間, 集童子, 讀唐·宋人絶句, 至五十日乃罷, 謂之夏課. 爲守令
者, 視之泛然, 曾不介意, 如此, 欲得經明行修之士, 以補國家之治盛理, 其可得乎?
願自今, 以勤敏博學者, 爲教授官, 分遣五道各一人, 周行郡縣, 其馬匹供億, 並委
鄕校, 主之. 又以州郡閑居業儒者, 爲本官教導, 而令子弟, 常讀四書五經, 不許讀

---

41) 이 구절에서 四十二都府의 軍士가 12萬이라는 것은 6衛를 構成하는 42領의 府衛兵 중에서 當
番兵[正軍]이 4萬二千人, 非番兵[保人]이 八萬人, 兩者의 合이 12萬人임을 가리킨다(末松保和
1965年).
42) 이 구절은 지35, 兵1, 五軍에도 수록되어 있고, 冒頭에 '一.'이 있다. 또 添字는 이에 依據하여 추
가하였다. 또 備巡衛는 金吾衛의 다른 이름이다(지31, 百官2, 金吾衛, "忠宣王, 改金吾爲備巡").
43) 이 구절은 지29, 選擧3, 封贈에도 수록되어 있으나 恭讓王二年十二月은 '元年十二月'의 오류이다.
44) 이 구절은 지29, 選擧3, 宦寺에도 수록되어 있으나 字句에 出入이 있다.
45) 이 구절과 관련된 자료로 다음이 있는데, 添字는 이에 의거하였다.
　·지30, 백관1, 繕工寺, "恭讓王元年, 趙浚建議, 繕工, 務劇貝少, 以重房上·大將軍·郞別將, 兼判
　　事以下官".
　·지30, 백관1, 軍器寺, "恭讓王元年, 趙浚建議, 軍器寺, 務劇貝少, 以重房上·大將軍·郞別將, 兼
　　判事以下官".

詞章. 而敎授官, <u>循環周行</u>^{巡視一道}, 嚴立課程, 身自論難, 考其通否. 登名書籍, 誘掖獎勸, 以成實材, 其人才衆多, 有成效者, 擢以不次, 若不能敎誨, 而無成效者, 亦將<u>論罰</u>.⁴⁶⁾ □ᄀ. <u>孟子</u>曰, '不孝有三, <u>無後爲大</u>'.⁴⁷⁾ 以其絶祀也. 故古者, 父母終, 旣葬於野, 虞而安神, 廟而祀之, 此事亡如事存之道也. 吾東方家廟之法, 久而廢弛, 今也, 國都至于郡縣, 凡有家者, 必立神祠, 謂之衛護, 是家廟之遺法也. 嗚呼, 委父母之屍於地下, 不爲家廟而祀之, 不知父母之靈, 何所依乎? 甚非人子之心也, 但習以爲常, 未嘗致思耳. 願自今, 一用朱子家禮, 大夫以上, 祭三世, 六品以上, 祭二世, 七品以下, 至於庶人, 止祭其父母. 擇淨室一間, 各爲一龕, 以藏其神主, 以西爲上, 朔望必奠, 出入必告, 食新必薦, 忌日必祭. 當忌日, 不許騎馬出行, 對接賓客, 如居喪禮. 其上墳之禮, 許從風俗, 每年三令節寒食爲定, 以成追遠之風, 違者以不孝論. □ᄀ. <u>傳</u>曰, '忠信重祿, <u>所以勸士也</u>'.⁴⁸⁾ 是以古者, 上自公卿, 下至胥徒, 莫不重祿, 凡仕於朝者, 未嘗涉意於營私, 專心乎公務. 自豪强兼幷以來, 租稅日減, 祿秩歲縮, 先王制祿之數, 徒爲文具. 宜令有司, 參酌古制, 豊其祿秩, 則士有恒心, 而廉恥可興矣. 京畿八縣, 徭役甚煩, 然非正官之所統, 觀察之所理. 又無守令之宣化, 故科斂不均, 賦役無藝, 民不聊生, 無所控告. 願自今, 依各道例, 縣置五六品<u>員</u>^官, 使開城府考績, 以明黜陟. □ᄀ. 近年以來, 將兵之任, 不問其才, 但位宰相, 則率命遣之, 節制失宜, 賊勢益張, 以致侵掠, 郡縣蕭然. <u>古人</u>謂, '君不擇將, 以其國與敵, 將不知兵, <u>以其主與敵</u>',⁴⁹⁾ 擇將制倭, 誠今日之急務也. 願令都評議使□^司·臺諫, 各擧威德夙著者, 命爲將帥, 以申軍政. 且軍政多門, 則號令不肅, 今一道三節制, 非古制也. 願自今, 東·西北面外, 每一道, 只遣一節制, 餘皆罷去.⁵⁰⁾ 兵者, 民之司命, 國之大政, 所以衛王室, 而消禍亂也. 本朝五軍·四十二都府, 蓋漢之南北軍, 唐之府衛兵也. <u>遼</u>·<u>金</u>氏, 接壤兩界, 立晋帝而子之, 虎視天下, 求好於我, 而我太祖絶之. 虜<u>遼</u>·<u>宋</u>三帝, 威振四海, 而莫敢旁窺, 式至于今者, 以祖宗之軍政, 得其律令也. 近世, 兵制大毀, 用兵三十餘年, 軍政無統, 以無術之將, 戰不敎之民, 望風奔潰, 千里暴骨. 蕞爾倭奴, 爲國之病, 可不爲痛心哉? 願自今,

---

46) 이 구절은 지28, 選擧2, 學校에도 수록되어 있으나 자구에 출입이 있다.

47) 이 구절은 『맹자』 권7, 離婁章句上에서 따온 것이다.

48) 이 구절은 『예기』 권16, 中庸第31(『中庸』)에서 따온 것이다.

49) 이 구절은 다음의 자료를 인용한 것이다.
· 『西漢會要』 권57, 兵2, 雜錄, "將不知兵, 以其主予敵也, 君不擇將, 以其國予敵也".

50) 이 구절은 지35, 兵1, 五軍에도 수록되어 있다.

前銜四品以上,[51] 屬之三軍, 軍置將佐, 五品以下, 屬之府衛, 而統于軍簿, 使上下相維, 體統相聯, 軍政出于一, 衆心統于一. 然後, 申明軍令, 訓鍊士卒, 則百萬之衆, 如身之使臂, 臂之使指, 何守不固, 何攻不取哉? 近世, 姦臣亂政, 材非將帥者, 布列重房, 百戰勤勞者, 方除添設, 賞罰無章, 軍士解體, 所至無功. 願自今, 其有摧堅陷敵之功, 斬將搴旗之勇, 百戰勤勞之效者, 大則上 · □大護軍, 次則護軍 · 中郎將, 以至別將 · 散員, 皆受眞差, 以奬破賊之功. 則人皆親□其上, □而死□其長矣. 且近日, 擧義拔亂之時, 從事于軍者, 亦加官賞, 以勸後人.[52] □一. 國家選觀察使, 擇任守令, 憮綏五道, 獨東 · 西北面, 尙循舊習, 未霑王化. 願自今, 依諸道例, 置觀察使, 巡行郡縣, 黜陟軍民之官. 近來, 驛戶凋廢, 凡鋪馬 · 傳遞, 知路指路之役, 州郡代受其苦, 以至流亡. 欲使州縣復業, 當先恤驛戶. 國家雖置程驛別監, 安集諸驛, 而一人不能獨理, 每驛置私屬, 以爲耳目. 然非都堂所遣, 人人得以侵侮, 不能安集. 願自今, 每驛置五六品丞一人, 其保擧如守令例, 且給半印而遣之, 其有能致驛戶殷富富盛, 駔騎蕃盛者鋪馬充立者, 觀察使報都堂, 以補守令之闕, 且授京官, 以示褒賞, 邊遠驛丞, 令觀察使擧補.[53] □一. 常平 · 義倉之法, 救荒之長策. 耿壽昌義倉之奏, 長孫平社倉之議, 其法蓋出於周官, 委人之職, 有國家者, 所當先務也. 去歲, 盛夏興師, 加以倭寇, 耕種愆期, 收穫失候. 今年, 又被水災, 東南州郡, 蕭然赤立, 救荒之策, 不可不慮也. 國家旣革私田, 所至皆有蓄積.[54] 願自今, 郡縣皆置常平倉, 其豐凶斂散之法, 一依近日都評議使□司所奏. 竊聞, 楊廣道, 已置常平倉, 宜令各道, 依此施行, 守令有不如法者, 罰之. 食爲民天, 穀由牛出, 是以本國, 有禁殺都監, 所以重農事厚民生也. 韃靼水尺, 以屠牛代耕食, 西北面尤甚. 州郡各站, 皆宰牛饋客, 而莫之禁. 宜令禁殺都監及州郡守令, 申行禁令. 其有捕獲告官者, 以本人家產充賞, 犯者, 以殺人論.[55] □一. 州郡, 因朔膳, 使客供支等事, 雖當盛農, 驅集農民, 馳騁荊棘, 旬月戈獵, 農失其時, 民不足食. 職此之由, 若夫雞豚之畜, 則取之牢中, 不擾於民. 願自今, 京畿築雞豚場二所, 一令典廏署主之, 以奉宗廟祭祀之用, 一令司宰寺主之, 以供御庖 · 賓客之須. 至於州郡各驛, 皆令畜之, 撙節愛

51) 前銜은 열전31, 趙浚에는 閑散로 되어 있다(盧明鎬 等編 2016년 850面).
52) 이 구절은 지35, 兵1, 五軍에도 수록되어 있는데, 添字는 이에 의거하였다.
53) 이 구절은 지36, 兵2, 站驛도 수록되어 있는데, 添字는 이에 의거하였다.
54) 여기에서 有는 延世大學本과 東亞大學本에는 之로 되어 있으나 오자일 것이다.
55) 이 구절은 지34, 食貨3, 常平 · 義倉에도 수록되어 있다.

養, 不殺胎卵, 則不出數年, 而供上·祭祀·賓客之奉充, 吾民養生之用足, 而無戈獵廢農之患矣. □一. 司饔, 每年^歲, 遣人於各道, 監造內用瓷器, 一年爲次, 憑公營私, 侵漁萬端. 而一道駄載, 至八九十牛, 所過騷然. 及至京都, 進獻者, ^皆百分之一, 餘皆私之, 弊莫甚焉. 又有羽筋·箭竹等差遣, 擾民非一. 願自今, 各司愛馬, 差遣外方者, 一切禁之. 凡係此等事, 皆令呈于都堂, 都堂下觀察使, 觀察使, 分布所在州縣, 據案直納, 則庶便於民. <u>軍士</u>^{士卒}, 與倭奴戰, 而所得馬匹·器仗, 與凡民殺賊所得之物, 所在軍民官, 傳牒境內, 鞫如盜賊, 悉輸□之<u>京都</u>^{京師}, 以希重賞, 罔上毒民, 莫甚於此. 故<u>軍士解體</u>^{離心}, 賊勢益張, 甚非計也. 願自今, 諸道將帥破賊者, 獻馘而已, 軍民所得倭物, 勿使推鞫. 著爲令典, 則人樂其利, 而勇於戰矣. 犯者, ^{內而憲司, 外而觀察使}, 以不<u>廉</u>論.[56] □一. 宰相, 人君之貳也, 所與共天位, 代天工者也. 其尊莫有倫比. 不幸有罪, 廢之可也, 退之可也, 賜之死, 亦可也. 乃令下吏, 縲絏枷鎖, 梟首露體, 棄而不葬, 甚矣. 漢文帝時, 賈誼<u>上疏</u>, 謂'刑不上大夫', 帝深納之. 自是, 大臣有罪, 皆賜死, 無加戮辱, 以禮遇下. 故當時士大夫, 恥言人之過失, 以成漢家四百年之禮俗. 願自今, 兩府大臣, 雖有死罪, 其大逆不道外, 法文帝故事, 無加顯戮, 以成國家重大臣之盛典. <u>書曰</u>, '罰不及嗣',[57] 傳曰, '<u>罪人不孥</u>.[58] 故舜殛鯀, 而相禹, 武王誅紂, 而封武庚, 卽天地生物之心也. 至於近世, 殺人如飮食, 滅人之族, 猶恐其有後, 不仁甚矣. 願自今, 凡有罪者, 法三代盛王之制, 妻子無隨坐, 以示盛朝不忍<u>之政</u>.[59] □一. 庶獄庶愼, 文王罔敢知<u>于玆</u>,[60] 此成周之致理. 陳平, 不知錢穀之數, 君子, 謂知宰相體, 以其不侵官也. 本朝之制, 都堂, 摠<u>百揆</u>頒號令,[61] 憲司, 察百官糾風俗, 典法·都官, 辨曲直決獄訟, 其職也. 近者, 僥倖貪利

---

56) 이 구절은 지35, 兵1, 五軍에도 수록되어 있다. 添字는 이에 의거하였는데, 이를 통해 볼 때 『고려사』의 編纂者가 潤文을 하려고 하였던 것 같지만, 改善된 点은 없는 것 같다.

57) 이 구절은 다음의 자료에서 따온 것이다.
·『穀梁傳注疏』권17, 昭公 11년 4월, "嘗試論之曰, 夫罰不及嗣, 先王之令典, …".

58) 이 구절은 『맹자』, 梁惠王章句下에 나오는 말이다.

59) 이 구절은 지39, 刑法2, 恤刑에도 수록되어 있다.

60) 이 구절은 『尙書』권10, 立政第21, 周書에서 따온 것이다.

61) 百揆에 대한 설명으로 다음이 있다.
·『자치통감』권223, 唐紀39, 代宗永泰 1년(765), "三月壬辰朔, 命左僕射裴冕·右僕射郭英乂等文武之臣十三人於集賢殿待制. 左拾遺洛陽獨孤及上疏曰, … 長安城中白晝椎剽, 吏不敢詰, 官亂職廢, 將隳卒暴, 百揆隳刺, 如沸粥紛麻[胡三省注, 唐虞有百揆之官. 孔安國曰, 揆, 度也. 度百事, 總百官. 此所謂百揆, 蓋言百官之事也], 民不敢訴於有司, 有司不敢聞於陛下, …".

之徒, 欺罔大內, 冒弄都堂, 訟牒雲委, 行移之間, 因循苟且, 不勝其煩. 非設官分職之本意也. 願自今, 令訟者, 各訟攸司, 其直達大內·都堂者, 一切禁之, 以尊大內, 以嚴都堂.⁶²⁾ □一. 凡公私滋息, 一本一利耳, 比來, 貨殖之徒, 惟利是視, 一本之利, 或至于十倍. 貸假之徒, 鬻妻賣子, 終不能償, 故國家已有禁令. 今供辦都監賣米, 滋息無窮, 至使貸者, 喪家失業, 非國家恤民之意也. 願自今, 一本一利, 毋得剩取. 三司及六部官, 以時親到所屬各司, 將其所報, 勾校文書, 會計點考, 毋致陵夷. 如有不奉法者, 使憲司糾理, 大罪, 降等別敍, 除名不敍, 隨罪論之, 小罪下牒巡軍, 笞杖還職.⁶³⁾ □一. 凡京外大小官吏, 除目旣下累日, 不卽上官赴任, 以致公事^務稽緩, 其文書錢穀, 皆爲姦吏所容匿. 此則弊之大者, 而又非臣子誠心事君之道也. 願自今, 除臺省·政曹外, 其京官大小員吏, 自下批之後, 京官限三日, 外官限十日, 進闕謝恩, 卽行上官赴任. 稱權知行事, 新舊相對, 將文書錢穀, 明立契券, 手相交付, 以憑考課, □□^{神世}謝後卽眞. 有不如法者, ^{京中憲司, 外方觀察使} 痛繩以法.⁶⁴⁾ □一. 比年以來, 紀綱陵夷, 爲鄕吏者, 或稱軍功, 冒受官職, 或憑雜科, 謀避本役, 或托權勢, 濫陞^升官秩者, 不可勝記, 州郡一空, 八道凋弊. 願自今, 雖三丁一子, 三四代免鄕, 而無的實文契者, 軍功免鄕, 而無特立奇功, 受功牌者, 雜科, 非成均·典校·典法·典醫出身者, 自添設奉翊□□^{大夫}·眞差三品以下, 勒令從本, 以實州郡. 自今以後^{今後}, 鄕吏不許明經·雜科出身免鄕^{免役}, 以爲恒式:節要轉載].⁶⁵⁾ [□一. 葬者藏也, 所以藏其骸骨, 不暴露也. 近世, 浮屠氏茶毗之法盛行, 人死, 則擧而葬之烈焰之中, 焦毛髮, 爛肌膚, 只存其骸骨. 甚者, 焚骨揚灰, 以施魚鳥, 乃謂必如是然後, 可得生天. 可得至西方也. 此論一起, 士大夫高明者, 亦皆惑之, 死而不葬於地者, 多矣. 嗚呼, 不仁甚矣. 人之精神, 流行和通, 生死人鬼, 本同一氣. 祖父母安於地下, 則子孫亦安, 不爾則反是. 且人之生世, 猶木之托根於地, 焚其根株, 則枝葉凋悴, 燒其枝葉, 則根株亦病矣, 安有發榮滋長之理乎? 此愚婦之所能知也. 聖人制以四寸之棺, 三寸之槨, 猶恐其速朽, 斂衣數十襲, 猶恐其或薄也, 置穀棺中,

---

62) 이 구절은 지38, 刑法1, 職制와 열전31, 趙浚에도 수록되어 있다.

63) 이 句節의 '剩取' 以前의 前半部는 지33, 食貨2, 借貸에도, '三司' 以後의 後半部는 刑法志1, 職制에도 각각 수록되어 있다.

64) 이 구절은 지38, 刑法1, 職制와 열전31, 趙浚에도 수록되어 있다. 또 지29, 選擧3, 考課에 축약되어 수록되어 있는데, 添字는 이들에 의거하였다.

65) 이 구절은 지29, 選擧3, 鄕職에 수록되어 있으며, 添字는 이에 의거하였다. 또 이 기사의 全文이 열전31, 趙浚에도 수록되어 있으나 字句의 出入이 있으며, 添字는 이에 의거하였다.

猶恐其螻蟻之或侵也. 送終之禮, 如是, 而反用裔戎無父之敎, 可謂仁乎? 願自今, 一切痛禁, 違者論罪”:刑法2禁令轉載].[66]

[□□是時, 大司憲趙浚等又上疏, 論田制曰, “上天悔禍, 群凶已滅, 辛氏已除, 當一革私田, 以開斯民富壽之域, 此其機也. 而世臣巨室, 不念社稷之大計, 猶踵弊風, 相與流言, 煽動人心, 欲復私田. 而殿下中興, 卽位旬日, 軫念生民之塗炭, 深懲積世之巨害. 遠述成周圭田·萊地之法, 近遵文廟開廣京畿之制, 京畿,[67] 則給居京侍衛者之田, 以優士族, 卽文王仕者世祿之美意也. 諸道則止給軍田, 以恤軍士, 卽祖宗選軍給田之良法也. 乃使中外之經界, 截然不得相亂, 杜兼幷之門, 塞爭訟之路, 誠聖制也. 然受田於京畿, 而數未滿者, 欲於外方給之, 是殿下復開兼幷之門, 置三韓億兆之民, 於湯火之中也. 臣等甚爲殿下中興之盛, 惜之也. 不先正田制, 而欲致中興之理, 非臣等所敢知也. 今六道觀察使所報, 墾田之數, 不滿五十萬結矣, 而供上不可不豊也, 故以十萬, 而屬右倉, 以三萬, 而屬四庫, 祿俸不可不厚也, 故以十萬, 而屬左倉, 朝士不可不優也, 故以畿田十萬, 而折給之, 其餘止十七萬而已. 凡六道之軍士, 津·院·驛·寺之田, 鄕吏·使客·廩給·衙祿之用, 尙且不足, 而軍須之出, 則無地矣. 而今又欲給私田於外方, 未審供上祿俸之費, 津·院·驛·寺諸位之田, 何從而出乎? 方鎭之兵, 海道之軍, 何以供給乎? 萬一, 有三四年水旱之災, 何以賑之?

---

66) 이 구절은 恭讓王에게 嘉納되었던 것 같고, 이후 司憲府가 裁可를 받은 判旨는 朝鮮 初에도 遵用되었던 것 같다.
　　· 『세종실록』 권10, 2년 11월 辛未[7日], “禮曹啓, 元續六典內, 各年判旨, 中外官吏或不奉行. 其不奉行條件, 謹錄以聞, 請申明擧行, 違者論罪. … 一. 洪武二十一年司憲府受判, 葬者藏也. 所以藏其骸骨, 不暴露也. 近歲, 浮屠氏茶毗之法盛行, 人死則擧而置之烈焰之中, 焦毛髮, 爛肌膚, 止存骸骨, 甚者焚骨揚灰, 以施魚鳥, 乃謂必如是而後, 可生天堂, 可至西方. 此論一起, 士大夫高明者皆惑之, 而不葬於地者多矣. 嗚呼, 不仁甚矣. 人之精神, 流行和通, 死生人鬼, 本同一氣. 祖父母安於地下, 則子孫亦安, 不爾則反是. 且人之生於世, 猶木之托根於地, 焚其根株, 則枝葉凋瘁, 安有發榮滋長之理乎? 此愚夫愚婦之所共知也. 聖人制三寸之棺·五寸之槨, 猶恐其速朽也, 斂衣數十襲, 猶恐其或薄也, 置穀棺中, 猶恐螻蟻之或侵也. 送終之禮如此, 而反用裔戎無父之敎, 可謂仁乎? 願自今一切禁之, 犯者加罪. 外方人民, 於父母葬日, 聚隣里香徒, 飮酒歌吹, 殊無哀慟之心, 有累禮俗, 亦皆痛禁”.
67) 京畿는 지32, 식화1, 祿科田에는 京圻(경기)로 되어 있는데, 같은 글자이다(盧明鎬 等編 2016년 853面). 圻는 畿와 同字로 疆域, 境界를 가리키고, 一圻는 四方千里이고, 一同은 四方百里를 가리킨다고 한다(鎌田 正 1994년 1060面).
　　· 『春秋左氏傳注疏』 권36, 襄公, 傳25년 秋7월, “… ○鄭子産獻捷于晋, 戎服將事, 晋人問陳之罪, 對曰, … 且夫天子之地一圻[注, 方千里], 列國一同[注, 方百里], 自是以衰, 今大國多數圻矣, 若無侵小, 何以至大焉. …”.

千萬軍饋餉之費, 何以供之? 殿下, 上繼太祖之洪業, 下啓中興無疆之基, 不於此時儲國用, 以足祭祀賓客之用, 豊祿俸, 以厚百官, 足兵食, 以養三軍, 而乃反嫌巨室之流言, 不念生民之大害, 復私田於外方, 以開奸猾兼幷之門, 飢三軍, 而長六道之邊寇, 薄俸祿, 而隳百官之廉恥, 缺國用, 而乏祭祀賓客之供, 豈經國濟民之政乎? 願殿下, 凡居京者, 只給畿內田, 不許外方給之, 定爲成憲, 與民更始. 以足國用, 以厚民生, 以優朝士, 以贍軍食": 食貨1祿科田・節要轉載].[68]

癸丑[19日], ^{門下評理・}西海道觀察□□^{黜陟}使金南得獻倭俘.

乙卯[21日], 以弟瑀△^爲領三司・宗簿寺事,[69] 趙浚爲門下評理・判尙瑞寺事^{判尙瑞寺事}, 成石璘爲門下評理兼司憲府大司憲, 尹紹宗・^{大司成}李詹爲左・右□□^{散騎}常侍,[70] 南在△^爲判典校□^{司事}兼□^{司憲}執義, 鄭熙爲□^{司憲}掌令, [^{奉常大夫・試成均司藝}劉敬爲奉常大夫・成均司藝・寶文閣直提學:追加],[71] 張子崇爲左獻納, 金爾音爲持平.[72]

○僞朝官職, 皆改下, 又改官制, [以典理司爲吏曹, 軍簿司爲兵曹, 版圖司爲戶曹, 典法司爲刑曹, 禮儀司爲禮曹, 典工司爲工曹:百官1六曹轉載].

[○令判開城府事, 掌家舍・財物・追倍:百官1開城府轉載].

[○復倂藝文館與春秋館, 爲藝文春秋館:百官1藝文館轉載].

庚申[26日], [大寒]. 侍中沈德符及我太祖^{守侍中李成桂}享王.

---

68) 이 기사는 『고려사절요』 권34에도 수록되어 있으나 添字가 탈락되었다. 또 이와 관련된 기사로 다음이 있다.
  ・열전31, 趙浚, "王在潛邸, 廣植田園, 嘗惡革私田. 至是, 欲復之, 浚又上書爭之, 語在食貨志".

69) 王弟 瑀에 관한 기사는 열전4, 神宗王子, 襄陽公恕에도 수록되어 있다.

70) 이때 李詹은 奉順大夫・成均大司成・進賢館直提學・知製教에 임명되었다가 곧 正順大夫・右常侍^右^{散騎常侍}・寶文閣直提學・知製教兼春秋館編修官・經筵講讀官에 승진하였던 것 같다
  ・『쌍매당협장집』연보, "… 冬十二月, 拜奉順大夫・成均大司成・進賢館直提學・知製教. 又拜正順大夫・右常侍^右^{散騎常侍}・寶文閣直提學・知製教兼春秋館編修官, □□□□□^{明年正月爲}經筵講讀官". 여기에서 添字와 같이 改書되고, 追加되어야 옳게 될 것이다(→공양왕 2년 1월 12일).

71) 이는 다음의 자료에 의거하였다.
  ・「劉敞政案」, "洪武二十二年十二月二十一日, 批奉常大夫・成均司藝・寶文閣直提學".
  ・『세종실록』 권14, 3년 12월 戊戌[9日], 劉敞의 卒記, "恭讓王元年, 除成均司藝, 遷戶曹議郎・成均祭酒".

72) 이때 尹紹宗은 趙浚의 천거를 받았다고 하는데, 延世大學本에는 大司憲이 大同憲으로 되어 있으나 오자이다(東亞大學 2006년 26册 473面).
  ・열전33, 尹紹宗, "恭讓卽位, 以大司憲趙浚薦, 爲左常侍經筵講讀官. 浚嘗從紹宗學, 故有恩憐之舊, 凡有章䟽, 紹宗皆具藁".

癸亥^{29日}, 王詣孝思觀, 以誅^{上王}禑·^{前國王}昌, 告于太祖.⁷³⁾ 祝文曰, "朝鮮之季, 國分錙銖, 至七十八, 弱吐强呑, 併爲三雄, 戰爭不息. 聖祖^{太祖}龍興, 天戈所指, 群盜削平, 金傅作賓, 甄萱來庭, 神劍授首, 一統以成. 子孫相傳, 四百五十有七年, 及恭愍王無子而上賓, 賊臣李仁任, 圖擅國政, 乃以辛旽婢妾般若所生^{上王}禑. 立以爲君, 嫁以族弟^{門下侍中}李琳之女, 生男曰^{前國王}昌, 父子相繼, 國祚中絶. 近者, ^{前國王}昌請朝京師, 禮部□^移咨曰, '欽奉聖旨, 高麗君位絶嗣, 雖假王氏, 以異姓爲之. 非三韓世守之良謀, 果有賢智陪臣, 定君臣之分, 雖數十歲不朝, 亦何患哉? 連歲來朝, 亦何厭哉. 童子不必赴京'. 咨至, ^{門下侍中}李琳以上相, 秘之不發, 十一月己卯^{15日}, □^守侍中李^{[太祖舊諱]成桂}, 奮忠倡義, 興復王氏. 德符·夢周·湧奇·長壽·石璘·葳·浚·道傳八將相, 贊定其策, 與宗親·百僚, 詣恭愍王定妃之宮, 咸奉妃敎, 宣天子命, 廢^{上王}禑父子, 以臣太祖之後, 神王^{神宗}七代之孫, 俾承正統. 越六日甲申^{20日}, 率百官, 告反正于祖廟, 存^{上王}禑·^{前國王}昌, 待天子命. 諫臣^{左司議大夫}□^吳思忠等,⁷⁴⁾ 請誅^{上王}禑·^{前國王}昌曰, '春秋之法, 亂臣賊子, 人得而誅, 先發後聞, 不必士師'. 繼而司宰副令□^尹會宗上言, '二兇, 祖宗罪人, 王氏臣子, 不共戴天之讎, 不可一日, 而置王氏之地上'. 臣感其言, 下其書於都堂, 咸請如諫臣等議, 臣於是, 誅^{上王}禑于江陵, 誅^{前國王}昌于江都, 旣正其罪.. 齊明擇辰, 敢告于聖祖眞前'. ○初, 禑旣立, 宰相□^金續命, 言其非眞, □^李仁任放之, 旽妾般若自言, '禑乃吾所生', 仁任殺之.^{門下贊成事}金庾·^{判宗簿寺事}崔源言於帝, 以謂禑非王氏, 咸被屠戮. 國人畏禍, 父不敢語其子, 夫不敢言於婦, 歲月旣久, 知者漸寡. 又其姻親, 根據中外, 不可拔絶, 今玆興復, 實由我祖陰隲之功也. 嗚呼, 異姓已除, 宗祀已續, 不愆不忘, 率聖祖^{太祖}成憲, 乃臣所盡心者也. 仰惟聖祖^{太祖}, 推誠功臣, 終始保全, 布在國史, 龜鑑萬世, 一有不遵, 臣非孝孫^{順孫}. 惟願在天之靈, 鑒臣之誠, 助臣之志, 俾無失墜, 克承鴻業, 以開萬世".

○又告賞功臣文曰, "湯擧伊尹, 纘禹舊服, 大甲^{太甲}克終, 伊訓是賴, 陟相大戊^{太戊}, 格于上帝. 太公鷹揚, 天下宗周, 而與周公, 夾輔王室, 錫封于齊, 藏在盟府. 其孫桓公, 一匡尊周, 湯祀六百, 周過其歷, 國祚長久, 後世莫及者. 實由不忘伊呂弼亮之功, 獲其子孫象賢之忠. 漢資三傑, 而張良爲帝者師, 不使論道, 聽其辟穀, 何

---

73) 이날은 율리우스曆으로 1390년 1월 13일(그레고리曆 1월 21일)에 해당한다.

74) 이때의 諫臣은 左司議大夫 吳思忠, 右司議大夫 南在, 門下舍人 趙璞, 司憲掌令 權湛, 司憲持平 金爾音·崔士威 등으로 추측되는데(是年 9월 某日), 事實이라면 歷史上에서 부끄러운 群像일 것이다.

刀筆吏,[75] 乃爲相國, 亦繫于獄. 信族布反, 矢中帝身, 國無其人, 再傳中絶, 劉幾爲秦, 其視商周, 開國之功, 阿衡尙父, 俾輔後嗣, 以致至理, 一何遠哉? 聖祖^{太祖}報功, 裴·洪·申·卜·庚·崔六公, 圖形對御, 與享大廟^{太廟}, 春秋不忒. 三十一傳, 至恭愍王, 無子暴薨, 國祚中絶. 恭愍之葬, 虹重圍日. 禑, 初蒸夕, 鴞鳴大室^{太室}, 天地震動. 明年三月, 毅陵^{懿陵}忌晨^{忌辰},[76] 大風以雨, 震雷且雹. 及禑襲爵, 大風起祧廟而北指, 大室^{太室}鵄頭折, 廟門仆, 祧廟·寢園松樹拔殆半, 鼠食大室^{太室}主褥. 明年, 御廩災. 去歲六月, 昌之立, 馬踶傳國寶, 匣碎鑰折, 寶躍出走地. 祖宗怒異姓, 不歆其祀, 動威以絶之, 雖面命耳提, 何以加此? 仁任旣立禑殺禑母般若, 以滅其口, 司平門類.[77] 葬枯骨曰, '此恭愍王宮人^{韓氏}, 實爲禑母也'. 而柩輲災, 易之又災. 逐宰相□^金續命, 殺^{門下贊成事}金庚·^{判宗簿寺事}崔源, 人皆喪氣, 言涉辛氏, 愕然失色, 以族相戒. 禑·昌親姻, 心腹爪牙, 根據中外, 除去之難, 如拔山岳. □^守侍中李^[太祖舊諱]^{成桂}至忠奮發, 首倡興復, ^{門下侍中}沈德符·^{門下贊成事}鄭夢周·^{門下贊成事}池湧奇·^{政堂文學}偰長壽·^{門下評理}成石璘·^{門下評理}趙浚·^{知門下府事}朴葳·^{三司右使}鄭道傳, 從而贊之. 遂除二兇, 我祖宗三十一代, 配天之祀, 得以復續. 昔者, 文非四人, 無以造周, 武有九人, 乃集大勳. 今玆興復, 誠由聖祖^{太祖}陰佑, 亦惟□^李^[太祖舊諱]^{守侍中李成桂}等忠誠,[78] 貫乎日月, 公正著於三韓. 大順而天佑於上, 大信而人服於下. 故能使仁任·禑·昌卵翼之人, 飜然效順, 市不易肆, 人無變色, 不崇朝而歸王氏. 玆詣祖眞告功, 行賞錫邑, □^李^[太祖舊諱]^{守侍中李成桂}封君世襲, 德符以下, 封忠義君, 皆許承襲, 俾世其祿. 圖形于閣, 勒功于碑, 帶礪爲誓, 藏之祖廟. 願聖祖^{太祖}, 佑後嗣王與九人後, 同心同德, 敬天畏民, 上奉宗廟, 下保生靈, 共享天祿, 以克永世. 九人子孫, 雖犯大逆, 擬議末減, 更求其嗣, 襲爵奉祀, 世世無絶, 以酬九人之功. 後嗣王, 不念中興之艱, 使九人後, 或失邑爵, 聖祖亟之, 無俾享國. 九人之後, 忘其祖父之忠, 懷奸驕奢, 凶于家, 害于國, 聖祖^{太祖}亟之. 以其爵邑, 更給他孫, 使九人, 血食永世. 非臣私九人, 實嘉九人出萬死計, 委身社稷, 興復王氏, 使我祖祀, 與天無極. 其宗親·著老·文武臣僚, 於中興反正之際, 棄僞向眞, 扞我于艱, 臣甚嘉之. 願聖祖^{太祖}, 永佑其後昆, 俾

---

75) 延世大學本과 東亞大學本에는 刀筆吏가 刀筆史로 되어 있으나 오자일 것이다(東亞大學 2008년 12책 336面).

76) 毅陵은 우왕 2년 윤9월 27일(戊申)에는 懿陵으로 되어 있다.

77) 司平은 司平巡衛府(巡軍萬戶府의 後身)의 略稱이다.

78) 여기에서 李[李成桂]가 脫落되었을 것이다.

屛我王室".

○賜九功臣錄券, 以我太祖^{守侍中李成桂}爲奮忠定難匡復燮理佐命功臣·爵和寧郡開國忠義伯·食邑一千戶·食實封三百戶·田二百結·奴婢二十口, ^{門下侍中}沈德符△爲菁城郡忠義伯·田一百五十結·奴婢十五口, ^{門下贊成事}鄭夢周·^{政堂文學}偰長壽等七人, 並△爲忠義君, 各田一百結·奴婢十口.

○其錄券, 依開國功臣裵玄慶例, 稱中興功臣. 父母妻封爵, 子孫蔭職, 直子超三等, 無直子, 甥姪·女壻超二等. 子孫政案, 皆稱中興功臣某之幾世孫, 宥及永世. 丘史七名·眞拜把領十名, 許初入仕.⁷⁹⁾

甲子^{30日}, 九功臣上箋謝恩.

[是月, 以孫有卿爲扶安縣監務:追加].⁸⁰⁾

[是月甲子^{30日}, 高麗遣門下贊成事安宗源上表, 貢金銀器並方物, □□^{明帝}賜宗源及通事郭海龍等, 文綺鈔有差. ○是歲, 高麗李成桂廢其主王昌, 而立定昌國院君王瑤:追加].⁸¹⁾

[是月頃, 以^{朝奉郎}梁純爲雞林府判官兼勸農·防禦使:追加].⁸²⁾

[是年, 罷衛尉寺. 併於重房:百官1衛尉寺轉載].

[○使巡軍萬戶府, 掌捕盜禁亂:百官2巡軍萬戶府轉載].

---

79) 이상의 내용 중에서 李成桂와 관련된 자료로 다음이 있다. 또 以後 李成桂의 職責은 奮忠定難匡復燮理佐命功臣·壁上三韓三重大匡·守門下侍中이었던 것 같다(朝鮮總督府博物館 1934년 第6集 ; 國立春川博物館 2002년 金剛山出土銀製鍍金塔型舍利器→공양왕 3년 2월 是月頃의 脚注). 또 이때 여러 인물에게 하사된 中興功臣錄券의 내용은 열전29, 沈德符·열전30, 鄭夢周·열전27, 池湧奇·열전25, 偰長壽·열전30, 成石璘·열전29, 朴葳·열전31, 趙浚·열전32, 鄭道傳에도 수록되어 있다.
· 『태조실록』 권1, 總書, 공양왕 1년, "… 恭讓告孝思觀, 賜九功臣錄券. 以太祖爲奮忠定難匡復燮理佐命功臣, 爵和寧君·開國忠義伯, 食邑一千戶, 食實封三百戶, 田二百結, 奴婢二十口. 其錄券依開國功臣裵玄慶例, 稱中興功臣, 父母妻封爵. 子孫蔭職, 直子超三等, 無直子, 甥姪·女壻超二等. 子孫政案, 皆稱中興功臣某之幾世孫, 宥及永世. 丘史七名, 眞拜把領十名, 許初入仕".
80) 이는 『부안읍지』, 先生案에 의거하였다.
81) 이는 『명태조실록』 권198, 홍무 22년 12월 甲子를 전재하였다. 그런데 安宗源은 이해의 6월에 賀聖節使로 明에 파견되어 9월 18일 성절을 하례하고, 10월 무렵에 귀국한 것으로 추측된다(安宗源墓誌銘). 그러므로 이때 貢物을 바쳤다는 것은 『명태조실록』의 오류일 가능성이 있다.
82) 이는 『동도역세제자기』에 의거하였다.

[○始革都觀察黜陟使京官口傳, 別用除授, 以專其任:百官2外職轉載].

[○始置驛丞, 皆用參官爲之:百官2外職館驛使轉載].

[○司憲府出榜, 禁胡跪, 行揖禮:刑法2禁令轉載].

[○陞江陵府爲大都護府, 降黃驪府爲驪興郡, 知禮安郡事官爲復屬安東府任內. 以杆城郡倂高城. 析爲二郡, 又置開城府德水·臨江·臨津·麻田縣, 忠淸道德水縣, 交州道麟蹄·橫川監務, 又金化監務所兼平康監務, 析置:地理志轉載].⁸³⁾

[○以倭寇長興府合入寶城郡:追加].⁸⁴⁾

[○築迎日邑土城, 尋以雨崩壞:追加].⁸⁵⁾

[○築盈德邑土城:追加].⁸⁶⁾

[○知錦州事偰眉壽, 築州城:追加].⁸⁷⁾

[○下敎都評議使司曰, “一. 戰亡人子孫, 宜當錄用. 一. 鰥寡孤獨無衣食, 失所者, 所當存恤. 京中則戶曹主之, 外方則監司無時訪問, 申報施行. 一. 州郡之吏於四面村落, 私置農舍者·容匿民戶, 役使如奴婢者, 收稅時, 擅自高下收納. 因而盜用者, 簽軍時, 受富戶贈遺, 擅自蠲免者, 依托權勢, 冒受官爵, 公然避役者, 並皆窮極考覈, 所犯重者, 置之典刑, 其餘分輕重論罪, 橫斂物件, 追徵沒官. 一. 凡剃

---

83) 이는 다음의 자료에 의거하였다.
· 지12, 지리3, 溟州, “恭讓王元年, 陞爲大都護府”.
· 지10, 지리1, 黃驪縣, “恭讓王元年, 復降爲驪興郡”.
· 『경상도지리지』, 安東道, 禮安縣, “恭讓王代, 歲在己巳, 復屬安東任內”.
· 지12, 지리3, 杆城縣, “後陞爲郡, 兼任高城. 恭讓王元年, 析爲二郡”. 이하 전거를 생략함.

84) 이는 『동문선』 권76, 中寧山皇甫城記에 의거하였다.

85) 이는 다음의 자료에 의거하였는데, 이는 『신증동국여지승람』 권23, 迎日縣 城廓 邑城에도 인용되어 있다.
· 『도은집』 권4, 迎日縣新城記, “… 歲己巳, 三道都體察使過縣古治, 周章瞻眺, 喟然嘆曰, ‘此豈可以遺賊爲資乎?’, 乃議板築之事. 旣而地苦湫隘, 移於丘村, 築土爲功, 雨輒崩壞. …”.

86) 이는 다음의 자료에 의거하였다.
· 『경상도속찬지리지』, 安東道, 盈德縣, “邑城, 洪武己巳, 土城築造”.

87) 이는 다음의 자료에 의거하였는데, 鄭龜晉은 1382년(우왕8) 5월의 升補試에서 1등으로 合格하였다(지28, 선거, 升補試).
· 『敬齋遺稿』 권1, 錦山暎碧樓記, “… 洪武庚申^{禑王6年}, 燼于倭寇, 城邑丘墟. 越十年季己巳, 太守偰眉壽, 築州城. 厥後, 鄭侯龜晉創公館, 館據平地, 環以閭閈, 無所登覽”(이는 『신증동국여지승람』 권33, 錦山郡, 樓亭, 暎碧樓, 南秀文의 記文을 인용한 것 같다).

髮者, 必受度牒, 方許出家, 已有著令. 無識僧徒不畏國令, 不唯兩班子弟, 有役軍人·鄕吏驛子·公私隷, 擅自剃髮, 甚爲未便. 今後兩班子弟自願爲僧者, 父母族人告僧錄司, 報禮曹, 啓聞取旨後, 納丁錢·給度牒, 許令出家. 其餘有役人及獨子·處女一皆禁斷, 違者還俗, 當差其父母·師僧及寺主, 從重論罪. 婦女守節剃髮者, 不在此限”:追加].[88]

[○以^{商議密直司事}閔<u>霽</u>爲藝文館提學:列傳21閔霽轉載].

[○以<u>南誾</u>爲鷹揚軍上護軍兼軍簿判書:追加].[89]

[○以^{典法判書}<u>趙仁沃</u>爲右副代言:追加].[90]

[○以^{中顯大夫·知鳳州事}<u>柳觀</u>爲奉常大夫·成均司藝·寶文閣直提學:追加].[91]

[○以^{奉翊大夫}<u>丁今孫</u>爲安東大都護府使, ^{通直郞}<u>玄孟仁</u>爲安東大都護府判官:追加].[92]

[○以<u>陳義貴</u>爲延安府使:追加].[93]

[○以成均博士<u>吉再</u>爲從事郞·門下注書:追加].[94]

---

88) 이해에 都評議使司가 恭讓王으로부터 받은 判旨는 朝鮮 初에도 遵用되었던 것 같다.
· 『世宗實錄』 권10, 2년 11월 辛未^{7日}, “禮曹啓, 元續六典內, 各年判旨, 中外官吏或不奉行. 其不奉行條件, 謹錄以聞, 請申明擧行, 違者論罪. … 一. 洪武二十一年使司受判, 戰亡人子孫, 宜當錄用. … 一, 洪武二十一年使司受判, 鰥寡孤獨無衣食, 失所者, 所當存恤. 京中則戶曹主之, 外方則監司無時訪問, 申報施行. … 一. 洪武二十一年使司受判, 州郡之吏於四面村落, 私置農舍者, 容匿民戶, 役使如奴婢者, 收稅時, 擅自高下收納. 因而盜用者, 簽軍時, 受富戶贈遺, 擅自蠲免者, 依托權勢, 冒受官爵, 公然避役者, 並皆窮極考覈, 所犯重者, 置之典刑, 其餘分輕重論罪, 橫斂物件, 追徵沒官. 一. 洪武二十一年使司受判, 凡剃髮者, 必受度牒, 方許出家, 已有著令. 無識僧徒不畏國令, 不唯兩班子弟, 有役軍人, 鄕吏驛子, 公私隷, 擅自剃髮, 甚爲未便. 今後兩班子弟自願爲僧者, 父母族人告僧錄司, 報禮曹, 啓聞取旨後, 納丁錢, 給度牒, 許令出家. 其餘有役人及獨子, 處女一皆禁斷, 違者還俗, 當差其父母, 師僧及寺主, 從重論罪. 婦女守節剃髮者, 不在此限”.
89) 이는 『太祖實錄』 권14, 7년 8월 己巳^{26日}, 南誾의 卒記, “己巳, 拜鷹揚軍上護軍兼軍簿判書”에 의거하였다.
90) 이는 『太祖實錄』 권10, 5년 9월 己巳^{14日}, 趙仁沃의 卒記, “戊辰, 從上至威化島, 與議回軍, 拜典法判書. 己巳, 遷右副代言”에 의거하였다.
91) 이는 『夏亭集』行狀에 의거하였다.
92) 이는 『안동선생안』에 의거하였다.
93) 이는 『연안부지』에 의거하였다.
94) 이는 다음의 자료에 의거하였다(『冶隱先生言行拾遺』卷上, 年譜).
· 『世宗實錄』 권3, 1년 4월 丙戌^{12日}, 吉再의 卒記, “高麗門下注書<u>吉再</u>卒. … 辛禑丙寅^{12年}登第, … 己巳^{昌王1年}, 拜門下注書”.

[○王, 初卽位, 賜仁州戶長紅鞓. ^{仁州, 王之內鄕也}:地理1轉載].⁹⁵⁾

[○立^{門下贊成事}鄭夢周孝子碑於永州愚巷里:追加].⁹⁶⁾

[○利川縣監務李愚施惠政, 始集流亡, 有志於興學, 初, 於佛寺之安興精舍, 聚生徒置學長, 敎養日謹, 凡器皿資糧, 皆務贍備:追加].⁹⁷⁾

[○^{優人君萬之,}父, 夜被虎攫, 君萬, 號天, 持弓矢入山. 虎食之盡, 負嵎視君萬, 哮吼而前, 吐所食支節. 君萬, 一箭殪之, 遂拔劒剖其腹, 盡收遺骸, 焚而葬之:列傳34轉載].⁹⁸⁾

庚午[恭讓王]二年, 明洪武二十三年, [西曆1390年]

1390년 1월 17일(Gre1월 26일)에서 1391년 2월 4일(Gre2월 12일)까지, 13개월 384일

春正月乙丑朔^{大盡,戊寅}, 王率群臣, 遙賀帝正, 仍御正殿, 受中外朝賀, 宴群臣.⁹⁹⁾

---

95) 이는 다음의 자료를 전재하였는데, 添字는 필자가 추가하였다.
   ・지10, 지리1, 仁州, "恭讓王二年, 陞爲慶源府. 王, 初卽位, 賜州戶長紅鞓".
96) 이는 다음의 자료에 의거하였다. 鄭夢周의 遺墟碑는 현재 경상북도 永川市 臨皐面 愚巷里 1044-5에 있는데(慶尙北道 有形文化財 제272호), 이를 통해 정몽주의 출생지가 이곳임을 확인할 수 있다. 그의 母가 永川李氏였던 事緣으로 이곳에서 출생, 거주하였을 것으로 추측된다(『포은집』, 圃隱先生年譜攷異).
   ・『重峰集』권2, 愚巷里前, 歷覩先生孝子碑, "有孫使相舜孝題柱之辭, 有以文丞相忠義伯^{文天祥}, 並稱者. 盖其碑立於前朝, 而中不免埋沒于草萊. 孫使相入于永□川郡, 夢見先生, 起而感歎, 周爰咨訪, 得於田野中, 起立於通衢, 使人觀感. 因立紅門, 而題其柱. 其後柱不免朽, 立閣庇之, 懸板爲記".
   ・『瓶窩集』권13, 立巖遊山錄, "… 北望有愚巷村, 西望有臨皐書院, 愚是圃隱胎生之地, 前竪孝子碑, 卽洪武己巳所刻. 而成化丁未^{成宗18年}, 孫舜孝占夢, 而掘出, 復立者也. 臨是本名道一, 今改是號, 而先生父墳在焉, 廬墓遺址宛然, 嘉靖癸丑^{明宗8年}, 邑人立祠於水北之浮來山, 毁于壬辰. 萬曆壬寅, 移建于此. …".
97) 이는 다음의 자료를 전재하였다.
   ・『양촌집』권14, 利川新置鄕校記, "洪武戊辰^{禑王14年}, 誅除權奸, 選任良宰. 明年己巳^{昌王1年}, 監務李君愚布惠政, 集流亡, 慨然有志於興學, 初於安興精舍, 聚生徒置學長, 敎養日謹. …"(이는 『신증동국여지승람』권8, 利川都護府, 鄕校에 인용되어 있다).
98) 이는 다음의 자료를 전재하였다.
   ・열전34, 孝友, 君萬, "… 優人也. 恭讓元年, 其父夜被虎攫, 君萬號天, 持弓矢入山. 虎食之盡, 負嵎視君萬, 哮吼而前, 吐所食支節. 君萬, 一箭殪之, 遂拔劒剖其腹, 盡收遺骸, 焚而葬之".
99) 이때 檢校門下侍中 李茂芳이 81세로 참석하였다고 하는데, 1398년(태조8) 8월 15일 이무방의 卒記에는 80세로 서거하였다고 한다. 만일 前者가 옳다면 後者에 六이 탈락되었을 것이다.

[某日, 郞舍^{左散騎常侍}尹紹宗·^{右散騎常侍}李詹·^{吳思忠}等上疏曰, "邊安烈, 欲迎立辛禑, 永絕王氏之祀, 實金佇之所明言, 國人之所共知. 請下憲司, 明正典刑, 籍沒家產". 王乃以事在赦前, 但罷其職. ^{瞥甲}疏又上, 只令削職, 流于漢陽:節要轉載].¹⁰⁰⁾

[某日, 郞舍上疏曰, "南陽府院君洪永通·丹陽府院君禹玄寶·判三司事王安德·贊成事禹仁烈·判慈惠府事鄭熙啓等, 實與安烈逆謀, 王氏臣子, 不共戴天之讎. 願幷安烈, 下憲司, 置之極刑". 不報:節要轉載].¹⁰¹⁾

辛未^{7日}, 有事于大廟^{太廟}.

[○郞舍復上言, "^洪永通, 黨附仁任, 與堅味·興邦, 同惡相濟. 群兇就戮, 而永通, 獨以禑姻戚, 得保首領. 玄寶, 位至上相, 患失乾沒, 姦邪傾諂, 毀我禮俗. 安德, 托名將帥, 每致敗北, 藍浦之役, 全軍覆沒, 大損國威, 在軍法所當誅. 仁烈, 出身刀筆, 贪緣權勢, 致位政府, 功德斯民, 蓋所未聞. 熙啓, 連姻興邦, 恣爲不義, 又因禑妻崔天儉之女, 幸免戊辰之亂. 此五人, 罪惡貫盈, 在所必誅, 況與安烈之謀, 欲戴辛禑, 是皆天地所不容, 非殿下所得私也. 願殿下, 斷以大義, 下攸司鞠治". ○疏上, 不允, 諫官伏閤待命, 日中不退, 王乃召^{門下侍中}沈德符·^{我太祖守侍中李成桂}, 議之. 乃下旨曰, "安烈, 已削職流之, 永通·玄寶·熙啓等, 於金佇辭證, 並不相干, 安德, 當回軍之際, 協謀定策, 仁烈, 與偰長壽入朝, 奏禑狂悖之狀, 其於佇謀, 必不與焉, 只罷其職". 潛遣密直副使柳龍生, 語永通等曰, "我在, 卿等毋恐":節要轉載].¹⁰²⁾

- 열전25, 李茂方^{李茂芳}, "恭讓宴群臣, 茂方侍宴, 年八十一, 上壽起舞, 風儀可觀. 王稱嘆, 賜推忠碼節贊化功臣號. 入本朝, 封光陽府院君, 卒諡文簡, 以禮葬之. □□□□^{子稔·安國}".
- 『太祖實錄』 권14, 7년 8월, "戊午^{15日}, 光陽府院君李茂芳卒, … 年八十□^{六?}. 上輟朝, 諡文簡, 子稔·安國".

100) 이 기사는 열전39, 邊安烈에도 수록되어 있는데, 添字는 이에 의거하였다.

101) 이와 관련된 기사로 다음이 있다.
- 열전18, 洪子藩, 永通, "恭讓卽位, 郞舍言, 永通與邊安烈謀逆, 請置極刑. 不報".
- 열전27, 禹仁烈, "恭讓卽位, 金佇獄起, 辭連仁烈, 臺諫疏論請置極刑. 王不允, 但免官".
- 열전28, 禹玄寶, "恭讓卽位, 金佇獄起, 辭連玄寶, 郞舍上疏, 請置極刑, 不報".
- 열전39, 王安德, "恭讓朝, 判三司事, 金佇·邊安烈之獄起, 辭連安德及禹仁烈·禹洪壽等. 臺諫屢上疏, 請置極刑, 不允".
- 『太祖實錄』 권1, 總書, 공양왕 1년, "… 囚^{前大將軍金}佇巡軍獄, 辭連^{領三司事}邊安烈等. 臺諫請誅安烈, 太祖^{守門下侍中李成桂}力救, 昌^{恭讓王}不聽". 여기에서 昌王은 恭讓王으로 고쳐야 옳게 될 것이다.

102) 이와 관련된 기사로 다음이 있다.
- 열전18, 洪子藩, 永通, "^{郞舍}復言, 永通黨附李仁任, 與林·廉同惡相濟. 群兇就戮, 而永通以禑姻

[→初, 禑歸江陵, 謂人曰, "誤我者, 安烈". 問佇不服, 以刀裂足掌數寸許, 熨以火, 隨問皆服, 遂成獄詞, 安烈亦坐罪. [尹]紹宗等又言, "洪永通·禹玄寶·王安德·禹仁烈·鄭熙啓等, 實與安烈逆謀, 王氏臣子, 不共戴天之讎. 願置安烈·永通·玄寶·仁烈·安德等極刑". 不報. ○紹宗等又言, "洪永通, 黨附仁任·堅味·興邦, 同惡相濟. 群兇就戮, 而永通獨以禑姻戚, 得保首領. 禹玄寶, 位至上相, 患失乾沒, 姦邪傾諂, 毁我禮俗. 王安德, 托名將帥, 每致敗北, 藍浦之役, 全軍覆沒, 大損國威, 在軍法所當誅. 禹仁烈, 出身刀筆, 夤緣權勢, 致位政府, 功德斯民, 盖所未聞. 鄭熙啓, 連姻興邦, 恣爲不義, 又因禑妻崔天儉之女, 幸免戊辰[禑王14年]之誅. 此五人, 罪惡貫盈, 在所必誅. 况與安烈之謀, 欲戴辛禑, 是皆天地所不容, 非殿下所得私也. 願殿下, 斷以大義, 下攸司鞫治". ○不允, 諫官伏閤待命, 日中不退. 王乃召[沈]德符及我太祖議之, 下旨曰, "安烈已削職流之, 永通·玄寶·熙啓等, 於佇辭證, 並不相干. 安德當回軍時, 恊謀[協謀]定策, 仁烈嘗與偰長壽入朝, 奏禑狂悖之狀, 於佇謀, 必不與焉, 只罷其職." 潛遣密直副使柳龍生, 語永通等曰, "我在, 卿等毋恐": 列傳39邊安烈轉載].

[○是日[辛未7日], 狐出壽昌宮西門, 走入孝思觀西岡:節要轉載].[103)] [○郎舍復上疏曰, "狐陰類, 而穴居者也, 小人托付權勢之象也. 故傳論小人之難去, 曰'穴墉之狐, 不可灌也'.[104)] 墉以比權勢, 狐以比小人. 今臣等伏閤, 請去小人, 而妖狐乃見, 是小人未盡去之象也, 天之譴告明矣. 古人曰, '執狐疑之心者, 來讒賊之口'.[105)] 願殿下, 上畏皇天之戒, 次念祖宗之業, 正安烈等六人之罪, 以謝祖宗, 則天譴可弭矣". 不聽:節要轉載].[106)]

戚, 獨保首領, 又與安烈, 謀戴辛禑. 是天地所不容, 願斷以大義, 不允. 諫官力爭, 罷職".

· 열전28, 禹玄寶, "復上疏, 請正典刑, 籍沒家産, 又不允. 郎舍伏閤待命, 王以玄寶, 於佇辭, 證不相干, 只免官".

103) 이 기사는 열전39, 邊安烈과 지8, 五行2에 수록되어 있는데, 後者에 의하면 是日이 辛未(7일)임을 알 수 있다.

104) "穴墉之狐, 不可灌也"는 『大學衍義』 권18, 格物致知之要2, 辨人材, 憸邪罔上之情에 나오는 구절이다.

105) "執狐疑之心者, 來讒賊之口"는 『한서』 권36, 楚元王傳第6, [劉]向에 나오는 句節인데, 『대학연의』 권16, 格物致知之要2, 辨人材, 帝王知人之事, "漢武帝末, …"에 인용되어 있다. 이때 상소를 올린 人物은 後者를 인용한 것 같다(蔡雄錫敎授의 敎示).

106) 이 기사는 열전39, 邊安烈에도 수록되어 있고, 열전28, 禹玄寶에는 "郎舍更疏請, 不聽"으로 압축되어 있다.

癸酉[9日], 禮官請追封四代考妣, 立園置祠官, 遂創積慶園.

[→禮曹上議曰, "按朱文公論天子宗廟, 假諸侯之制, 明之. 天子諸侯, 勢殊而理同. 今西原君^{王瑛}以下四代, 封崇立園, 置祠官事宜, 謹依前代典故, 議之. 漢末, 王莽僭位, 光武中興, 匡復漢室, 孝元皇帝, 世在第八, 光武皇帝, 世在第九. 故以元帝, 爲考廟, 別立四親廟於洛陽, 祀父南頓君以上, 至春陵節侯. 宋英宗, 以仁宗從兄濮王之子, 入繼大統, 詔議崇奉濮王典禮. 司馬光等議, '爲人後者, 爲之子, 宜尊以高官大爵, 稱皇伯而不名'.[107] 呂氏^{呂誨}引程子之論曰, '爲人後者, 謂其所後者爲父母, 謂所生者, 爲伯叔父母',[108] 此天地之大經, 生人之大倫, 不可得而變易也. 然所生之義, 至尊至大, 雖當專意於正統, 豈得盡絶於私恩. 要當揆量事体, 別立殊稱. 惟我太祖, 統合三韓, 四百餘年, 傳至恭愍王, 不幸無子而薨, 辛禑父子, 得奸王位, 其禍, 不減王莽. 殿下, 受命中興, 同符光武, 而入承大統, 以奉祖宗之祀. 西原以下, 當依漢‧宋, 尊以高官大爵, 立園置祠官, 別子奉祀, 而子孫襲爵, 在禮當然. 請尊定原府院君^鈞爲三韓國大公, 淳化侯^琈爲馬韓國公, 妃爲馬韓國妃, 益陽侯^玢爲辰韓國公, 妃爲辰韓國妃, 西原侯^瑛爲卞韓國公, 妃爲卞韓國妃, 立園曰積慶,

---

107) 이는 다음의 자료를 인용한 것 같다.
· 『송사』 권336, 열전95, 司馬光, "… ^{英宗.} 後召兩制集議濮王^{趙允讓}典禮, 學士王珪等相視莫敢先, 光獨奮筆書曰, '爲人後者爲之者, 不得顧私親. 王宜準奉贈其親尊屬故事, 稱爲皇伯, 高官大國, 極其尊榮'. 議成, 珪卽命吏以其手稿爲按. 旣上與大臣意殊, 御史六人爭之力, 皆斥去. 光乞留之, 不可, 遂請與俱貶".

108) 이와 관련된 기사로 다음이 있다.
· 『송사』 권321, 열전80, 呂誨, "… ^{英宗.} 治平二年, ^{呂誨.} 遷兵部員外郎, 兼侍御史知雜事, 上言, … 於是濮議起, 侍從請王爲皇伯, 中書不以爲然, 誨引義固爭. 會秋大水, 誨言, '陛下有過舉而災水沴遽作, 惟濮王一事失中, 此簡宗廟之罰也'. 郊祀禮畢, 復申前議, 七上章, 不聽, 乞解臺職, 亦不聽. 遂劾宰相韓琦不忠五罪, 曰'紹陵^{仁宗}之土木未乾, 遽欲追崇濮王, 使陛下厚所生薄所繼, 隆小宗而絶大宗, 言者辯論累月, 琦猶遂非, 不爲改正, 中外憤鬱, 萬口一詞. 願黜居海外, 以慰士論'. 又與御史范純仁‧呂大防共劾歐陽修, '首開邪議, 以枉道說人主, 以斥利負先帝, 陷陛下於過擧', 皆不報. 已而濮王稱親, 誨等知言不用, 卽上還告敕, 居家待罪, 且言與輔臣勢難兩立. 帝以問執政, 修曰, '御史以爲理難並立, 若臣等有罪, 當留御史', 帝猶豫久之, 名出御史, 旣而曰, '不宜責之太重'. 乃下誨工部員外郎‧知蘄州. … 遂卒, 年五十八, 海內聞者痛惜之. ^{哲宗.} 元祐初, 呂大防‧范純仁‧劉摯表其忠, 詔贈通議大夫, 以其子由庚爲太常寺太祝. 自誨罷去, 御史劉述‧劉琦‧錢顗皆以言^王安石被黜".
· 『송사』 권13, 본기13, 英宗, 治平 2년, "夏四月戊戌[9日], 詔議崇奉濮安懿王^{趙允讓}典禮. … 六月己酉[21日], 詔尙書集三省‧御史臺議奉濮安懿王典禮. 甲寅[26日], 罷尙書省集議, 令有司博求典故, 務在合經. 八月庚寅[9日], 京師大雨, 水. 癸巳[6日], 以雨災詔責躬乞言. 九月乙酉[28日], 以久雨, 遣使祈于岳瀆‧名山‧大川".

置祠官曰積慶署, 祭享以朔望·四孟月爲制". ○從之. 遂置園于成均館西, 分遣宗親七人, 詣四親墓, 祭告封崇, 迎神, 入安于積慶園. 三韓國大公^鈞, 奉使道卒, 無兆域, 設帳殿于迎賓館, 迎神以入, 命定陽府院君瑀, 及各司一員, 公服侍衛, 仍行祭. 牛一·羊一·豕七, 其儀仗·祭品·樂器, 与景靈殿同. 又於園外立碑, 使瑀主祀: 禮3吉禮大祀轉載].¹⁰⁹⁾

[→禮曹上議, 請立積慶園曰, "今西原君^瑛以下四代, 封崇立園置祠官事宜, 謹依前代典故議之. 漢末, 王莽僭位, 光武中興, 匡復漢室. 孝元皇帝世在第八, 光武皇帝世在第九, 故以元帝爲考廟, 別立四親廟於洛陽, 祀父南頓君以上, 至春陵節侯. 宋英宗以仁宗從兄濮王之子, 入繼大統, 詔議崇奉濮王典禮, 司馬光等議, '爲人後者, 爲之子, 宜尊以高官大爵, 稱皇伯而不名'. 呂氏^{呂誨}引程子之論曰, '爲人後者, 謂其所後者, 爲父母, 謂其所生者, 爲伯叔父母'. 此天地之大經, 生人之大倫, 不可得而變易也. 然所生之義, 至尊至大, 雖當專意於正統, 豈得盡絶於私恩. 要當揆量事體, 別立殊稱. 殿下受命中興, 同符光武, 而入承大統, 以奉祖宗之祀, 西原以下, 當依漢宋, 尊以高官大爵, 立園置祠官, 別子奉祀, 而子孫襲爵, 在禮當然. 請尊定原府院君^鈞爲三韓國大公, 淳化侯^玪爲馬韓國公, 妃爲馬韓國妃, 益陽侯^玏爲辰韓國公, 妃爲辰韓國妃, 西原侯^瑛爲卞韓國公, 妃爲卞韓國妃, 立園曰積慶, 置祠官曰積慶署, 祭享以朔望四孟月爲制", 從之:節要轉載].

[某日, 憲府, 請勿許封爵婦人及僧徒, 從之:節要·選擧3封贈轉載].

[某日, 憲府上疏, 請收僞朝添設職牒. 不聽:節要·選擧3添設轉載].

乙亥^{11日}, 王享定妃.

丙子^{12日}, [立春]. 始開經筵,¹¹⁰⁾ 以^{門下侍中}沈德符及我太祖^{守侍中李成桂}△爲領經筵事, ^{門下贊成事}鄭夢周·^{三司右使}鄭道傳△爲知經筵事, ^{同知密直司事}金士衡·朴宜中△爲同知經筵事, ^{知申事}李行·成石璐·閔開·李士渭△爲參贊官,¹¹¹⁾ ^{左散騎常侍}尹紹宗·^{右散騎常侍}李詹△爲講讀

---

109) 王弟 瑀에 관한 기사는 열전4, 神宗王子, 襄陽公 恕에도 수록되어 있다.

110) 이와 관련된 기사로 다음이 있는데, 添字가 추가되어야 옳게 될 것이다(朴龍雲 2009년 232面).
· 지30, 백관1, 寶文閣, "恭讓王二年, 改稱經筵, 置領經筵事·知經筵事·□□□□□^{同知經筵事}·□□□^{參贊官}·講讀官·□□□^{檢討官}".

111) 이후 成石璐은 經筵에서 刑制의 문란에 대해 논하였다고 한다.
· 열전37, 申元弼, "王御經筵, 代言成石璐論刑制之際曰, '往者, 趙胖枉受酷刑, 然且不死, 命也'. 元弼在側曰, 胖嘗奉釋敎, 其得免死, 實由果報也".

官, 禹洪得·韓尙敬·^{弘福都監判官}申元弼△^爲檢討官,¹¹²⁾ 分四番進講. [王欲覽貞觀政要, 命夢周, 講其序. 講讀官尹紹宗進曰, "殿下中興, 當以二帝·三王爲法, 唐太宗不足 取也. 請讀大學衍義, 以闡帝王之理". 王然之.¹¹³⁾ ○時有獲大虎以獻者, ^{三司右使鄭}道 傳曰, "諸道曲獻, 却之便, 否則請付有司, 以備國用. 如大虎, 道路羿擧, 至數十人, 煩弊尤甚. 且其肉, 不登俎豆, 將安用之?". 王以爲然, 貢獻悉付有司:節要轉載].¹¹⁴⁾

[□□^{是時}, □^王御經筵, 講無逸, ^金士衡曰, "大抵, 耽樂者享年短, 無逸者享年長, 理固然也. 天子一身, 係天下安危, 諸侯一身, 係一國安危, 故爲人上者, 宜以敬爲 心, 以逸爲戒. 蓋無逸則百姓以寧, 故祖宗陰佑, 天亦保之. 耽樂則百姓不寧, 故祖 宗陰怒, 天亦不佑. 此享國長短之所以異也":列傳17金士衡轉載].

[□□^{是時}, 王御經筵, 夢周進言曰, "儒者之道, 皆日用平常之事, 飮食男女, 人所 同也, 至理存焉. 堯舜之道, 亦不外此. 動靜語默之得其正, 卽是堯舜之道, 初非甚 高難行. 彼佛氏之敎則不然, 辭親戚絶男女, 獨坐巖穴, 草衣木食, 觀空寂滅爲宗, 豈是平常之道". 時王欲迎僧粲英爲師, 故夢周講及此. 然王方惑佛不納:列傳30鄭 夢周轉載].

○以^{我太祖}^{守侍中李成桂}領八道軍馬, 置軍營, 分番更宿, 廩以軍資.

己卯^{15日}, 立母福寧宮主府, 曰崇寧.

○憲司^{司憲府}請令臺諫, 面啓時政得失, 從之.

[○以年凶, 減田租六分之一:節要·食貨3災免之制轉載].

庚辰^{16日}, 誅^{前領三司事}邊安烈.¹¹⁵⁾

[→^{門下評理兼}大司憲成石璘·^{左常侍左散騎常侍}尹紹宗等, 請誅邊安烈. 時有强盜劫人 於東大門外, 紹宗等啓曰, "唐憲宗朝, 吳元濟以蔡州叛, 丞相武元衡·中丞裴度, 請 討之, 李師道以藩鎭, 聲勢相倚, 故遣賊, 殺元衡, 傷度首而去. 群臣議, 赦元濟,

---

112) 申元弼은 젊은 시절에 恭讓君(후일의 恭讓王)과 함께 勉學하면서 경제적으로 도움을 받았던 것 같다.
  · 열전37, 폐행2, 申元弼, "申元弼, 門地單微, 恭讓在潛邸時, 常賜衣食, 與之學. 登第累遷部令, 罷歸久居鄕曲. 王卽位七日, 特遣使召之, 授弘福都監判官·經筵檢討官".
113) 이 구절은 열전33, 尹紹宗에도 수록되어 있다.
114) 이 구절은 열전32, 鄭道傳에도 수록되어 있다.
115) 이날은 율리우스曆으로 1390년 2월 1일(그레고리曆 2월 9일)에 해당한다.

以安藩鎭, 憲宗不聽, 以度爲丞相, 卒平元濟, 以安天下. 今賊近在京城, 又在漢陽, 劫盜之發, 實由此輩, 不可不慮也". ○退而上疏曰, "^{臣等,} 前以安烈大逆, 五上疏, 請治罪, 殿下寬宥, 只令安置漢陽^{州邑}, 國人缺望. 辛禑之遷江陵, 歎曰, '以安烈故, 就死耳'. 且安烈得罪祖宗, 非殿下所得私也. 願令憲司, 明正其罪, 以懲亂賊". ○王下其疏于憲府曰, "就貶所, 更勿鞠問, 誅之". 憲府^{憲司夜遣錄事孫元湜, 移}即牒漢陽府尹金伯興, 誅安烈. 都評議使司啓曰, "大臣, 豈可不問其故, 便置極刑". ○王命左司議□□^{大夫}吳思忠·執義南在, 往鞠之. 思忠等, 行至碧蹄驛, 安烈已誅矣^{遇元湜已誅安烈, 而還}. ○安烈臨刑歎曰, "謀迎辛禑, 豈獨我歟?", 欲有所言, 伯興不問. ^{命吏出外斬之:}節要轉載].¹¹⁶⁾

壬午^{18日}, 賜門下評理尹虎·柳曼殊·簽書密直□^{司事商議}禹洪壽·同知密直□^{司事}兪光祐·商議門下府事崔允沚·密直副使柳龍生·判慈惠府事鄭熙啓·慈惠府尹李[^{恭靖王舊諱}]芳果·密直副使金仁贊·知申事李行·密直使姜淮伯·知密直□^{司事}尹師德等功臣號.¹¹⁷⁾ [以有功於廢立之時也:節要轉載]. 行固辭. [^{左散騎常侍}尹紹宗等啓, "賞罰國之大柄, 不可濫也. 在太祖時, 金樂·金哲, 尙不得與六功臣之列. 今殿下, 以和寧伯^{李成桂}以下九人, 告廟行賞, 虎等之功, 人所未聞, 請削之". 不聽:節要轉載].¹¹⁸⁾

○給田都監, 始頒各品田籍.

[某日, 前門下注書吉再, 辭其座主李穡於長湍貶所, 率家歸鄕里善州:追加].¹¹⁹⁾

---

116) 이 기사는 열전39, 邊安烈에도 수록되어 있는데, 添字는 이에 의거하였다. 또 이상과 같이 6회에 걸쳐 尹紹宗이 참여한 상소에 대해 열전33, 尹紹宗에 크게 압축되어 있다("^尹紹宗與同列請誅邊安烈, 疏六上, 從之").

117) 崔允沚는 이 시기 이전에 崔元沚에서 改名하였던 것으로 추측된다.

118) 이때의 공신 책봉과 관련된 기사로 다음이 있다.
 · 열전18, 柳璥, 曼殊, "恭讓卽位, 策^{柳曼殊}爲功臣, 拜門下評理商議".
 · 열전33, 尹紹宗, "初, 禑之移江陵也, 門下評理尹虎·柳曼殊, 簽書密直□□^{司事}禹洪壽, 同知密直□□^{司事}兪光祐等押行, 又廢昌之日, 商議門下府事崔元沚·密直副使柳龍生守宮門, 判慈惠府事鄭熙啓·慈惠府尹李恭靖王舊諱芳果·密直副使金仁贊·知申事李行等守傳國寶, 密直使姜淮伯·知密直□□^{司事}尹師德封府庫. 王論其功, 賜虎等爲功臣, 紹宗言, 賞罰國之大柄, 不可濫也. 我太祖征伐四十年, 稱功臣者止六人, 金樂·金哲代太祖而死, 尙不與六功臣之列. 今殿下旣以和寧伯等九人, 告廟行賞. 虎等之功, 人所未聞, 請削之. 不聽. 復上疏爭之, 竟不從".

119) 이는 다음의 자료에 의거하였는데, 이날은 長湍에 안치된 李穡이 守侍中 李成桂[松軒]에게 開京 밖에서 편리하게 거주할 수 있도록 해달라고[從便] 詩文을 보내 부탁했던 23일 이전이다.
 · 『목은시고』권35, 門生吉主書, 湏次于家, 携老少還善州, 來別一宿而去; 二十三日, 寄呈松軒.
 · 『세종실록』권3, 1년 4월 丙戌^{12日}, 吉再의 卒記, "高麗門下注書吉再卒. … 再, 字再夫, 號冶

甲申[20日], 以判典農寺事王康爲慶尙道水軍都體察使兼防禦營田塩鐵使.

[→恭讓朝, 拜判典農寺事, 出爲楊廣·全羅·慶尙道水軍體察使兼防禦鹽鐵使:列傳29王康轉載].

[○王御經筵, 謂侍講官曰, "予年齒已暮, 雖讀聖經, 恐無益也". ^{同知經筵事}密直朴宜中曰, "昔晉平公, 謂師曠曰, '吾年七十七, 欲學, 恐年耄矣'. 師曠曰, 何不秉燭乎?". 平公曰, 安有爲人臣而戲其君者乎?. 師曠曰, '盲者^{盲臣}安敢戲其君乎? 吾^臣聞之, 少而好學, 如日出之陽, 壯而好學, 如日□^中之光, 老而好學, 如秉燭之光, 秉燭之明, 孰與昧行□^乎?'. 平公然之.[120] 今殿下, 春秋尙富, 學未晚也". 王嘉納:節要轉載].

乙酉[21日], 演福寺僧法猊說王曰, "寺有五層塔殿及三池·九井, 頹廢已久, 今復建塔殿, 鑿池井, 則國泰民安". 王悅, 以上護軍沈仁鳳·大護軍權綏, 爲造成都監別監, 營之.

[丙戌[22日], 雷電:五行1雷震轉載].

丁亥[23日], 以右司議□□^{大夫}李舒·成均祭酒金子粹·大護軍禹成範·司宰副令尹會宗·左獻納張子崇·典農寺丞趙庸·司設署令尹思永·考功佐郎姜淮季, 爲世子侍學.[121]

○楊廣·全羅·慶尙海道及沿海處, 皆置萬戶.

[某日, 有人, 投匿名書於^{門下評理}趙浚第曰, "高永壽與禹仁烈, 謀作亂". 浚, 迹其人獲之, 乃永壽之兄永孫所爲也. 下永壽·永孫于巡軍獄, 鞫之. 永孫, 爭財有隙.

隱, 或稱金鰲山人^{金烏世大}, 善山府屬縣海平人也. 再爲孩淸廋^惷穎悟, 父元進仕于京, 再隨母金氏在鄕, 及元進守寶城, 母赴之, 以俸薄, 留再外家, 時年八歲. … 再年十八, 就尙州司錄朴賁受學, 貧無騎從. … 遂從李穡·鄭夢周·權近等學焉, 入國學, 中生員·進士試. 上王^{李芳遠}在潛邸, 入學讀書, 再以同里閈, 相從講學, 情意甚款. 辛禑丙寅^{12年}登第, … 己巳^{昌王1年}, 拜門下注書, 庚午^{恭讓2年}春, 知國之將危, 棄官而歸, 就李穡告別, 穡贈詩有曰, '軒冕儻^{冕倘}來非所急, 飛鴻一箇在冥冥^{溟溟}'. 再遂還善山舊廬, 累辟不起. 及聞辛禑凶聞, 方喪三年, 不食荣果醯醬. …". 여기에서 인용된 李穡의 詩文은 添字와 같이 고쳐야 原文과 같이 될 것이다.

120) 이 구절은 다음의 내용을 인용한 것이므로 添字와 같이 고쳐야 될 것이다. 이 구절은 열전25, 朴宜中에도 수록되어 있는데, 上記의 記事보다 原典의 글자가 더 잘 반영되어 있다.
　·『說苑』, 建本, "晉平公問于師曠曰, '吾年七十, 欲學, 恐已暮矣'. 師曠曰, '暮, 何不炳燭乎?'. 平公曰, '安有爲人臣而戲其君乎?'. 師曠曰, '盲臣安敢戲其君? 臣聞之, 少而好學, 如日出之陽, 壯而好學, 如日中之光, 老而好學, 如炳燭之明. 炳燭之明, 孰與昧行乎?'. 平公曰, 善哉".

121) 前年(창왕1, 1389년)의 命에 따라 건립된 金子粹의 孝子碑가 현재 경상북도 安東市 安奇洞 산 101-1번지에 있다(경상북도 유형문화재 제38호).

坐誣, 伏誅:節要轉載].

[某日, 郎舍^{左散騎常侍}尹紹宗等上書曰, "自古, 亂臣·賊子, 未有無黨, 而敢爲惡者. 臣等竊聞逆臣安烈, 臨刑自言曰, '臣死固當, 同謀者衆, 獨臣死耶'. ^{漢陽尹}金伯興, 不問而誅之. 安烈腹心^{部將·通山君}李乙珍, 必與其謀, 不可不鞫, 伯興, 黨逆掩覆之罪, 不可不懲. ^{前門下左侍中}曹敏修, 黨賊臣李仁任, □□□□^{位至冢宰}, 縱其貪暴, 大敗風俗, 又以主將, 沮立王氏之議, 而立昌, 欲使□^我宗廟, 永不血食. 權近, 私坼^拆聖旨, 黨附辛氏, 先告^示李琳. 皆天地所不容, 祖宗所不赦. 請下攸司, 明正典刑. ○王下旨曰, "敏修, 仗義回軍, 有功, 不宜重論, 宜徙遠地". ○^{乃罷伯興職}, 遣^{司平巡衛府}提控朴爲生·^{司憲}糾正申孝昌, 鞫乙珍于淸州, ^{辭拣甚辟}, 辭連少尹元庠·定州牧使李庚道及鄭地·李琳·李貴生. 臺諫·巡軍鞫伯興, 又鞫庠, 與安烈·乙珍同謀之狀, 庠曰, "但怨革私田, 欲迎立辛禑, 以沮其事耳". 庠, 安烈妻族也. 又遣司議^{左司議大夫}吳思忠·掌令權湛, 鞫庚道于安州, 執義南在·獻納咸傅霖, 鞫琳于全州, 地及貴生于雞林:節要轉載].¹²²⁾

[某日, 諫官尹紹宗等上疏曰, "今見慶尙道都觀察使金湊·執義南在·判事孫興宗·獻納咸傅霖等, 同鞫李貴生, 獄詞云, '去歲十月, 禹仁烈先到邊安烈家, 貴生隨父琳繼至, 安烈謂琳曰, 令李乙珍·李庚道·郭忠輔等, 害侍中李太祖舊諱^{李成桂}然後, 仁烈與王安德·禹洪壽等, 往驪興, 迎辛禑計已定矣. 仁烈不言微笑'. 其情固當鞫問. 貴生之言明白, 與臣等前所論奏金佇之言, 如出一口. 仁烈·安德·洪壽等, 黨於安烈, 欲立辛禑, 絶我王氏之罪, 天地所不容, 祖宗所不宥, 而王氏臣子, 不共戴天之讎也. 殿下旣不私安烈而誅之, 仁烈等三人, 尙未就誅, 反側之禍, 甚可畏也. 請將仁烈·安德·洪壽, 明正典刑, 以慰祖宗在天之靈, 以懲萬世亂賊之黨". ○疏上, 留中不下:列傳29李琳轉載].

[某日, 置宮城宿衛府. 王^{御經筵}, 謂^{三司右使}鄭道傳曰, "^今欲罷僞朝添設職, 其術何由". 對曰, "古之用人之法有四, 曰文學, 曰武科, 曰吏科, 曰門蔭. 以此四科擧之,

---

122) 이 기사는 열전39, 邊安烈에 수록되어 있으나 자구에 출입이 있다. 또 이와 관련된 기사로 다음이 있다.
· 열전26, 鄭地, "^{恭讓}二年, 遣左獻納咸傅霖, 鞫地于雞林".
· 열전39, 曹敏修, "郎舍尹紹宗等上書, 略曰, '敏修, 黨於賊臣李仁任, 位至冢宰, 縱其貪暴, 大敗風俗. 又以主將, 沮立王氏之議, 而立昌, 欲使我宗廟, 永不血食. 權近私拆聖旨, 黨附辛氏, 先示李琳. 二人逆謀, 皆天地所不容, 祖宗所不赦. 請下攸司, 明正典刑.' 王以敏修回軍有大功, 不宜重論, 止令遠配, 近亦杖流".

當則用之, 否則舍捨之, 其誰有怨?". 又問, "秩高者, 處之何如?". 對曰, "昔宋時, 置設大丹館·福源宮, 或授提調, 或授提擧. 今亦效此, 別置宮城宿衛□府, 而位密直·奉翊□□大夫者, 爲提調宮城宿衛事, 三四品△爲提擧宮城宿衛事. 然則政得其宜, 體統嚴矣". 又問, "居外者, 處之何如. 對曰, 居京城者, 處之如此, 則在外者, 爭來赴衛王室矣. 然後, 以秩高下, 或爲提調, 或爲提擧", 從之:節要轉載].[123]

[○道傳又言, "唐用人之法, 條目有五. 一曰, 敎養成其才德, 二曰, 選擧取其秀出, 三曰, 銓注當其職任, 四曰, 考課覈其功過, 五曰, 黜陟示其懲勸. 條目中, 又各有條目, 博學經史, 通曉律令, 肄習射御, 三者, 敎養之條目也. 文學·才幹·武藝·門蔭四者, 選擧之條目也. 有德望識量者爲相, 有智略威勇者爲將, 敢言不諱者爲臺諫, 明察平恕者爲刑官, 通習算數者主錢穀, 巧思精敏者主工匠, 此六者, 銓注之條目也. 公耳忘私, 勤其職任爲公, 瘠公肥私, 曠官廢職爲過, 此二者, 考課之條目也. 進職秩, 加俸祿爲陟, 削官職, 竄貶爲黜, 此二者, 黜陟之條目也. 本朝用人之法大毀, 欲敎養則師道不明, 欲選擧則以私蔽公, 欲銓注則賢愚雜進, 欲考課則請謁煩盛, 欲黜陟則賄賂公行. 五者皆廢, 何從得人乎. 近分遣五道都觀察黜陟使, 是不揣其本, 而齊其末也". 王深然之, 令經筵檢討官韓尙敬, 書其言以進:列傳32鄭道傳轉載].

庚寅26日, 徙前門下左侍中曹敏修于遠地, 杖前簽書密直司事權近一百, 徙流興海.

[→前簽書密直司事權近, 亦杖流:列傳39曹敏修轉載].

壬辰28日, 以侍中沈德符爲京畿·平壤道兵馬都統制使.

[某日, 憲府上疏, 請治李穡與曹敏修, 議立辛昌, 又欲迎還辛禑之罪:節要轉載].

[→憲司上疏, 請治李穡·敏修立昌, 又欲迎禑之罪:列傳28李穡轉載].

[→憲司上疏, 請治曹敏修·李穡議立辛昌, 又欲迎還辛禑之罪:列傳39曹敏修轉載].

[某日, 禮曹啓, 凡朝會, 百官昧爽入殿庭, 平明行禮:禮9一月三朝儀轉載]

是月, 王置仁王佛於別殿, 每朝夕禮拜, 凡有灾異, 輒行祈禳.

[→一日, 王謂經筵檢討官中元弼曰, "余久居深宮, 脚膝酸疼". 對曰, "每夜宮中, 宜拜天拜佛, 以養氣", 王從之, 置仁王佛於別殿, 朝暮禮拜, 遇灾異, 輒祈禳:列傳37

---

123) 이 기사는 지29, 선거3, 添設과 열전32, 鄭道傳에도 수록되어 있는데, 添字는 이에 의거하였다.

申元弼轉載].

[○衛尉判事^{判衛尉司事}李敏道, 倣中國制, 製新儀仗, 持仗人, 皆着靑紅染布衣, 畫以錦紋, 或着帽, 或着笠:輿服1儀衛轉載].[124]

[是月癸未^{19日}, □□^{明帝}, 詔遼東都指揮使司. 凡高麗國人於境內懋遷者, 勿禁:追加].[125]

二月乙未朔^{小盡.己卯}, 命削^{前判門下府事}李穡職, 徙^{前門下左侍中}曹敏修·^{前簽書密直司事}權近于邊地.

[→諫官又上疏, 請置李穡·曹敏修等極刑, 乃削穡職, 幷敏修皆徙邊地:節要轉載].

[→諫官又上疏, 請下^李穡·^曹敏修于憲司, 嚴加鞫問, 置之極刑. 命削穡職, 與敏修徙遠地. 左常侍尹紹宗, 以穡門生, 不署名. 臺諫復請穡罪:列傳28李穡轉載].

[→諫官復上疏, 請置極刑, 削穡職, 與敏修皆徙邊地:列傳39曹敏修轉載].

[○諫官^{左散騎常侍尹紹宗等}又上疏曰, "玄陵, 無嗣晏駕, 李仁任欲立辛禑, 大臣無敢有異議者, 故判三司事李壽山, 獨請立宗親. 辛禑旣立, 辛旽婢妾般若, 自言君母, 仁任等, 詐以禑, 爲玄陵所幸已死宮人所生, 求其名氏而未定. □□^{三司}右使金續命, 以爲'天下未辨其父者, 容或有之, 豈有未辨其母者乎?', 仁任欲殺之, 賴明德太后

---

124) 李敏道는 元末의 中書省 河間路(現 河北省 滄州市 管內의 河間市) 출신으로 同知涿州事에 임명된 후 明州에 寓居하다가 1357년(공민왕6) 7월 이후 1367년(공민왕16) 10월 사이에 報聘使로 張士誠(1321~1367)에게 파견된 成准得[成準得]이 歸還할 때 함께 와서 歸附하였다고 한다. 그런데 성준득이 장사성에 파견된 기록은 『고려사』에서 확인되지 않는다.
· 『목은시고』 권31, 東亭初飮, "扈駕南郊觀獵罷回, 灌來生肺有深杯, 老夫極飮愁腸潤, 遠客高歌笑口開, [注, 遠客指李敏道], …".
· 『태조실록』 권7, 4년 3월 壬寅^{9日}, 李敏道의 卒記, "商山君李敏道卒. 敏道, 中國河間人, 元慶元路摠官公埜之子. 以父死事, 授同知涿州事, 元朝多難, 寓居外家明州, 前朝使臣成准得^{成准得}回自張士誠所, 敏道請與俱來. 以醫卜見稱, 往往有驗, 授書雲副正, 遷典醫正, 以至慈惠府司尹, 兼判典醫寺事. 當上潛邸之日, 陰有推戴之意, 陳說歷代沿革, 及上卽位, 得與功臣之列, 官至商議中樞院事, 賜號推忠協贊開國功臣. 以妻鄕尙州, 封商山君. 年六十卒, 贈門下侍郎贊成事, 諡直憲. 子蔘".
· 『雙溪遺稿』 권6, 商山君李公墓碣銘, "臣謹按公諱敏道, 本隴西人, 籍以尙州, 我太祖命也. 祖諱換, 光祿大夫, 考諱公埜, 中大夫·慶原路摠管兼管內勸農兵馬鈐轄防禦使, 贈推忠補祚功臣·嘉靖大夫·都評議司事, 妣鄭城郡夫人郁氏, 曾·高以上, 盖無傳焉. 公以元朝翰林, 順帝末避兵東來, 仕麗朝, 官至工曹典書, 我太祖龍潛, 夙有契遇, 仗義佐命錄二等勳".
125) 이는 『명태조실록』 권199, 홍무 23년 1월 癸未를 전재하였다("詔遼東都指揮使司, 凡高麗國人於境內懋遷者, 勿禁").

之救, 僅得流竄. 壽山等, 身雖已歿, 忠義感人, 乞追加褒諡^謚, 弔祭其墓, 錄其子孫, 以慰忠魂", 從之:節要轉載].[126]

[某日, 遣司議^{左司議大夫}吳思忠·執義李皐·糾正田時, 鞫李穡于長湍, 命之曰, "毋令穡驚動, 若不服, 當更稟旨". 穡不服曰, "倡立辛昌, 非穡所知, 請與曹敏修對辨". 思忠, 遣時以啓, 王命加栲訊. 時還宣旨, 使獄卒, 執杖立左右, 竟日通夜逼之, 且示敏修昌寧獄詞. 穡曰, "回軍議立之際, 敏修問穡, '宗親與子昌孰當?', 時敏修以主將, 領兵回還, 且與昌之外祖李琳, 聯族同心, 穡不敢違. 以'禑立已久, 當立子昌'爲對, 無首勸擅立之語. 去年朝京師, 到禮部尙書李原明曰, '汝家逐父立子, 天下安有是理? 王與崔瑩, 皆被拘囚, 是何義耶?' 予曰, '崔瑩, 敎王謀犯遼陽, 將軍曹敏修與李[太祖舊諱]^{成桂}, 以爲不可, 到義州, 不敢發. 瑩, 數促之, 不獲已回兵, 繫瑩於獄. 於是王怒欲害諸將故, 太后廢王, 置于江華, 去開京二十餘里, 舊都勝地, 怡養情性, 無如此地. 且宰相侍衛, 儀仗器物, 朝夕膳奉, 皆如平日, 何放之有?'. 及還, 謂李侍中^{李成桂}曰, '原明之言, 耳可得聞, 口不可道, 驪興地遠, 迎置近地, 可免放君之名, 如何?', 但此語而已, 固無迎立之議". ○思忠等, 取辭乃還. ○穡嘗語人曰, "昔晋元帝, 入繼大統, 致堂胡氏^{胡寅}論曰,[127] '元帝姓牛[128], 而冒續晋宗, 東晋君臣, 何以安之, 而不革也? 必以胡羯交侵, 江左微弱, 若不憑依舊業, 安能係屬人心? 舍而創初, 難易絶矣. 此亦乘勢就事, 不得已而爲之者也'. 今穡於立辛氏, 不敢有異議者, 亦此意也":節要轉載].

126) 이 기사는 다음에도 수록되어 있는데, 添字는 이에 의거하였다.
· 열전24, 金續命, "恭讓初, 左常侍尹紹宗等言, 辛禑旣立, 辛旽婢妾般若自言君母. 仁任等, 詐以禑爲玄陵所幸故宮人所出, 求其名氏未定. 金續命以爲, 天下未辨其父者, 容或有之, 豈有未辨其母者乎. 仁任欲殺之, 賴明德太后之救, 僅得流竄. 身雖已歿, 忠義感人, 乞追加褒諡, 弔祭其墓, 錄其子孫, 以慰忠魂, 從之".
· 열전27, 李壽山, "恭讓立, 左常侍尹紹宗等上疏曰, '有功必賞, 有罪必罰, 堯·舜所以致治也. 玄陵, 無嗣晏駕, 李仁任欲立辛禑, 大臣無敢有異議, 故判三司事壽山, 獨請立宗室. 身雖已沒, 忠義感人, 乞追加褒諡, 弔祭其墓, 錄其子孫, 以慰忠魂', 從之".
127) 胡寅(1098~1156, 胡安國의 姪, 養子)은 建州 崇安縣(現 福建省 武夷山市) 출신으로 養父로부터 학문을 배웠다. 進士 출신으로 비서교서랑, 예부시랑 등을 역임하다가 權臣 秦檜(1090~1155)의 미움을 받아 사직하고 衡州에 머물렀다. 진회의 死後에 復官되었고, 그의 弟 胡宏과 함께 胡安國이 唱導한 理學을 계승하여 湖湘學派를 발전시켜 門人들로부터 治堂先生으로 불렸다(『송사』 권435, 열전194, 儒林5, 胡安國, 寅).
128) 元帝姓牛는 東晋의 創業者 元帝 司馬睿(318~323 在位)가 司馬氏가 아니라 牛氏(牛金의 子)라는 奇說인데[牛繼馬後], 事實이 아니라고 한다.

[→王遣思忠·時及執義李皐, 鞫穡于長湍, 命之曰, "毋令穡驚動, 若不服, 當更稟旨". 穡果不服曰, "倡立辛昌, 非穡所知. 穡若妄言, 上天監臨. 請與敏修對辨". 思忠遣時以聞, 王命加栲訊. 時還宣旨, 使獄卒執杖立左右, 竟日通夜逼之, 且示敏修昌寧獄辭. 穡曰, "回軍議立之際, 敏修問穡, '宗親與子昌孰當?'. 時敏修以主將領兵還, 且與昌外祖李琳, 爲族同心, 穡不敢違, 以'禑立已久, 當立子昌'爲對, 無首勸擅立之語. 去年朝京師, 到禮部, 尙書李原明曰, '汝國逐父立子, 天下安有是理?', 王與崔瑩, 皆被拘囚, 是何義耶?', 予應之曰, '崔瑩敎王, 謀犯遼陽, 將軍曹敏修與李[太祖舊諱], 以爲不可, 到義州不敢發. 瑩數趣之, 不獲已回兵, 繫瑩獄, 於是王怒欲害諸將, 故太后廢王, 置于江華. 去開京二十餘里, 舊都勝地, 怡養性情, 無如此地. 且宰相侍衛, 儀仗器物, 朝夕膳奉, 皆如平昔, 何放之有?', 及還, 謂侍中李[太祖舊諱]曰, '原明之言, 耳可得聞, 口不可道. 驪興遠地, 迎置近地, 可免放君之名'. 但此語而已, 固無迎立之議". ○思忠等, 取辭乃還. ○穡嘗語人曰, "昔晋元帝, 入繼大統, 致堂胡氏胡寅以爲, 元帝姓牛, 而冒續晋宗, 東晋君臣, 何以安之而不革也? 必以胡鞨交侵, 江左微弱, 若不憑依舊業, 安能係屬人心? 舍而創造, 難易絶矣. 此亦乘勢就事, 不得已而爲之者也'. 穡於立辛氏, 不敢有異議者, 亦此意也":列傳28李穡轉載].

[某日, 王欲迎曹溪僧粲英, 爲師. 門下評理兼大司憲成石璘·左常侍左散騎常侍尹紹宗等伏閣, 諫之. 又聯章上疏曰, "三代帝王, 以論道經邦, 燮理陰陽者, 爲師. 故湯師伊尹, 伐夏救民, 以開六百祀之商. 武王師太公, 鷹揚誅紂, 以開八百年之周. 姚秦, 以胡僧鳩摩羅什爲師, 不旋踵而亡, 前元, 以蕃僧婆羅跋蹄爲師, 及其季世, 以天子之尊, 奴事指空, 冀其福壽, 卒致應昌之敗. 佛之爲敎, 無父無君, 而姚秦·前元, 以五胡·北狄之俗, 不法帝王之治, 以毁綱常, 得罪於天, 以速亂亡. 今殿下中興, 方將作法垂範, 爲聖子·神孫, 億萬世之所遵. 今乃復襲胡狄之失, 乃以胡敎爲師. 有國家者, 立政立事, 循其名, 當責其實. 所謂師者, 師其道也, 釋氏以臣子, 而背君父, 逃入山林, 寂滅爲樂. 若師其法, 必髡三韓之民, 必絶九廟之祀, 然後稱其名耳. 願殿下, 勿以無君父者爲師, 尊堯舜孔孟之道, 以開三韓太平之業". 王勉從之. 英, 至崇仁門, 不得入而還:節要轉載].

[→王遣吏曹摠郞李滉, 迎曹溪僧粲英爲師, 左散騎常侍尹紹宗與門下評理兼大司憲成石璘等伏閣諫. 石璘曰, "釋氏以淸淨寂滅爲宗, 無補國家. 昔, 成湯師伊尹, 文王師太公, 以致商·周太平之治, 未聞以釋氏爲師也". 紹宗曰, "殿下如欲求師, 有元老

大臣在, 何用僧爲?". 遂退交章論奏曰, "綱常, 天下國家之大本, 堯·舜三代, 享國長久, 以臻至理, 由此道也. 自漢明帝崇佛以來, 亂亡相繼, 至于梁氏, 惑佛太甚, 宗廟以麵爲犧牲, 綵帛禁織鳥獸之形, 卒致侯景之亂, 餓死臺城. 唐憲宗迎佛骨于禁中, 刑部侍郎韓愈極言以爲, '自佛氏入中國以來, 事之愈謹, 年代尤促'. 憲宗不聽, 未幾暴殂.[129] 我太祖深懲積弊, 禁後代君臣私作佛刹. 是時, 太師崔凝請除佛法, 太祖以爲, '新羅之季, 佛氏之說, 入人骨髓, 人人以爲, 死生禍福, 悉佛所爲. 今三韓甫一, 人心未定, 若遽去佛法, 必生反側'. 乃作訓□要曰, '宜鑑新羅, 多作佛事, 以至於亡'. 聖祖所以拔誕妄之源本, 期後王之繼述者, 至甚切矣. ○臣等竊聞, 殿下, 將迎曹溪僧粲英于太內, 尊爲王師, 臣等爲殿下惜之. 三代帝王, 以論道經邦變理陰陽者爲師. 故湯師伊尹, 伐夏救民, 以開六百祀之商. 武王師太公, 鷹揚誅紂, 以開八百年之周. 姚秦以胡僧鳩摩羅什爲師, 不旋踵而亡. 前元以蕃僧婆羅跋蹄爲師, 及其季世, 以天子之尊, 奴事指空, 冀其福壽, 卒致應昌之敗. 佛之爲敎, 無父無君. 姚秦·前元, 以五胡北狄之俗, 不法帝王之治, 以毀綱常, 得罪於天, 以速亂亡. 今殿下中興, 方將作法垂範, 爲聖子神孫, 億萬世之所遵. 今乃復襲胡狄之失, 乃以胡敎爲師. 有國家者, 立政立事, 循其名, 當責其實. 所謂師者, 師其道也. 釋氏以臣子背君父, 逃入山林, 寂滅爲樂. 若師其法, 必髡三韓之民, 必絶九廟之祀, 然後稱其名耳. 願殿下, 勿以無君父者爲師, 尊堯·舜·孔·孟之道, 以開三韓太平之業". ○疏上, 王勉從之. 英, 至崇仁門, 臺省遣吏逐之, 不得入而還:列傳33尹紹宗轉載].

己亥^{5日}, 王以誕日, 放罪囚, 唯^{前門下侍中}李琳·^{前判門下府事}李穡·^{前門下左侍中}曹敏修·^{前知門下府事}李乙珍·^{前簽書密直司事}權近·^{前簽書密直司事}李崇仁等, 不赦.

庚子^{6日}, 世子開書筵. 以門下評理趙浚·商議門下□□^{府事}徐均衡^{徐鈞衡}·商議密直提學李至·密直使姜淮伯, 爲師傅.[130]

[→諫官請開書筵, 乃以趙浚·徐鈞衡·李至爲師傅, 李舒·金子粹·禹成範·姜淮

---

129) 唐 憲宗이 鳳翔法門寺의 佛骨[指骨]을 宮闕에 迎入한 것은 819년(元和14) 1월 8일(丁亥)이었고, 韓愈가 이를 반대하다가 14일(癸巳) 潮州刺史로 貶黜되었다(『구당서』 권15, 본기15, 元和 14년 1월 丁亥, 癸巳 ; 권160, 열전110, 韓愈).

130) 徐均衡은 徐鈞衡의 오자인데, 열전4, 恭讓王王子, 奭에는 옳게 되어 있다. 또 이때 姜淮伯은 固辭하였다고 한다.
· 열전29, 姜淮伯, "恭讓即位, 以淮伯·趙浚·徐鈞衡·李至爲世子師, 淮伯, 以年少無學固辭".

季·趙庸爲待學:列傳4恭讓王王子奭轉載].

[→置知書筵·同知書筵及侍學, 尋改知書筵爲世子左·右師, 同知書筵爲左·右賓客, 侍學三品爲左·右輔德, 四品爲左·右弼善, 五品爲左·右文學, 六品爲左·右司經:百官2東宮官轉載].

○歸密直副使<u>王可仁</u>于遼陽. 可仁, 海洋副千戶<u>萬僧</u>子也, 都司^{遼東都指揮使司}移文起取, 故歸之.

壬寅^{8日}, 臺諫鞫漢陽府尹<u>金伯興</u>及軍器少尹<u>元庠</u>于巡軍.

乙巳^{11日}, 罷臺諫面啓之法. [^{左散騎常侍}尹紹宗等上疏曰, "堯舜咨四岳, 闢四門, 明四目, 達四聰, 嘉言罔攸伏. 尙慮一言之, 或鬱於下, 而不達於上, 乃命其臣曰, '予違汝弼, 汝無面從, 退有後言'. 又曰, '汝亦昌言'. 三代聖王, 率由是道, 咨于蒭蕘, 工執藝事以諫, 有誹謗之木, 有進善之旌. 匹夫匹婦之言, 皆達于上, 上下交而爲泰. 及周之衰, 謗者, 使監以止之, 遂失文武之天下. 秦以忠諫者, 爲妖□諱而禁之, 至有指鹿爲馬, 而莫有言者, 故得天下, 二世而亡. 自漢迄元, 言路開則治且安, 言路閉則亂且亡. 自異姓竊國以來, 臺諫緘口, 至於戊辰^{禑王14年}攻遼之擧, 而無一人言之者, ^{此殿下之所親見也}. 殿下卽位以來, 五日一視朝, 令臺諫面啓時政得失, 三韓蹈舞, 想望<u>大平</u>^{太平}. 而今者, 乃令臺諫, 勿復面啓, 豈不大爲中興之累<u>哉</u>^乎? 一言喪邦, 此之謂也. 願殿下, 更命臺諫, 依前面啓, 其餘諸司, 亦令各以其職進言, 以廣聰明, 以臻<u>至理</u>":節要轉載].¹³¹⁾

[○置京中五部及東·西北面府州, 儒學<u>敎授</u>官:節要轉載].¹³²⁾

○削僞朝加贈先王·先妃諡.

[○月入<u>大微</u>^{太微}:天文3轉載].¹³³⁾

[某日, 臺諫再論<u>李穡</u>·^{前門下左侍中}<u>曹敏修</u>罪. 不報:節要轉載].¹³⁴⁾

[己酉^{15日}, 月入<u>大微</u>^{太微}:天文3轉載].

---

131) 이 기사는 열전33, 尹紹宗에도 수록되어 있는데, 添字는 이에 의거하였다.

132) 이와 관련된 기사로 지28, 선거2, 學校, "^{恭讓}二年二月, 置京中五部及西北面府·州儒學敎授官"이 있다.

133) 이날의 日辰이 延世大學本과 東亞大學本에는 三年二月乙巳로 되어 있으나 二年二月乙巳의 誤字이다.

134) 이 기사는 열전28, 李穡 ; 열전39, 曹敏修에도 수록되어 있다.

[壬子^{18日}, 木稼:五行2轉載].

癸丑^{19日}, ^{前漢陽府尹}金伯興死獄中. 王疑獄官嚴刑致死, 謂^{門下贊成事·}知經筵事鄭夢周曰, "凡鞫囚, 當徐察其情, 今巡軍不依法律, 遽加慘毒, 無辜或死, 余甚憫焉. 況宰相, 雖有重罪, 賜死可也, 一罹罪網, 妄加拷掠, 或死于獄, 或斬于市, 予嘗甚惡之. 在今日, 亦如是耶". 遂釋^{軍器少尹}元庠.

[→^{前漢陽府尹}伯興死獄中. 王疑獄官酷刑致死, 乃曰, "<u>罪不及</u>妻孥, 宜免安烈妻族." 遂釋庠:列傳39邊安烈轉載].¹³⁵⁾

○賜<u>益妃</u>^{恭愍王妃}及^{經筵檢討官}申元弼田.

[→恭讓王卽位, 以王女敬和宮主養于妃家, 命有司賜<u>妃</u>^{益妃}田:列傳2恭愍王妃益妃韓氏轉載].

[→命給田都監, 賜^{經筵檢討官申}元弼田, 仍趣成案給之:列傳37申元弼轉載].¹³⁶⁾

[某日, ^{左散騎常侍}尹紹宗等上疏曰, "臺諫人主之耳目, 不可頃刻而離左右也. 日者, 以辛禑父子, 事關大體, 殿下命臺諫, 往驗其狀, 此所以重宗社, 一時之權宜也. 因此, 遂使臺諫, 分遣於外, 以虧殿下耳目之任, 甚非中興之美法也. 願自今, 毋令臺諫出外, 以委繩愆責難之任", 從之:節要轉載].¹³⁷⁾

[戊午^{24日}, 西方赤氣:五行1轉載].

[某日, 三軍摠制府, 閱所統兵, 分番宿衛:兵2宿衛轉載].

[某日, 都堂啓, "入直大小貝吏及愛馬別差者, 無考課之法, 禁衛虛疎, 自今, 宜令密直·重房入直者, 點檢", 從之:兵2宿衛轉載].

[某日, 判, 大夫以上祭三世, 六品以上祭二世, 七品以下至於庶人, 止祭父母. 並立家廟, 朔望必奠, 出入必告. 四仲之月, 必享食, 新必薦, 忌日必祭. 當忌日, 不許騎馬出門, 接對賓客. 其俗節上墳, 許從舊俗. 時享日期, 一二品每仲月上旬, 三四五六品仲旬, 七品以下至於庶人季旬:禮5大夫士庶人祭禮轉載].

壬戌^{28日}, 以柳玽爲楊廣道都觀察□□^{黜陟}使, ^{同知密直司事?}趙云仡爲雞林尹,¹³⁸⁾ 崔鄲

---

135) 어떤 機關의 데이터베이스에는 '罪不及'이 '守令'으로 되어 있는데, 誤字이다.

136) 이때 申元弼이 土地를 下賜받은 事由는 恭讓王에게 祈禳을 위해 朝夕으로 仁王佛에 禮佛드릴 것을 建議한 결과일 것이다(→是年 1月 是月條).

137) 이 기사는 열전33, 尹紹宗에도 수록되어 있다.

爲漢陽尹, 皇甫琳爲平壤尹.

[○是時, 分京畿, 爲左·右道, 以長湍·臨江·兔山·臨津·松林·麻田·積城·坡平, 爲左道, 開城·江陰·海·德水·牛峯, 爲右道. 又依文宗舊制^{文宗23年制}, 以楊廣道漢陽· 南陽·仁州·安山·交河·陽川·衿州·果州·抱州·瑞原·高峰, 交州道原·永平·伊川·安峽·漣州·朔寧, 屬左道, 以楊廣道富平·江華·喬桐·金浦·通津, 西海道延安·平州· 白州·谷州·遂安·載寧·瑞興·新恩·俠溪, 屬右道. 各置都觀察黜陟使, 以首領官, 佐之:地理1開城府轉載].

癸亥^{29日晦}, 敎曰, "自古, 爲國之道, 文敎武備, 不可偏廢. 近年以來, 法制陵夷, 人材不作, 盜賊興行, 予用惕然. 夫臨雍拜老, 農隙講武, 古之制也. 予欲謁文廟, 以勸儒學, 視戰艦, 以觀軍容, 有司啓聞施行".

三月甲子朔^{大盡,庚辰}, 司憲府上疏曰, "僞朝貪汚之徒, 以土田·臧獲, 要納權勢, 使惡聲, 聞於上國, 不可不懲, 請削其職, 不許給田, 以戒後來". 不報.

[某日, 王將幸長湍, 觀戰艦. ^{左散騎常侍尹紹宗與門下評理兼大司憲成石璘等} 臺諫上疏, "以爲^佛 ^曰, 君擧必書, 書而不法, 後嗣何觀?[139] 今欲閱戰艦, 留意武備, 此誠安不忘危之長 慮也. 然國人不知修武備之意, 皆以爲游田, 況今東作方興, 大駕所至, 道路之修,

---

138) 이때 鷄林府尹[鷄林尹]에 임명된 趙云仡은 실제 부임하지 않았던 것 같다(『동도역세제자기』). 또 그가 임명된 후 7일 만에 禹仁烈이 계림부윤으로 좌천되었다(→3월 7일). 이후 조운흘은 조선왕조에서 檢校政堂文學이 되었다가 73세로 서거하였다고 한다.
· 열전25, 趙云仡, "入本朝, 授江陵大都護府使, 尋以病辭, 歸于廣州別墅. 又拜檢校政堂文學, 檢校例受祿, 云仡辭不受. 爲人立志奇古, 跌宕瑰偉. 徑情直行, 不肯隨時俯仰. 將終, 自述墓誌 曰, 趙云仡本豊壤人, 高麗太祖臣平章事趙孟三十代孫. 恭愍代, 興安君李仁復門下登科, 歷仕 中外, 佩印五州, 觀風四道, 雖大無聲績, 亦無塵陋. 年七十三, 病終廣州古垣城, 無後. 以日月 爲珠璣, 以清風明月爲奠, 而葬于古楊州峩嵯山南摩訶耶. 孔子杏壇上, 釋迦雙樹下, 古今聖賢, 豈有獨存者. 咄咄, 人生事畢".

139) 이 구절은 다음의 자료에서 따온 말인 것 같은데, 『한서』 권30, 藝文志第10, 春秋에서도 동일하다.
· 『춘추좌씨전』傳, 莊公 23년, "夏, ^{魯莊}公如齊觀社, 非禮也. 曹劌諫曰, 不可, … 諸侯有王, 王有 巡狩, 以大習之. 非是不擧也. 君擧必書, 書而不法, 後嗣何觀?".
· 『春秋左傳正義』 권1, 春秋序, "古之王者, 世有史官, 君擧必書, 所以愼言行, 昭法式也. 左史 記言, 右史記事. 事爲春秋, 言爲尙書, 帝王靡不同之".
· 『禮記』, 玉藻, "動則左史書之, 言則右史書之".
· 『史記正義』, 論史例, "古者帝王, 右史記言, 左史記事. 言爲尙書, 事爲春秋, 太史公兼之, 故名 曰史記, 并採六家雜說, 以成一史, 備論君臣·父子·夫妻·長幼之序, …".

供億之費, 可勝言哉? 若以緩急言之, 拜郊·朝陵, 耕籍·謁聖, 在所當先. 願殿下, 姑停此擧, 以解國人之疑, 以斷防農之弊". 王遣人, 問侍中沈德符曰, "今日之擧, 將何如?", 對曰, "人君行止, 非臺諫所能斷也". 王決意將行, 臺諫猶不退, 成石璘直入內曰, "臺諫之言, 不可拒". 王勉從之:節要轉載].[140]

[某日, 憲府上疏, 極言禹仁烈·王安德·禹洪壽等, 與於邊安烈之謀, 請鞫之. 留中不下:節要轉載].

[某日, ^{左散騎常侍尹紹宗,}又上疏曰, "竊觀祖宗之制, 凡有所犯者, 不給田, 以礪士行. 自異姓竊國以來, 姦兇得志, 賣官鬻獄, 盡毁祖宗之法. 士大夫, 以士田·臧獲, 自成契卷, 賂姦兇, 受官職, 以敗禮義廉恥之俗. 殿下中興, 革私田以安民生, 給圭田以優仕者, 意甚盛也.[141] 反正之初, 宜崇節義, 戒貪邪, 一新士習. 請令辨正都監, 收諸人所賂田民及所鬻告身, 以礪風俗". 疏留不下. 遷紹宗爲禮儀判書, 其餘臺諫

---

140) 이 기사와 관련된 기사로 다음이 있는데, 添字는 이에 의거하였다. 또 이 시기에 大司憲 成石璘
이 同僚와 함께 다음과 같은 상소를 올렸다고 하는데, 그 중에서 不忘危之意는 延世大學本에서
不忘花之意로 되어 있으나 오자이다(東亞大學 2006년 26冊 475面).
 · 열전29, 沈德符, "王將幸長湍觀戰艦, 臺諫上疏諫止之. 王遣人問德符曰, '今日之擧, 將如何?'.
對曰, '人君行止, 非臺諫所能止也'. 王決意將行, 臺諫猶不退, 成石璘直入奏曰, '臺諫之言, 不
可拒'. 王勉從之".
 · 열전33, 尹紹宗, "王將幸長湍, 紹宗與石璘等上疏云, '傳曰, 君擧必書. 書而不法, 後嗣何觀.
伏聞, 殿下將幸長湍, 閱戰艦, 此誠安不忘危之意. 然自異姓竊國, 以觀逸遊田, 毒痛生靈, 惡聲
聞于上國. 今賴天祐, 興復舊物, 宜以遊田爲戒, 乃何卽位之初, 不修德政, 復徇僞朝之覆轍乎.
東作方興, 大駕之行, 千乘萬騎, 道路供億之費, 弊不可言. 若以緩急爲言, 則郊天·拜陵·耕藉
田·謁文廟, 在所當先. 願殿下姑停此擧, 以解國人之惑', 不允".
 · 열전30, 成石璘, "… 俄兼司憲府大司憲, 與同僚上疏曰, '僞主所除官爵, 不可混於聖朝, 請皆
收奪. 其以軍功都目除拜者, 吏·兵曹覈其眞僞, 移牒尙瑞司, 俟其改授, 方許帶銜. 雖素負名望,
衆所信服者, 亦令臺省, 具聞改授. 其有冒妄者, 痛行糾理, 並以詐僞論'. 王難之, 下都堂議. ○
又上疏曰, '臺諫職專諫爭, 宜近禁中, 今在闕外. 事無大小, 必具疏聞, 不唯煩冗, 下情亦不能
盡達. 殿下卽位之初, 尤宜開廣聰明, 豈可深居安逸, 以虧中興之業. 願自今, 事有可言者, 使得
面啓, 其大者只令疏聞', 從之".
141) 圭田은 중국 고대에서 卿·大夫·士의 祭需 經費를 마련하기 위해 지급되었다는 토지[祭田]이다.
 ·『예기』, 王制第5, "夫圭田無征". 이의 번역은 "士大夫의 圭田(祭田)을 耕作하는 農夫의 收入
에 대한 稅가 附加되지 않는다"라고 하는 것이 좋을 것이다.
 ·『맹자』, 藤文公章句上, "卿以下必有圭田, 圭田五十畝, 餘夫二十五畝". 趙岐注, "古者, 卿以
下至於士, 皆受圭田五十畝, 所以供祭祀也. 圭, 洁也".
 ·『淸波別志』卷上, "初, 天下職田, 無月日之限, 赴官多以先後爲爭, 水田限四月三十日, 陸田以
三月十日, 因著爲令. 從翰林學士·權開封府胥偃之請也, 後更以月計圭田, 養廉也. 凡在職, 皆
當以廉責之. 然有以養, 無以養, 所至有無·厚薄之不同. …".

亦遷他官, 以其彈劾不已也:列傳33尹紹宗轉載].

庚午[7日], 以^{前領三司事}洪永通△爲領三司事, 禹玄寶△爲判三司事, 王安德爲江原君, ^{門下贊成事}禹仁烈爲雞林尹,¹⁴²⁾ 李懃·鄭洪爲左·右常侍^{左·右散騎常侍 143)} 李浞爲門下舍人, 金若恒起復爲司憲掌令, 全賓爲左正言. ^{[左散騎常侍}尹紹宗, ^{左散騎常侍}□□^{李詹 144)} ^{左司議大} ^夫吳思忠, 皆遷他官, 以其彈劾不已也.¹⁴⁵⁾ ○召仁烈, 促令之官, 仁烈曰, "臺諫交章, 論劾臣罪, 請貶臣一方, 以保餘生". 王曰, "若自求貶黜, 是實其罪也":節要轉載].

丙子[13日], □又將幸長湍, 諫官^{右司議大夫}李舒等諫, 止之.¹⁴⁶⁾

己卯[16日], 謁陽陵^{神宗}, 遂次于禮成江, 觀戰艦, 習火戰.

庚辰[17日], 謁昌^{世祖}·顯^{太祖}·玄^{恭愍王}三陵, 還宮.

辛巳[18日], 前判事金貴妻, 與僧通, 俱立市五日, 決杖.

[某日, 召獻納咸傅霖曰, "予命臺諫·刑曹, 毋論王安德·禹仁烈·禹洪壽等, 汝知 否?". 傅霖對曰, "臣知之矣". 王曰, "汝已知之, 何爲論執不已? 予雖否德, 既已 爲君, 汝等不從我命, 可乎?". 對曰, "賞罰不當, 則臺諫論駁, 固其職也". 王曰, "汝等不從我命, 當罪之". 對曰, "自古人君不罪言者". 王曰, "玄陵之世, 諫官得 罪者多矣". 對曰, "玄陵何足法乎? 卽位之初, 有仁心仁聞, 稍稱賢君, 厥後, 頗自 爲聖, 蔑視群下, 雖有言者, 不以爲意, 猜忌日甚, 大臣臺諫, 皆受其禍, 言路蔽塞, 馴致甲寅^{恭愍23年}之變. 今殿下, 膺臣民之推戴, 紹復大業, 三韓欣然, 以爲復見太祖 之世, 若止以玄陵爲法, 則豈臣民之望乎?". 王曰, "洪壽, 今爲功臣, <u>安德與於回</u> <u>軍</u>^{安德有回軍之功}, 仁烈^嘗入朝, 奏禍不道, 豈欲迎立哉?". 對曰, "戊辰^{禑王14年}回軍, 權在 李侍中^{李成桂}, 安德在麾下, 安敢有異議. 仁烈之入朝, 迫於國命, <u>亦烏得而已哉</u>^{豈得已}

---

142) 이때 禹仁烈은 門下贊成事[二相]로 兵馬節制使兼鷄林府尹[鷄林尹]에 임명되어 3월 30일에 到任하여 윤4월 9일에 上京하였다(『東都歷世諸子記』).
· 열전27, 禹仁烈, "尋以仁烈爲雞林府尹, 命趣之官. 仁烈曰, '臺諫交章劾臣, 請竄臣一方, 以保 餘生'. 王曰, 若自求貶黜, 是實其罪也".

143) 左·右常侍는 左·右散騎常侍의 略稱이다(→공양왕 2년 9월 5일, 3년 12월 24일).

144) 添字(李詹)는 필자가 추가하였다.

145) 이때 尹紹宗은 禮儀判書로, 李詹은 工曹判書로, 吳思忠은 成均大司成으로 각각 轉職되었다.
· 열전33, 尹紹宗, "遷^{左散騎常侍尹}紹宗爲禮儀判書, 其餘臺諫, 亦遷他官, 以其彈劾不已也".
· 『쌍매당협장집』연보, "^{洪武二十三年庚午}春三月, 拜奉翊大夫·工曹判書·寶文閣直提學·知製教".
· 열전33, 吳思忠, "遷成均大司成, 以其彈劾不已, 奪其言職也".

146) 添字는 『고려사절요』 권34에 의거하였다.

乎?. 洪壽之爲功臣, 臺諫已言其濫矣. 大抵反側小人, 權利所在, 則從之, 請上斷以大義. ○王不悅:節要轉載].[147]

[某日, 臺諫交章上疏曰, "伏覩宣諭聖旨, '高麗國中, 爲陪臣者, 忠逆混淆, 雖假王氏, 以異姓爲之, 亦非三韓世守之良謀'. 玆蓋皇帝陛下, 以剛明果斷之資, 信賞必罰, 能一天下. 而知我外國之事, 如見肺肝, 其天下之人, 稱明見萬里者, 信矣, 其懷諸侯, 繼絶世之意, 亦至矣. 今侍中李[太祖舊諱]成桂, 素蘊忠義, 腐心於僞朝, 而不敢發. 及辛禍狂妄日甚, 遂有攻遼之擧, 崔瑩主之, 李[太祖舊諱]成桂力沮之, 不得已行至鴨江, 擧義回軍, 退禍黜瑩, 而議立宗親. ○及見宣諭之語, 慨然有反正之志, 出萬死計, 倡大義定大策, 奉殿下而復正統, 宗廟得以血食, 臣等以謂, 此天子所謂忠也. 仁任, 欲專政固寵, 立禍爲君, 其後敏修·李穡, 共立子昌, 邊安烈·李琳·李貴生·鄭地·禹仁烈·王安德·禹洪壽·元庠等, 又謀害李[太祖舊諱]成桂, 而欲絶我王氏, 幸賴祖宗之靈, 謀不得遂. 向使安烈之計, 得行, 則豈惟李[太祖舊諱]成桂不得免, 宗親亦無遺類, 而殿下之大事, 去矣. 臣等以謂, 此天子所謂逆也. 雖安烈伏誅, 其餘黨, 未正鈇鑕, 故臣等請罪, 殿下不惟不允, 反加褒獎, 書再上, 而又不下. 忠逆混淆, 而大爲中興之累也. 乞將琳·貴生·地·仁烈·安德·洪壽·庠·乙珍·庚道等, 明正其罪, 則忠逆分辨, 朝廷淸明, 亂臣·賊子, 知所戒矣". ○不報:節要轉載].

[→臺諫交章上疏曰, "伏覩宣諭聖旨, 高麗國中, 爲陪臣者, 忠逆混淆, 雖假王氏, 以異姓爲之, 亦非三韓世守之良謀. 此則皇帝以剛明果斷之資, 信賞必罰, 能一天下而明睿所照, 知我外國之事, 如見肺肝. 其天下之人稱, 明見萬里者, 信矣, 其懷諸侯, 繼絶世之義, 亦至矣. 今侍中李[太祖舊諱]成桂, 素蘊忠義, 常腐心於僞朝, 而不敢發. 及辛禍狂妄日甚, 遂有攻遼之擧, 崔瑩主之, 侍中李[太祖舊諱]成桂力沮不得. 行至鴨江, 擧義回軍, 退禍黜瑩, 而議立宗親. 主將曹敏修, 以李仁任·李琳之親, 謀於李穡, 立禍子昌, 則李[太祖舊諱]成桂之忠憤益切矣. 及見宣諭之語, 慨然有反正之志, 出萬死計, 倡大義定大策, 奉殿下而復正統, 宗廟得以血食. 臣等以爲, 此天子所謂忠也. 仁任欲專政固寵, 詐以辛旽之子禍, 爲玄陵所御宮人所出而立之, 以其族弟李琳之女妻之.[148] 其後, 曹敏修·李穡, 共立子昌, 邊安烈·李琳·李貴生·鄭地·禹仁烈·王安德·禹洪壽·元庠等, 又謀害侍中李[太祖舊諱]成桂, 欲絶我王

---

147) 이 기사는 열전39, 王安德에도 수록되어 있지만 자구에 출입이 있다.

148) 李琳이 李仁任의 族弟라는 것은 그가 李仁任의 姑從四寸弟이기 때문이다(東亞大學 2006년 26책 99面).

氏之祀, 幸賴宗社之靈, 兇謀不遂. 向使安烈之計得行, 豈惟侍中李^{[太祖舊諱]成桂}不得免禍, 王氏宗親, 亦無遺類, 而殿下之大事去矣. 臣等以爲, 此天子所謂逆也. ○安烈雖伏誅, 而其餘逆黨, 未正鈇鑕故, 臣等上疏請罪. 殿下不唯不允, 反加褒獎, 書再上, 而又不下. 忠逆混淆, 大爲中興初政之累也, 古今人主, 優柔不斷, 以致禍亂者甚多, 臣等大爲殿下, 惜之. 臣等所言, 只爲社稷, 殿下所重, 未知何事. 殿下儻宥此輩, 恐三韓之人, 以姻婭之私, 窺殿下也. 又恐天子謂忠逆混淆, 亦如前日也. 伏望殿下, 斷以公義, 將李琳·貴生·鄭地·仁烈·安德·洪壽·元庠·乙珍·庚道等, 明正其罪, 則忠逆分辨, 朝廷淸明, 亂臣賊子, 知所戒矣". ○不報:列傳29李琳轉載].

甲申^{21日}, 放禮曹判書尹紹宗于錦州. [初, 紹宗謂上護軍宋文中曰, "今李侍中^{成桂}, 不能進君子退小人, 若一朝, 墮於小人之計, 悔何及哉?". 門下侍中沈德符等聞之, 告于王, 王怒, 欲罪紹宗. 我太祖^{守侍中李成桂}請曰, "廷臣直言者, 唯紹宗耳, 不可罪之". 左副代言李士渭亦曰, "紹宗屢上疏, 殿下皆不聽, 今遽罪之, 則外議必謂, 殿下惡直臣也". 王曰, "予旣除紹宗高官, 人惡得而言哉? 李侍中^{成桂}功在社稷, 紹宗等敢辱之, 其可不罪歟?". 遂放之. 紹宗嘗與妻族崔乙義, 爭奴婢^{臧獲}, 久未決, 托禑嬖臣潘福海得之. 今被趙浚等薦, 爲郎舍, 喜論事. ○王每言, 紹宗托潘之故, 深疾之:節要轉載].¹⁴⁹⁾

[○獐入城:五行2轉載].

庚寅^{27日}, 我太祖^{守侍中李成桂}以疾辭.

[是月, 僧禧順·高山·判書姜遇春等寫成 '白紙金字大方廣佛華嚴經普賢行願品' 七軸:追加].¹⁵⁰⁾

---

149) 이 기사는 열전33, 尹紹宗에도 수록되어 있으나 字句에 出入이 있다.

150) 이는 다음의 자료에 의거하였다(東國大學博物館 所藏, 南權熙 2002년 383面 ; 張忠植 2007년 259面).

· 『白紙金泥大方廣佛華嚴經普賢行願品』題記, "右華嚴·法華, 諸佛本宗, 萬法根本. 然其是」 法, 以智立体, 以行成德, 過去如來, 皆修普」 賢廣大行願成就, 萬德普度群生. 未來. 學」 者, 當修是行, 頓超三界, 得無生忍. 釋禧順·高山.」 敬恭'華嚴普賢行', 願結同萬人, 皆證深入」 解脫境界, 特造'大寶蓮經'七軸, 及造'彌勒」 上下生經', 以廣流通. 判書姜遇春及典四等」 有緣檀那, 信而其事, 共助以財者甚重, 具錄」 于后, 嗚呼, 一乘大願於經乎?, 於心乎?.」 行人無忽你., 伏祈」 聖帝萬歲」 君壽千秋, 都民咸樂.」 洪武二十二年^{二十三}庚午三月 日, 高山拜題」". 여기에서 添字와 같이 고쳐야 옳게 될 것이다.

夏四月甲午朔^{小盡,辛巳}, 遣中官于我太祖^{守侍中李成桂}第, 問疾, 强起之, 賜<u>敎書</u>于九功臣,[151] 褒美之, 賜廐馬一匹·白金五十兩·帛絹各五端, 加賜我太祖^{守侍中李成桂}及^{門下侍中}沈德符金帶一腰, 仍慰宴于內殿.

○賜我太祖^{守侍中李成桂}敎曰, "嗚呼, 除非常之變者, 必待命世之才, 樹萬世之功者, 必享無窮^疆之報. 昔我太師佐我太祖, 肇一三韓, 與享太室, 式至于今, 垂五百年. 往者, ^{前門下侍中}李仁任陰導玄陵^{恭愍王}影殿之役, 而取上相, 歸怨於上. 卒致甲寅^{恭愍王23年}之變而無嗣, 仁任乃用不韋盜秦之計, 以玄陵朝妖僧辛旽所生兒禑, 詐稱玄陵宮人所出, 而立之. 玄陵母后, 以爲不可, 宰相^{判三司事}李壽山請立宗親, 仁任不從. 國人失望, 黃霧四塞, 日光不見. 禑之主喪, 而葬玄陵也, 虹圍太陽, 其主燕也, 鴉鳴<u>大室</u>^{太室}, 霆奮地震. 其齋玄陵之考毅陵^{忠肅王}之忌也, 大風以雨, 震電且雹. 其襲爵也, 風拔祧廟·寢園松栢, <u>大室</u>^{太室}驚^{驚華}折, 廟門仆, 御廩災. 是祖宗之靈, 動威以絶禑也. 戮禑母般若, 以滅口, 而司平新門自頹. 葬枯骨曰禑母, 而柩輿, 一日再災. 是天示萬<u>世</u>^葉, 以禑爲般若子也. 禑立二年, 而其母名氏未定, 宰相金續命曰, '天下未辨其父者, 或有之矣, 未辨其母者, 我未聞也'. 而幾見戮, 以玄陵母后力救, 得不死. 金庚言禑非王氏於帝, 而還見戮, 國人寒心結舌. 禑妻仁任姪女, 而生昌, 於是, 王氏興復之望, 絶矣. 仁任專國, 毒痛生靈十五年. 而禑又狂悖, 謀攻遼東, 欲擧三韓百萬生靈, 而糜爛之, 卿^{右都統使李成桂}副^{左都統使}曹敏修以行, 軍過鴨江, 卿^{李成桂}諭諸將, 以社稷存亡之計, 而回軍. 是卿^{李成桂}肉吾民於旣骨也, 宗社之不墟, 惟卿^{李成桂}是賴. 卿^{李成桂}勇冠三軍, 位崇兩府, 功名盖世, 而不矜. 好讀綱目·衍義, 感留侯^{張良}·絳侯^{周勃}·武侯^{諸葛亮}·梁公^{房玄齡}之忠. 故回軍之際, 議興復, 敏修亦以爲然, 旣還而黨於其族仁任^{前門下侍中}李琳, 沮卿議而立昌, 自爲冢宰, 王氏興復, 失一大機. 卿^{李成桂}隱忍就職, 而以公議, 開諭敏修, 乃極臺諫之選, 以振紀綱. 於是, 憲司劾敏修, 以貪婪撓法, 而擊去之. 卿^{李成桂}坐以待旦, 求賢如渴, 疾惡如讎. 凡民一毫之利, 必欲興之, 一髮之害, 必欲去之. 開言路而達下情, 擧逸民而布公道. 向者, 苞苴奔競之風, 鬻官·貨獄之習, 一朝而變, 野無遺賢, 朝無倖位. 遣使授鉞, 觀察黜陟, 而藩鎭, 不敢養寇, 牧守不敢殃民. 排群小之邪說, 而革私田於諸道, 拯民湯火之中, 躋之富壽之域. 用圭田·采地之制, 給京甸仕者之田, 優君子而嚴守衛, 爵之而非私, 罰之而非怒. 卿^{李成桂}之誠心, 光明正大, 如靑天白日, 愚夫·愚婦之所共見, 其所營爲, 無

---

151) 이때 沈德符와 朴葳에게 下賜된 敎書가 『동문선』 권23, 左侍中沈德符敎書, 知門下朴某^{知門下府事朴葳}敎書로 추측된다.

非所以爲興復王氏之地也. 己巳^{昌王1年}冬, 昌所遣請朝尹承順, 賫禮部欽奉聖旨咨文來曰, '高麗君位絶嗣, 以異姓假王氏, 非三韓世守之良謀. 果有賢智陪臣在位, 定君臣之分, 雖數十歲^世不朝, 亦何患哉. 連歲來朝, 又何厭哉. 童子不必赴京'. 此聖天子, 念玄陵當四海未定之際, 率先稱臣, 使天下, 知天命之有歸, 大有功於佐運. 故憫其絶嗣, 而望復興於王氏臣子者, 切矣. 昌外祖李琳, 以冢宰, 秘聖旨而不發, 兇謀不測. 辛氏之變, 不朝則夕, 王氏已爲鼎中之魚, 存亡在於呼吸, 而卿^{李成桂}不顧萬死, 躬秉大義, 爲我王氏, 定萬世策, 德符‧夢周‧湧奇‧長壽‧石璘‧浚‧葳‧道傳八將相, 從而贊之. 十一月十五日, 宣天子旨于玄陵定妃之庭, 迎予宗邸, 俾後玄陵. 不刑一人, 不崇朝, 而除十有六年南面之辛氏, 其姻親支黨, 根據盤結于三韓, 環觀破膽, 革面向順, 而不敢動. 人無變色, 日如陽春. 上以紹三十一代相承之序, 下以開千萬億世無疆之休, 卿^{李成桂}興復之功, 非絳侯‧五王, 所擬倫也. 卿^{李成桂}世積忠義, 乃心王室, 德厚流光, 發于卿身. 經文緯武, 王佐之才, 國耳^襷忘家, 社稷之臣, 天地祖宗之所篤生, 三韓安危之所注意. 遇知玄陵, 殲紅賊而收兩京, 驅孼僧^{德興君}而安王室, 走納氏^{納哈出}而威沙漠, 敗倭寇而保西海, 擊引月而懾扶桑, 而卿感玄陵之知遇, 痛宗廟之絶祀, 誓取日於虞淵, 至誠, 徹乎天地, 至忠, 通乎祖宗. 至公至正, 有以服三韓之心, 至仁至恩, 有以結萬姓之歡. 天祐大順, 人助大信, 故興復, 如是其易也. 卿^{李成桂}於是, 信報玄陵之知矣. 昔周公勳勞, 而俾侯于東, 予嘉卿忠, 分茅世封, 圖形銘功, 宥胤無窮, 予率元子, 告于閟宮. 嗚乎, 卿^{李成桂}活我兆民, 紹我宗祀, 再造我三韓之功, 以不腆之襃, 何報萬一哉. 卿爲中興元臣, 名侔乎裴太師^{襃玄慶}, 任重乎商阿衡, 立經陳紀, 爲萬世程, 旁求俊彥, 重我朝廷, 弼予凉德, 保我社稷, 與天無極, 於萬斯年, 與享燕嘗, 則予凉德, 與有光焉. 卿之子孫, 象卿忠良, 永世不忘, 股肱我後嗣王, 與國咸休, 顧不韙歟?".¹⁵²⁾

[丁酉^{4日}, 太白貫月:天文3轉載].

[→金星貫月. 王謂三司右使鄭道傳曰, "金星貫月, 將有何災?". 道傳曰, "咎在上國, 不關我朝". <s>時議非之</s>:節要轉載].¹⁵³⁾

戊戌^{5日}, 太白晝見.

[○白虹貫日:天文1轉載].

---

152) 添字는 『태조실록』 권1, 總書, 공양왕 2년 4월에 의거하였다.
153) 이 기사는 열전32, 鄭道傳에도 수록되어 있는데, 添字는 이에 의거하였다.

○[臺諫交章上疏, 復論曹敏修·李穡·權近. 又請李琳·李貴生·李乙珍·鄭地·禹仁烈·李庚道·王安德·禹洪壽·元庠之罪. ○命我太祖^{守侍中李成桂}及^{門下侍中}沈德符曰, "臺諫所論, 敏修·權近, 旣已罪之, 卿等宜諭臺諫, 更不論執". 遂:<u>節要轉載</u>]徙^{前判門下府事}李穡于咸昌, ^{前門下評理}鄭地于橫川, ^{前門下侍中}李琳于鐵原, 李貴生于固城, 流^{門下贊成事}禹仁烈于淸風, 杖^{前知門下府事}李乙珍·李庚道. [謂^王安德·^禹洪壽有功, ^元庠但聞安烈言, 皆原之:<u>節要轉載</u>].[154]

[→臺諫復疏曰, "法者, 天下古今所公共, 非一人所得而私也. 是故, 願理之君, 有罪者, 雖至親必罰, 有功者, 雖仇怨必賞. 周之管叔, 成王之叔父也, 將危周公而見誅. 漢之上官安, 昭帝之親舅也, 以謀霍光而赤族. 是皆以公滅私, 爲國不顧家者也. 假使周公·霍光, 見疑於成王·昭帝, 則周漢歷年之久, 亦未可期. 唐之張柬之等五人, 忠義社稷之臣也, 中宗以其推戴之力, 入紹正統. 灼知武三思之罪逆, 而牽於私意, 優柔不斷, 卒使忠義功臣柬之等五王, 皆不得保其首領, 尋亦不自免. 此以私滅公, 知有家而不知有國者也. 千載之下, 惜中宗之不斷, 恨五王之失計也. 我玄陵初政之美, 殿下所親見也. 及其末年, 遠忠直近憸邪, 而賞罰失當, 遂使功臣, 無一得全, 卒致十六年異姓之禍. 今天子, 剛明果斷, 信賞必罰, 能一天下, 而以一驛丞之故, 拔盡親王之髮, 以謝天下. 天子之尊, 而不得赦其子者, 誠以法者, 非一人之所得私也. 戊辰回軍之後, 諸將議立王氏, 曹敏修以主將, 沮衆議, 謀於李穡·李琳而立昌. 李穡旣與敏修·李琳, 共謀立昌, 又謀迎禑. 此二人者, 世爲王氏之臣, 而又爲大將·大儒, 宜其首倡大義, 以圖興復, 顧乃沮衆議, 而立異姓. 則其爲祖宗之罪人, 三韓之世讎, 而謀逆之罪明甚矣. 權近齎天子復立王氏咨, 中路私拆, 預知密旨, 不付都堂, 先示李琳. 則其欺天子負王氏, 黨附異姓, 陰謀不軌, 得罪於祖宗亦大矣. 李琳·李貴生·李乙珍·鄭地·禹仁烈·李庚道·王安德·禹洪壽·元庠等, 與逆賊邊安烈, 謀害社稷大臣, 以迎辛禍. 凡謀殺大臣者, 尙且不宥, 況擁立異姓, 使我列聖之靈, 永不血食者乎? 倘使逆謀得逞, 則殿下何以成中興之業, 祖宗何以享孝孫之祀? 然則此逆黨者, 非列聖子孫所共戴天, 非王氏臣子所共立於三韓之地上者也. 願殿下, 爲三韓社稷慮, 爲萬世子孫計, 斷以大義, 明正其罪". ○王召我太祖^{李成桂}

154) 이와 관련된 기사로 다음이 있다.
  · 열전26, 鄭地, "^{恭讓}二年, … 臺諫抗疏, 請論以法, 乃徙橫川. 臺諫復論駁不已, 又徙遠地, 事具<u>安烈傳</u>".
  · 열전27, 禹仁烈, "臺諫交章, 論劾不已, 乃流淸風郡".

及沈德符曰, "臺諫所論, 敏修·權近旣已罪之, 卿等宜諭臺諫, 更不論執". 遂徙琳于鐵原, 穡于咸昌, 地于橫川, 貴生于固城. 流仁烈于淸風, 杖乙珍·庚道, 謂安德·洪壽有功, 庠但聞安烈言, 皆原之. ○臺諫復請曰, "罪莫大於反逆, 天下萬世所不可赦者也. 邊安烈潛圖不軌, 欲殺大臣, 迎辛禑以逞其欲. 臣等上疏, 請鞫其黨, 殿下命司憲糾正申孝昌·司平巡衛府朴爲生, 鞫李乙珍. 乙珍云, '李琳·李貴生·鄭地·李庚道·元庠, 實與其謀'. 又命臺省·巡軍鞫之, 貴生明言謀逆之狀, 問李琳則亦與貴生同. 而殿下皆宥之, 或反褒之, 或止杖之. 遠竄者或徙近邑, 或有削爵而置近境者, 或有不削爵者等. 爲逆黨而罰之不同, 有如是, 大失刑政之公矣. 將見紀綱不振, 讒侫日盛, 兇逆得志, 爭臣杜口. 忠良觖望, 而危亂將至, 中興之大業瓦解矣. ○琳·貴生與逆魁安烈, 潛圖不軌, 其狀已著. 禹仁烈與琳·貴生, 往安烈第, 其同謀之狀明矣. 安烈欲使仁烈·王安德·禹洪壽迎辛禑, 人固多矣, 而必使三人迎禑, 則其與謀也必矣. 仁烈素無節行, 阿附仁任, 安德貪緣軍功, 並至將相. 殿下反以此二人, 爲有功而加爵賞, 何哉? 洪壽於辛禑時, 叅掌機密, 頗有不廉之誚, 惟承家蔭, 驟至卿相. 乙珍·庚道, 頑愚無知, 拔身行伍, 濫稱軍功, 以盜爵祿. 今皆爲逆魁之腹心, 首居刺客之列, 豈可杖之而已乎? 權近私拆天朝復立王氏之咨, 先示逆黨, 以趣逆謀, 罪固不容誅矣. 曹敏修秉主將之權, 沮衆議, 立異姓. 李穡爲世儒宗, 於復立王氏之議, 固當悅而從之, 乃反沮之, 皆王氏祖宗之罪人也. 鄭地·元庠與謀之狀, 乙珍已明言之, 亦豈可不辨而遽捨之乎? 願殿下, 深慮萬世子孫之計, 明正其罪, 以副三韓臣庶之望". 命配琳·貴生·敏修·穡·仁烈·地·近·乙珍·庚道·安德·洪壽·庠等于外. ○諫官再上疏力爭, 不聽. ○臺諫復交章曰, "向者, 邊安烈畜憤於革私田, 及至禮部咨文之來, 欲盡滅王氏, 以固辛氏. 乃與李琳·禹仁烈·王安德·禹洪壽·李貴生等, 潛謀不軌, 以李乙珍·李庚道爲刺客, 欲害忠良, 以謀亂國家. 若其計得行, 則王氏之中興, 其可望乎? 今反加逆黨以官職, 而寵異之, 是勸萬世大逆不軌之黨也. 侍中李[太祖舊諱]成桂, 才兼將相, 心在社稷, 隣敵畏其威, 中原慕其名. 國之存亡, 實繫是人, 若非是人, 殿下何以成中興之大業. 太祖列聖三十一代在天之靈, 何以享殿下之孝祀乎? 今若不去逆黨, 漸使得志, 則臣等恐社稷之忠臣, 必爲唐室之五人, 未免逆黨之中傷矣. 奈何殿下, 以姻婭之故, 曲法赦之乎. 乞明正典刑, 以戒後來" 不聽. ○臺諫復上疏曰, "大逆, 天地之所不容, 人倫之所不赦. 故仲尼作春秋, 而誅亂討賊, 必先誅未發之禍心, 況其已著之大逆乎? 殿下旣爲太祖之神孫, 則安烈之黨, 殿下之世讎也. 國人明知其罪, 而殿下宥之, 則殿下亦祖宗之罪人矣. 奈何以姻媟之故, 聽信讒言, 宥此逆黨, 遂使憸邪之輩得志於內, 忠義之臣解體於外乎? 凡謀逆者, 先植黨與, 而後敢於爲惡. 未知殿下, 以謂安烈無黨與而獨謀乎? 伏願殿下, 割恩正法, 明置琳等典刑". ○又不允:列傳29李琳轉載].

[→□□^{臺諫}交章復論, 遂移穡于^{尙州}咸昌:列傳28李穡轉載].[155)

壬寅^{9日}, 錄回軍諸臣功, 下敎曰, "僞主辛禑, 恣行不道, 歲戊辰^{禑王14年}, 乃與崔瑩, 欲犯遼陽, 將使國家, 得罪天朝, 社稷存亡, 間不容髮, 守門下侍中李[^{太祖舊諱}]^{成桂}, 與前侍中曹敏修, 首倡大義, 諭諸將, 定策回軍, 以安社稷, 功勞重大, 帶礪難忘, 其同心恊^協力者, 門下侍中沈德符·前判三司事王安德·門下贊成事池湧奇·評理裴克廉·尹虎·前評理鄭地·評理商議柳曼殊·知門下府事朴葳·商議知門下府事崔允沚·平壤尹皇甫琳·前□^知密直司事李茂·^{知密直司事}李彬·右代言趙仁沃·鷹揚軍上護軍南誾·奉福君僧神照·判慈惠府事慶補·前黃州牧使趙希古·前原州等處兵馬節制使慶儀·判懿德府事李和·判慈惠府事崔鄲·廣州等處兵馬節制使崔雲海[156)·知密直司事李豆蘭·陸麗·開城尹李承源·知密直司事尹師德·慶尙道都節制使具成老·同知密直司事朴永忠·和寧尹鄭曜·同知密直司事黃希碩·兪光祐·密直副使金仁贊·張思吉·前忠州等處兵馬節制使崔公哲·前江陵等處兵馬節制使王賓·前雞林尹朴可實·前密直副使金天莊·晉州等處兵馬節制使鄭子義·前開城尹李伯·吏曹判書趙溫·前義州牧使鄭松·前判書李德林·前義州萬戶白英祐·千戶張哲等四十五人, 皆賜功臣, 有司啓聞施行. 故領三司事邊安烈·三司左使趙仁璧·完山君李元桂·知申事朴蕭·判慈惠府事安慶·晉州等處兵馬節制使金賞·漢陽尹金伯興等, 雖已身死, 功不可忘. 禮曹判書尹紹宗·判典校寺事南在等, 於回軍之際, 以社稷大計, 援古贊計, 亦可嘉也, 褒賞之典, 有司一一擧行".[157)

---

155) 이 기사는 前年(공양왕1) 12월에 長湍으로 쫓겨나 庶民이 되었던[貶, 貶黜] 李穡이 다시 咸昌(現 慶尙北道 尙州市 咸昌邑)으로 옮겨진 것을 서술한 것이다. 이 날짜[日辰]는 7일(庚子)이전일 것이다.
· 『목은시고』권35, 與長湍縣令文君, 再遊石壁, 文君邀至上流合幷處, 捕魚設食, 晩歸. 有孟昀·柳沂·門生孟思誠·李稚來, 報臺省又論前事付處咸昌 ; 初八日室人來, 蓋欲送我南行也.
156) 이 시기의 崔雲海에 대한 기록으로 다음이 있다.
· 열전27, 崔雲海, "^{密直副使崔雲海.} 又爲楊廣道廣州等處節制使, 兼判廣州牧事, 擊倭于新昌走之. 雲海妻權氏性妬悍, 在廣州, 妬傷雲海面, 裂其衣, 折良弓. 拔劒刺馬擊犬斃. 又追雲海, 欲擊之, 雲海走免, 卽去之. 然猶未絶, 嫁永興君環, 門下府牒憲司鞠之. 自此以後, 入本朝".
157) 前密直司事 李茂는 前知密直司事이다. 또 朴可實은 威化島回軍 2개월 후인 1388년(창왕 즉위년) 8월 21일 元帥兼雞林府尹으로 到任하여 明年(己巳, 창왕1) 10월 16일 上京하였다(『동도역

癸卯^{10日}, 加上先王·先妃尊謚.¹⁵⁸⁾

[乙巳^{12日}, 册恭愍王定妃, 王以絳紗袍·遠遊冠, 御大殿, 南視朝. 降立路臺上, 動樂, 向北再拜. 親奉册寶, 授使·副, 向南再拜. 使·副奉册寶, 出大門外, 王乃入. 執事皆公服, 各司一員侍册寶, 進定妃殿, 肅拜, 上尊號, 曰王太妃:禮7册太后儀轉載].¹⁵⁹⁾

[→王尊妃爲貞淑宣明敬信翼成柔惠王大妃. 册曰, "爲之後者爲之子, 當推孝敬之心, 有是實者, 有是名, 盍擧尊崇之典. 此春秋之大義, 而古今之通規. 恭惟王大妃^{太妃}, 系出蟬聯, 德符窈窕. 先朝作配, 尋遭中否之運, 一旦主盟, 坐定再安之策. 既廓除異姓之禍, 仍遂立宗親之賢. 顧以眇末之資, 獲叨艱大之托, 化家爲國, 實蒙補鍊之功. 順色承顏, 恒奉怡愉之養, 然不進其嘉號, 曷足酬其至恩. 率籲衆情, 爰擇穀旦, 謹奉册寶, 上尊號曰, 貞淑宣明敬信翼成柔惠王大妃^{太妃}, 殿曰敬愼. 誕膺休慶, 丕敍彝倫. 象服是宜, 化益敦於正始. 眉壽無害, 福自享於大平":列傳2恭愍王妃定妃安氏轉載].

丙午^{13日}, 尊母福寧宮主王氏, 爲慈睿貞明翼聖思齊惠德三韓國大妃^{太妃}, 殿曰貞明.

[→丙午, 王以絳紗袍·遠遊冠, 親傳□□^{三韓}國太妃册寶, 禮與册王太妃同:禮7册太后儀轉載].

[丁未^{14日}, 立夏. 白祲見于戶曹南池, 俄變爲赤祲:五行2轉載].

[某日, 憲府劾經筵檢討官申元弼, 矯世子旨. 王爲罷其職, 既而悔之, 欲罪言者. 知申事李行密白世子, 諫止之. 王不聽. □□^{三司}右使鄭道傳曰, "元弼, 乃殿下潛邸之舊, 若宥其罪, 言者必謂殿下喜怒出於私心, 非初政之美意也". 王怒稍解:節要轉載].¹⁶⁰⁾

庚戌^{17日}, 遣密直副使柳爰廷如京師, 陳慰魯王喪.¹⁶¹⁾

세제자기』). 또 이때 공신 책봉에 관한 기사로 다음이 있다(朴天植 1979년).
· 열전18, 柳璥, 曼殊, "又錄回軍功, 賜田及錄券, 遂兼鷹揚軍上護軍".
· 열전24, 趙曒, 仁沃, "遷密直代言, 恭讓時, 錄回軍功, 賜鐵卷·土田".
· 열전26, 鄭地, "^{恭讓}三年, 錄回軍功爲二等, 賜錄卷及田五十結".
· 열전39, 曹敏修, "王錄回軍功, 下敎褒獎, 賜功臣號".
· 『태조실록』권1, 總書, 공양왕 2년 4월, "又錄回軍功, 下敎褒獎, 賜□□□^{錄券及}田一百結".

158) 이때 덧붙여진[加上] 尊號는 『고려사』에 반영되어 있지 않다. 또 『고려사절요』권34에는 壬寅(9일)과 癸卯(10일) 기사의 순서가 바뀌어 있다.
159) 『고려사절요』권34에 12일(乙巳)과 13일(丙午)의 兩日에 이루어진 册封을 하루에 縮約하여 정리하였다("尊定妃安氏, 爲王大妃^{王太妃}, 尊定妃安氏, 爲王大妃^{王太妃}, 尊母王氏, 爲三韓國大妃^{太妃}").
160) 이 기사는 열전32, 鄭道傳 ; 열전37, 申元弼에도 수록되어 있다.

[甲寅^{21日}, 日旁, 有靑赤氣, 中大而端尖:五行2轉載].

[乙卯^{22日}, 雨雹, 隕霜:五行1雨雹轉載].

[戊午^{25日}, 熒惑入羽林:天文3轉載].

庚申^{27日}, [臺諫交章上疏, 復論安烈之黨:節要轉載]. 流^{前知門下府事}李乙珍·李庚道
于遠地, ^{前判三司事}王安德于豊州, ^{簽書密直司事商議}禹洪壽于仁州, ^{前軍器少尹}元庠于光州.¹⁶²⁾

[○亦如之^{雨雹·隕霜}:五行1雨雹轉載].

[某日, 籍京市工商, 其寓居隱漏, 不付籍者, 主客論罪:刑法2禁令轉載].

壬戌^{29日晦}, [小滿]. 祔德寧公主·魯國大長公主于大廟^{太廟163)}:

[○籍田甀池, 沸湧, 聲如雷:五行1水變轉載].

[是月, 蟲食松岳山松□^葉:五行2轉載],¹⁶⁴⁾ [丁亥, 發五部人, 捕之:五行2轉載←
→閏4月로 옮겨감].

閏[四]月癸亥朔^{大盡,辛巳}, 楊廣道都節制使王承貴獻倭捷.

甲子^{2日}, 罷知申事李行·右代言趙仁沃. [初, 臺諫論李穡等罪, 王欲與宰相議之,
行啓曰, "臺諫之論, 安知非功臣意耶? 手書疏尾曰, '依申以穡爲座主', 令仁沃代
署名. 臺諫劾行專事蒙蔽, 幷劾仁沃侵官". 王不得已, 皆罷之. ○我太祖^{李成桂}及功
臣七人, 上書以爲, "臺諫論列, 非臣等所知, 人以此歸咎臣等, 禑·昌之黨, 疾臣等,
造言興謗. 臣等, 請避位弭謗, 以保性命". 遂皆杜門.¹⁶⁵⁾ ^{門下評理兼}大司憲成石璘, 聞
之, 亦上書辭職, 臺諫諭執愈堅. 王素未信李穡謀亂, 且禹洪壽, 駙馬成範之父, 故
怒臺諫彈劾不已, 不進膳. 臺諫伏閤, 請命. ○王傳旨曰, "琳·穡等, 皆已流竄, 勿

---

161) 魯王은 明太祖 朱元璋의 第10子인 朱檀(1370~1373)이다(『明史』 권116, 열전4, 魯王檀).

162) 이 기사는 열전39, 王安德에도 수록되어 있지만 敍述의 順序에 차이가 있다.

163) 이 기사는 열전2, 忠惠王妃, 德寧公主에도 수록되어 있다.

164) 이달에는 丁亥가 없고, 윤4월 25일이 丁亥이므로 5部의 人民이 動員되어 松蟲을 잡은 것은 윤4
월 일 25일에 이루어졌을 것이다.

165) 여기에서 杜門이 다음과 같은 意味를 가지고 있다면, 이러한 行爲를 행한 主體는 中原의 史書
에서 忠義의 對蹠点[奸詐, 奸邪]에 入傳되었을 것이다.
 · 『자치통감』 권6, 秦紀1, 始皇帝 3년(BC207), "趙王以李牧爲將, 將伐燕, … 李牧杜門稱病不
 出, 王强之[胡三省注, 杜門, 塞門以拒絶來者], 李牧曰, '必欲用臣如前, 乃敢奉令', 王許之".

更論請”:節要轉載].

[→臺諫又論穡·琳, 王欲與宰相議, 知申事李行曰, "臺諫之論, 安知非功臣意耶. 手書疏尾曰, 依申, 以穡爲座主. 令右代言趙仁沃代署名. 臺諫劾行黨附座主, 專事蒙蔽, 又劾仁沃侵官", 王不得已皆罷之. ○我太祖^{李成桂}及功臣七人上書以爲, "臺諫論列, 非臣等所知, 人以此歸咎臣等. 禑·昌之黨疾臣等, 造言興謗, 臣等請避位弭謗, 以保性命". 遂皆杜門. 大司憲成石璘聞之, 亦上書辭職, 臺諫論執愈堅. 王素未信李穡謀亂, 且禹洪壽駙馬成範之父, 故怒臺諫彈劾不已, 不進膳. 臺諫伏閣請命, 王曰, "琳·穡等, 皆已流竄, 勿更論請". 王以功臣等不視事, 命評理裴克廉, 署事都堂, 大提學安宗源, □□^{二評}左使權仲和等白王曰, "都堂庶事至繁, 如兩侍中, 不可一日無也. 速令九功臣就職". 王曰, "卿等其圖之". 對曰, "古者一相辭職, 都堂皆改批. 今亦宜改九功臣批, 令出視事", 王從之. 九功臣詣闕拜謝, 王召入內殿, 賜酒慰之, 乃出視事:列傳28李穡轉載].

[○熒惑入羽林:天文3轉載].

丙寅^{4日}, 九功臣上書, 辭職.

[○太白貫月:天文3轉載].

[○夜, ^{籍田}甑池, 振動, 兩虹並現, 水聲如鼓, 色如血, 氣如烟蒸:五行1水變轉載].

庚午^{8日}, 命九功臣視事.

○臺諫以不得其言, 辭職.

辛未^{9日}, 左遷右司議□□^{大夫}李舒爲光州牧使, 兼執義南在爲鐵原府使, 執義全伯英爲水原府使, 掌令權湛爲南原府使, 金若恒△爲知谷州郡事, 起居舍人徐彦△^{爲知}淳昌郡事, 持平宋愚△^爲知成州郡事, 慶習△^爲知遂安郡事, 獻納咸傅霖△^爲知春州郡事, 張子崇爲平壤判官, 正言全賓△^爲知肅州郡事. 以李廷輔爲左常侍^{左散騎常侍 166)}, 金震陽·李擴爲左·右司議□□^{大夫}, 李室爲左獻納, 鄭擢爲左正言, 崔遠△^爲兼執義, 安景儉爲執義, 許周·崔兢△^並爲掌令, 趙庸·趙謙△^並爲持平. 又以閔開爲知申事, [^{中顯大夫·試司憲執義·進賢館直提學}李詹爲奉翊大夫·禮曹判書·經筵講讀官·寶文閣直提學·知製敎:追加].¹⁶⁷⁾

---

166) 左常侍는 左散騎常侍의 略稱이다(→공양왕 2년 9월 5일, 3년 12월 24일).
167) 이는 『쌍매당협장집』연보에 의거하였다.

○流^{前知申事}李行于淸州.

[→臺諫以言不聽辭, 皆左遷爲守令, 流<u>行</u>于淸州:列傳28李穡轉載].

甲戌^{12日}, ^{蒙古拍拍太子之子}六十奴來自濟州.

乙亥^{13日}, 命贊成事鄭夢周, 宴慰. 六十奴曰, "耽羅産馬, 聞于上國久矣, 吾在耽羅, 已五六年, 馬之良者甚少, 故今朝京師, 未得一馬以贄". 夢周以啓, 王曰, "上國屢使我獻馬, 以有耽羅耳, 六十奴所言如此, 則我國良馬之有無, 不待聞而達矣".

戊寅^{16日}, 刑曹判書韓尙質等上疏, 以謂, 今臺省以言貶外, 請授京官, 以開言路. 不聽.

己卯^{17日}, 封長女爲肅寧宮主, 二女爲貞信宮主, 三女爲敬和宮主.

○以[<u>姜蓍</u>爲判慈惠府事·上護軍·同判都評議使司事:追加],¹⁶⁸⁾ 三司右使<u>鄭道傳</u>爲政堂文學·^{同判都評議使司事兼成均大司成 169)} <u>金士衡</u>爲密直使兼大司憲, ^{禮曹判書}<u>李詹</u>爲左副代言,¹⁷⁰⁾ 我太宗^{李芳遠}爲<u>右副代言</u>,¹⁷¹⁾ <u>韓尙質</u>爲<u>右常侍</u>^{右散騎常侍 172)}.

庚辰^{18日}, 召還^{前判三司事}<u>王安德</u>.¹⁷³⁾

辛巳^{19日}, 王御正殿, 宴^{蒙古拍拍太子之子}六十奴.

[丙戌^{24日}, ^{奉常大夫·成均司藝·寶文閣直提學}<u>劉敬</u>爲經筵檢討官, 餘並如故:追加].¹⁷⁴⁾

[<u>丁亥</u>^{25日}, 發五部人, 捕之^{捕松岳松蟲}←4月에서 옮겨옴].

[戊子^{26日}, 茶房里井, 鳴如牛吼:五行1水變轉載].

己丑^{27日}, ^{蒙古拍拍太子之子}<u>六十奴</u>及火者卜尼如京師.¹⁷⁵⁾

---

168) 姜蓍는『양촌집』권39, 姜蓍墓誌銘에 의거하였다.

169) 鄭道傳의 兼職은 그의 열전에 의거하였다.

170) 이때 李詹은 正順大夫·密直司左副代言·經筵參贊官兼判繕工寺事·寶文閣直提學·知製敎充春秋館編修官·知禮曹事에 임명되었다(『쌍매당협장집』연보).

171) 이때 李芳遠은 正順大夫·右副代言·經筵參贊官兼判典客寺事·進賢館提學·知製敎·知工曹事에 임명되었다(1392년의 和寧府戶籍의 2幅, 盧明鎬 等編 2000년 258面).

172) 右常侍는 右散騎常侍의 약칭이다(→공양왕 2년 9월 5일, 3년 12월 24일).

173) 王安德은 前月에 豊州에 유배되었기에 그의 열전에는 '踰月召還'으로 기록되어 있다.

174) 이는「劉敬政案」, "洪武二十三年閏四月月二十四日, 批經筵檢討官, 餘並如故"에 의거하였다.

175) 이보다 먼저 明이 耽羅에 있는 元 伯伯(拍拍, Baibai)太子의 아들 六十奴[Liosiliu]를 召還하였는데(前年 11월 壬午^{18日}), 이해의 7월 金乙祥이 京師에 도착하여 六十奴·火者 卜尼를 京師에

○王御經筵, 講讀官成石珚進講'貞觀政要'曰, "太宗好聽直言, 然臣下畏威, 不能盡言. 太宗深知之, 必和顏而納之曰, 群臣盍爲我言之, 盖古之聖君, 以天下之聰明, 爲己聰明, 故必採蒭蕘之言. 願上廣咨博訪, 裁度而用之. 僞朝辛禑狂暴拒諫, 多行不道. 時臣爲獻納, 與諫議^{司議大夫?}權近極諫, 禑醉甚, 欲射臣等, 是其所以速亡也".

[某日, 都堂請設武科, 俱通諸家兵書, 且精武藝者, 爲一等, 粗習武藝通兵書者, 爲二等, 或通兵書, 或精一藝者, 爲三等, 取三十三人, 從之:節要轉載].

[→都評議使司奏, "文武二道, 不可偏廢, 本朝, 只取文科, 不取武科, 故武藝成材者少. 當以寅·申·巳·亥, 試武科, 其試官則以兩府以上一員, 同考試官則以三·四品中文武各一員, 試取給牌, 一如文科儀. 一等三人, 取諸家兵書俱通, 且精武藝者, 二等七人, 取粗習武藝, 通兵書者, 三等二十三人, 取或通兵書, 或精一藝者, 永爲恒式", 從之:選擧2武科轉載].

[→都評議使司奏, "積慶園七位, 祔廟安神, 祭及四時, 祭享器物禮儀, 一依諸陵署", 從之:禮3吉禮大祀轉載].

[是月, 知申事閔開, □□□□□^{掌成均館試}, 取李逖等九十九人:選擧2國子試額轉載].¹⁷⁶⁾

[是月頃, 以^{匡靖大夫}王賓爲雞林府尹兼管內勸農·都兵馬使, 尹義爲羅州牧判官, 尹莘老爲知永州事:追加].¹⁷⁷⁾

五月癸巳朔^{小盡.壬午}, [夏至]. ^{順安君}王昉·^{同知密直司事}趙胖等還自京師, 啓曰, "禮部^召^晉臣等曰, '爾國人, 有^{披平君}尹彝·^{中郎將}李初者來, 訴于帝言, 高麗李侍中^{李成桂}立^于瑤爲主, 瑤非宗室, 乃其^{李侍中}姻親也. 瑤與李[太祖舊諱]^{成桂}謀動兵馬, 將犯上國, 宰相李穡等, 以爲不可, 卽將李穡·<del>曹敏修·李琳·邊安烈·權仲和·張夏·李崇仁·權近·李種學·李貴生</del>等十人殺害, 將禹玄寶·<del>禹仁烈·鄭地·金宗衍·尹有麟·洪仁桂·陳乙瑞·慶補·李仁敏</del>等九人遠流. 其在貶宰相等, 潛遣我等來, 告天子. 仍請親王, 動天下兵來討'. 乃出彝·初所記穡<del>敏修</del>等姓名, 以示之. <del>胖與彝等對辨曰, '本國事大以誠, 安有是乎'. 因問彝曰, '爾位至封君, 頗知我乎'. 彝愕然失色.</del> 禮部官曰, 爾速還

송환시키자 六十奴에게 銀 50兩·鈔 50錠을, 卜尼에게 銀 20兩·鈔 10錠을 下賜하고 각각에게 衣 1襲을 내리고, 高麗 使者에게 賞을 차등있게 내렸다고 한다(『명태조실록』 권203, 洪武 23년 7월 甲辰^{14日}).

176) 이때 申槩(1374~1446)가 生員, 進士 兩科의 會試에 합격하였다고 한다(『寅齋集』年譜).

177) 이는 『동도역세제자기』; 『금성일기』; 『영천선생안』에 의거하였다.

國, 語王及宰相, 將彝書內人等, 詰問來報".[178]

[○於是, 臺諫相繼上疏, 請鞫彝·初之黨. 留中不下:節要·列傳28李穡轉載].

戊戌[6日], 夜, [前全羅道元帥]金宗衍逃, 大索境內. [國家, 初聞胖言, 欲行推鞫, 而遲疑未決. [判三司事]池湧奇, 與宗衍善, 密語宗衍曰, "公之名, 在彝·初書中, 公其危哉". 宗衍懼, 乃逃. 由是, 大獄遽起:節要轉載]. 遂下[判三司事]禹玄寶·[門下贊成事]權仲和·[判慈惠府事]慶補·[門下評理]張夏·[前泥城元帥]洪仁桂·[前密直副使]尹有麟于巡軍獄. 并下[前忠州等處兵馬節制使]崔公哲等十一人于獄. 又囚[前判門下府事]李穡·[前門下侍中]李琳·[前門下贊成事]禹仁烈·[前門下評理]李仁敏·[前門下評理]鄭地·[前簽書密直司事]李崇仁·[前簽書密直司事]權近·[厚德府尹]李種學·李貴生等于淸州獄.

[→獄官先鞫有麟, 峻急. 辭連崔公哲·崔七夕·曹彦·趙瑓·公義·韓成·金忠等, 并下獄. 逮繫穡·琳·仁烈·仁敏·地·崇仁·近·種學·貴生等于淸州獄:節要轉載].[179]

[→彝·初獄起, 繫琳淸州, 尋[6月]以水灾免:列傳29李琳轉載].

辛丑[9日], [前密直副使]尹有麟死獄中, 梟首于市, 籍其家. [有麟從弟思康, 素無行, 嘗爲僧犯贓, 亡入上國, 改名彝. 有麟家臣丁夫介, 從胖赴京師, 知而不言. 及還, 先往有麟家, 言其狀. 事覺, 囚夫介:節要轉載].[180]

[乙巳[13日], 遣門下評理尹虎·密直副使朴經·右司議□□[大夫]李擴·刑曹佐郞申孝昌·司憲糾正田時等, 同楊廣道都觀察使柳珣, 鞫李穡等于淸州:節要轉載].[181]

[○獲宗衍于鳳州山中, 囚于巡軍. 宗衍復從厠竇逃, 大索城中, 三日不獲. 以防禁不嚴, 斬當直令史, 囚鎭撫李士穎:節要轉載].

[→獲宗衍于鳳州山中, 囚巡軍, 臺省·刑曹, 鞫問不服. 翼日[丙午14日]夜, 宗衍從厠竇出, 率其子伯鈞·孟鈞·仲鈞及奴數人又逃. 大索城中, 三日不獲. 以防禁不嚴, 斬當直令史, 囚鎭撫李士穎于巡軍:列傳17金宗衍轉載].

---

178) 添字는 『고려사절요』 권34 ; 열전28, 李穡 ; 『태조실록』 권1, 總書, 공양왕 2년 5월에 의거하였다. 또 이와 관련된 자료로 다음이 있다.
　　· 『태종실록』 권2, 1년 10월 壬午[27日], "復興君趙胖卒. … 己巳[恭讓1年], 恭讓君卽位, 齎宗支圖本幷實封赴京. 適有名尹彝·李初者, 詐稱高麗宰相, 構我太祖, 請親王動天下兵. 胖抗言明辨, 帝疑乃釋".
179) 이 기사는 열전28, 李穡에도 수록되어 있다.
180) 이 기사는 열전28, 李穡에도 수록되어 있다.
181) 이 기사는 열전28, 李穡에도 수록되어 있다.

丙午^{14日}, 以^{禮曹判書}王康爲密直副使兼全羅·慶尙·楊廣三道水軍都體察使,¹⁸²⁾ 韓尙質爲藝文館提學, 柳亮爲刑曹判書.

[→^{王康,} 尋轉禮曹判書, 陞密直副使兼楊廣·全羅·慶尙道水軍都體察使·鹽鐵漕轉招討營田繕城事. 教曰, “國家中遭否運, 僞主昏淫, 權臣貪暴, 紀綱大壞. 加以倭寇陸梁, 州郡凋瘵, 漕轉不通, 倉庾虛竭. 撥亂之後, 思得才能, 以革舊弊, 堂臣薦卿, 以任海道, 不數年間, 果有成效. 簡鍊戎兵, 而島吏遠遁, 轉輸糧餉, 而國用不竭. 予嘉乃功, 今委以三道都體察使, 以摠水陸之事, 其軍吏有功者, 具名以聞, 予將擢用. 奉翊□□大夫以上, 申請科罪, 三品以下, 聽卿專斷”. 康, 屢運三道軍須稅貢, 都堂必設宴勞之. 康, 以利國爲己任務, 盡魚鹽之利, 錢貨之入鉅萬計, 國家賴之. 康, 侵牟海道, 民多怨咨, 時謂康爲聚斂之臣:列傳29王康轉載].

辛亥^{19日}, 日本關西九州節度使源了俊^{今川了俊}, 遣周能等來, 獻土物.

[○松岳山頭, 雨雪:五行1雨雪轉載].¹⁸³⁾

[乙卯^{23日}, 以陰雨連日不開, 故設祈晴法席于順天寺:五行2轉載].

丁巳^{25日}, ^{前忠州等處兵馬節制使}崔公哲死獄中, ^{前泥城元帥}洪仁桂亦尋死, 並梟首于市.

[戊午^{26日}, 淸州, 忽雷雨大作, 前川暴漲, 毀城南門, 直衝北門, 城中, 水深丈餘, 漂沒官舍·民居, 殆盡:五行1水潦轉載].

[→方鞫諸囚, 忽雷雨大作, 前川暴漲, 毀城南門, 直衝北門, 城中水深丈餘, 漂沒官舍, 民居殆盡. 獄官蒼黃, 攀樹木以免, 故老謂自有州以來, 未有水災如此, 其甚者:節要轉載].

[→^{門下評理尹}虎等在淸州, 鞫諸囚, 皆不服. 忽雷雨大作, 前川暴漲, 毀城南門, 直衝北門. 城中水深丈餘, 漂沒官舍, 民居殆盡, 獄官蒼黃, 攀樹木以免. 故老謂自有州以來, 未有水災如此, 其甚者:列傳28李穡轉載].

[是月, 蝗:節要·五行2轉載].

[○奉順大夫崔自源, 以慶尙海道萬戶兼迎日縣令, 到任:追加].¹⁸⁴⁾

---

182) 王康은 明年(辛未, 공양왕3) 3월 15일 羅州牧에 들어왔다(『금성일기』).

183) 이날은 율리우스曆으로 1390년 7월 9일(그레고리曆 7월 17일)에 해당한다.

184) 이는 다음의 자료에 의거하였다.
   ·『도은집』 권4, 迎日縣新城記, “… 歲庚午二月, 益陽崔侯^{崔自源}以萬夫長來莅于此, 職兼縣寄, 政

[○前中顯大夫·書雲正張仁順, 谷州郡夫人康氏等開板‘妙法蓮華經’追加].[185]

[是月頃, 以通憲大夫呂稱爲羅州牧使, 田某爲玄風縣監務:追加].[186]

六月王戌朔小盡,癸未, [某日, □□先是, 淮陽府民權金, 夜被虎搏. 家有丁壯七八人, 懼不敢出, 其妻, 抱夫腰, 據門限, 高聲叫號, 盡力救之, 虎乃舍之. 明日, 權死. 都堂旌表, 褒賞:節要轉載].[187]

甲子3日, 積慶園成.

[→王命政堂文學鄭道傳撰積慶園中興碑, 賜衣一襲·廏馬一匹:列傳32鄭道傳轉載].

乙丑4日, 王以淸州大水, 又前月雨雪, 召門下侍中沈德符及我太祖守侍中李成桂議放罪囚. 遣吏曹判書趙溫于淸州, 下敎曰, "王昉·趙胖回自京師, 傳言, ‘蒙禮部省會令, 與本國逃去二人對問, 一名尹彝, 詐稱坡平君, 一名李初, 稱中郎將等言說, 本國將前判門下府事李穡等十人殺害, 判三司事禹玄寶等九人遠流, 擧兵, 將欲侵犯中國. 其在貶宰相等敎令. 彝等前赴京師, 陳告, 仍請親王, 動天下兵來討’. 據此, 如尹彝等所言, 其敎令之人, 罪涉叛逆, 在所推明. 乃命有司, 究問尹彝之親, 有麟自知其罪, 不食而死, 同謀崔公哲伏辜, 金宗衍在逃未獲. 其餘人等, 情狀未明, 苟加榜訊, 恐有陷於詿誤者, 予甚憫焉. 將上項人等, 除已見伏招外, 宜於各處安置. 後有實狀見露, 予不敢私". 國人大悅.[188]

翌日丙寅5日, 又以久雨, 放京外二罪以下囚, 外方付處者, 勿論輕重, 並皆本鄕從便, 京城所放罪囚, 凡百五十餘人.[189]

令大行. … 侯名自源, 階奉順大夫, 落落以功名自喜".

185) 이는 다음의 자료에 의거하였다(修德寺 所藏, 문상련 2018년 ; 郭丞勳 2021년 553面).
· 『묘법연화경』, 卷末題記, "… 洪武廿三年五月日跋,」 同願 前中顯大夫·書雲正張仁順,」 谷州郡夫人康氏,」 比丘 惠朦,」 印粧 惠元,」 背畫 達生,」".
186) 呂稱은 『금성일기』에, 田某는 是年 是年條 監務設置의 記事에 의거하였다.
187) 이와 같은 기사로 다음이 있다.
· 열전34, 烈女, 權金妻, "淮陽府民權金, 夜被虎搏, 家有丁壯七八人, 懼不敢出. 妻抱權金腰, 據門限大聲叫號, 虎舍之, 攫牸牛而去. 明日, 權金死. 恭讓二年, 交州道觀察使報都堂, 旌表其閭".
188) 이때(6월 26일) 발생한 淸州에서의 洪水[大水]는 한반도의 中部地域[舒川郡-世宗市-淸州市 降로 연결되는 降雨帶]에서 간혹 발생하는 짧은 시간 내에 降雨量이 많은 기습적인 暴雨일 것이다(淸州市, 1995년 8월 25일陰7月29日 293mm, 2017년 7월 16일陰閏5月24日 約300mm).
189) 이때 淸州에서 석방된 인물에 관한 기사로 다음이 있다.

[丁卯^{6日}, 命禳<u>淫雨</u>及蝗蟲之災:五行2轉載].$^{190)}$

[戊辰^{7日}, 江陵·交州, 蝗蟲食苗:五行2轉載].

己巳^{8日}, 賜<u>李愭</u>等及第.$^{191)}$

癸酉^{12日}, 憲府^{司憲府}劾前郞將金粹, 爲造成監役官, <u>盜材木</u>等物, 流之.

[甲戌^{13日}, 碧瀾渡潮水, 赤, 二日:五行1轉載].

丙子^{15日}, 遣政堂文學鄭道傳如京師, 賀聖節, 藝文館提學韓尙質, 賀千秋. 且奏

- 열전26, 鄭地, "<u>尹彝</u>·<u>李初</u>之獄起, <u>地</u>逮繫淸州, 栲訊不服曰, '<u>李</u>侍中仗義回軍, 吾以伊·霍故事, 諷侍中, 深有意爾, 復何黨<u>彝</u>·<u>初</u>歟'. 言必誓天. 辭旨感慨, 有足動人者, 獄官不能取辭. <u>地</u>退謂人曰, '人生會有一死, 生何足惜. 但王氏復國, 而死非其罪, 是可痛也'. 明日, 將峻刑鞠之, 以水災免".
- 열전28, 李穡, "… 囚_「<u>夫介</u>, 逮繫穡·琳·仁烈·仁敏·地·崇仁·近·種學·貴生等于淸州獄, 遣門下評理尹虎·密直副使朴經·右司議□□_{大木}李擴·刑曹佐郞申孝昌·田時, 與楊廣道都觀察使柳玽, 鞠之. 虎等在淸州, 鞠諸囚, 皆不服. 忽雷雨大作, 前川暴漲, 毁城南門, 直衝北門. 城中水深丈餘, 漂沒官舍, 民居殆盡, 獄官蒼黃, 攀樹木以免. 故老謂, '自有州以來, 未有水災如此其甚者'. 王以水災, 下敎釋之, 仍^{八月}安置咸昌, 尋^{十二月}宥循許從便".
- 『목은집』연보, 洪武廿三年庚午, "… 五月, 逮至淸州, 有水譴, 蒙宥到長湍".
- 열전28, 李崇仁, "… <u>尹彝</u>·<u>李初</u>獄起, 逮繫淸州, 以水災免. 未幾, 許從便. 召還給告身, 除知密直司事·同知春秋館事".

190) 淫雨는 霪雨로도 表記되며 霖雨와 같은 意味로 3일 이상 계속 많이 내리는 降雨를 가리킨다.
- 『禮記注疏』권15, 月令, 季春之月, "… 行秋令, 則天多沈雨, 淫雨蚤降[<u>鄭玄</u>注, 戌之氣乘之也, 九月多陰, 淫, 霖也, 雨三日以上爲霖, 今月令日衆雨]".

191) 이와 관련된 기사로 다음이 있다.
- 지27, 선거1, 科目1, 選場, "恭讓王二年六月, 門下評理<u>成石磷</u>^{本石璘}知貢擧, 評理<u>趙浚</u>同知貢擧, 取進士, ^{己巳} 覆試, 賜<u>李愭</u>等三十三人及第".
- 『쌍매당협장집』연보, "^{洪武二十三年庚午}夏四月, 文臣獨谷<u>成石磷</u>^{本石璘}·松堂<u>趙浚</u>同掌禮闈殿試, 公^{李詹}爲讀卷官, 選<u>李愭</u>等三十三人". 이 자료에 의해 試官과 讀卷官의 임명은 4월에 이루어졌음을 알 수 있다.
- 『獨谷集』行狀, "庚午夏, 知貢擧, 取<u>李愭</u>等三十三人".
- 『敬齋遺稿』권1, 許稠墓誌銘, "歲庚午, 獨谷成公<u>石磷</u>·松堂趙公<u>浚</u>試禮闈, 公擢丙科. 兩公甚器重之, 丞典儀寺".
  이때 ^{生員}<u>李愭</u>(^{戊辰生員}<u>申商</u>·<u>李合</u>(乙科3人), ^{生員}<u>鄭守弘</u>·^{生員}<u>許稠</u>·^{生員}<u>朴剛生</u>·^{生員}<u>金可珍</u>·^{生員}<u>朴寬</u>·^{新進}^{士}<u>李遂</u>·^{生員}<u>金宗義</u>(丙科7人), ^{主簿}<u>皮子休</u>·^{進士}<u>鄭忖</u>·^{生員}<u>柳直</u>·^{生員}<u>尹壽台</u>·^{生員}<u>鄭孝復</u>·^{新進士}<u>金灑</u>·^{新進士}<u>李經</u>·^{生員}<u>張弛</u>·^{生員}<u>盧仁復</u>·^{生員}<u>盧仁度</u>·^{生員}<u>洪魯</u>·^{生員}<u>李子澄</u>·^{生員}<u>崔潤</u>·^{生員}<u>李簡</u>·^{生員}<u>盧慮</u>·^{慈惠府主簿}<u>金汾</u>·^{生員}<u>崔坑</u>·^{生員}<u>崔伊</u>·^{新進士}<u>全有生</u>·<u>林栖筠</u>·^{生員}<u>任聘</u>·^{生員}<u>金彦璋</u>·^{生員}<u>金孝恭</u>(同進士23人)이 급제하였다(『등과록』; 『전조과거사적』, 朴龍雲 1990 ; 許興植 2005년).
  이들 중에서 崔潤·崔坑·崔伊 등의 3人 가운데 1人은 崔府(1370~1452)로 改名하였던 것 같다(『단종실록』권1, 즉위년 6월 辛未^{10日}).

曰, "彝·初誣妄, 臣不敢先辨虛實, 乞遣欽差一官, 前來究問, 仍許臣赴京面奏".[192]

戊寅[17日], [立秋]. 太白晝見,

己卯[18日], 亦如之太白晝見.

○楊廣道觀察使都觀察黜陟使柳珣 報倭賊入寇, 議修山城.

[○禮成江水, 赤沸三日:五行1轉載]. [王有憂色, 經筵檢討官申元弼曰, "安知其不爲祥也?". 人譏其詔:節要轉載].

[→禮成江水, 赤沸三日. 王有憂色, 元弼曰, "安知其不爲祥也?". 元弼每進諛言, 且以異端之說, 蠱惑王心. 出入房闥, 與宦寺同流, 恣爲邪媚, 士林鄙之:列傳37申元弼轉載].

庚辰[19日], 太白晝見, 經天.

○遣同知密直司事安叔老, 聘于燕王朱棣.

○倭寇楊廣道, 至陰竹·陰城·安城·竹州·槐州, 遣知密直司事尹師德·慈惠尹李[恭靖王舊諱]芳果·密直副使柳龍生·金用超·懿德府尹郭忠輔, 捕之. 遇賊于寧州道高山下, 斬敵百餘級, 取所虜男女·頭匹, 以歸.[193]

辛巳[20日], 太白晝見.

壬午[21日], 亦如之太白晝見.

○門下府郎舍諫官等上疏曰,[194] "殿下卽位之初, 卽以無逸自期, 命代言成石瑢, 書無逸篇以進, 一國臣民, 罔不欣欣. 邇者, 日加巳午, 乃出, 或宴至夜分, 臣等缺望. 願自今, 早朝聽政, 勿爲夜宴". 王納之.

---

192) 韓尙質은 9월 5일(甲午) 箋을 올리고 方物을 바쳐 皇太子 標의 生日[千秋節]을 賀禮하였고, 鄭道傳 등은 18일(丁未) 奉天殿에서 群臣과 함께 天壽聖節을 하례하고 방물을 바쳐 1人當 鈔 20錠·文綺 各 2疋을 받았다(『명태조실록』 권204).

193) 道高山은 조선시대의 忠淸道 新昌縣과 禮山縣에 걸쳐 있었으므로 寧州는 天安府에 해당할 것이다(『신증동국여지승람』 권20, 新昌縣, 禮山縣, 山川). 또 頭匹은 頭疋로도 표기하는데, 家畜을 指稱한다.
   · 『元典章』 권2, 聖政1, 勸農桑, "至元三十一年四月 … 不以是何諸色人等, 毋得縱放頭疋, 食踐損壞桑果·田禾, 違者斷罪倍還".

194) 門下府郎舍는 『고려사절요』 권34에는 諫官으로 표기되어 있는데, 兩者가 同一한 意味임을 보여 준다.

[某日, 都堂啓, "門下錄事·注書·三司都事·密直堂後□^省·內院令丞·膳官令丞, 皆用私財, 以供官費, 名爲役官, 有違設官之義. 請自今, 其<u>飮食</u>^{宣飯}紙扎, 皆令官給", 從之:節要·選擧3役官轉載].[195)

癸未^{22日}, 我太祖^{守侍中李成桂}辭食邑. 不許.

丙戌^{25日}, 王如積慶園.

戊子^{27日}, 追上四親爵<u>謚</u>^諡, 安神主于積慶園, 使母弟瑀, <u>主祀</u>.[196)

[己丑^{28日}, 王師粲英入寂:追加].[197)

[某日, 以大明錢貫, 與本國布匹, 難以准計, 今後, 每一貫, 准布五匹:食貨2貨幣轉載].

庚寅^{29日晦}, ^{左司議大夫}<u>金震陽</u>罷.

[→憲府上疏曰, "左司議□□^{大夫}<u>金震陽</u>, 嘗語同僚曰, '彝·初之事, 三歲小童, 亦知其誣'. 輕論大道, 以沮正論, 請削職遠配. ○遂罷之, 其他諫官亦皆左遷:節要轉載].

[→恭讓時, 彝·初獄起, 震陽語同僚曰, "彝·初之事, 三歲小童, 亦知其誣". 憲司劾以輕論大逆, 以沮正論, 請削職遠流不叙. 王止罷其職:列傳30金震陽轉載].

[是月, 以梁安澤爲扶安縣監務:追加].[198)

[夏某月, 以^{承奉郎·軍器主簿}<u>權遇</u>爲掖庭內謁者監:追加].[199)

秋七月辛卯朔^{小盡,甲申}, 太白晝見.

○以<u>鄭寓</u>·<u>李伯由</u>爲<u>左</u>·<u>右常侍</u>^{左·右散騎常侍},[200) 崔云嗣爲左司議□□^{大夫}, 李蟠爲右獻

---

195) 添字는 지29, 選擧3, 役官에서 달리 표기된 것이다.

196) 王弟 瑀에 관한 기사는 열전4, 神宗王子, 襄陽公恕에도 수록되어 있다.

197) 이는 「忠州億政寺故高麗王師謚大智國師塔碑銘」에 의거하였다. 또 이날은 율리우스曆으로 1390년 8월 9일(그레고리曆 8월 17일)에 해당한다.

198) 이는 『부안읍지』, 先生案에 의거하였다.

199) 이는 다음의 자료에 의거하였다.
·『梅軒集』권6, 梅軒先生行狀, "庚午夏, 轉掖庭內謁者監".

200) 左·右常侍는 左·右散騎常侍의 약칭이다(→공양왕 2년 9월 5일, 3년 12월 24일).

納, 權壎爲左正言.

○大赦境內, 敎曰, “理莫先於立孝, 禮莫大於正名, 予式紹丕圖, 恪遵舊典. 恭惟, 祖宗三十一代之廟, 修閟宮, 而嚴吉享, 薦寶冊而進殊稱, 高·曾以下, 四代之親, 封高官而置園, 命母弟以主祀. 上以奉尊祖之大義, 下以伸敬親之私恩. 名旣正而順於言, 孝已立而合於道, 神人, 以之而悅懌, 宗社, 以之而榮懷. 萬世之休, 實基於此. 因玆盛擧, 宜布寬條. 嗚呼, 追遠愼終, 德必期於歸厚, 赦過宥罪, 仁用推於好生”.

[→大赦. 贊成事鄭夢周, 以臺諫論執彝·初之黨甚力, 啓王, 宜囚封崇四代, 大霈鴻恩, 從之:節要轉載].

丙申[6日], 太白晝見, 王懼, 命申嚴門禁.

○講讀官柳伯濡言於經筵曰, “人命至重, 不可輕殺, 宜令三復啓”. 王曰, “近, 臺諫請誅[前判門下府事]李穡等, 予皆不允. 昔有射鉤者, 反爲忠臣. 人有罪而我宥之, 豈不感悅而効忠乎”?.

庚子[10日], [密直副使]柳爰廷還自京師, 啓曰, “帝知彝·初誣妄, 遠流于溧水縣”.[201]

辛丑[11日], 太白晝見, 終月.

[某日, 都堂啓曰, “非有功不封, 古之制也, 近不論功德之有無, 官資之崇卑, 封君者太多. 乞自今, 非立大功封君, 及贊成事以上封君者, 不許給祿”, 從之:節要·食貨3祿俸轉載].

□[癸]都堂啓, “舊制, 兩班戶口, 必於三年一成籍, 一件, 納於官, 一件, 藏於家. 各於戶籍內, 戶主世系, 及同居子息·兄弟·姪壻之族派, 至於奴婢, 所傳宗派, 所生名歲, 奴妻婢夫之良賤, 一皆備錄, 易以考閱. 近年以來, 戶籍法廢, 不唯兩班世系之難尋, 或壓良爲賤, 或以賤從良, 遂致訟獄盈庭, 案牘紛紜. 願自今, 倣舊制施行, 其無戶籍者, 不許出告身立朝, 且戶籍不付奴婢, 一皆屬公”. 王納之, 然竟未能行:食貨2戶口轉載].

乙巳[15日], [書雲觀上疏曰, “道詵密記. 有地理衰旺之說, 宜幸漢陽, 以休松都地德”. 王謂[同知經筵事]朴宜中曰, “卿以遷都爲何如?”. 對曰, “古昔人君, 以讖緯術數,

---

201) 溧水縣은 南京 應天府의 管內에 위치하였다.

保其國家, 臣未之聞也. 且動衆, 則擾民之弊, 供億之費, 可勝言哉. <u>書曰</u>, '匹夫匹婦, 不獲自盡, 人主^{民主}罔與成厥功'[202] 願殿下察焉". 王曰, "吾非不知其弊, 陰陽之說, 亦豈妄哉?". 乃:<u>節要轉載</u>]以□^下評理裴克廉爲楊廣道察理使, 監修漢陽宮闕.

[→書雲觀上疏曰, "<u>道詵密記</u>, 有地理衰旺之說. 宜幸漢陽, 以休松都地德". 王謂宜中曰, "卿以遷都爲何如?". 對曰, "古昔人君, 以讖緯術數, 保其國家, 臣未之聞. 況今下民多疑, 有書來自上國, 則曰, '必有事', 西北界有報牒急騎, 則曰, '天兵將至', 禁宮門闌入, 則曰, '是必有以也'. 民心旣如是, 又動衆以遷, 則下民尤惑矣. 供億之費, 搔擾之弊, 不可勝言. 書曰, '匹夫匹婦, 不獲自盡, 人主罔與成厥功'. 願殿下察焉". 王曰, "吾非不知其弊, 陰陽之說, 豈盡誣也?". 不聽:列傳25<u>朴宜中轉載</u>][203]

[○鵬鳴于<u>景寧殿</u>^{景靈殿}:五行1轉載][204]

己酉^{19日}, [白露]. [<u>王欲重修演福寺</u>:節要轉載], 命撤演福寺傍近民家三十餘戶, 廣其垣墻, 浚三池·九井.

癸丑^{23日}, 左獻納<u>李室</u>上疏曰, "殿下信讖諱之說, 欲遷漢陽, 旣爲不可, 況今秋成未穫, 而人馬蹂踐, 必召民怨". 王詰之曰, "<u>秘錄</u>云, 苟不遷, 廢君臣, 爾何獨執不可耶?"[205]

[某日, 憲府·刑曹上疏, 請治彛·初黨:節要轉載].

[翌日, 臺諫復請, 皆不報:節要轉載].

[是月, 迎日縣城起役:追加][206]

---

202) 이 구절은 다음의 자료를 인용한 것이다.
· 『서경』, 咸有一德(『尙書』권7, 咸有一德)의 "匹夫匹婦, 不獲自盡, <u>民主</u>罔與成厥功".
203) 朴宜中은 1403년(태종3)에 檢校參贊議政府事로 逝去하였다고 한다.
· 열전25, 朴宜中, "… 入本朝, 爲檢校叅贊議政府事, 卒, 年六十七. □□^{宜中}, 天資明敏, 學問篤實, 廉淸慷慨, 夷險一節. 爲文章, 精深典雅. 子<u>景瞻</u>·<u>景武</u>·<u>景文</u>".
· 『貞齋逸稿』권2, 神道碑銘幷序, "… 我太宗拜先生檢校參贊議政府事, 屢徵不起. 癸未^{太宗3年}卒, 享年六十七. 贈諡文敬, 墓在金堤三水洞東籬枕坎原. 有二配, 延安李氏, 別將<u>壽昌</u>女, 淸州韓氏, 其考大提學<u>塔</u>, 皆封國夫人, 葬並用魯附禮. 有三男, <u>景文</u>, 文參議, <u>景武</u>, 文府使, <u>景瞻</u>, 文參議".
204) 景寧殿은 景靈殿의 오자일 것이다.
205) 여기에서 秘錄은 '玉龍秘記', '道詵密記'를 指稱하는 것 같다(→우왕 4년 11월 某日 北蘇에 대한 脚注).
206) 이는 『도은집』권4, 迎日縣新城記에 의거하였다.

八月[庚申朔^{大盡,乙酉}, 頒行士大夫家祭儀. 四仲月, 祭曾祖考妣·祖考妣·考妣三代, 嫡長子孫主祭. 衆子孫·親伯叔父及子孫·堂伯叔祖及子孫, 並於主祭家與祭. 與祭者之祖考, 不得與享此祭者, 則別作神主, 各於其家奉祀. 嫡長子孫無後, 次嫡子孫之長者主祭. 主祭者秩卑, 衆子孫內有秩高者, 祭品從秩高者. 祖考秩卑, 主祭者秩高, 祭品從主祭者之秩. 主人初獻, 主婦亞獻, 衆兄弟終獻. 主婦有故, 衆兄弟代之. 三獻人, 各致齋一日, 其餘宗族散齋. 主祭子孫奉神主, 別居遠地, 其衆子孫, 以俗祭儀, 祭於其室. 若神主在主祭家, 主祭者因事遠出, 則次嫡子孫, 就其家行祭, 如常儀. 旁親之無後者, 以其班祔之, 用紙錢, 無神主. 妻先夫亡者, 亦同. 有子孫, 則以紙錢, 祭於其家. 除四仲月正祭外, 如正朝·端午·中秋, 宜獻時食奠酒, 不用祝文. 如祖考忌日, 只祭祖考及祖妣, 祖妣忌日, 只祭祖妣. 不必徧擧, 仍請神主, 出中堂饗祭, 餘位忌日同. 祭品, 隨時損益, 不必視時祭儀. 外祖父母及妻父母, 無主祭者, 當於正朝·端午·中秋, 及各忌日, 用俗祭儀, 祭之. 行禮儀式, 一依朱文公家禮, 隨宜損益. 一品至二品, 設蔬果各五楪, 肉二楪, 麫餠各一器, 羹飯各二器, 匙筯盞各二. 三品至六品, 設蔬菜三楪, 果二楪, 麫餠魚肉各一器. 七品至庶人在官者, 菜二楪, 果一楪, 魚肉各一器, 羹飯盞匙筯並同. 兩位, 共一卓. 右宗子祭法, 自今中外遵守, 以成禮俗. 其中有人情事勢不便者, 不必拘宗法. 其見存族長奉神主主祠, 其餘嫡衆子孫並於其家與祭, 衆子孫所生父母, 各作神主, 祭於其家, 致齋如常儀:禮5大夫士庶人祭禮轉載].²⁰⁷⁾

壬戌^{3日}, [憲府·刑曹復請治彝·初之黨, 下都堂擬議. 鄭夢周云, "彝·初之黨, 罪固不白, 又經赦宥, 不可復論". 王猶從衆議, 乃流:<u>節要轉載</u>]^{判三司事}<u>禹玄寶</u>·^{門下贊成事}<u>權仲和</u>·^{判慈惠府事}<u>慶補</u>·^{門下評理}<u>張夏</u>于遠地.

[→^{密直使兼大司憲金士衡}<u>___</u>又上疏言, "<u>尹彝</u>·<u>李初</u>之黨, 皆已遠竄, 而禹玄寶·權仲和·張夏·慶補等, 尚在都下. 不宜罪同罰異, 請一切逐之". 王以情狀未明, 事在赦前, 不允. 又再請, 皆不報. 於是, 士衡及執義安景儉·崔遠, 掌令許周·崔兢, 持平趙庸等, 請辭, 不允令視事, 又皆稱疾不出. 刑曹又上疏, 請竄玄寶等, 王下其疏都評議使司. 使司言, "宜從憲府·刑曹之請". 唯^{都僉議}贊成事鄭夢周言, "彝·初之黨, 罪固不白, 又經赦宥, 不可復論". 王不得已流玄寶·仲和·夏等, 命士衡等就職. ○士衡等嗾刑曹, 以夢周右彝·初黨謀害所司, 劾之. 判書安景恭·成石珚等劾夢周, 皆左遷,

---

207) 이 기사는 『고려사절요』 권34에는 "頒士大夫家祭儀"로 冒頭만 제시되어 있다.

李懃·李廷補代之. 懃等又劾夢周及左常侍鄭㝢·左司議崔云嗣, 黨附夢周, 不論彝·初之黨. 獻納李蟠·正言權壎等上言, "彈劾非刑曹之任". 懃·廷補劾郎舍, 又彈夢周謀害大臣, 請鞫之, 遂罷懃等職. 蟠又劾掌令崔兢, 不糾刑曹越職言事. 憲司以諫省非風憲之任, 又劾蟠等. 蟠等反劾景儉·遠·周·庸等, 憲司·刑曹爲之一空. 士衡, 時方在告, 聞之, 輿疾視事, 上書論, "蟠·壎, 身爲諫官, 阿附夢周, 不論彝·初之黨, 力攻憲司法官, 甚不忠, 請治其罪". 㝢·云嗣·蟠·懃, 皆見罷:列傳17金士衡轉載].

[→^{禹玄寶} 尋判三司事, 逮繫彝·初獄, 以灾異得免. 憲府言不可輕赦, 又不聽. 大司憲金士衡等上疏言, "罪涉彝·初者, 已皆遠竄, 而唯禹玄寶·權仲和·張夏·慶補等, 留在京城. 不宜罪同罰異, 請一切逐之". 王以情狀未明, 事在赦前不允. 翼日, 又請, 皆不報, 於是, 士衡與執義安景儉·崔遠, 掌令許周·崔兢, 持平趙庸, 以言不聽辭職, 不允, 令視事, 又皆稱疾不出. 刑曹又上疏, 請竄玄寶等, 王下都堂. 都堂請從刑憲之請, 王不得已流于遠地, 尋宥許從便. 憲司上書, 請李穡罪, 而不及玄寶:列傳28禹玄寶轉載].

[→彝·初獄起, 臺諫論其黨甚力, ^{贊成事鄭}夢周請因封崇四代, 大赦. 臺諫猶論執不已. 王下都堂議, 夢周以爲, "罪狀不白, 今又經赦, 不宜復論". 刑曹劾夢周右彝·初黨. 夢周再上牋辭, 皆不允, 召夢周宴慰之:列傳30鄭夢周轉載].

[某日, 刑曹摠郎尹會宗上疏曰, "國祚之長, 在乎人君, 積德累仁, 培養邦本而已, 夫豈恃都城地勢之旺氣哉. 昔, 盤庚之去耿, 以有河決之患, 大王之去函, 以有狄人之侵, 平王之東遷, 以有犬戎之亂. 今無此數事, 將遷漢陽, 物議驚駭. 殿下, 特以江水赤沸, 太白晝見, 乃信讖緯之言, 欲移蹕以避之. 又惑浮屠法猊之說, 修演福寺, 盡毁四傍人戶, 失所者多, 臣爲殿下不取. 願殿下, 罷移都, 黜法猊, 恐懼修省, 以答天心, 無徒惑於邪說":節要轉載].

[→^{尹會宗} 轉刑曹摠郎, 又上疏曰, "國家運祚之長, 在乎人君, 積德累仁, 培養邦本而已, 夫豈恃都城地勢之旺氣哉. 盤庚之去耿, 以有河決之害, 大王之去邠, 以有狄人之侵, 平王之東遷, 以有犬戎之亂. 今無此數事, 而欲遷都漢陽, 物議驚駭, 胥動訛言. 是殿下以江水赤沸, 太白晝見, 乃信讖緯不經之言, 欲移蹕以避之. 殿下如欲弭災, 惟當避殿減膳, 兢業小心, 下罪己之令, 以求直言, 明其政刑, 愛養黎元而已. 僞禑惑邪臣之言, 徙居漢陽, 貪殘之徒, 恣意誅求, 楊廣一道, 爲之騷然. 今若移幸, 則修宮室, 備供儲, 將家抽戶斂. 侍從百司, 宿衛臣庶, 將傾城以赴之. 朝夕

饋粮之不繼, 風霜雨露之無庇, 辛勤旅次, 可勝言乎. 況今禾穀被野, 萬騎所至, 踐踏且盡. 漢陽吏民, 失其家室, 奔竄山谷, 披荊棘, 刈蓬蓠, 秋耕秋收^{春耕秋收},²⁰⁸⁾ 又失其時. 臣恐民之受患, 甚於禍時也. 又惑浮屠法猊之說, 重修演福寺, 盡壞旁近人戶, 臣爲殿下不取. 願罷移都, 黜法猊, 以副興望. ○昔, 晋惠帝時, 雨血, 太白晝見, 太子與皇后見殺. 自是, 宗室相殘, 天下大亂, 懷·愍二帝, 終爲劉聰所虜, 夷狄亂華者, 數百年. 唐高祖時, 太白晝見經天, 秦王殺太子及齊王元吉. 太宗季年, 太白屢晝見, 而則天廢中宗自立, 革唐稱周, 大殺唐之宗室, 社稷幾亡, 天之垂戒, 豈偶然哉. 今春夏之交, 太白屢晝見, 今又晝見經天者, 月餘, 天之所以, 戒殿下者至矣. 殿下, 列花卉於宮中, 而日翫之, 又欲遊幸漢陽, 臣恐祗懼之心, 有未至也. 願以堯·舜三王之心爲心, 以周公·孔子之道爲道, 不爲邪議之所惑, 務於實德, 則天意可回, 而邦本可固矣":列傳33尹會宗轉載].

乙丑^{6日}, 太白晝見.

○以安宗源△爲判三司事^{·右文館大提學·領書雲觀事}, 安翊爲三司左使, 王瑨△爲大護軍, 禹成範爲丹陽君, □^{考功}佐郎姜淮季爲晋原君,²⁰⁹⁾ [^{羅州牧判官}尹義爲司水監丞:追加].²¹⁰⁾

[○月犯心星:天文3轉載].

丁卯^{8日}, 遣密直□^使李豆蘭·^{密直副使}張思吉, 擊倭于西海道.²¹¹⁾

己巳^{10日}, 王謁文廟, 令大司成宋文中, 講詩七月篇. 遂如積慶園.²¹²⁾

翌日^{庚午11日}, 親祼四親, 還享國大妃^{太妃}.

○倭寇全羅道, □^{兵馬}都節制使李茂擊, 却之, 斬二十七級. 賜衣酒.²¹³⁾

[壬申^{13日}, 前判門下府事李穡與押送官朱仁起到咸昌貶所:追加].²¹⁴⁾

---

208) 秋耕秋收는 春耕秋收로 고쳐야 옳게 될 것이다(東亞大學 2006년 26책 478面).

209) 添字는 「安宗源墓碑銘」에 의거하였다.

210) 尹義는 『금성일기』, "八月十三日, 司水監丞以宣喚^{以司水監丞宣喚}"에 의거하였는데, 添字와 같이 改書하여야 옳게 될 것이다.

211) 이 기사는 열전29, 李豆蘭에도 수록되어 있다.

212) 開京의 文廟는 조선 후기에 南倭北虜의 전란을 거치면서 퇴락하여 重創할 때 殿宇의 규모가 狹小하고 각종 備置品이 소략하였던 것 같다.
　　·『雲海遺稿』 권2, 謁聖廟, "廟在舊州治二里, 西距山城北十五里. 兵火之後, 草創疏略, 殿宇狹隘, 百具未成. 兩廡配享, 十二位而已, 儒生十餘輩. …".

213) 全羅道兵馬都節制使 李茂는 이해의 4월 全羅道에 赴任하였다[下界](『금성일기』).

乙亥^{16日}, 以順妃^{王妃}生日, 宥二罪以下.²¹⁵⁾

[丙戌^{27日}, 月犯軒轅:天文3轉載].

丁亥^{28日}, ^{典客令}金允厚等還自琉球國, 中山王察度又遣其臣玉之等, 稱臣奉表, 歸我被擄人三十七, 仍獻土物.²¹⁶⁾

[○月入大微^{太微}:天文3轉載].

[某日, ^{密直使兼}大司憲金士衡等, 請停遷都. 不納:節要轉載].

[→^{金士衡}, 後知門下府事^{密直使}兼司憲府大司憲, 王將遷都漢陽, 與同僚上疏曰, "彈糾非違, 臣等之職. 今天災地怪, 屢見譴告者, 由政敎失宜, 公道或廢, 上下之情不通, 而民不安業也. 殿下尤宜恐懼修省, 誠信御下, 虛懷納諫, 進忠直, 遠邪佞, 惠愛斯民, 以弭天災. 乃因書雲觀奏, 欲遷漢陽. 臣等伏見, 楊廣諸州之民, 困於土木, 秋耕失時. 漢陽人家, 皆被奪占, 老幼飢寒, 寄寓山野, 流離顚死. 侍衛諸司及諸道軍官·各領衛卒, 旅寓辛艱, 朝不及夕, 將有凍餒之患. 殿下深信讖緯, 不恤民斃, 於皇天譴告何? 古昔聖王, 以誠小民, 爲祈天永命之本, 願停之以固邦本". 王不納:列傳17金士衡轉載].²¹⁷⁾

[某日, 都堂啓, "東西兩界, 境連上國, 且因水旱, 民生艱難, 請減塩稅", 從之:食貨2塩法轉載].

[己丑^{30日}, 雨雹, □^大如李·梅:五行1雨雹轉載].

[是月, 又貶李穡于咸昌:追加].²¹⁸⁾

---

214) 이는 다음의 자료에 의거하였다.
· 『목은시고』 권35, 咸昌吟, 庚午^{恭讓2年}八月十三日, 到咸昌, 押送官·近侍郎將朱仁起回程, 附呈兩侍中^{裴李}.
215) 順妃는 王妃로 고쳐야 옳게 될 것이다.
216) 이 기사와 관련된 기사로 다음이 있는데, 『고려사』를 적절하게 인용하지 못하였다(→창왕 1년 8월 某日).
· 『중종실록』 권102, 39년 3월 丙辰^{18日}, "□^承政院, 以弘文館所攷高麗史琉球國漂流人刷還前例 [注, 恭讓王三年^{三年}, 琉球中山王察度, 遣其臣玉之, 奉表稱臣, 歸我被擄人金允厚等三十七人] 啓曰, '此直自其國發遣, 非仍小二^{少貳}殿, 日本而轉送也'. 傳曰, '此前例, 他日將有議得之事', 故仍留于內". 여기에서 小二는 少貳로 고쳐야 옳게 될 것이다.
217) 이 기사에서 知門下府事는 密直使로 고쳐야 옳게 될 것이다.
218) 이는 『목은집』 연보, 洪武廿三年庚午, "… 八月, 又貶咸昌"에 의거하였다.

九月庚寅朔^{小盡,丙戌}, 日食, 旣. 太白晝見, 經天.²¹⁹⁾

[辛卯^{2日}, 雷:五行1雷震轉載].

壬辰^{3日}, 諫官^{左散騎常侍}鄭寓·^{左司議大夫}崔云嗣·^{右獻納}李蟠·^{左正言}權塤等罷.

[○大雨, 雷電, 雨雹:五行2轉載].

癸巳^{4日}, 貶司憲糾正李敢等九人, 爲縣監務. 時, 王賞賜宮中婦寺無節, 倉無宿儲. 敢分臺豐儲倉, 乃言曰, "善治家者, 必先節用. 況國君濫賜私人, 以致倉庫虛渴, 可乎? 宦官常食內廚, 且受祿俸, 而今又賜米, 其名雖殊, 其費一也". 乃與腐麥, 宦官訴之. 王怒, 命都堂治罪, 囚敢家奴. 糾正等議曰, "臺官而見囚家奴, 古所未有". 皆謝病不出, 故有是貶.

○遣內侍于演福·洛山·王輪等寺, 設齋祈福. 王自卽位以來, 每月朔望, 必於宮中, 招僧講經. 每四時, 必於十三所祈恩, 曰道場, 曰法席, 曰別祈恩, 諂^諂事神佛.²²⁰⁾ 大臣·臺諫每論, 不聽.

[史臣陳子誠曰, "王自卽位以來, 諂事神佛, 殆無虛月, 大臣臺諫, 每以論列, 王心已惑, 不可解矣. 嗚呼, 太白晝見, 江水赤沸, 日月薄食, 雷電失時, 天之譴告至矣, 人之虞疑甚矣. 誠宜側身修德, 改紀其政, 釋此不爲, 而徒欲借佛神之力, 以保其國, 以安其位, 豈不惑之甚哉?":節要轉載].

[○焚公·私田籍于市街. 火數日不滅, 王嘆息流涕曰, "祖宗私田之法, 至于寡人之身, 而遽革, 惜哉?":食貨1祿科田;節要轉載].

甲午^{5日}, [霜降]. 以^{門下評理}成石璘爲三司左使, 安瑗爲刑曹判書, 陳義貴爲右常侍^{右散騎常侍 221)}, 洪吉旼爲右司議□□^{大夫}, 柳廷顯爲執義, 洪保·李來並爲掌令, 李原爲持平, 宋愚爲右獻納, 尹珪爲右正言.

[丁酉^{8日}, 太白犯鎭星, 又犯大微^{太微}右執法:天文3轉載].

---

219) 지3, 天文3에는 庚寅에 朔이 탈락되었고, 이날 明에서도 일식이 있었다(『명태조실록』 권204 ; 『명사』 권3, 본기3, 太祖3, 洪武 23년 9월 庚寅). 이날은 율리우스曆의 1390년 10월 9일이고, 開京에서 일식 현상이 심했던 시간은 9시 6분, 食分은 0.98이었다(渡邊敏夫 1979年 313面).

220) 여러 판본의 『고려사』에서 諂(도)로 되어 있으나 諂(첨)으로 고쳐야 옳게 될 것이다(東亞大學 2008년 12책 345面).

221) 이때 陳義貴가 略稱인 右常侍가 아니라 右散騎常侍에 임명되었음은 열전25, 鄭習仁을 통해 알 수 있다.

[癸卯^{14日}, 雨雹:五行1雨雹轉載].

[○命弟瑀, 率百官, 奉三韓國大公^鈞眞, 入安于陽陵寺, 仍名孝愼殿, 祭儀, 與四時大享同:禮3吉禮大祀轉載].²²²⁾

乙巳^{16日}, 謁陽陵^{神宗}, 仍祭于孝愼殿, 告遷都.²²³⁾

[○月食:天文3轉載].²²⁴⁾

丙午^{17日}, 遷都于漢陽, 命判三司事安宗源·門下評理尹虎, 留守松京. 且令百官, 分司. 是夕, 大風雨, 震電, 人畜有凍死者.

[戊申^{19日}, 亦如之^雷:五行1雷震轉載].

庚戌^{21日}, [立冬]. 駕至漢陽, 楊廣道都觀察使^{都觀察黜陟使}柳珣, 結彩棚, 陳百戲, 以迎. 王先遣人罷之, 乃入.

[甲寅^{25日}, 虎入新都門下府, 搏人而去. 時遷漢陽數日, 虎多害人畜, 人皆畏懼. 王遣使, 祭白岳·木覓城隍, 以禳之:五行2轉載].

丙辰^{27日}, 遣密直副使姜隱如京師, 獻種馬五十匹.

戊午^{29日晦}, 遣門下評理金南得·密直提學李至, 如京師, 賀正.²²⁵⁾

[○都堂啓, "義州·泥城·江界, 爲國藩屛, 宜加撫恤, 請蠲徭役", 從之:節要·食貨3恩免之制轉載].

[是月, 奉順大夫·通洋浦管軍萬戶兼迎日縣監務崔自源重築邑城. 自源是年二月到任, 至七月與前繕工令鄭麟生起役至是工畢:追加].²²⁶⁾

---

222) 이 기사의 冒頭에 二年九月癸卯가 있으나 그 앞 기사에 恭讓王二年正月이 있으므로 二年이 重複으로 제시되었기에[重出] 삭제되어야 할 것이다.

223) 孝愼殿은 恭讓王의 父인 定原府院君(三韓國仁孝大公) 鈞의 眞殿이다.

224) 이날은 율리우스력의 1390년 10월 24일인데, 월식에 관련된 각종의 정보가 없다(渡邊敏夫 1979년 486面).

225) 姜隱과 金南得(金南德)은 12월 22일(庚辰) 馬 48匹·金銀器皿 등을 바쳐 明年 正旦을 賀禮하였다(『명태조실록』 권206). 또 이들은 明年(洪武24) 1월 5일(癸巳) 鈔를 差等있게 下賜받았다(『명태조실록』 권207).

226) 이는 다음의 자료에 의거하였다.
· 『도은집』 권4, 迎日縣新城記, "… 歲庚午^{恭讓2年}二月, 益陽崔侯^{崔自源}以萬夫長來莅于此, 職兼縣寄, 政令大行, 人樂爲用. 侯於是報都觀察使^{金湊}曰, '吾邑之所恃以存焉者城也. 城既壞, 是無吾邑也. 吾欲修之'. 觀察使義侯所報, 符下旁郡, 役千餘夫, 仍差前繕工令鄭麟生與侯董事焉. …

[是月頃, 以通直郞朴仁乙爲雞林府判官兼勸農·防禦使:追加].[227]

冬十月己未朔^{大盡,丁亥}, 以門下評理崔允沚爲松京守城節制使. 遣前商議簽書^{密直}^{司事}禹洪壽, 賜宣醞于我太祖^{守侍中李成桂}. 時^{□我}太祖^{守侍中李成桂}以病請告, 如關門溫井.

[某日, 吏曹啓, "內侍·茶房, 出入禁闥, 其任非輕, 以無定額, 規避軍役者, 爭相充補, 纔及數月, 便歸鄕里, 不供徭役, 動至數百. 乞擇子弟儀狀端正者百人, 充之, 分爲二番^{左右番}, □□□□□^{番各五十人}", 從之:節要·選擧3成衆官轉載].[228]

[甲子^{6日}, 大霧:五行3轉載].

丁卯^{9日}, 諫官劾^{楊廣道都觀察黜陟使}柳珣, 厚斂^{厚斂}於民, 務求媚悅, 罷之, 以徐鈞衡代之.

戊辰^{10日}, 分遣廉問計定使許周于西海道, 金若恒于江原道, 南在于楊廣道, 李懃于慶尙道, 吳思忠于全羅道.[229]

甲戌^{16日}, ^{蒙古拍拍太子之子}六十奴還自京師, 復歸于濟州. 踰一年而死.

[甲申^{26日}, 沉霧, 木稼:五行3轉載].

乙酉^{27日}, 講讀官柳伯濡, 於經筵, 講書無逸, 至惠鮮鰥寡曰,[230] "鰥寡天下之窮民, 而無告者, 古之聖人, 必以是爲慮. 今有尹壽台者, 年至九十六, 子年亦六十九, 老不能養, 唯一婢居貨, 以供朝夕之資, 乞賜米". 王曰, "享壽如此, 其心必有操守者". 對曰, "壽台嘗言, '年未三十, 左脚不仁', 一日, 往天磨山寺藥師前, 誓曰, '佛若愈吾疾, 爲作佛殿'. 夢, 一僧曰, '汝病可療, 能作佛殿乎?', 夢覺, 病卽愈, 遂作佛殿, 設三昧懺法席, 以落之, 故得壽如此". 王曰, "然. 予嘗於中宮之病, 設藥師法席, 其夜, 夢見一僧, 病卽愈, 佛豈虛哉?". 伯濡對曰, "儒亦不可以甚斥佛也, 儒所以斥佛, 以其人君恃佛, 而怠於政事也".

[○大霧, 凡三日:五行3轉載].

以七月肇役而九月斷手焉. 自是民舊去者皆復, 新至者相繼, 環城無廢田矣. … 侯名<u>自源</u>, 階奉順大夫, 落落以功名自喜. …"(『신증동국여지승람』권23, 迎日縣, 邑城에 인용됨).

227) 이는 『동도역세제자기』에 의거하였다.

228) 添字는 지29, 選擧3, 成衆官選補之法에 의거한 것이다.

229) 全羅道廉問計定使 吳思忠은 이해의 12월 18일 羅州牧에 들어왔다(『금성일기』).

230) 惠鮮鰥寡는 『書經』, 無逸의 第3句節에 나오는 것으로, 이 중에서 鮮字에 대해서는 諸說이 있다(加藤常賢 1993年 268面).

十一月己丑朔^{大盡,戊子}, 前郞將郭興安, 僞造都堂經歷司印牒, 付准備色·軍資寺, 受衣服·米豆, 以與妓妾, 事覺, 斬之.

辛卯^{3日}, 我太祖^{守侍中李成桂}上書辭職. 王爲之涕泣, 不允. □^{我太祖李成桂}亦泣謝.

壬辰^{4日}, 宥^{前判三司事}禹玄寶·^{前判門下府事}李穡·^{前門下贊成事}權仲和·^{前判慈惠府事}慶補·^{前門下評理}張夏,[231] 許京外從便, ^{前門下贊成事}禹仁烈·^{前門下評理}鄭地·^{前簽書密直司事}權近·^{前簽書密直司事}李崇仁·^{前門下侍中}李琳·李貴生, 外方從便.[232]

○侍中沈德符繫麾下繕工判官^{繕工判事}趙裕于巡軍獄.[233]

[→初, 西京千戶尹龜澤, 與千戶楊百之飮酒. 酒酣, 語之曰, "爾得無作宰相意乎?". 百之曰, "孰無此心, 但爲之難耳". 龜澤曰, "金宗衍與判事^{繕工寺事}趙裕同謀, 欲害李侍中^{成桂}, 爾若率精兵, 與吾等同心, 宰相可得也. 沈侍中^{德符}, 亦知此謀矣". 百之, 佯應之. 龜澤恐謀洩, 先至京, 密告我太祖曰, "宗衍逃至西京, 約與我擧兵, 謀害侍中, 宗衍, 已潛入本京, 與侍中沈德符·判三司□^事池湧奇·前判慈惠府事鄭熙啓·門下評理朴葳·同知密直□□^{司事}尹師德·漢陽府尹李彬·羅州道節制使李茂·全州道節制使陳乙瑞·江陵道節制使李沃及陳原瑞·李仲和等, 謀作亂. 趙裕又謂子曰, 沈侍中, 令其鎭撫曹彥·金兆府·郭璇·魏种·張翼, 與裕等, 勒麾下兵, 將攻李侍中^{成桂}". ○我太祖^{守侍中李成桂}以其言, 密告德符, 德符下裕獄, 遣千戶鄭乙邦于本京, 收宗衍妻及^{妻父宋臺世}·奴^{波豆}, 與其族朴天祥·朴可興, 囚巡軍, 鞫之. ^{妻泣曰, 假使我知夫所在, 何忍言之, 以食夫耶, 況我不知乎} 奴曰, "主宗衍, 變喪服, 入可興家, 謂奴曰, 俟尹龜澤領兵而至, 則事得濟矣". 可興遂服:節要轉載].[234]

[→西京千戶尹龜澤, 與千戶楊百之飮酒, 酒酣語之曰, "爾得無作宰相意乎?" 百之曰, "孰無此心? 但爲之難耳". 龜澤曰, "金宗衍與趙裕同謀, 欲害李侍中. 爾若

---

231) 慶補(慶復興의 長子)는 1406년(태종6) 5월 26일에 83세로 逝去하였다고 한다.
· 『태종실록』 권11, 6년 5월, "乙卯^{26日}, 檢校議政府左政丞慶補卒. 補, 淸州人, 侍中復興之子. 性淸儉, 官至贊成事. 卒年八十三, 諡良靖. 無子".

232) 이와 관련된 기사로 다음이 있다.
· 『목은집』연보, 洪武廿三年庚午, "… 十二月, 蒙宥還京".
· 열전26, 鄭地, "臺省·刑曹議奏曰, 鄭地, 以黨安烈坐罪, 實爲誣枉. 遂釋之. 退居光州別業".
· 열전27, 禹仁烈, "又辭連彛·初繫獄, 竟釋之. 自此以後, 入本朝".

233) 이 기사와 관련된 기록에는 趙裕의 관직이 判繕工寺事[判事, 判繕工事]이므로 繕工判官은 繕工判事의 오자일 것이다.

234) 이와 같은 기사가 열전17, 金周鼎, 宗衍에도 수록되어 있는데, 添字는 이에 의거하였다.

率精兵, 與吾等同心, 宰相可得也. 沈侍中亦知此謀矣." 百之佯應. 龜澤恐謀洩,
至南京, 告我太祖曰 "金宗衍逃至西京, 約與我擧兵, 謀害侍中. 宗衍已潛入松京,
與侍中沈德符·判三司池湧奇·前判慈惠府事鄭熙啓·門下評理朴葳·同知密直尹師
德·漢陽府尹李彬·羅州道節制使李茂·全州道節制使陳乙瑞·江陵道節制使李沃·前
密直副使陳原瑞及李仲和等, 謀作亂. 趙裕又謂予曰 '沈侍中, 令其鎭撫曹彥·金兆
府·郭璇·魏种·張翼, 與裕等, 勒麾下兵, 將攻李侍中.'" 太祖以其言, 告德符, 德符
與太祖, 議下裕獄, 遣千戶鄭乙邦于松京, 囚宗衍妻及妻父宋壺山·奴波豆于巡軍.
幷收其族朴天祥·朴可興, 鞫之. 妻泣曰 "假使我知夫所在, 何忍言之, 以食夫耶?
況我不知乎?", 奴曰 "主宗衍著喪服, 入可興家, 與可興夫婦相話, 出謂奴曰, <u>俟
尹龜澤</u>領兵至, 則事得濟矣." 栲問可興, 乃服:列傳17金宗衍轉載].

[→西京千戶尹龜澤, 告我太祖^{李成桂}曰, "金宗衍與侍中沈德符·判三司□^事池湧奇
等, 謀將害侍中. <u>判繕工事</u>^{判繕工寺事}趙裕又謂予曰, 沈侍中, 令其鎭撫前密直副使曹
彥·郭璇, 前判書金兆府, 前判事魏种·張翼, 與裕等, 勒麾下兵, 將害侍中^{李成桂}".
<u>我太祖</u>^{李成桂}以其言密告德符, 裕德符族姪, 且麾下鎭撫也. 德符怒下裕獄, 語在<u>宗衍</u>
傳:列傳29沈德符轉載].

[→初, <u>宗衍</u>匿于安峽人家, 發軍圍之, 逃入石窟中. 又圍之, 宗衍拔劍擊一卒,
突圍而走, 至平壤, 匿前判事權忠家, 與忠子進士格相好. 至是, 逮捕格栲掠, 問宗
衍所與同謀者, 格指湧奇·熙啓·葳·師德·彬等. 憲府上疏, 請置湧奇等極刑, 王不
之信, 留中不下. 臺諫連日伏閤論請, 乃流湧奇于三陟, 葳豊州, 熙啓安邊, 師德淮
陽, 彬安峽. ○臺諫又言, "湧奇等旣已流竄, 但李茂·陳乙瑞·陳原瑞·李沃, 辭連權
格, 罪同湧奇等, 尙不抵罪, 願並正其罪". 王以茂·乙瑞·沃有功, 且宗衍未逃前,
已授外任, 情狀可疑, 止流原瑞于興德, 絞裕, 流德符及彥等. 語在德符傳:列傳17
金宗衍轉載].

[某日, 我太祖^{守侍中李成桂}啓曰, "臣與德符, 同心奉國, 本無猜貳, 請勿問趙裕, 令
我二臣, 終始保全". 王將釋之. 德符聞之, 大驚啓曰, "裕辭連於臣, 今若不問, 臣
何以辨明?". 自詣巡軍獄. 王再命召之, 德符乃詣闕謝. 王命釋裕:節要轉載].

[→□^我太祖^{李成桂}<u>白王曰</u>, "臣與德符, 同心奉國, 本無猜貳. 趙裕之事必虛妄, 請
勿鞫, 令我二臣, 終始保全". 王將釋之, 德符聞之, 大驚泣請曰, "裕辭連於臣, 今
若不問, 則臣之不與謀, 何以辨之? 請與裕對鞫". 王召德符入, 德符不顧而出, 步至

巡軍, 自請繫獄. 王命知申事閔開召之, 德符乃進謝. 王命釋裕:列傳29沈德符轉載].

甲午[6日], 我太祖[李成桂]辭□[守]侍中, 再三. 遂以我太祖[李成桂]△[爲]領三司事, 鄭夢周△[爲]守門下侍中,[235] 池湧奇△[爲]判三司事, 裴克廉·偰長壽[·趙浚:節要轉載]並爲門下贊成事, [姜蓍爲門下贊成事商議同判都評議使司事兼判繕工寺事·左右衛上護軍:追加],[236] 我恭靖王[李芳果]△[爲]判密直司事.

○憲府[司憲府]上疏曰, "本朝故事, 立后妃府, 設官屬, 曰左右司·尹·丞·注簿·舍人而已, 恭愍王封崇明德太后, 立府曰崇敬, 官僚曰判事·尹·少尹·判官, 所以極其尊崇也. 今崇寧府依古制, 設左右司·尹等官, 而懿德·慈惠兩府, 則尙仍崇敬府之例, 有違古制, 請並依崇寧府例. [且宗親不任以事, 古之制也. 近來, 多帶成衆愛馬·倉庫·宮司提調, 乞皆停罷, 以尊王親. 其元尹·正尹, 年滿十五歲, □[許]除授, 其未滿者, 雖制下, 毋得受祿":節要轉載], 從之.[237]

[某日, 憲府上疏, 請將趙裕·尹龜澤對辨, 命評理朴葳, 同臺諫鞫治. 葳欲先栲訊龜澤, 執義柳廷顯曰, "先鞫告者, 何義也?". 葳, 變色默然. 乃問裕, 裕伏其情:節要轉載].

[→憲府上疏, 請將裕·龜澤對置. 王命評理朴葳, 同臺諫鞫治. 裕初不服, 葳欲先拷訊龜澤, 執義柳廷顯曰, "先鞫告者, 何義也?". 葳變色默然, 乃拷訊裕, 裕服:列傳29沈德符轉載].

辛丑[13日], 憲府[司憲府]言, "今中外軍事, 旣以領三司事李[太祖舊諱][成桂]都摠之, 請悉收諸元帥印章", 從之.[238]

[○太白貫月, 月犯熒惑:天文3轉載].

---

235) 이때 鄭夢周는 壁上三韓三重大匡·守門下侍中, 判都評議使司·兵曹·判尙瑞寺事[判尙瑞司事], 領景靈殿事·右文館大提學, 監春秋館事·經筵事, 益陽郡忠義伯에 임명되었다고 한다(열전30, 鄭夢周). 또 이때 右司議大夫 洪吉旼이 鄭夢周의 告身에 署名하지 않다가 免職되었다고 한다. ·『태종실록』13권, 7년 2월 庚子[15日], 洪吉旼의 卒記, "… 恭讓君庚午[2年], 拜右司議大夫, 及鄭夢周爲右相[守侍中], 吉旼謂同舍曰, '此人起自寒微, 憑恃寵遇, 囚逐言官, 紊亂田制, 豈宜居冢宰之任', 遂不署告身, 坐此失官".

236) 姜蓍는 『양촌집』권39, 姜蓍墓誌銘에 의거하였다.

237) 宗親에 관한 기사는 지31, 百官2, 宗室諸君에도 수록되어 있는데, 添字는 이에 의거하였다.

238) 이와 관련된 기사로 『태조실록』권1, 總書, 공양왕 2년 11월, "恭讓以憲府之請, 悉收諸元師[元帥]印章"있으나 添字와 같이 고쳐야 할 것이다.

癸卯^{15日}, 設八關會, 又分遣各司于松京, 行八關會.

○給田都監啓, 定外官貟·鄕·驛吏·津尺·院主田數及豊儲·廣興倉納稅之數.

○罷各道將帥, 放軍人.

丙午^{18日}, ^{同知密直司事}安叔老還自燕, 燕王^{朱棣}答書曰, "致意署高麗國事與國人陪臣等, 遞以禮物來, 安敢易納. 古人云, 臣子無外交之理, 卻之, 必艱^難人意,²³⁹⁾ 故物留使還. 謹以狀, 聞于父皇, 以通三韓之意. 必命乃報, 國人陪臣等審焉".

[庚戌^{22日}, 小寒. 霧:五行3轉載].

辛亥^{23日}, 政堂文學鄭道傳等還自京師, 宣諭聖旨, "尹彝·李初謀亂汝國事, 朕旣不信, 已曾斷罪, 汝國復何虞疑?".

壬子^{24日}, 囚^{門下侍中}沈德符麾下鎭撫曹彦等五人于獄.

乙卯^{27日}, 以崔允泚爲西北面體察使.

戊午^{30日}, 絞^{繕工判官}趙裕, 籍其家, 杖流曹彦等于遠地, 罷^{門下侍中}沈德符, 復以我太祖^{李成桂}爲門下侍中.²⁴⁰⁾

[→絞殺^{趙裕}, 籍其家. 憲府又劾德符, 遂囚^趙彦·^郭璇·^金兆府·^魏种·^張翼于獄, 皆杖百遠流, 罷^沈德符, 又流^池湧奇等:列傳29沈德符轉載].²⁴¹⁾

○流^{判三司事}池湧奇于三陟, ^{門下評理}朴葳于豊州, ^{前判密直司事}鄭熙啓于安邊, ^{知密直司事}尹師德于淮陽, ^{知密直司事}李彬于安峽.²⁴²⁾

[→又鞫宗衍黨金加勿·李芳春等, 加勿曰, "我到西京芳春家, 見宗衍, 謂予曰, 宗衍入京, 寓朴可興家, 與金軾·李仲和, 謀害兩侍中". 軾·仲和, 乃宗衍舊麾下鎭撫也. 芳春曰, "宗衍再逃後, 到吾家曰, 李侍中, 性本慈仁, 但以鄭夢周·偰長壽·趙浚·鄭道傳等所誘, 令我至此. 我欲與權格入京, 依朴可興, 啓定陽君瑀, 與池湧

<hr>

239) 艱은 『고려사절요』 권34에는 難으로 되어 있으나 어느 글자를 써도 無妨할 것이다.

240) 이때 李成桂는 奮忠定難匡復燮理佐命功臣·壁上三韓三重大匡·門下侍中·判都評議使司事·吏曹尙瑞寺事^{判瑞寺事}·領孝思觀事兼入佐上護軍·領經筵事·和寧府事審·開國忠義伯·食邑一千戶·食實封三百戶였다(高麗末和寧府戶籍斷片 ; 盧明鎬 等編 2000년 256面).

241) 前密直副使[中樞] 郭璇은 1417년 무렵까지 積城縣에 거주하고 있었던 것 같다(『태종실록』 권 33, 17년 3월 壬申^{15日}).

242) 이와 같은 기사로 열전27, 池湧奇, "… 俄判三司事. 彝·初之獄起, 憲司, 以湧奇爲金宗衍黨, 劾流三陟"이 있다.

奇·鄭熙啓·朴葳·尹師德·尹龜澤·金軾·李仲和·鄭子連等, 同謀害之". 鞫權格曰, "宗衍語予云, 初湧奇謂宗衍曰, 公之名在尹彝·李初書中, 公其危矣. 予恐及禍, 逃來. 因留予家, 至十月初二日, 與予赴京, 留宿婢七寶家, 復還平壤, 十一月初一日, 至李同知家宿. 翌日, 同知稱宗衍曰, '大男兒也, 安能鬱鬱於此乎? 害諸宰相, 則可免矣'. 予謂宗衍曰, '同知無兵, 何以害諸宰相?'. 宗衍曰, '此事非惟與同知議, 西京千戶楊百之·尹龜澤等, 請兵於安州·西京. 吾與湧奇·葳·熙啓·師德·乙瑞·彬·原瑞·沃·仲和等, 謀以害李侍中及夢周·道傳·長壽·浚·石璘等, 何難之有?'. 予問, '孰肯從汝?'. 宗衍曰, '吾與楊百之, 有蒼赤之隙, 尙且從之, 其餘千戶, 孰敢不應? 吾在京中, 與諸公約擧事, 日已定'. 適乙瑞出外, 未得發. 後沃來吾家議之, 予不應, 沃怒蹴門板而去. 予又曰, '汝若害中興功臣, 王得不怒乎?', 宗衍曰, 擁衆擧大事, 何畏王乎?". ○鞫朴天祥, 天祥曰, "吳仲華謂予曰, 宗衍逃自巡軍, 匿湧奇家四五日, 熙啓家五六日, 可興家十餘日, 然後出城". 於是, 追仲華, 與天祥對辨, 乃妄也. 王曰, "朴·吳, 爲人不實, 國人所知. 遂釋之":列傳17金宗衍轉載].

十二月^{己未朔大盡,己丑}, 辛酉^{3日}, 流^{前門下侍中}沈德符于兎山.

[→臺諫交章曰, "德符爲國首相, 乃令趙裕·金兆府等姦兇之輩, 掌其兵權, 以致禍萌. 欲掩裕罪, 輕自就獄, 取笑於人. 又不從判旨, 累日擁兵不放, 無人臣之禮. 今麾下皆已服罪, 德符尙在國中, 人相疑忌, 禍不可測. 願殿下, 竄之遠方, 以絶國人之疑, 以杜禍亂之萌." 連日伏閤固請, 乃流德符于兎山:列傳29沈德符轉載].

癸亥^{5日}, 我太祖^{李成桂}上箋辭曰, "惟度德而授位, 是爲君上之明, 罔以寵而居功, 乃合人臣之義. 如冒榮而貪進, 或速禍而招尤. 是以, 召公憂盛滿難居, 蔡澤云, '成功者去'.²⁴³⁾ 況我朝侍中之任, 實周家冢宰之官, 均邦國之旣難, 燮陰陽之不易. 伏念, 臣局量褊淺, 學問疎荒^{學術疎荒}. 當假姓流毒之時, 有興師猾夏之擧, 神人共憤, 宗社幾傾. 乃與諸將而還, 敬奉天子之命, 僭僞之種, 自底滅亡, 正派之傳, 克致興復. 斯乃祖宗之陰相, 固非臣力之所能. 特霑爵命^{爵邑}之恩, 仍領中外之□^軍事, 無補垂衣之化, 常懷覆餗之憂. 於今年春, 有尹彝·李初, 逃入中國, 竊弄天子, 請親王, 動天下兵, 欲移社稷. ^{前全羅道元帥}金宗衍爲其謀首, 自惑逃竄, 此係王室之安危, 非關臣身之利害. 乃有人匿, 且故縱, 惟不軌陰相與謀. 慮, 惟臣之寵利使然, 念至此而兢

243) 이는 『사기』권74, 范雎·蔡澤列傳第19에서 따온 말이다(→공양왕 3년 3월 17이의 脚注).

惶無已. 近得免於右揆, 私自幸於中心, 今又除臣侍中, 降命自天, 措躬無地. 矧今國家再造, 文物中興^{重典}, 自非宏材, 曷足贊襄國政, 不有重德, 何能鎮服人情. 伏願, 諒臣至誠, 釋臣重負, 臣謹當避賢者路, 無貽曠職之譏, 送老于家, 專貢祝釐之懇".

○王不允, <u>批答曰</u>,²⁴⁴⁾ "撥亂反正, 實爲命世之材, 論道經邦, 必待代天之相. 故其身之去就, 係於國之安危. 惟卿^{李成桂}志勵風霜, 氣鍾光岳. 惟自昔而功在王室, 式至今而德被生民, 逐納氏^{納哈出}于朔陲, 殲倭寇于四境. 由先王薨逝以後, 有僞辛假竊其間, 荒于遊田^畋, 耽于酒色, 恣行殺戮, 大肆頑凶^{頑兇}. 至興軍師, 將犯華夏. 而卿^{李成桂}明知逆順, 倡義回還, 謀及宗親與諸臣庶, 遂乃廢黜僞姓, 推戴寡躬. 而使邦基幾危, 而復安, 宗祀幾絶, 而再續. 校^較功度德, 耀古光今. 當永輔於我家, 傳榮享于^於後嗣, 何期群小, 潛肆奸謀? 此實在予^余, 非卿之故, 深有志於責己. 將欲正其刑章, 而卿遽貢牋章, 規免職任, 卿雖思之審矣, 予^余所望則不然. 元首股肱, 旣同一體, 山河帶礪, 敢忘吾心? 毋煩固辭, 速踐乃職, 所請宜<u>不允</u>".²⁴⁵⁾

○又遣中官, 賜衣酒敦諭, 我太祖^{李成桂}詣闕謝恩, 遂就職.

○移國史于忠州. 先是, 藏於竹州<u>七丈寺</u>^{七長寺},²⁴⁶⁾ 今夏倭賊入侵, 故移之.

[甲子^{6日}, 太白·歲星同舍:天文3轉載].

[某日, 遣巡軍鎭撫<u>任純禮</u>, 捕^金宗衍于西海道, 搜索甚急, 宗衍所過, 輒加栲掠, 囚繫者數百人, 傳相告引, 中外喧鬩. 宗衍飢窘, 隱於谷州林莽閒, 見一人曰, "吾飢將死, 願救之". 其人曰, "在此, 我將煮粥來". 遂告官, 掩捕以來:列傳17金宗衍轉載].

[戊辰^{10日}, 月犯熒惑:天文3轉載].

癸酉^{15日}, 獲^{前全羅道元帥}<u>金宗衍</u>, 翼日^{甲戌16日} 死獄中.²⁴⁷⁾

[→遣任純禮, 獲宗衍于谷州山中, 以來. 翌日, 死于獄中. 純禮, 在中路, 不給

---

244) 이 批答이 『동문선』 권30, 李侍中再謝不允批答이다(李詹 撰).

245) 이 기사 『태조실록』 권1, 總書, 공양왕 2년 12월에도 수록되어 있으나 冒頭인 "十二月^{十一月}, 復以太祖爲門下侍中·都摠中外諸軍事. □□□^{十三月}, 太祖上箋辭曰, …"은 添字와 같이 고쳐야 할 것이다. 또 添字는 이에 의거하였는데, 兩者 중에서 適切한 것을 선택하여야 할 것이다.

246) 七丈寺는 七長寺의 오자일 것이다(→우왕 9년 6월 某日 ;『신증동국여지승람』 권8, 竹山縣, 佛宇, 七長寺).

247) 이날(甲戌, 16日)은 율리우스曆으로 1391년 1월 21일(그레고리曆 1월 29일)에 해당한다.

食, 一晝夜, 馳三百里, 致令疲困飢凍而死, 人皆疑之. 宗衍之再逃也, 至方春家曰, "李侍中^{成桂}, 性本慈仁, 但爲鄭夢周·偰長壽·趙浚·鄭道傳等, 所誘, 令我至此. 我欲入京, 依朴可興, 以告定陽君瑀與池湧奇·尹龜澤等, 同謀害李侍中^{成桂}及鄭夢周, 則吾可以免矣":節要轉載].

[→命^{門下贊成事}偰長壽·趙浚, 與臺諫鞫之, 逃匿經宿處, 一如格所言. 又鞫謀亂事, 宗衍飢憊不能言, 獄官詰曰, "今日之問, 君命也, 何不言也?". 宗衍有微聲在喉中曰, "我不忍死, 且以薄祐所鍾, 至此耳, 實無謀事". 又問曰, "所謀事, 權格·李天用已告, 何隱也?". 宗衍曰, "與格·天用共謀, 得成何事. 我無所謀, 此亦可知". 飢甚, 不可栲問, 飮之粥, 入溫室, 卽死. 純禮在途不與食, 一晝夜馳三百里, 遂疲困凍餒以死, 人皆疑之, 劾純禮:列傳17金宗衍轉載].

[某日, 令百官, 各擧賢良二人:節要·選擧3薦擧轉載].

乙亥^{17日}, 刑曹判書安瑗等上書曰, "爲國之本, 在乎得人心, 得人之要, 在乎察事情, 此王政之所當先也. 夫人發於情, 形於言, 聽其言而究其情, 則時之理亂, 政之得失, 從可知也. 臣等竊聞輿議, 遷幸之際, 所損多矣. 從者棄業, 困於遷徙, 居者失所, 依於草莽, 彼此囂然. 頃者, 遷幸之初, 術士論曰, '天災屢見於上, 地怪每興於下, 此皆地德之衰. 巡幸南京, 則禍可弭也'. 今駐驛未久, 獸多損傷人物, 人或潛謀不軌, 變怪亦云不息. 術士之論地德之說, 寧可信乎? 若曰, '讖有其數, 須當避禳', 則與其任術數, 而邀遲福, 孰若修德政, 而祗天戒乎? 願殿下, 上察天時, 下稽人事, 旋還京國, 則侍從有得所之樂, 民庶無失所之嘆. 惟殿下裁之". 王令都堂擬議.

丙子^{18日}, 以閔開·李士渭·趙溫△^平爲密直副使, 成石瑢△^爲知申事, 安瑗爲左副代言, 柳廷顯爲右副代言.

戊寅^{20日}, 支解^{前全羅道元帥}金宗衍, 以徇諸道, 斬其黨李方春等七人, 流朴可興·李仲和·金軾于遠地.²⁴⁸⁾

[→支解宗衍, 以徇諸道, 斬忠·格·芳春·加勿·天用·鄭甫·朴原實等, 流可興·仲和·軾于遠地:列傳17金宗衍轉載].

---

248) 金宗衍의 사건에 연루된 사람들이 治罪될 때, ^{同知密直司事?} 李恬이 李成桂의 주위에 있었던 것 같다. ·『태조실록』권2, 1년 윤12월, "壬辰^{16日}, 政堂文學李恬, 精詳縝密, 有先見之明. … 歲庚午^{恭讓2年}, 恭讓君徙南京, 罪逃金宗衍誘不逞之黨, 潛謀不軌, 欲危寡躬, 延及社稷, 而恭讓昏迷, 反與一二之臣, 力寬其黨, 欲罪告捕者, 且有辭於予. 予未定去就, 聞恬言乃決, 以致今日".

庚辰^{22日}, ^{前門下侍中}<u>曹敏修</u>卒于昌寧.²⁴⁹⁾

癸未^{25日}, 以^{藝文館提學}<u>韓尙質</u>爲西北面都觀察黜陟使兼兵馬都節制使, 姜淮仲爲司憲執義, [^{正順大夫·密直司左副代言·經筵參贊官兼判繕工寺事·寶文閣直提學·知製敎充春秋館編修官·知禮曹事}<u>李詹</u>爲正順大夫·密直司左副代言·經筵參贊官兼判宗簿寺事·尙瑞尹·進賢館直提學·知製敎充春秋館·知兵曹事,²⁵⁰⁾ ^{成均司藝·寶文閣直提學}<u>劉敬</u>爲中顯大夫·試成均祭酒·寶文閣直提學,²⁵¹⁾ ^{寶文閣直提學}柳觀爲奉常大夫·典農副正:追加],²⁵²⁾ 李敢爲持平.

[某日, 都評議使司奏曰, "先王設都目政, 以差年到宿錄用. 近來各司·各成衆愛馬, 以至府史·胥徒, 冒受官爵, 工商·賤隷, 亦濫呈<u>都目</u>.²⁵³⁾ 乞依古制, 令吏·兵曹, 考覈功勞授職, 其有名無實任者刪去, 所任同而去路異名者, 幷合", 從之:選舉3選法轉載].

[某日, 憲司上言, "□一. 守令遞任頻數, 雖有才能, 未布政令, 民未受惠. 且送舊迎新, 其弊不貲. 願自今, 三年已滿有聲績者, 擢授京官, 不勝其任者, 貶黜, 以勵士風:選舉3選用守令轉載].

[□二. 我國百姓, 有事則爲軍, 無事則爲農, 故軍民一致. 近年以來, 各道節制使, 爭先下牒, 使道內郡縣, 及京畿農民, 雖無事時, 累朔居京, 人馬疲困, 民怨爲甚. 非唯貢賦百姓, 至於鄕·社·里長, 亦皆隷屬, 不利於國, 不便於民. 今後, 擇才智兼全者, 爲節制使, 定其額數, 使統中外軍士. 其餘節制使, 一皆革罷. 外方及京畿郡縣軍民, 亦皆放還, 勸農安業, 以固邦本", 從之:兵1五軍轉載].

[冬某月, 以^{掖庭內謁者監}<u>權遇</u>爲司設署令:追加].²⁵⁴⁾

---

249) 이날은 율리우스曆으로 1391년 1월 27일(그레고리曆 2월 4일)에 해당한다. 한편 門下侍中 曹敏修가 逝去한 明年에 조선왕조가 開創되자, 그의 鄕貫인 昌寧曹氏들이 어떠한 事由인지는 알 수 없으나 姓氏를 昌寧曺氏로 改字한 것 같다.

250) 李詹은 『쌍매당협장집』연보에 의거하였다.

251) 劉敬은 「劉敞政案」, "同年^{洪武二十三年}十二月二十五日, 批中顯大夫·試成均祭酒·寶文閣直提學"에 의거하였다.

252) 이는 『夏亭集』行狀에 의거하였다.

253) 여기에서 都目은 大政[都目政]을 결정하기 위해 준비한 都目狀을 指稱하는 것 같다(朴龍雲 1995년b).

254) 이는 다음의 자료에 의거하였다.
· 『梅軒集』권6, 梅軒先生行狀, "^{庚午}冬, 轉司設署令".

[是年, 依中朝應天府直申中書省例, 令本府直報都評議□使司. 且擢用孝子·順孫, 旌表義夫·節婦, 點考大·小學校, 以養人才, 禁惡逆奸僞, 以正風俗. 又掌農桑·戶婚·田土·逋欠·宿債·牧民之任:百官1開城府轉載].

[○復改典客寺, 爲禮賓寺:百官1禮賓寺轉載].

[○罷之^{少府寺}, 委其任於內府寺:百官1少府寺轉載].

[○革小府寺, 置軍資寺. 又革轉輸都監, 其錢穀文書, 悉委之. 判事正三品, 尹從三品, 少尹從四品, 丞從六品, 注簿從七品:百官1軍資寺轉載].

[○罷都府署, 爲司水署, 尋改爲寺. 判事正三品, 令從三品, 副令從四品, 丞從六品, 注簿從七品:百官1司水寺轉載].

[○加置都評議使司經歷司, 以統六房, 經歷一人三四品, 都事一人五六品, 皆以文臣爲之. 又以各年貢擧雜業不仕者, 屬爲典吏階七八品, 以任書寫. 又以門下府·三司·密直司正員, 爲判司事·同判司事·兼司事, 其餘商議及開城府·藝文館員, 不許兼之:百官2都評議使司轉載].[255)]

[○置各道觀察使經歷司:百官2外職轉載].

[○司憲府啓, "供驛署主鋪馬起發, 而每於私所, 開印移文, 人輕職要, 請托易行, 驛馬日減, 驛卒日散. 願自今, 令常坐公廳, 必據都堂公牒印給":百官2供驛署轉載].

[○倭賊氛稍息, 比來泰安郡, 僑寓禮山縣, 而至是年, 還堡于瑞山郡. 號曰尊堤, 備禦海寇:追加].[256)]

[○以曾祖益陽侯妃朴氏內鄕, 陞密城縣爲密陽都護府, 王妃鄕, 陞慶山縣令官爲知慶山郡事官. 又陞知仁州事爲慶源府:地理志轉載].[257)]

---

255) 同判都評議使司事는 1389년(공양왕1) 12월에 이미 그 存在가 確認되고 있다(『삼봉집』권4, 高麗國新作都評議使司廳記, 朴龍雲 2009년 508面).

256) 이는 다음의 자료에 의거하였다(蔡雄錫敎授의 潤文).
· 『敬齋遺稿』권1, 泰安客舍新刱記(『동문선』권81), "歲庚午, 賊氛稍息, 還堡于瑞山, 號曰尊堤, 備禦海寇, 兼任郡寄, 然流冗未歸".

257) 이는 다음의 자료를 전재하였다.
· 지11, 지리2, 密城郡, "恭讓王二年, 以曾祖益陽侯妃朴氏內鄕, 陞爲密陽府".
· 지10, 지리1, 仁州, "恭讓王二年, 陞爲慶源府. 王, 初卽位, 賜州戶長紅鞓".
· 『경상도지리지』慶州道, 密陽都護府, "高麗時, 恭讓王代, 洪武庚午, 以其御鄕改號, 升爲密陽府".

[○復置忠淸道石城縣監務. ○置慶尙道新寧·迎日·安康·玄風·長鬐·奉化·新寧·兼安德·孝令兼軍威·聞慶兼加恩·丹溪兼珍城·山陰·金山·黃澗·知禮·鎭海·江城·漆原兼龜山等, 各置監務.[258] 鷄林府任內壽城與解顔縣, 合置壽城監務, 安東大都護府任內基州與兼殷豊縣, 合置基州監務, 置禮安監務, 以宜仁縣, 屬之. 置義興監務, 以善州任內缶溪縣, 屬之, 後移屬義城縣. 尙州牧任內比安縣與安貞縣, 合置安貞監務. 置靑山監務, 析尙州酒城部曲, 以隷之. 又復置陜州管內感陰縣監務, 以利安縣, 屬之, 置晋州牧任內宜寧監務, 以新繁縣, 屬之. ○置全羅道和順監務, 兼任南平. 以高山監務, 兼任珍同縣. ○又以西海道黃州牧任內長命鎭·安岳郡任內連豊莊, 爲監務官, 置長命·連豊兼監務.].[259]

- 『경상도지리지』慶州道, 慶山縣, "恭讓王代, 歲在庚午, 以王妃鄕, 升爲知郡□事".
- 『세종실록』권150, 지리지, 密陽都護府, "… 恭讓王二年庚午, 以曾祖益陽侯妃朴氏內鄕, 陞爲密陽府".

258) 玄風縣의 경우는 慶尙道都觀察黜陟使 金湊가 密城郡의 屬縣이었던 玄風縣을 위시한 管內의 10餘縣의 疲弊相을 朝廷에 보고하자 監務를 新差하였고, 그 결과 李詹의 同年인 田平遠이 6월에 到任하여 惠政을 베풀었다고 한다.
- 『신증동국여지승람』권27, 玄風縣, 樓亭, 仰風樓(李詹 撰), "… 歲庚午恭讓2年, 觀察金公湊例疏弊同玄風者, 縣十餘以聞于朝, 乃差新定監務, 革弊行政, 要在得人, 甄拔極精, 而田侯平遠實在是選. 其年夏六月, 田侯始至, 克自敬勤, 圖所以爲理. 聚生徒, 申孝悌, 習揖遜, 以敦風化, 尊高年, 謹喪祭, 恤孤寡, 以正風俗. …".

259) 이는 『경상도지리지』를 전재하였다.
- 慶州道, 慶州府, "高麗時, 屬縣六, … 新寧·迎日, 恭讓王時, 洪武庚午, 各置監務, 壽城·解顔合置監務".
- 慶州道, 大丘郡, 壽城縣, "靈宗顯宗時, 以壽城郡司屬于鷄林府, 恭讓王時, □□洪武庚午, 兼解顔縣, 置監務". 이에서 靈宗은 顯宗의 오자인데, 이와 같은 사례는 餘他의 곳곳에서 찾아진다.
- 慶州道, 大丘郡, 解顔縣, "恭讓王時, □□洪武庚午, 兼壽城縣, 置監務".
- 慶州道, 迎日縣, "洪武庚午, 別置監務, 以管軍民萬戶, 兼之".
- 慶州道, 慶州府, 安康縣, "屬興海縣, 高麗恭讓王時, 洪武庚午, 置監務".
- 慶州府, 密陽都護府, "玄風縣, 恭讓王代, 洪武庚午, 別置監務".
- 慶州道, 玄風縣, "洪武庚午, 置監務".
- 慶州道, 長鬐縣, "恭讓王時, □□洪武庚午, 置監務".
- 安東道, 安東大都護府, "高麗時, 屬縣十一, 義興縣·基州與兼殷豊縣·奉化縣, 恭讓王代, 庚午, 各置監務". 여기에서 奉化縣은 恭讓王 3년(辛未)에 監務가 설치되었으므로 削除되어야 한다.
- 安東道, 永川郡, "新寧縣, 移屬慶州任內, 恭讓王時, 庚午, 置監務".
- 安東道, 新寧縣, "恭讓王時, 洪武庚午, 置監務".
- 安東道, 義興縣, "恭讓王代, 洪武庚午, 置監務".
- 安東道, 兼安德縣, "恭讓王代, 歲在庚午, 別置監務".
- 安東道, 基川縣, "恭讓王代, 歲在庚午, 置基川監務".
- 安東道, 兼殷豊縣, "恭讓王代, 歲在庚午, 合屬基州".

[○以慶尙道尙州牧任內加恩縣, 移屬聞慶郡. 安東府任內宜仁縣, 移屬禮安郡, 密城郡任內仇知山部曲, 以屬玄風郡任內, 一善郡任內缶溪縣, 移屬義興縣, 陜川郡任內新繁, 移屬宜寧縣, 狹州任內丹溪縣, 移屬江城縣, 以靈山縣任內桂城縣, 還屬密城郡. 又革西海道文化縣任內白翎鎭爲直村:轉載].[260]

[○置雄吉州等處管軍民萬戶府[□吉州在北, 雄州在南]].[261]

· 安東道, 比安縣, "恭讓王代, 歲在庚午, 合安貞縣, 置安貞監務".
· 安東道, 兼安貞縣, "恭讓王代, 庚午, 合比屋縣, 置安貞監務".
· 尙州道, 尙州牧官, "恭讓王時, 洪武庚午, 孝令兼軍威, 置監務. … 恭讓王, 庚午, 聞慶·加恩兩縣兼設監務, 比屋·安貞兩縣, 兼設監務".
· 尙州道, 善山都護府, "孝令·軍威, 在高麗恭讓王時, 洪武庚午, 軍威置監務, 以孝令兼屬".
· 尙州道, 陜川郡, "在高麗恭讓王時, 庚午, 丹溪合屬珍城, 利安·減陰, 合置監務, 山陰置監務".
· 尙州道, 金山郡, "恭讓王時, 洪武庚午, 置監務".
· 尙州道, 聞慶縣, "恭讓王時, 庚午, 置監務".
· 尙州道, 軍威縣, "恭讓王時, 洪武庚午, 合孝令縣, 置監務".
· 尙州道, 兼孝令縣, "恭讓王時, 洪武庚午, 兼屬軍威".
· 尙州道, 知禮縣, "恭讓王時, 洪武庚午, 置監務".
· 晋州道, 晋州牧官, "鎭海縣·宜令縣·江城縣, 恭讓王時, 庚午, 各置監務".
· 晋州道, 金海都護府, "漆原·龜山, 恭讓王時, 庚午, 合置監務".
· 晋州道, 珍城縣, "恭讓王代, 歲在庚午, 置監務". 이하 전거를 생략함.
　한편 지11, 지리2, 靑山縣의 경우, "高麗初, 更今名, 來屬. 恭讓王二年, 置監務, 析尙州酒城部曲, 以隷之. 十一年, 還屬"으로 되어 있는데, 末尾의 "十一年, 還屬"은 "恭愍王十一年, 還屬"으로 추측된다. 또 지리지에서 공민왕 11년에 행정구역의 변천이 있었던 것은 天安府와 化平府이다.

260) 이는 다음의 자료를 전재하였다.
· 慶州道, 玄風縣, "部曲一, 仇知山, 以密城郡任內, 洪武庚午, 移屬縣任內".
· 安東道, 兼缶溪縣, "恭讓王時, 洪武庚午, 移屬義興縣".
· 尙州道, 善山都護府, "高麗初, 領縣缶溪, 歲在庚午, 兼屬義興".
· 尙州道, 陜川郡, "新繁, 在高麗恭讓王時, 庚午, 合屬宜寧".
· 慶州道, 兼桂城縣, "洪武庚午, 還屬密城".
· 『경상도지리지』, 慶州道, 密陽都護府, "桂城縣, 恭愍□王代, 至元至正丙午, 移屬靈山縣".
· 『경상도지리지』, 慶州道, 兼桂城縣, "恭愍王代, 至元至正丙午, 合屬靈山".
· 지11, 지리2, 桂城縣, "恭愍王十五年, 移屬靈山, 恭讓王二年, 還屬".
· 지11, 지리2, 丹溪縣, "恭讓王二年, 移屬江城縣".
· 지11, 지리2, 利安縣, "恭讓王二年, 移屬感陰".
· 지11, 지리2, 加恩縣, "恭讓王二年, 移屬聞慶".
· 지12, 지리3, 白翎鎭, "恭愍王六年, 以水路艱險, 出陸僑寓文化縣東村. 尋以地窄廢鎭將, 屬文化縣任內". 이하 전거를 생략함.
261) 이는 다음의 기사를 轉載하였다.
· 지12, 지리3, 吉州, "恭讓王二年, 置雄吉州等處管軍民萬戶府[州在北, 雄州在南]".

[○以爲要害之處郡縣官, 兼管軍萬戶, 置延日監務, 以管軍萬戶兼之:追加].²⁶²⁾

[○始置林州管內藍浦縣鎭城, 招集流亡:地理1藍浦縣轉載].²⁶³⁾

[○尙州牧使<u>李復始</u>, 重創廨舍, 而亭樹皆未暇及:追加].²⁶⁴⁾

[○知興海郡事<u>白仁瑄</u>補修興海城, 仍鑿城池:追加].²⁶⁵⁾

[○某等築<u>大丘</u>山城·<u>彦陽</u>邑城:追加].²⁶⁶⁾

[○以^{密直使}<u>姜淮伯</u>爲判密直司事, 尋出爲交州·江陵道都觀察黜陟使:追加].²⁶⁷⁾

[○以^{鷹揚軍上護軍}<u>南誾</u>爲密直副使:追加].²⁶⁸⁾

[○以^{奉翊大夫}<u>柳和</u>爲安東大都護府使:追加].²⁶⁹⁾

[○以<u>全五倫</u>爲延安府使, 尋以<u>丁子偉</u>代之:追加].²⁷⁰⁾

[○以<u>崔龍和</u>爲知寧海府事:追加].²⁷¹⁾

[○以^{前典儀寺錄事}<u>安純</u>爲成均學諭:追加].²⁷²⁾

---

262) 이는 다음의 자료를 전재하였다.
· 『경상도지리지』, 晉州道, 咸陽郡, "恭讓王時, 洪武庚午, 以郡爲要害之處, 兼管軍萬戶".
· 지12, 지리3, 延日縣, "恭讓王二年, 置監務, 以管軍萬戶, 兼之".

263) 이와 관련된 자료로 다음이 있다.
· 『신증동국여지승람』 권20, 藍浦縣, 건치연혁, "… 高麗顯宗九年, 移屬嘉林縣, 後置監務. 辛禑時, 因倭寇人物四散. 恭讓王二年, 始置鎭城, 招集流亡".

264) 이는 『양촌집』 권14, 尙州風吟樓記, "… 庚午, 牧使李公復始又創廨舍, 而亭樹皆未暇及"에 의거하였다.

265) 이는 『양촌집』 권11, 興海郡新城門樓記에 의거하였다.

266) 이는 『경상도속찬지리지』에 의거하였다.
· 慶州道, 大丘都護府, "山城, 在府西二里許, 洪武庚午, 石築, …".
· 慶州道, 彦陽縣, "邑城, 洪武庚午, 土築, …".

267) 이는 다음의 자료에 의거하였는데, 이에서 己巳는 庚午의 오류일 것이다.
· 『태종실록』 권4, 2년 11월 戊戌^{19日}, 姜淮伯의 卒記, "己巳^{庚午}, 拜匡靖□□^{大夫}·判密直司事, 觀察交州·江陵道".

268) 이는 『태조실록』 권14, 7년 8월 己巳^{26日}, 南誾의 卒記, "庚午, 陞密直副使"에 의거하였다.

269) 이는 『안동선생안』에 의거하였다.

270) 이는 『연안부지』에 의거하였는데, 金五倫은 全五倫의 오자일 것이다.

271) 이는 『영해선생안』에 의거하였다.

272) 이는 다음의 자료에 의거하였다.
· 『敬齋遺稿』 권1, 安純墓誌銘, "庚午, 授成均學諭".

[是年頃, 明帝命刷還東北面和州·端州等處向化女眞人, 乃遣李成桂麾下軍官王可仁等數十人如京師:追加].[273]

[仁同人 張東翼 校注, 增補].

---

273) 이는 다음의 자료에 의거하였다.

· 『태종실록』 권7, 4년 4월, "甲戌[4日], 遼東千戶王可仁奉勅諭至, 上率百官迎于西郊, 偕使臣至太平館, 率百官拜勅書叩頭, 與使臣行私禮設宴. 勅云, 勅諭參散[北靑]·禿魯兀[端川]等處女眞 地面官民人等知道, … 可仁, 本我朝東北面向化人, 爲太上[李成桂]潛邸時麾下, 賴太上王[李成桂]薦拔, 官至樞密. 高皇帝時召還, 改名脩, 至是已十五年, 妻子皆無恙".

세가12책(공양왕 2년, 1390) 161

『高麗史』卷五十一 世家卷五十一[卷四十六 世家卷四十六]

[輔國崇祿大夫·議政府左贊成·知集賢殿經筵春秋館成均事·世子賓客·臣金宗瑞奉敎撰]

正憲大夫·工曹判書·集賢殿大提學·知經筵春秋館事兼成均大司·成臣鄭麟趾奉敎修

恭讓王 二

辛未[恭讓王]三年, 明洪武二十四年, [西曆1391年]

1391년 2월 5일(Gre2월 13일)에서 1392년 1월 24일(Gre2월 1일)까지, 354일

春正月己丑朔^{小盡,庚寅}, 宴群臣.

[庚寅^{2日}, 赤祲見于東方:五行1轉載].

乙未^{7日}, [省前軍·後軍, 只置中軍·左軍·右軍, 爲三軍都摠制府, 統中外軍事, 以受田散官及居新舊京圻者, 四十二都府各成衆·愛馬分屬焉. 都摠制使一人, 侍中以上, 三軍摠制使各一人, 省宰以上, 副摠制使各一人, 通憲以上, 斷事官二人, 正順以下五品以上, 經歷一人四五品, 都事一人五六品, 六房錄事各一人, 軍錄事一人, 六房典吏各三人:百官2三軍都摠制府轉載]. 以我太祖^{門下侍中李成桂}爲三軍都摠制使,¹⁾ ^{門下贊成事}裴克廉爲中軍摠制使, ^{門下評理}趙浚爲左軍摠制使, ^{政堂文學}鄭道傳爲右軍摠制使.²⁾

---

1) 添字는 『태조실록』권1, 總書, 공양왕 3년 1월에 의거하였다.
2) 이와 관련된 기사로 다음이 있다.
- 『고려사절요』권35, "省五軍, 爲三軍都摠制府, 統中外軍事".
- 열전32, 鄭道傳, "省五軍, 爲三軍都摠制府, 以道傳爲右軍摠制使, 道傳辭曰, '三軍之作, 臣在中朝, 憲司所建白, 臣不知也. 然罷元帥爲三軍, 以臣爲摠制使, 則諸帥失職者, 必怏怏曰道傳革元帥, 自爲摠制. 怨刺並興. 臣又不便弓馬, 不敢當. 且革私田·改冠服等事, 皆非臣所爲也, 左右皆目臣, 臣又冒處是任, 則讒言日至, 臣亦危乎. 願更命他人'. 王曰, '大國三軍古制也, 中爲權臣所廢, 宰相各稱元帥, 一民莫非其有. 今革元帥立三軍, 此復古之機也. 摠制寔重任, 議諸兩侍中, 以卿爲之, 卿母辭'. 道傳曰, '儻有讒言, 請勿納, 永保微臣'. 遂不辭, 王悅". 여기에서 恭讓王이 大國은 3軍으로 편성한다고 말한 것은 다음의 자료를 인용한 것 같다.
- 『周禮』권7, 夏官司馬第4, "… 凡制軍, 萬有二千五百人爲軍. 王六軍, 大國三軍, 次國二軍, 小國一軍. …".

○設帝釋道場于報平廳.

[某日, a 都評議使司請, '於平壤府, 減土官, 量墾田, 革日耕, 頒地祿, 定冠服', 從之:節要轉載].[3]

[→b 都評議使司請, '於平壤府, 減土官, 量墾田, 革日耕, 頒地祿', 從之. 地祿, 五品十結, 六品八結, 七品六結, 八品四結, 九品三結, 餘田公收:食貨1祿科田轉載].[4]

[→c 都堂啓曰, "平壤府土官之數, 本因公事緩急, 而定也, 自經紅亂, 古籍散失, 因此生謀, 衙門貟吏數多添設, 窺免徭役. 廣占日耕土田?, 軍粮國用, 由是乏絶, 其冗雜衙門及貟吏, 二皆沙汰", 從之:百官2西京留守官轉載].

[○都評議使司請, '定平壤府土官冠服, 東西班爲頭各一人, 紗帽·品帶, 其餘五六品, 高頂笠·品帶, 七品以下, 高頂笠·條兒, 知印·主事, 平頂巾':輿服1冠服通制轉載].

[○都堂啓曰, "召募海邊人民, 三丁爲一戶, 定爲水軍, 諸道濱海之田, 不收租稅, 以養水軍妻子", 從之:兵3船軍轉載].

[某日, 置安州·鴨綠·龍泉·大同諸要害處, 把截官及站·兵2鎭戍夫:節要轉載].

[某日, 置各道牧府儒學教授官:節要·選擧2學校·百官2儒學教授官轉載].[5]

[辛丑[13日], 禮曹啓曰, "安慶公溫, 以元王母弟, 篡立. 元朝遣使, 奉元王復位, 則溫不當稱爲英宗, 亦不當載諸祀典. 今遇忌日, 致祭, 有乖大義. 請罷之. 且忠肅王

---

3) 여기에서 日耕은 量田이 이루어지지 않은 地域에서 행해진 稅法으로 耕作에 필요한 日數(朔, 日, 朝, 半朝)에 따라 收租額을 정하는 것으로 面積을 가리킨다(a, b). 그런데 c의 경우는 田土[土田]를 의미하는데, 이 시기의 上疏文에 廣占土田이 驅使되고 있음을 보아 c의 日耕은 土田의 오류일 가능성이 있다(李相國 2019년).
· 『태조실록』 권6, 3년 9월 丙辰[19日], "都評議使司啓曰, '東北面, 曾以大中小戶收租, 請依西北面例, 以日耕, 踏驗收租', 從之".
· 『태종실록』 권26, 13년 11월 壬寅[26日], "平安道都巡問使崔迤, 上書請減田租, 書略曰, '古之一日耕, 稅納七斗, 今依他道例量田, 則一石也. 前年雖減十分之二, 還上徵斂, 民不堪苦, 請今年更減其稅'. 李叔蕃進言曰, '隨損給損, 已有著令. 今平安道禾穀, 雖不實, 隨他例給損而已, 何請減稅乎?'. 上然之".
4) 이 기사 다음에 昌王 卽位年 6月의 기사가 수록되어 있는데, 『고려사』를 轉寫 또는 組版할 때 발생한 오류일 것이다.
5) 이때 李汝信이 처음으로 尙州牧儒學教授官에 임명되었던 것 같다(→是年 8월 3일의 脚注).
· 『목은시고』 권35, 咸昌吟, 尙州□□牧教授官李汝信來訪, 吾門生也, "廟堂今日重儒冠, 新置諸州教授官, 最喜門生膺此選, 應知座主本相觀. …".

妃洪氏, 乃忠惠王·恭愍□^王之母后, 忠惠王妃尹氏^{禧妃}, 乃忠定王之母后. 以正統君王有後之妃, 迄今不祀, 實爲闕典. 乞兩妃忌日及眞殿祭享, 悉倣近代先后禮", <u>從之</u>:禮6先王諱辰眞殿酌獻儀轉載].⁶⁾

乙巳^{17日}, 以國大妃^{太妃}生日, 宥^{前門下贊成事}禹仁烈·[^{前門下評理}張夏·:節要轉載]^{前門下評理}李仁敏·^{前判密直司事}鄭熙啓·^{前簽書密直司事}李崇仁·^{前簽書密直司事}河崙·^{前簽書密直司事}權近·^{知密直司事}尹師德·柳琰·^{前知密直司事}李彬·盧贇·^{前知申事}李行·^{前軍器少尹}元庠等, 皆許京外從便.⁷⁾

丙午^{18日}, 三軍摠制府閱兵.⁸⁾

[某日, 三司左使成石璘, 請宦官祿, 每品, 減一等. 王只罷月俸:節要·食貨3祿俸轉載].

[某日, 王謂經筵官曰, "今人, 知中國故事, 而不知本朝之事, 可乎?". □^守侍中鄭夢周對曰, "近代之史, 皆未修, 先代實錄, 亦不詳悉, 請置編修官, 依'通鑑網目'修撰, 以備省覽". 王納之, 命還給李穡·李崇仁職牒, 欲修實錄. <u>不果行</u>:節要轉載].⁹⁾

[某日, 王欲御經筵, 宦者·^{判內侍府事}金師幸止之曰, "日月多矣, 一月^{一日}不講, 無害於政", <u>從之</u>:節要轉載].¹⁰⁾

[某日, 以受田品官, 並屬三軍:節要·兵1五軍轉載].

---

6) 이 기사는 『고려사절요』 권35와 열전2, 忠肅王明德太后洪氏·忠惠王妃禧妃尹氏에도 수록되어 있으나 字句에 出入이 있다.

7) 이때 權近은 陽村으로 옮겨와서 머물고 있었다(『양촌집』 권11, 拙齋記).

8) 이 기사는 지35, 兵1, 五軍에도 수록되어 있다.

9) 이때 편찬되지 못한 恭愍王 이후의 實錄은 朝鮮 初期에 편찬이 시작되어 1398년(태조7) 6월 이전의 어느 시기에 완성되었던 것 같다. 또 『通鑑網目』은 朱熹의 『資治通鑑網目』의 약칭일 것이다(東亞大學 2006년 26책 147面).
· 열전30, 鄭夢周, "^{恭讓王}三年, 王謂經筵官曰, '今人, 知中國故事, 而不知本朝之事, 可乎?'. ^鄭夢周對曰, '近代史皆未修, 先代實錄亦不詳悉. 請置編修官, 依通鑑網目修撰, 以備省覽'. 王納之, 卽命李穡·李崇仁等修實錄, 不果行".
· 『태조실록』 권14, 7년 6월, "丙辰^{12日}, 監藝文春秋館事趙浚等, 欲以前朝恭愍王至恭讓君, 已修實錄及自殿下壬申年^{太祖1年}以來史草收納".

10) 이와 관련된 기사로 다음이 있다.
· 『고려사절요』 권35, "王欲御經筵, 宦者金師幸止之曰, '日月多矣, 一日不講, 無害於政', 從之".
· 열전35, 宦者, 金師幸, "恭讓朝, 判內侍府事. 王欲御經筵, 師幸止之曰, '日月多矣, 一月不講, 無害於政'. 又以佛教導王曰, 佛氏之教, 不可誣也. 均是人也, 或爲天下主, 或爲一國主, 至於庶人. 貴賤不同者無他, 前世修善, 有厚薄故也".

[是月頃, 以^{通直郞}金由性爲安東大都護府判官:追加].¹¹⁾

二月戊午朔^{大盡,辛卯}, 賜回軍一等功臣我太祖^{門下侍中李成桂}田百結, 二等前侍中沈德符等十七人五十結, 三等前判慈惠府事崔鄲等三十人三十結.¹²⁾

己未^{2日}, 王發南京.

[→王自南京還松都, 日官涓吉日, 王以其日不利於妃, 欲緩其期, 將由迂路入都. ^{右散騎常侍鄭}習仁與左散騎陳義貴, 言其不可. 王不悅, 謂習仁曰, "汝非宰相所薦, 我自用之, 毌多言". 習仁囁嚅而退:列傳25鄭習仁轉載].

辛酉^{4日}, 次檜巖寺, 大張佛事, 窮極奢侈, 飯僧千餘. 使伶官, 奏鄕·唐樂. 王手執香爐, 巡東西僧堂, 以侑食. 順妃亦隨之. 又與妃及世子, 禮佛徹夜.

壬戌^{5日}, 王及世子, 手施僧布一千二百匹, 賜講主僧, 叚絹^{叚紬}各三匹·衣一襲. 仍御寺門, 受誕日朝賀.

[→以誕辰, 飯僧于檜巖寺, 施布一千二百匹. 政堂文學鄭道傳諫曰, "誕辰飯僧, 非先王之典, 出於臣子之情耳, 未聞人君自行祈福". 不聽:節要轉載].¹³⁾

丁卯^{10日}, [春分]. ^王至自南京, 都人結綵棚, 以迎之.

辛未^{14日}, 三軍摠制府閱所統兵, 分番宿衛.

[甲戌^{17日}, 長興府使皇甫□起役中寧山城:追加].¹⁴⁾

乙亥^{18日}, 國大妃^{太妃}至自南京.

丁丑^{20日}, 以前政堂文學李元紘女, 爲世子妃,

---

11) 이는 『안동선생안』에 의거하였다.

12) 이때 回軍功臣들에게 지급된 토지와 노비는 本人의 當代에만 지배권이 할양되었고, 자손에게 세습되지 않았던 것 같다.
   · 『인재집』 권3, 賞賜民田, 勿許世傳啓, "勤勞王事, 臣子職分之當爲, … 高麗五百年間, 有功賜田民者數人, 亦未聞有傳于子孫者也. 且原從·功臣回軍功臣, 皆自太祖潛邸, 積年服事, 或一心推戴, 或倡義回軍, 其功甚大. 非一時之功之比. 然其賞賜田民, 皆止其身, 不許子孫相傳".

13) 이와 같은 기사로 다음이 있다.
   · 열전32, 鄭道傳, "王自南京還都, 次檜巖寺, 以誕辰, 禮佛飯僧. 道傳曰, '誕辰飯僧, 雖非古典, 但出於臣子, 則可矣. 未聞人君自祈福利'. 不聽".

14) 이는 『동문선』 권76, 中寧山皇甫城記에 의거하였다. 이에서는 長興府使 皇甫□의 이름을 알 수 없다.

庚辰^{23日}, 百官上箋賀.

○是日, 復以沈德符爲靑城郡忠義伯, 李元紘爲慶源君, 安景良爲楊廣道都觀察^{黜陟}□□^{黜陟}使, [安翊爲慶尙道都觀察黜陟使, 盧嵩爲全羅道都觀察黜陟使, 尹就爲黃海道都觀察黜陟使:追加],¹⁵⁾ 李元緝爲司憲持平.

辛巳^{24日}, 命世子謁陽陵^{神宗}, 仍祭孝愼殿, 告還都.

癸未^{26日}, 井邑人中郎將王益富, 自稱忠宣王孽曾孫, 處絞, 幷及子孫十三人.

[→井邑民王益富, 與池湧奇妻, 爲再從兄弟. 出入湧奇家, 自謂忠宣王孽曾孫. 定陽君瑀, 知之以告, 遂捕鞫之, 絞益富及子孫十三人. 憲府上疏, 論湧奇, 陰庇益富, 潛謀不軌, 郎舍亦請置極刑. 幸僧神照, 素善湧奇, 密白王曰, "援立之功, 專在湧奇". ○王特宥之:節要轉載].

[→井邑民王仲明子益富, 湧奇妻族也, 出入湧奇家, 自謂忠宣王孽曾孫. 定陽君瑀, 知之以告, 遂捕之. 大司憲金士衡等言, "池湧奇與於功臣之列, 誠宜盡忠輔佐, 反以妻之再從兄弟王益富, 爲忠宣王曾孫, 陰養於家, 不忠莫甚. 願殿下族益富, 收湧奇告身及功臣錄卷, 明正其罪". 於是, 下司平府鞫之, 絞益富與弟得富及其族十三人. 幸僧神照, 素善湧奇, 密白王曰, "援立之功, 專在湧奇". 王信之, 右湧奇甚力, 只收告身·功卷^{功臣錄卷}:列傳27池湧奇轉載].

[是月, 重創演福寺五層塔, 將訖厥功, 憲府上疏論其弊, 命中止:追加].¹⁶⁾

[是月頃, 門下侍中李成桂與其夫人康氏造成銀製鍍金舍利塔及法器數点, 藏於金剛山月出峰石函:追加].¹⁷⁾

---

15) 安翊은 『경상도영주제명기』에, 盧嵩은 是年의 末尾에 의거하였고, 尹就는 是年 6月 21일의 脚注에 의거하였다. 이때 安翊은 匡靖大夫·慶尙道都觀察黜陟使兼監倉·安集·轉輸·勸農·管□^乍學事·提調刑獄·兵馬公事에 임명되었다고 한다.

16) 이는 다음의 자료에 의거하였다.
· 『양촌집』권12, 演福寺塔重創記, "… 辛未二月始事, 掘舊址壞木石, 以固厥基, 迄冬迺竪, 縱橫六楹, 克壯且廣, 累至五層, 覆以扁石. 將訖厥功, 憲臣有言而中輟".

17) 이는 1932년 10월 江原道 淮陽郡 長陽面 長淵里(현 북한 강원도 金剛郡 管內로 추측됨)에 위치한 金剛山 月出峰의 石函에서 발견된 銀製鍍金舍利塔(高15.7cm)과 龕(圓筒, 高21cm), 靑銅鋺, 白磁埦 등에 刻字된 銘文에 의거하였다(朝鮮總督府博物館 1934年 第6輯 ; 鄭永鎬 等編 2013년 87面).
· 舍利塔을 넣은 圓筒龕의 銘文, "奮忠定難」 匡復燮理」 佐命功臣」·壁上三韓」 三重大匡」·守門下侍中 李成桂,」 三韓國大」 夫人康氏,」 勿其氏」". 이 시기에 李成桂는 門下侍中으로 在

三月戊子朔^{大盡,壬辰}, 日食.[18]

○憲府^{司憲府}以^{前判三司事}池湧奇通^{中郎將}王益富, 上疏請誅, 杖湧奇一百, 流遠地, 籍其家.

[→郎舍陳義貴等又言, "池湧奇本系庸人, 寵遇旣極, 顧乃懷姦挾詐, 潛通宗衍反逆之謀, 以忠烈王賤妾之後王益富, 謂之宗孫, 將欲倚賴, 覬覦非分. 情見事白, 今只收職牒, 願斷以大義, 明正典刑". 王曰, "湧奇, 雖姦詐不忠, 然已於祖眞前, 盟以宥及永世, 不忍加誅". 義貴等復上疏極論, 憲司又言, "湧奇, 以王氏餘孽, 潛匿家中, 愛養尊奉. 中興之初, 稍有不道之言, 殿下卽位之後, 又不首告. 安知乘時竊發, 戴以爲君, 而逞其不軌之謀也". 王召鄭夢周·趙浚議, 命杖百遠流, 籍家產: 列傳27池湧奇轉載].

庚寅^{3日}, 都評議使司請行順妃及世子冊封禮, 從之.

甲午^{7日}, [都評議使司啓曰, "^{西京千戶}尹龜澤告^{前全羅道元帥}金宗衍謀亂, 賞以官, 郎舍不署告身, 是黨宗衍也". 乃:節要轉載]流諫官^{左散騎常侍}陳義貴·^{右散騎常侍}鄭習仁·^{司議大夫}李渻·權湛·禹洪富·宋愚·孟思誠·尹珪·尹須^{尹須}于外.[19]

[→論^{西京千戶}尹龜澤功, 除判書雲觀事, 郎舍數月不署告身. 式目錄事劾郎舍黨宗衍, 而庇陰謀, 請治其罪. 都堂又上疏, 請之. 乃下常侍陳義貴·鄭習仁, 司議李渻·權湛, 舍人禹洪富, 獻納宋愚·孟思誠, 正言尹珪·尹須^{尹須}于巡軍獄鞫之, 皆流外. 以湛倡議, 幷收告身:列傳17金宗衍轉載].[20]

戊戌^{11日}, 作豊儲·廣興倉于西江, 以蓄漕運米穀.

職하고 있었기에 이 감(龕)은 守侍中으로 재직하던 그 以前에 製作이 이루어졌고, 이때 奉納되었던 것 같다. 또 勿其氏는 李成桂의 小室로 추측된다.

· 靑銅鋺·白磁塊의 銘文, "洪武二十四年辛未二月日".

18) 이날 明에서도 일식이 있었다(『명태조실록』 권208 ;『명사』 권3, 본기3, 太祖3, 洪武 24년 3월 戊子). 이날은 율리우스력의 1391년 4월 5일이고, 開京에서 일식 현상이 심했던 時間은 16시 54분, 食分은 0.41이었다(渡邊敏夫 1979年 313面).

19) 陳義貴와 鄭習仁의 관직은 열전25, 鄭習仁을 통해 알 수 있다. 또 여러 판본의 『고려사』에서 尹湏(윤회)로 되어 있으나 尹須(윤수)의 오자이다(→공양왕 3년 11월 7일, 4년 6월 29일).

· 열전25, 鄭習仁, "尋以不署尹龜澤告身, 流于外, 語在金宗衍傳".

20) 이때의 式目錄事는 누구인지를 알 수 없으나 式目都監은 1412년(태종12) 11월 5일까지 存續해 있었고, 이날 式目錄事는 議政府案牘錄事로 改稱되었던 같다.

· 『태종실록』 권24, 12년 11월, "丙戌^{5日}, 改式目都監錄事, 爲議政府案牘錄事. 從□^議政府之啓也".

壬寅[15日], 命弘福都監, □^納布二千匹于演福寺, 以資修塔.[21)]

甲辰[17日], ^{中郞將}兼典醫寺丞房士良, 上時務十一事.[22)] "□一曰, 書云, '愼乃儉德, 惟懷永圖'.[23)] 昔漢文帝, 惜百金於露臺, 以基四百年漢家之業, 元季, 爲萬壽幽宮之樂, 以潰百年培植之基. 勤儉奢怠之間, 吉凶興亡, 判焉, 吁可畏也. 願^{伏惟}崇尙儉素, 屛斥浮華, 益勤無怠.

[二曰, 書云, '不貴異物, 賤用物, 民乃足'.[24)] 我朝只用土宜紬苧^{細苧}·麻布, 而能多歷年, 所上下饒足. 今也, 無貴無賤, 爭貿異土地物, 奢僭無節^{路多帝服之奴}^{巷遍后飾之}^婢. 願自今, 士庶·工商·賤隷, 一禁紗羅·綾段之服, 金銀·珠玉之飾, 以弛奢風, 以嚴貴賤:節要轉載].[25)]

[三曰, 人家子孫, 或家貧無錢, 以綾錦褥衾^{錦褥綾衾}之未辦, □□□□□□^{皮幣衣服之}^{未備}, 淹延歲月, 婚姻失時. 甚至父母亡, 而或托族屬, 或依奴婢, 因此失禮, 幾敗人倫者, 往往有之. 願自今, 婚姻之家, 專用絲布, 一禁異土之物, 如有仍行舊弊者, 以違制論:節要轉載].[26)]

[四曰, 司馬遷曰, '□^凡用貧求富, 農不如工, 工不如商, 刺繡文^夫不如依^倚市門'.[27)] 臣亦以謂, 四民之中, 農最苦, 工次之, 商則遊手成群, 不蠶而衣帛, 至賤而玉食, 富傾公室, 僭擬王侯, 誠理世之罪人也. 竊觀本朝, 農則履畝而稅, 工則勞於公室, 商則旣無力役, 又無稅錢.[28)] 願自今, 其紗羅·綾段·絹子·綿布等, 皆用官印, 隨其輕重長短, 逐一收稅, 潛行賣買者, 並坐違制:節要轉載].[29)]

---

21) 原文에는 "命納弘福都監布二千匹于演福寺"로 되어 있으나 『고려사』를 처음 組版할 때 活字의 순서가 흩뜨려졌을 것이다.
22) 添字는 『고려사절요』 권35에 의거하였다.
23) 이 구절은 『書經』, 太甲(僞古文)上 ; 『尙書』 권4, 太甲上第5, 商書에서 따온 것이다.
24) 이 구절은 다음의 자료에서 따온 것이다.
  · 『서경』, 旅獒(僞古文) ; 『尙書』 권7, 旅獒第7, 周書, "不作無益害, 有益功乃成, 不貴異物, 賤用物, 民乃足".
25) 이 기사는 지39, 刑法2, 禁令에도 수록되어 있고, 添字는 이에서 달리 표기된 것이다(東亞大學 2012년 19책 652面).
26) 이 기사는 지39, 刑法2, 禁令에도 수록되어 있고, 添字는 이에서 달리 표기된 것 또는 추가되어 있는 글자이다(東亞大學 2012년 19책 652面).
27) 이 구절은 『사기』 권129, 貨殖列傳第69, 凡編戶之民에 나오는 것인데, 添字와 같이 고쳐야 옳게 된다.
28) 여기에서의 稅錢은 商稅錢(商稅)을 指稱한다(→충렬왕 12년 4월 8일의 脚注).

[五曰, 鍮·銅, 本土不產之物也, 願自今, 禁銅·鐵器, 專用瓷木, 以革習俗:節要轉載].[30]

[六曰, 天下之間, 雖方殊而俗異, 其士農工商, 各以其業, 資其生. 以有易無, 彼此通用者, 錢也. 自禹鑄塗山, 用設九部以來, 至于今通行者, 無他, 其質堅貞, 其用輕便, 火不燒, 水不濕, 貿遷而益光, 致違而無咎, 鼠不能耗, 刃不能傷, 一鑄之成, 萬世可傳, 故天下寶之. 本朝麤布之法, 出於東京等處若干州郡, 且此布之弊, 用無十年之久, 乍遭煙濕, 便爲灾朽, 縱盈公廩, 未免鼠漏之傷. 願立官鑄錢, 兼造楮幣爲貨, 一禁麤布之行:節要轉載].[31]

[七曰, 民惟邦本, 本固邦寧, 古今之至論也. 今西北一路, 乃國家之要害, 强兵之所在也. 頃者, 姦雄用事, 萬戶·千戶之屬, 不是姻婭附己, 則必出於賄賂·苞苴之中, 乃以頑暴貪利者. 擧而加諸衆人之首, 彼爲有爲王敵愾之忠, 效死勿去之義耶乎? 願自今西北面管軍千戶之屬, 許用兩府以下臺省·六曹之薦:節要轉載].[32]

[八曰, 書云, '令出惟行'.[33] 若令出而不行, 則國非其國矣. 今也, 令非不嚴也, 征商之徒, 什伍成群, 牽牛帶馬, 懷金挾銀, 日趍異域, 驢騾駑鈍之物, 遍於國中. 願自今, 潛行越江, 賣牛馬者, 及將官印之馬, 賣彼不還者, 以違制, 加刑:節要轉載].[34]

□九曰, 其人之制, 世無史傳, 憲廟敬廟至元之間,[35] 五道州郡, 抄得三百名, 分屬版圖司·造成都監, 各一百五十名, 爲常額. 自庚寅忠定王2年倭寇以來, 州郡蕩然失所, 或邑無孑遺, 而長闕, 官有定額而追捕. 京中主家, 當被捉見囚之餘, 雇人代立之際, 借貸利布, 日徵一匹. 歲月如流, 且不能支, 或破家, 或閉門, 謀免其苦. 又侵擾其鄕本貫人物, 劫以官威, 據奪奴婢, 輪次立役矣. 雖全盛之鄕, 當次之吏, 亦不

---

29) 이 구절은 지33, 食貨2, 市估에도 수록되어 있다.

30) 이 구절은 지39, 刑法2, 禁令에도 수록되어 있다.

31) 이 구절은 지33, 食貨2, 貨幣에도 수록되어 있다.

32) 이 구절은 지35, 兵1, 五軍에도 수록되어 있는데, 添字는 이에서 달리 표기된 것이다. 또 이의 冒頭에 三日로 되어 있으나 三月의 오자일 것이다(東亞大學 2012년 19책 537面).

33) 이 구절은 다음의 자료에서 따온 것이다.
  ・『尙書』권11, 周官第22, 周書, "王曰, 嗚呼, 凡我有官, 君子欽乃有司, 愼乃出令, 令出惟行, 弗惟反, 以公滅私, 民其允懷, …".

34) 이 구절은 지39, 刑法志2, 禁令에도 수록되어 있다.

35) 憲廟는 敬廟의 오류일 것이다. 至元年間은 元宗, 곧 忠敬王[敬廟]의 在位年間이고, 憲廟는 忠憲王, 곧 高宗年間이므로 이 구절에서는 적합하지 않다.

計他日之生産, 盡賣所藏, 賫持就役, 其弊甚鉅. 願^{伏惟}殿下, 毋循舊弊, 一切罷之.

[十曰, <u>西伯爲池</u>, 掘得死人之骨, 西伯曰, ‘葬之’. 吏曰, ‘此無主之骨, 何必葬 爲?’. 西伯曰, ‘有天下者, 天下之主, 有一國者, 一國之主, 寡人固其主矣. 更以衣 槨葬之’. 天下聞之曰, ‘西伯澤及枯骨, <u>況於人乎?</u>’. 是知八百年, 帝周之籙, 實源 於文王一念之仁, 豈不美哉? 今都城□□^{四門}之外, 一國□□^{大小}臣民先人之塚存焉, <u>芻</u>^芻者暴之, 獵者火之, 或逼爲田圃^{菜圃}, □□□□□^{或耕爲粟田}, □□^{嗚呼}; □□^{凡厥}孝子仁 人, 得不覩此, 而泚其顙乎? 願自今, <u>凡墳塚所在</u>^{凡墳塚所存}, <u>禁其樵採</u>^{差定世守}, 使之蓊 茂:節要轉載].[36]

□□^{十一}曰, 勳烈之氣, 扶持萬世, 社稷之柱石也, 忠義之風, 摧挫萬世亂賊之鈇 鉞也. 願自今, 凡功在王室, 忠在社稷, 不幸而陷刑戮, 致隕命, 如安祐・李芳實・金 得培・朴尙衷等, 進加褒贈, 特賜<u>小牢</u>^{少牢},[37] 以慰貞魂”.

○王深納之. [尋拜^{士良}, 爲刑曹正郞:節要轉載]. 餘見諸志.

○我太祖^{門下侍中李成桂}以疾, 上箋辭職, 遂如平州溫井. 箋曰, “臣以庸劣, 特蒙殊 遇之恩, 位極將相, 尙無絲毫之補. 宜避用賢之路, 以開聖明之治. 肆竭卑誠, 再瀆 天聽, 每被不允, 戰兢尤深. 竊以謂, ‘<u>國有</u>大小, 事殊古今, 其君臣相遇之難, 則<u>不 異</u>’.[38] 漢之高帝, 以創業之主, 知人善任, 至於失處功臣, 則識者, 有憾其缺. 光武

---

36) 이 기사는 志39, 刑法2, 禁令에도 수록되어 있고, 添字는 이에서 달리 표기된 것 또는 추가되어
  있는 글자이다(東亞大學 2012년 19책 653面). 또 周의 文王[西伯]에 대한 逸話는 다음을 인용
  한 것이다(楠山春樹 1996年 269面).
  ・『呂氏春秋』권10, 孟冬紀, 異用, “周文王使人抇池, 得死人之骸, 吏以聞於文王, 文王曰, ‘更葬
  之’. 吏曰, ‘此無主矣’, 文王曰, ‘有天下者, 天下之主也, 有一國者, 一國之主也, 今我非其主
  也’. 遂令吏以衣棺, 更葬之. 天下聞之曰, ‘文王賢矣, 澤及髊骨, 又況於人乎?’ …”.
37) 여기에서 小牢(혹은 少牢) 羊 또는 豕를 가리킨다.
  ・『禮記注疏』권12, 王制, “… 天子社稷皆大牢, 諸侯社稷皆小牢, 大夫・士宗廟之祭, 有田則祭,
  無田則薦 ”(四庫全書本29左3行).
  ・『國語』권18, 楚語下, “… 天子擧以大牢祀以會[注, 大牢, 牛・羊・豕也. 會, 會三大牢, 擧四方
  之貢], 諸侯擧以特牛祀以大牢[特一也], 卿擧以小牢祀以特牛[少牢, 羊・豕也]”, 大夫擧以特牲
  祀以小牢[特牲, 豕也]”(四庫全書本4右3行).
  ・『禮記注疏』권35, 少儀, “… 其禮, 太牢則以牛左肩・臂・臑折九個, 小牢以羊左牽七個, 犆豕則
  以豕左肩五個”(四庫全書本37右末行).
  ・『大戴禮記』권5, 曾子天圓第58, “單居離問于<u>曾子</u>曰, … ^{曾子曰} … 諸侯之祭, 牲牛曰太牢, 大夫
  之祭牲羊曰少牢, 士之祭牲特豕曰饋食”(四庫全書本19左1行).
38) 이는 句節은 어떠한 자료를 인용한 것인지를 알 수 없으나 字句의 일부가 찾아진다. 그렇지만 자
  료에서 언급된 留侯 張良의 事蹟을 기록한 『사기』권55, 留侯世家第25와 『한서』권40, 張良傳

以中興之主, 網羅豪傑, 匡復漢室, 且有善處功臣, 以保其終, 後人咸稱其美. 其功臣則韓信·周勃, 終不如張良之保, 寇恂·鄧禹猶不及子陵之高. 臣雖不學, 願效張良·子陵, 伏惟殿下, 願如光武. 臣於丙申^{恭愍5年}六月, 陪先父臣某^{李子春}, 受命玄陵^{恭愍王}, 平雙城復舊疆. 憑藉餘力, 拓土至靑州, 以爲藩鎭, 使無東顧之憂. 玄陵是嘉其功, 拜臣父以榮祿大夫·□^{삭제}將作監事, 仍爲朔方道萬戶. 又擢臣以不次, 年未三十, 位至宰輔, 然無所補, 夙夜憂懼. 至戊辰^{禑王14年}年間, 假姓發兵猾夏, 人無敢諫, 傾覆社稷. 臣首倡大義, 有回軍之擧, 再定宗社, 是則人以爲擅兵. 後^禑於己巳^{昌王1年}十一月, 敬奉敎旨^{欽奉聖旨}, 滅僞復興, 克正宗祀, 是則人以爲執權. 今爲諸軍事, 養兵靜守, 鎭伏^{삭제}姦雄, 潛消外寇, 是則且以爲耗軍資, 物議紛紜, 難以辨明. 臣有三不幸, 功微賞巨, 爲人所忌, 一不幸也. 保社稷復正統, 弭盜賊等事, 未嘗無涓埃之助, 因以居寵, 二不幸也. 自古功過, 不能相揜, 執迷而不能勇退, 三不幸也. 念至於此, 誠惶誠恐. 召公曰^{伊尹曰}, '臣罔以寵利, 居成功'.[39] 蔡澤云, '四時之序, 功成者去'.[40] 是乃自然之理. 臣亦不宜久防^{삭제}賢路, 乞歸田里, 以保餘齡, 臣之願也. 伏望上慈, 俾保全功臣之聲^德, 不獨全美於光武, 不勝幸甚".

丙午^{19日}, 遣左代言李詹于平州, 賜宮醞以慰. 批答曰, "大臣一身, 關國家之興衰, 係生民之休戚, 職任如此其重, 去就, 未可以輕. 是以召公, 有告歸之心, 周公諭^{삭제}篤棐之義. 卿山川閒氣, 社稷元臣, 徇公忘私, 忠誠貫日, 仗信安義^{伏義安信}, 功業

第10에는 보이지 않는다.

- 『硏北雜志』권하, "蘇子美^{蘇舜欽}豪放不羈, 好飲酒, 在外舅杜祁公家, 每夕讀書, 以一斗爲率. 公深以爲疑, 使子弟覘之. 聞子美讀『漢書』張良傳, 至良與客狙擊秦皇帝, 誤中副車, 遽撫掌曰, '惜乎, 擊之不中', 遂滿飲一大白. 又讀至良曰, '始臣起下邳, 與上^{劉邦}會於留, 此天以臣授陛下'. 又撫案曰, '君臣相遇, 其難如此', 復擧一大白. 公聞之, 大笑曰, '有如此下酒物, 一斗不爲多也'. 여기에서 下邳는 현재의 江蘇省 徐州市의 동북쪽에 위치한 邳縣이고, 이곳에 黃石山이 있다. 또 一大白은 큰 술잔[大酒杯]를 가리킨다.

39) 이 구절은 『尙書』권4, 太甲下(僞古文)第7, 商書, "伊尹申誥于王曰, … 臣罔以寵利, 居成功"을 인용한 것이다. 그러므로 이 記事의 冒頭인 召公(周 武王의 同姓宗室인 姬奭)은 伊尹(姓氏는 伊, 이름은 摯 또는 保衡)으로 고쳐야 옳게 될 것이다(東亞大學 1982년 4책 577面).

40) 이 구절은 다음의 자료에 의거하였을 것이다.
- 『사기』권79, 范雎·蔡澤列傳第19, "蔡澤者, 燕人也, … 去之趙見逐, 之韓·魏, 又奪釜鬲於塗, 聞^{秦宰相}應侯任鄭安平·王稽, 皆負重罪於秦, 應侯內慚. 蔡澤乃西入秦, 將見昭王. … 應侯曰, 請聞其說. 蔡澤曰, 吁, 君何見之晚也, 夫四時之序, 成功者去, 夫人生百體堅疆, 手足便利, 耳目聰明, 而心聖智, 豈非士之願與?".
- 『戰國策注』권5, 秦3, "蔡澤見逐於趙, 而入韓·魏, … 蔡澤曰, 吁, 何君見之晚也, 夫四時之序, 成功者去".

柱天. 爰自先王之時, 以至寡人之日, 勉出乃力, 輯寧我邦. 逮戊辰^{禑王14年}猾夏之師, 定己巳^{昌王1年}撥亂之策, 國祚以之而復續, 民生由是而再蘇. 且鍊養其戎兵, 以扞禦于王室, 事皆合於天理, 心何恤乎人言? 居寵若驚, 卿之自處則善, 恊^協謀共政, 予所任者爲誰. 於戱, 子陵^{嚴光}之高, 光武不任以事, 留侯^{張良}之去, 漢室已致其安. 以古視今, 勢殊事異, 宜安厥位, 以副予心".[41]

[某日, 都評議使司奏曰, "殿下受命中興, 以正大位, 奉承宗廟社稷之祀. 中宮所以助祭祀, 東宮所以重國本, 宜令有司, 擧行冊禮, 以正名號. 又請, 追贈王大妃^{太妃}·國大妃^{太妃}·中宮, 三代祖考, 以彰孝理", 從之:列傳2恭讓王妃盧妃廉氏轉載].

乙卯^{28日}, 以我太祖^{李成桂}復爲門下侍中, 朴子文爲左司議□□^{大夫}, 沈孝生爲門下舍人, 趙休爲左獻納, 柳沂爲左正言.

丁巳^{30日}, 遣吏曹佐郞禹洪命于平州, 賜我太祖^{門下侍中李成桂}宮醞.

[是月, 城機張郡及海州·甕津:兵2城堡轉載].[42]

[是月頃, 以崔子雲爲羅州牧使:追加].[43]

夏四月 [戊午朔^{小盡,癸巳}, 鎭星犯紫薇^{紫微}:天文3轉載].

[某日, 禁婦女往來佛寺:節要轉載].

[某日, 置五部義倉:節要·食貨3常平·義倉轉載].

壬戌^{5日}, 以旱禁酒.[44]

甲子^{7日}, 彗見十餘日.[45]

---

41) 이성계의 箋文과 공양왕의 批答은 『태조실록』 권1, 總書, 공양왕 3년 3월에도 수록되어 있는데, 添字는 이에 의거하였다.

42) 이때 이루어진 海州城의 改築은 다른 자료에서도 확인된다.
   · 『晋菴集』 권6, 海州城改築碑記, "… 考諸州誌, 城之始築, 在於高麗恭讓王三年, 而嘉靖三十四年·明宗大王十年乙卯, 萬曆十九年·宣祖大王二十四年辛卯, 又重修, 自恭讓距今未及四百年, 重修者二, 而堞壘無餘".

43) 이는 『금성일기』에 의거하였다.

44) 일본에서는 南北朝時代의 말기인 1390년 가을부터 이해[是年, 1391]에 걸쳐 全國에서 饑饉이 발생하였고, 남북조가 통일된 1393년(明德4) 여름에도 기근이 계속되었다고 한다(力武常次 等 2010年).

45) 이때 明에서도 彗星이 관측되었다.

[○慶尙·楊廣兩道, 雨雹:五行1雨雹轉載].

乙丑[8日], 右代言柳廷顯, 請停演福寺之役. 不聽.[46)]

[○蟲食松岳山松葉, 發各里·各領, 捕之:五行2轉載].

[丙寅[9日], 定世子妃朝謁儀. 妃夙興齋沐, 備儀詣闕, 王便服, 王妃盛服, 坐殿. 女史引妃, 侍女奉棗·腶脩·笄[笲]以從.[47)] 妃入再拜, 司賓女史引升殿進笄[笲], 降又再拜. 宦者酌酒以進, 妃啐酒再拜, 女史引妃出. 如有筵宴, 及賜賚, 世子及妃坐, 以家人禮, 酌獻極懽. 妃朝謁後, 王會群臣, 禮如元會儀. 群臣上壽曰, "王世子嘉聘禮成, 克崇景福, 臣等不勝慶抃, 謹上千秋萬歲壽":禮7王太子納妃儀轉載].

己巳[12日], 以久旱, 放輕繫.

庚午[13日], 大雨.

○以門下評理金湊兼大司憲, 許應·全五倫爲左·右常侍[左·右散騎常侍],[48)] 全伯英爲右司議大夫, 權軫爲右獻納, 金汝知爲左正言.

[辛未[14日], 月犯心星:天文3轉載].

[乙亥[18日], 客星犯紫薇[紫微]:天文3轉載].

丙子[19日], 王微行, 觀射于馬巖, 憲司[司憲府]劾知申事成石璘, 不啓王備儀衛. 王怒, 卽命石璘視事, 左遷執義姜淮仲·持平李敢, 以禹洪得爲執義, 李作爲持平.

[某日, 命三司, 會計中外錢穀出納:節要·食貨2貨幣轉載].

己卯[22日], 避帝[明太祖]諱, 禁用元字, 代以原.

壬午[25日], 帝[明太祖]遣宦者前元中政院使韓龍·黃禿蠻等來. 禮部□[移]咨曰, "欽奉聖

· 『명태조실록』 권208, 홍무 24년 4월, "丙子[19日], 夜, 慧星二, 一入紫微垣閶闔門犯天宋, 一犯六甲掃五帝座".

· 『憲章錄』 권9, 홍무 24년 4월, "□□[某日], 彗星出紫微垣".

46) 이 시기에 鄭道傳도 演福寺의 重修에 반대하는 上疏를 올렸으나 받아들여지지 않았다고 한다.

· 열전32, 鄭道傳, "王欲營演福寺塔殿, 令京畿·楊廣民, 輸木五千株, 牛盡斃, 民甚怨之. [政堂文學鄭]道傳極言其害, 尋以病乞退, 不允".

47) 笄[비녀계]는 笲[폐백상자변]의 오자일 것이다(孫曉 等編 2014年 2101面).

· 『예기주소』 권61, 昏義, "… 夙興婦沐浴以俟, 見質明贊見婦於舅姑, 婦執笲棗·栗·腶脩以見" [四庫全書本8右1行].

48) 是年 11월 6일에도 左·右散騎常侍로 되어 있다.

旨, 朕稽古典, 三韓之地, 始古至今, 產馬處所. 卽今, 乏馬戍守, 差三韓本俗閹人, 謂權署國事王瑤及群陪臣等, 諭以分明於有職人員及富家處, 易馬一萬, 令各官及富家子弟, 將馬於遼東交割, 來京關, 領價直.[49] 更於各官處, 需閹人二百名. 三韓遠在東溟之外, 產無我供, 人無我用, 受命稱臣, 以何爲信. 國富民稠, 於斯需索交易, 不爲過矣".[50]

[→大明遣前元中政院使韓龍等來. 王率百官, 出宣義門外, 迎至壽昌宮, 行迎命禮, 設宴. 韓龍等皆國人也. 擧酒, 前爲壽曰, "我輩本國奴耳. 今殿下禮待, 至此, 敢不銘感. 請殿下坐受, 跪而進之". 王坐受. 至夜乃罷. ○都評議使司啓曰, "西北面, 朝廷使臣往來之處. 大小官相接,[51] 公私禮及酒禮, 並依朝廷禮制, 迎命禮, 依本國例", 從之:禮7賓禮轉載].

癸未[26日], [芒種]. 下教, 求言曰, "弭灾之道, 莫如修德, 爲政之要, 惟在求言. 昔宋景, 一言之善, 致熒惑三舍之退, 天人之際, 感應斯速. 予以眇躬, 荷祖宗之靈, 託臣民之上, 憂勤夙夜, 期底豊平. 而智能不逮, 學問不明, 其於政教, 動昧施爲, 若涉大川, 罔知攸濟. 今者, 日官上言, '乾文示徵, 客星字于紫微, 火曜入于輿鬼, 變異甚鉅'. 兢惕益深, 將凉德未修, 而不孚於帝心歟? 政令有闕, 而不愜^下興望歟. 刑賞之道, 有乖於正歟? 任用之人, 或徇於私歟? 下情未盡達, 而冤抑有所未伸歟? 民弊未盡除, 而財用有所妄費歟? 茂異之才, 未擧者誰歟? 讒佞之徒, 未斥者誰歟? 如斯之弊, 豈予一人所能徧察. 肆開讜直之路, 以消壅蔽之風. 蒭蕘之言, 亦有可採, 矧卿大夫百執事之臣, 共天位, 食天祿者哉. 茲欲共新於治化, 庶以仰答於天心. 於戲, 賞罰明而禮樂興, 陰陽和而風雨時. 吏稱其職, 民樂其生, 其要安在? 知而不言, 不可謂之仁, 言而不盡, 不可謂之直. 惟爾大小臣僚, 並上實封, 寡躬過誤, 時政得失, 民間利病, 毋有所諱. 其言可用, 予卽有賞, 言而不中, 亦不加罪".

甲申[27日], 宴韓龍等于北泉宮.

---

49) 交割은 원래 官員의 交代에서 前任者와 新任者 사이의 事務를 引繼, 引受하는 것을 가리키는데, 여기에서는 '馬를 遼東으로 몰고 와서 引繼한 후, 京師(應天府)에 와서 그 代金을 受領하도록 하라'는 뜻으로 사용되었다.

50) 洪武帝 朱元璋은 3월 2일(己丑) 高麗에서 馬 1萬匹의 購買와 宦官[閹人] 200人의 파견을 요청하였다.
· 『명태조실록』 권208, 홍무 24년 3월, "己丑, 詔於高麗, 市馬一萬匹并索閹人二百人".

51) 大小官은 延世大學本과 東亞大學本에서 大小宮과 비슷하게 刻字되었다.

[是月, 都堂請, 考臺省勤慢, 一不仕者, 抵罪, 三不仕者, 削職:選擧3考課·刑法1職制轉載].

[○吏曹又啓曰, "內侍·茶房·司楯·司衣·司彝等成衆阿幕, 備宿衛近侍之任, 不可不擇. 其始設也, 必考其世籍·才藝·容貌, 乃許入屬, 近來, 謀避軍役, 爭相投屬, 容有世籍不現, 形狀不完, 才藝不通者, 亦或混雜. 及其仕滿, 不論賢否, 但以都目, 而授職, 故拜朝官者, 或不稱職, 除守令者, 亦或病民, 非細故也. 其入屬者, 不可不愼簡焉. 願自今, 本曹必考戶籍, 及初入仕朝謝, 觀其容貌, 仍試其藝, 其於書·筭·射·御中, 通一藝者, 許令入屬, 雖舊屬者, 亦皆考覈. 且內侍·茶房, 其數已定, 司楯·司衣·司彝, 則尙無定額, 入屬之徒, 無有紀極. 請刪定員數, 司楯四番, 各五十人, 司衣四番, 各四十人, 司彝四番, 各三十人", 從之:選擧3成衆官轉載].

[是月, 僧月庵與門下侍中李成桂等造成法器數点, 藏於金剛山毗盧峰:追加].[52]

五月丁亥朔小盡,甲午, 戊子[2日], 召刑曹判書趙勉等曰, "今天變屢興, 旱魃尤甚, 此必冤獄所致. 凡嶽囚獄四,[53] 當死者誅之, 當赦者赦之, 宜速決遣, 毋久淹滯, 以順天心".

[○時有爲父殺人者, 刑曹, 擬罪杖八十, 都堂以爲, 雖爲親殺人, 厥罪匪輕. 王曰, "爲親殺人, 其罪可赦". 竟原之:節要·刑法1殺傷轉載].[54]

[○雨雹于平康縣:五行1雨雹轉載].

己丑[3日], 王享國大妃恭妃.

辛卯[5日], 遣左代言李詹于連山□縣開泰寺, 祭太祖眞殿, 獻衣一襲·玉帶一腰.[55]

---

52) 이는 1932년 10월 金剛山 月出峰에서 防火線을 조성하던 과정에서 발견된 여러 유물 중에서 白磁鉢 2点(口徑 22.4cm, 20.6cm) 중에 작은 것(白磁香爐?)의 外面에 陰刻된 銘文에 의거하였다 (國立中央博物館 所藏, 野守 健 1944年 48面 ; 鄭良謨 等編 1992년 158面 ; 國立春川博物館 2002년 118面 ; 李鍾玟 2008년 ; 長谷部樂爾 1977年 121面 圖65).
   · 銘文, "大明洪武」二十四年辛未」四月日,立願」回願砂合」造幽谷,」自釋迦如來」入滅經二千餘」年, 大明洪武」隱月菴與」□等松軒侍中」□等萬餘人,」同發誓願,」謀藏金剛山」直侍彌勒世」下建三會時,」重開瞻禮佛,」此願堅固」佛祖證明". 이 銘文은 筆寫, 刻字, 그리고 判讀 등에서 '大明洪武'(衍字)처럼 問題가 있는 것 같아 筆者가 同伴된 白磁鉢의 명문을 參照하여 改書하였다(→是年 5月 是月條의 脚注).
53) 『고려사절요』 권35에는 바르게 되어 있다.
54) 지38, 刑法1, 殺傷의 原文에서는 冒頭에 五月이 생략되었다.
55) 다음의 자료에 의하면 開泰寺址에는 17세기 전반까지 무쇠 솥[鐵鑊]으로 추측되는 鐵器가 남아

甲午[8日], 前楊廣道都觀察使徐鈞衡卒, 諡貞平.[56]

[某日, 成均大司成金子粹上書曰, ~~"伏覩敎書, 以天文示異, 責己甚切, 訪求直言, 謹條狂妄之言.~~ 殿下潛德著聞, 人心推戴, 廓除異姓之禍, 光復祖宗之業, 其撥亂之際, 皆奉玄陵大妃太妃定妃之命, 而行之. 是其主盟定策之功, □肇殿下之所由興, 三韓之所共賴. 故卽位之始, 卽封王大妃太妃, 以正位號, 以獻冊寶, 甚盛典也. 殿下事之之禮, 當厚於所生者, 自去年南幸之時, 以至今日, 其於國大妃太妃恭讓王母之殿, 親幸非一, 奉養亦至, 獨於王大妃太妃之殿, 曾不一詣. 是狃於生育之恩, 忽於承祧之重, 其可乎? 傳曰, '爲之後者, 爲之子',[57] 此古今之大義也. 王大妃太妃萬世之後, 亮陰之禮, 固所自盡, 生事之禮, 其可不盡心乎? 願自今, 歲時伏臘, 必先詣王大妃太妃殿, 以奉寒暄, 然後, 詣國大妃太妃殿, 以明大義. 近日, 設封崇都監, 以册王世子, 臣不能無惑焉. 殿下, 未受宣命, 而世子先受册封之禮, 其可乎? 傳曰, '子雖齊聖, 不先父食',[58] 言先後之序, 不可亂也. 姑待殿下親朝帝所, 受命而後, 徐議而行, 未爲晩也. 況今朝廷使臣來, 徵良馬萬匹, 百司疲於奔命, 當此之時, 强欲行封崇之禮, 恐未合於輿論也. ○唐韓愈言於憲宗曰, 自黃帝·堯舜, 至于三代, 皆享壽考, 百姓安樂, 當此之時, 未有佛法, 自漢永平, 始有佛法, 其後亂亡相繼, 運祚不長. 宋·齊·梁·陳·元魏以降, 事佛漸謹, 年代尤促.[59] 此非韓子之臆說, 考之史策, 瞭然可見. 殿下, 卽位之始, 修廣演福寺塔, 破民家三四十戶, 今又大起浮屠, 煩興土木之役. 厥今農務方劇, 而交州一道, 斫木輸材, 人畜盡悴. 曾不小恤, 欲以徼未可必得之冥福, 乃以貽現在生靈之實禍, 爲民父母, 其可若是乎? 乞申降明勅, 以寢其役, 以寬民力, 或者以爲, '役遊手之髡徒, 無害也'. 髡徒果枵腹, 而趨役乎? 糜費國用, 莫甚於此, 斂斂怨于民, 亦莫甚於此. 殿下, 卽位以來, 其於太廟·諸陵, 未聞有修茸繕理之擧, 而

있었다고 하는데, 고려시대의 유물로 추정된다. 여기에서 錡는 三足釜를, 鼎은 三足 또는 四足의 兩耳釜를, 鉦은 銅鍾과 유사한 樂器를 각각 指稱한다. 그러므로 다음의 鐵器는 錡 또는 鼎으로서 현재 法住寺에 소장된 高麗前期의 鐵鑊과 같은 것으로 추측된다(→목종 9년 1월 某日의 脚注).

· 『雪汀詩集』 권4, 詠開泰寺舊址鐵器, "如錡如鼎又如鉦, 一色蒼然更有聲, 萬古誰知是神物, 旣能雷雨亦能晴".

56) 이날은 율리우스曆으로 1391년 6월 10일(그레고리曆 6월 18일)에 해당한다.

57) 이 구절은 『書經集傳』 권3, 伊訓, "爲之後者, 爲之子也"를 인용한 것이다.

58) 이 구절은 『春秋左傳正義』, 附釋音春秋左傳注疏권18, 文公, "子雖齊聖, 不先父食, 久矣"를 인용한 것이다.

59) 이 구절은 819년(元和14) 1월에 있었던 刑部侍郞 韓愈의 上疏를 縮約한 것이다(『구당서』 권160, 열전110, 韓愈).

急於起塔, 是報本追遠之誠, 反不逮於求福利生之念矣. 豈非足爲盛德之一欠乎? ○昔, 宋景有君人之言, □而熒惑退舍, 成王惑流言之讒, 而雷電以風. 由是觀之, 人君一言之得, 足以感天心, 一行之失, 足以召天變. 願殿下, 存心以居, 對越上帝, 雖居幽昧之中, 常若有臨之者. 及其應接之際, 尤謹其念慮之萌, 視聽言動, 必以禮, 出入起居, 罔不敬. 而其處事, 不蔽於私欲, 不流於姑息, 則此心之敬, 足以感天心, 而消變異, 斡教化, 而興邦國矣. 又何必崇奉浮屠, 大起塔廟而後, 國祚靈長也哉. 況無若新羅, 多作佛寺, 以至於亡, 神聖垂訓, 其可違耶. 浮屠之說, 猶不可信, 況怪誕荒幻之巫覡乎? 國中設立巫堂, 旣爲不經, 所謂別祈恩之處, 又不下十餘所. 四時之祭, 以至無時別祭, 一年糜費, 不可殫紀. 當祭之時, 雖禁酒之令方嚴, 諸巫作隊, 託稱國行, 有司莫敢詰焉. 故崇飮自若, 九街之上, 鼓吹歌舞, 靡所不爲, 風俗不美, 斯爲甚矣. 乞明勅有司, 除祀典所載外, 一禁淫祀, 痛斷諸巫, 出入宮掖, 以絶妖妄, 以正風俗. 近日<u>教書</u>干秋, 求言甚切, 然臣嘗見臺省有言事者, 遽見天威, 或奪其見任, 或黜之外寄, 或抑之下官. 臣恐求言之教雖切, 而拒諫之念, 猶在也. 乞前日落職之臣, 一皆擧用, 所言之事, 一皆施行, 以勸將來, 則有志之士, 孰不爲<u>殿下盡言乎</u>?":節要轉載].[60]

[某日, 都評議使司上書, 定科田法:節要轉載].

[→都評議使司上書, "請定給科田法", 從之. ○依文宗所定, 京畿州郡, 置左右道, 自一品, 至九品散職, 分爲十八科. 其京畿六道之田, 一皆踏驗打量, 得京畿實田十三萬一千七百五十五結, 荒遠田八千三百八十七結, 六道實田四十九萬一千三百四十二結, 荒遠田十六萬六千六百四十三結. 計數作丁, 丁各有字號, 載之于籍. 拘收公私往年田籍, 盡行檢覆, 覈其眞僞, 因舊損益, 以定陵寢・倉庫・宮司・軍資寺, 及寺院・外官職田・廩給田, 鄕・津・驛吏・軍・匠・雜色之田. 京畿, 四方之本, 宜置科田, 以優士大夫, 凡居京城衛王室者, 不論時散, 各以科受. ○第一科, 自在內大君, 至門下侍中, 一百五十結. 第二科, 自在內府院君, 至檢校侍中, 一百三十結. 第三科, 贊成事, 一百二十五結. 第四科, 自在內諸君, 至知門下, 一百十五結. 第五科, 自判密直, 至同知密直, 一百五結. 第六科, 自密直副使, 至提學, 九十七結. 第七科, 自在內元尹, 至左右常侍, 八十九結. 第八科, 自判通禮門, 至諸寺判事, 八十一結. 第九科, 自左右司議, 至典醫正, 七十三結. 第十科, 自六曹摠郎, 至諸府少

---

60) 이 기사는 열전33, 金子粹에도 수록되어 있는데, 添字는 이에 의거하였다.

尹, 六十五結. 第十一科, 自門下舍人, 至諸寺副正, 五十七結. 第十二科, 自六曹正郎, 至和寧判官, 五十結. 第十三科, 自典醫寺丞, 至中郎將, 四十三結. 第十四科, 自六曹佐郎, 至郎將, 三十五結. 第十五科, 東西七品, 二十五結. 第十六科, 東西八品, 二十結. 第十七科, 東西九品, 十五結. 第十八科, 權務·散職, 十結. ○外方, 王室之藩, 宜置軍田, 以養軍士, 東西兩界, 依舊充軍需, 六道閑良·官吏, 不論資品高下, 隨其本田多少, 各給軍田十結, 或五結. ○今辛未年^{恭讓3年}, 受田科不足者, 辛未年以後, 新來從仕, 未受田者, 不論祖父文契有無, 將其或犯罪, 或無後, 或科外餘田, 隨科遞受, 無所任閑良官, 不在此限. 京畿荒遠之田, 開墾之田, 有職事從仕者告官, 作丁科受. ○凡受田者, 身死後, 其妻有子息守信者, 全科傳受. 無子息守信者, 減半傳受, 本非守信者, 不在此限. 父母俱亡, 子孫幼弱者, 理合恤養, 其父田全科, 傳受待年二十歲, 各以科受, 女子則夫定科受, 其餘田, 許人遞受. 受軍田者, 赴京從仕, 則許以科受京畿之田. 軍鄕吏, 及諸有役人, 如有老病死亡無後者, 逃避本役者, 赴京從仕者, 則代其役者, 遞受其田. ○庚午年^{恭讓2年}受賜功臣之田, 許於科外, 子孫相傳. 凡加科受田, 新作公文者, 緘連原卷, 合爲一通, 毋得另作文卷. 分父母田者, 原卷納官, 朱筆標注其上曰, 某丁某子某孫所受, 仍勾銷之原卷, 還長子. 雖田少子多, 不許破丁. 減自己田, 與子孫及他人者, 父沒, 其子科外餘田, 夫沒無子, 減半田, 於原卷, 標注勾銷如上, 原卷還其主. 盡以其田, 與他人者, 告官遞給, 原卷還官. 凡足科受田者, 父母沒後, 願以其田, 易父母田者, 聽. 犯罪及無後者之公文, 其家人隱匿不納官者, 痛行理罪. 凡人毋得施田於寺院神祠, 違者理罪. ○已將庚午年^{恭讓2年}已前公私田籍, 盡行燒毀, 敢有私藏者, 以毀國法論, 籍沒財產. 今後, 凡稱私田, 其主雖有罪犯, 不許沒爲公田. 犯應受者, 各以科遞受. 其犯杖以上罪, 謝貼收取者, 犯嫁期功以上親者, 閑良官, 除父母喪葬疾病外, 無故, 不赴三軍摠制府宿衛, 百日已滿者, 判禁已後, 同姓爲婚者, 受守信田, 再嫁者, 有田地, 不作公文者, 身死無妻子者, 其田幷許人陳告科受. 公私賤口·工·商賈·卜·盲人·巫覡·倡妓·僧尼等人, 身及子孫, 不許受田. ○凡公私田租, 每水田一結, 糙米三十斗, 旱田一結, 雜穀三十斗, 此外有橫斂者, 以贓論. 除陵寢·倉庫·宮司·公廨·功臣田外, 凡有田者, 皆納稅, 水田一結, 白米二斗, 旱田一結, 黃豆二斗, 舊京畿, 納料物庫, 新京畿及外方, 分納豊儲·廣興倉. 京畿公私田, 四標內, 有荒閑地, 聽民樵牧漁獵, 禁者理罪. 田主奪佃客所耕田, 一負至五負, 笞二十, 每五負, 加一等, 罪至杖八十, 職牒不收. 一結以上, 其丁, 許人遞受. 佃客毋得將所耕田,擅賣擅與, 別戶之人. 如有死亡·移徙·戶絶者, 多占餘田, 故令荒蕪者, 其田, 聽從田主任意區處. ○己巳年^{恭讓1年}, 不及打量海濱海島田, 打量時脫漏田, 打量不如法, 餘剩田, 新開墾田, 各道都觀察使, 每年, 隨卽差官, 踏驗作丁. 續書于籍, 申報主掌官, 以充軍需, 不許諸人擅占, 違者理罪. ○辛未年^{恭讓3年}, 受田後, 科外冒受, 及侵奪公私田者, 依律決罪, 所受科田, 許人遞受. 如有妄告他人無證奸盜等事, 又以雷電猛獸水火盜賊所害, 指爲罪名, 規奪人田者, 痛行禁理. 如有調發大軍, 糧餉不足, 不問公私田, 隨費多少, 臨時定數, 公收支用, 無事則止:食貨1祿科田轉載].

[某日, 都評議使司請定損實, 十分爲率, 損一分, 減一分租, 損二分, 減二分租, 以次准減, 損至八分, 全除其租. 踏驗, 則其官守令審檢, 辨報<u>監司</u>^{都觀察黜陟使}, <u>監司</u>差委官更審, <u>監司</u>首領官, 又審之. 如有踏驗不實者, 罪之. 各品科田損實, 則令其田主, 自審收祖:食貨1踏驗損實轉載].⁶¹⁾

[某日, 成均博士^{生具}<u>金貂</u>□□^{等亦}上書曰, "人事動於下, 則<u>天道</u>^{天變}應於上, <u>變異</u>^{災異}固不虛生. 德必未孚於帝心, 政必未協於輿望, 刑賞必戻於正, 任用必失其宜, 冤抑必有所未伸, 財用必有所妄費. 此無他, 以好怪也. 好怪則失中, 失中則不和, 此天地之氣, 所以未順也. 所謂怪者, 釋氏也. 釋氏潔身亂倫, 逃入山林, 此亦一道也. 然其禍福之說, 妖妄尤甚. <u>其曰</u>, '張皇梵梁, 能厭妖異', 而降香絡繹, 供億浩廣, 未見天災·地怪之消弭也. 其曰, '我以祈福, 能使人壽', 而不惜萬錢, 俾之祝壽, 未見百齡之驗也. 其曰, '賴我接引, 破地獄生樂土', 然死無復生者, 其見樂土與地獄者誰歟? 其曰, '地鉗之應, 置金剎寶塔以鎭之', 然三代以上, 未有釋氏, 不知何物以鎭之, 而致雍熙之治歟. 且其法曰, '禁而相生養之道, 以求所謂淸淨寂滅'者. 然其徒也, 寄食吾民, 無所愧恥, 可笑之甚也. 嗚呼, 爲此道者, <u>辟穀</u>^{閉口}居山, 與禽獸同群, 然後可也, <u>來入民間</u>^{雜處民間}, 毁傷風俗, 亦獨何哉? 殿下中興, 雖在先王之法, 猶有所損益之者, 而況此誤世之大怪, 尤好而不黜之, 可乎? 奈何造塔之役, 農民勞憊, 禪僧之養, 錢穀虛耗? 上所好者, 下必有甚焉, 恐斯民駸駸然, 入于釋氏, 棄恒產而背君父矣. 昔<u>梁武帝</u>, 三捨身於<u>同泰寺</u>, 殫府庫, 以事浮屠, 卒之<u>淨居</u>, 呵呵之聲, 爲千古笑也. 我<u>玄陵</u>, 師<u>懶翁</u>, 惑<u>辛旽</u>, 深尙是教, 終未獲福, 此則殿下之所親見也. <u>滛祀</u>^{滛祀}, 又怪之甚者也, <u>孔子</u>曰, '非其鬼而祭之, 諂也'.⁶²⁾ 三代以後, 學

---

61) 이 기사에서 監司는 都觀察黜陟使의 오기일 것이다.
62) 이 구절은 『논어』, 爲政第2에 나오는 것이다.

間不明, 正道不行, 天下之人, 相懼以神, 相惑以妖, 家爲巫史, 民瀆于祀, 棄父母之神於草莽, 而詔事無名之鬼. 嗚呼, 神不享非禮, 其能使之有以感格乎? 如是而欲合帝心, 以免天災, 其可得歟? 故邪氣凝而陰陽失道, 夏霜殺草, 日食星變, 風雹水旱, 無歲無之, 天之示警至矣. 此皆人心風俗不正, 而好怪之所致也. 臣願回天聽, 決宸衷, 驅出家之輩, 還歸本業, 破五敎兩宗, 補充軍士^{以補軍營}. 中外寺社, 分屬所在官司, 奴婢財用, 亦皆屬焉^{亦皆分屬}, 放巫覡於遠地, 不與同京城^{不令在京都}. 使人人設家廟, 以安父母之神, 絶滛祀^{淫祀}, 以塞無名之費, ^而嚴立禁令, 剃髮者殺無宥^{無赦}, 滛祀^{淫祀}者殺無宥^{無赦}. 議者謂, '此二弊, 根深蔕固, 不可遽革'. 然殿下中興, 一新法制, 若萬世大弊, 一朝能去, 則功不在禹下, 而堯舜之治, 可及也. ^{若委任微臣, 不聽}
^{讒言, 聽以便宜痛禁, 則不出數年, 庶乎其盡革也}". ○王覽疏, 不悅:節要轉載].⁶³⁾

戊戌^{12日}, [夏至]. 流^{前門下侍中}李琳于忠州, ^{前判三司事}姜仁裕于豊州, ^{前知門下府事}王興于淸州, ^{前同知密直司事}申雅于全州.

[→郞舍許應等□^上言, "殿下, 卽位之初, 以李琳·姜仁裕·王興·申雅等, 嘗在僞朝, 憑恃女寵, 毁法亂紀, 悉皆流竄. 尋蒙恩宥, 完聚京師, 無所懲戒, 請皆流放", 從之. ○琳, 尋病死于貶所:節要轉載].

[→郞舍許應等上疏曰, "殿下, 卽位之初, 以李琳·姜仁裕·王興·申雅等, 常在僞朝, 憑恃女寵, 毁法亂紀, 悉皆流竄. 尋蒙恩宥, 完聚京都, 無所懲戒. 請下憲司, 屛諸遠方", 王從之, 流琳于忠州, 仁裕豊州, 興淸州, 雅全州. ○琳, 病死貶所. 子貴生·茂生:列傳29李琳轉載].⁶⁴⁾

---

63) 이 기사는 열전30, 李詹에도 수록되어 있으나 字句에 出入이 있다. 또 이와 관련된 자료로 다음이 있다.
 · 『중종실록』 권48, 18년 7월, "丙戌^{18日}, 御晝講. 侍讀官沈思順臨文曰, 成均館博士^{生員}金貎詆佛上疏, 王怒欲殺之而無名. 左代言李詹曰, 自我太祖以來, 歷代崇信佛法, 今貎斥之, 是, 破毁先王成典, 以此罪之, 何患無辭. 王然之. 詹亦以斯文之士, 非不知異端之爲吾道害也, 而反欲加罪於正論之士, 當是時, 上有崇佛之君, 俗尙成於下, 故詹敢爲是言, 人君好尙, 不可不審. 鄭擢亦以兵曹佐郎, 上疏力言金貎之是, 天理人心, 未嘗泯滅, 此亦可見. …".

64) 李貴生은 1423년(세종5, 癸卯) 9월 全羅道 孤草島에서 倭賊을 격파한 前萬戶 李貴生으로 추정된다.
 · 『세종실록』 권22, 5년 10월 庚戌^{3日}, "全羅道處置使尹得洪使鎭撫·前萬戶李貴生馳啓, '賊倭^{倭賊}十四艘隱泊孤島, 臣率領兵船, 分三道而出. 賊見我一船先行, 卽來圍接戰, 我諸船繼至, 賊知不敵, 反揚帆而走, 諸船共逐, 貴生船追及之, 捕賊一船, 遂斬首八級, 投海者十三人'. 上命饋貴生, 賜衣一襲, 遣集賢殿修撰金墩, 賜得洪衣一襲·酒一百六十瓶, 以慰之, 仍命論功等第以啓". 添字와 같이 고쳐야 옳게 될 것이다.

[某日:追加], 郎舍^{左散騎常侍}許應等上疏曰, "從諫如流, 人君之盛德, 知無不言, 臣子之至情. 殿下卽位以來, 發政施仁, 願理之心, 至矣. 然言官·法吏, 忤上意而見罷者, 間或有之, 故中外, 以言爲諱, 而下情未達, 天文示警, 有志之士, 不能無憾. 今殿下發德音, 求直言, 以伸忠憤之氣, 誠千載一遇也. 臣等承乏言責, 豈敢默默, 以負殿下求言之旨乎? 謹以若干事目, 條列于左.

一曰. 爲理之道, 莫大於孝, 君不先, 而其下化之者, 未之有也. 今殿下在邸之時, 以孝聞於人, 卽位之後, 宜其以孝, 聞於國. 奈何殿下, 至自漢陽, 而與中宮·世子俱, 乃後母后哉. 今又禱宮, 亦非朝夕問安之所也. 緣人子之情, 則定省溫凊, 不可疎也. 緣人君之義, 則動靜威儀, 不可輕也. 願殿下, 念玆二者, 奉迎大妃^{大妃}, 近闕之所, 克伸孝志, 以爲民先.

一曰. 乾者夫道也, 坤者婦道也, 夫道以乘御爲才, 婦道以順承爲貴. 是故, 雖天子之女, 下嫁諸侯, 則與庶人之女, 共執婦道, 是其常也. 漢尙公主, 使男事女, 夫屈於婦, 逆陰陽之理, 識者非之. 今三宮主, 各有供上之名, 旣名之曰上, 則乾坤易位, 夫婦失道, 亂名犯分, 莫大乎是. 且在僞朝, 供上之所濫, 至八九, 故官吏以倉卒不辦, 見責, 民庶以煩勞不給, 生厭. 今以中興之朝, 復蹈毀轍乎. 願自今, 罷三宮主供上之名, 厚其廩祿, 申以土田, 以副輿望.

一曰. 上有好之者, 下必有甚焉者, 君好惡, 不可不愼也. 殿下卽位以來, 中外未知殿下所好, 爲何事. 及創演福旣廢之塔, 臣民之望, 多有所缺矣. 釋氏之道, 無父無君, 戎裔之敎, 三代之盛, 未所有也. 殿下有志於三代之理, 而反行裔夷之敎乎. 是役也, 聖心, 或以謂不勞民力, 而役遊手, 不費國用, 而資捨施. 然木石·磚瓦·銅鐵之費, 累鉅萬, 其遊手之食, 捨施之物, 非吾民之恒産乎? 民無恒産, 則恐貽宵旰之憂也. 願殿下, 罷可已之役, 厚萬民之生, 擇其所好, 以副臣民之望.

一曰. 風俗好尙, 本之人君, 人君以儉約爲心, 則公卿大夫, 不敢踰制以過侈, 朝廷以儉約爲先, 則士庶人不敢越分以過奢, 自然家給人足, 無僭亂之階矣. 今無賴之徒, 皆利遠方之物貨, 不事本業, 朝廷雖大爲之防, 毋使興行, 然潛行潛返之徒, 豈能盡知之乎. 至有將彼土人來, 縱其市索, 以覘我國家. 臣等竊謂, 此雖無形之

· 『세종실록』권23, 6년 3월 丙申^{20日}, "兵曹啓, '癸卯九月, 萬戶李貴生, 全羅道孤草島捕倭時, 隨從成功一等塩干三人, 二等塩干十五人, 請依己亥年東征軍士賞功例, 一等許爲補充軍, 二等己身除役, 功牌成給', 從之".

迹, 有可疑之勢, 足爲寒心者也. 願自今, 大小臣僚, 皆毋得衣紗羅<u>叚</u>段子, 敦尙儉素, 以絶商販. 敢有潛行商賈, 其告捕者, 必以其財, 賞之. 商販之馬, 嘗籍於開城府者, 數近五百, 會有天朝買馬之命, 悉發此馬, 毋得脫漏. 其他商賈, 又令各出馬, 以補額數, 則公私兩便.

[□□^{一日}. 比年以來, 奔競成風, 皆欲冒寵於權門, 雖有子孫者, 祖業人口, 盡與他人. 故其子孫, 益以窮迷, 猶怨祖父之無德, 則安有孝順之可稱者乎? 奴婢雖賤, 亦天民也, 例論財物, 恬然買賣, 或以牛馬易之, 一匹之馬, 給二三口, 猶未足償, 則以牛馬, 爲重於人命也. <u>昔廐焚</u>, 孔子曰, '傷人乎?', 不<u>問馬</u>,⁶⁵⁾ 則聖人之貴人賤畜, 如此, 安有以人易馬之理乎? 世俗昏迷, 自作殃咎, 納民於寺, 以圖求福, 若以佛爲正, 則安有納賂免禍之理乎? 然則, 非惟未蒙其福, 徒自勞苦, 貽患子孫耳. 伏惟殿下, 幷察焉, 祖業人口, 不許孫外相傳. 雖無後者, 養其夫婦中同宗者, 相傳, 其買賣之人, 納寺之弊, 幷行禁治, 則豈無補於聖理之萬一乎?". ○從之:刑法2奴婢轉載].

[庚子^{14日}, 敎□^日, "近設家廟, 旣令六品以上, 祭三代, 自今, 許行曾祖考妣忌日之祭":禮6百官忌暇轉載].

[○更定服制, 一遵大明律服制式. 唯外祖父母·妻父母服, 與親伯叔同. 無後人, 以三歲前遺棄小兒, 冒姓付籍者, 卽同己子, 其以同宗之子親近, 爲先繼後者, 亦許行服. 三年之喪天下之通喪, 自今, 許終其制, 其中, 關係國家要務, 必合起復者, 啓聞取旨, 奪情起復. 大小軍官及不許丁憂者, 止行百日喪. 其父母喪, 二十五月內, 每月行朔望祭, 至十三月初忌日, 行小祥祭, 二十五月第二忌日, 行大祥祭, 二十七月晦, 行禪祭. 二十八月一日, 始服吉服. 喪三年內, 不許娶婦及宴飮:禮6五服制度轉載].

[→定服制式, 一依大明之制. 唯外祖父母·妻父母服, 與親伯叔同, 無後人, 以三歲前遺棄小兒冒姓付籍者, 卽同己子, 其同宗之子, 以親近繼後者, 許行其服. 唯軍官, 只許行百日喪, 三年內, 不許娶婦及宴飮:節要轉載].

己酉^{23日}, 以軍資少尹<u>安魯生</u>爲西北面察訪別監, 禁互市上國者. 初商賈之徒, 將牛馬·金銀·苧麻布, 潛往遼瀋買賣者, 甚衆. 國家雖禁之, 未有著令, 邊吏又不嚴

---

65) 이 구절은 『논어』, 鄕黨第10, "廐焚. 子退朝. 曰, 傷人乎? 不問馬"에서 따온 것이다.

禁, 往來興販, 絡繹於道. 魯生往, 斬其魁十餘人, 餘皆杖配水軍, 仍沒其貨. 且杖其州郡官吏之不能禁遏者. 於是, 紀綱大行, 邊境肅然, 無復有犯禁者.

[→禁商賈互市上國:節要轉載].

[→禁商賈, 私持金銀牛馬, 賣買上國:刑法2禁令轉載].

庚戌²⁴日, 吏曹判書鄭摠上書曰, "殿下近以乾文示警, 命臣製求言敎書, 臣旣製進. 以爲救災之道, 莫若修政. 夫政者, 正也, 孟子曰, '一正君而國定'.⁶⁶⁾ 董子董仲舒曰, '人君正心, 以正朝廷, 遠近四方, 無不一於正'.⁶⁷⁾ 此實萬世之格言也. 賞罰, 國之大柄, 不可不謹也. 近來, 謀迎辛禑, 以絶王氏者, 潛遣彝·初, 將害本國者, 或誅或流, 或公然在於朝列. 傳曰, '同罪異罰, 非刑也'.⁶⁸⁾ 臣竊爲殿下不取. ○又官不及私昵, 惟其賢, 爵罔及惡德, 惟其能, 爲國之要道也. 近來, 瑣瑣姻婭之徒, 潛邸故舊之輩, 率皆諛佞之人, 而布列朝班, 徒費廩祿, 其忠直之士, 一言忤旨者, 則悉皆貶黜. 故士君子, 怏怏皆怨殿下用人之不公, 此不可不慮也. ○又浮屠之敎, 敗倫滅理, 非人主之所尙也. 佛圖澄不能存趙, 鳩摩羅什不能存秦, 齊襄·梁武, 未免禍殃. 殷鑑昭然, 可以爲戒. 而殿下崇信大過, 營構普濟之塔. 而又多張梵朶, 殆無虛月, 何爲此無益之費, 以取識者之譏乎? 請殿下, 察皇天譴告之心, 念天位惟艱之訓, 小心翼翼, 改過不吝, 以慰國人之望".

[某日, 政堂文學鄭道傳上疏曰,⁶⁹⁾ "臣伏讀敎書, 上以謹天文之變, 下以求臣庶之言, 而以八事自責, 臣讀之再三, 不勝感歎嘆. 殿下以天之譴告, 引而歸之於己, 開廣言路, 冀聞過失, 雖古哲王, 未之或過也. 臣侍罪宰相, 無所匡輔, 以貽君父之憂, 至煩敎諭之丁寧, 臣實赧焉. 嘗謂君爲元首, 臣爲股肱, 比之人身, 實一體也. 故君倡則臣和, 臣言則君聽. 或曰可, 或曰不可, 期於致治而已. 然則天之譴告, 由臣所致也. 古者有灾異, 三公策免, 爲大臣者, 亦避位而禳之, 請免臣職, 以弭灾異.

---

66) 이 구절은 다음의 자료에서 따온 것이다.
 · 『孟子』, 離婁章句上, "孟子曰, 人不足與適也. 政不足閒也. 惟大人爲能格君心之非. 君仁莫不仁, 君義莫不義, 君正莫不正, 一正君而國定矣".
67) 이 구절은 다음의 자료를 縮約한 것이다.
 · 『한서』 권55, 董仲舒傳第26, "故爲人君者, 正心以正朝廷, 正朝廷以正百官, 正百官以正萬民, 正萬民以正四方. 四方正, 遠近莫敢不壹于正, 而亡有邪氣奸其間者".
68) 이 구절은 다음의 자료에서 따온 것이다.
 · 『춘추좌씨전』傳, 襄公 6년, "夏, 宋華弱來奔. 司城子罕曰, 同罪異罰, 非刑也".
69) 이 상소는 『삼봉집』 권3에 수록되어 있다.

然, 念古之大臣, 當請退之時, 必有陳戒之辭. 況今獲奉教書, 安敢不效一得之愚, 仰備採擇之萬一. ○伏讀教書曰, '涼德未修, 而不孚於帝心歟, 政令有闕, 而未協於輿望歟?'. 臣愚以為^謂, 德者得也, 得於心也. 政者政也, 正其身也. 然所謂德者, 有得於稟賦之初者, 有得於修爲之後者. 殿下, 大度寬洪, 天性慈仁, 得於稟賦之初者然也. 殿下平日, 未嘗讀書, 以考聖賢之成法, 未嘗處事, 以知當世之通務, 安敢保德之必修, □而政之無闕也^歟. 漢成帝臨朝淵默, 有人君之度, 無補漢室之亡. 梁武帝臨死刑, 涕泣不食, 有慈仁之聞, 不救江南之亂. 徒有天質之美, 而無德政之修故也. 伏望殿下, 毋以稟賦之善自恃, 而以修爲之未至者爲戒, 則德修而政舉矣. ○伏讀教書曰, '任用之人, 或徇於私歟?, 賞罰之道, 有戾於正歟?'. 臣愚以爲, 任用之人, 出於公私, 在殿下自知之耳, 臣何足知之. 然, 除目旣下, 外人目而議之曰, '某也故舊也, 某也外戚也'. 外議如此, 臣恐徇於私者, 雜之也. 賞者, 勸有功也, 刑者, 懲有罪也. 賞曰天命, 刑曰天討, 言天以賞刑之柄, 付之人君, 爲人君者, 代天而行之耳. 賞刑, 雖曰出於人君, 固非人君所得私, 而出入之也. 殿下卽位以來, 蒙賞受刑之人, 有事同而施異者. 金佇之言一也, 有置于極刑者, 有加擢用者. 金宗衍, 在獄致逃一也, 其監守官吏, 一誅一用. 其在逃謀亂一也, 同謀容接^隱之人, 或生或死. 臣愚, 不知刑誅而死者, 爲有罪耶, 則擢用而生者, 獨何幸歟, 擢用而生者, 爲無罪耶, 則刑誅而死者, 獨何辜歟. ○禑·昌, 竊我王氏之位, 實祖宗之罪人, 而爲王氏之子孫臣, 庶所共讎也. 其族姻黨與, 不加刑誅, 則屛諸四裔而後, 快於人神之心. 昔武才人, 以高宗之后, 奪其子中宗之位, 五王擧義退武氏, 復立中宗. 武氏母也, 中宗子也. 以母之親, 奪子之位, 胡氏^{胡實}, 尙譏五王, 不能斷大義, 誅其罪, 而滅其宗. 況禑·昌之於王氏, 無武氏之親, 有武氏之罪, 則族姻及其黨與, 奚啻武氏之宗也. 頃者, 臺諫上言, 逐之於外, 縱不能明示天誅, 庶幾小雪祖宗臣民之憤也. 曾未數月, 俱承寵召, 聚會京城, 出入無禁, 今雖以諫官之言, 放其數人, 殿下黽勉從之, 有遲留顧惜之意, 不知此擧, 果何義也. ○諸將回軍, 議立王氏, 此上天悔過, 祖宗陰相, 王氏復興之機也. 有沮其議, 卒立子昌, 使王氏不復興者, 有謀迎辛禑, 永絶王氏者, 其爲亂賊之黨, 王法所不容也. 殿下旣全其生, 置之遠方可也, 今皆召還于家, 慰而安之. 若以其罪爲誣也, 其沮王氏而立僞昌者, 諸將之所共知也, 親自招服, 明有辭證. 其迎辛禑, 而絶王氏者, 金佇·鄭得厚, 言之於前, 李琳·李貴生, 招承於後, 辭證甚明. 此而謂之誣也, 天下, 安有亂臣·賊子之可討者也. 大抵人之所爲, 不合於公義, 則必有合於私情. 殿下, 此擧以爲合於公義, 則禑·昌

之黨, 皆祖宗之罪人也. 以爲合於私情, 則留禍·昌之黨, 以遺後日之患. 如尹彝·李
初之請親王動天下兵, 亦何便於人情哉? 若曰, '有罪者赦之, 恩莫大焉, 他日必得
其力矣, 人心自安, 而禍亂自止矣'. 臣愚以爲, 刑法所以禁亂也, 人君所恃以存安
者也, 刑法一搖, 禁亂之具先毁, 力未得而禍先至, 心未安而亂不止矣. ○請以中
宗·三思之事明之, 武氏之黨, 最用事者三思, 中宗以母之親姪, 誅討不加, 待遇甚
厚. 自今觀之, 五王旣立武氏之子爲帝, 故三思得免其机上之肉. 則五王不惟有功
於中宗, 於三思, 亦有天地再造之恩也. 彼三思, 曾不是思, 自疑其罪, 爲世所不與,
日夜譖五王曰, '權重恃功', 有惑中宗之心. 中宗以三思愛己而親之, 以五王爲權重
而忌之. 五王日疎, 三思日密, 卒之五王戮, 而中宗弑. 使中宗謬計, 不過曰, 不能
保全功臣而已. 豈知親見弑於三思之手乎? 以親則母之姪也, 以恩則活其生也, 不
得其力, 而得其禍, 讒人之難保也如此. ○讒人之謀, 其初, 不過自保其身而已, 爲
惡不止, 則馴致其道, 至於亡人之身, 滅人家國, 以底自敗而後已. 如三思者, 豈有
古今之殊也. 天人之際, 間不容髮, 吉凶灾祥, 各以類應. 今內則百官受職, 庶民安
業, 外則上國和通, 島夷讋服, 亂何由生. 讒人交構於下, 則虞憂之象, 著於上. 客
星孛于紫微, 臣恐三思之在於側也, 火曜入于輿鬼, 臣恐終有三思之禍也. 臣等, 雖
遭五王之害, 無足恤也, 爲王氏已成之業, 惜之也. 若曰, 保無此事, 言之者, 妄也.
彼中宗之心, 豈不爲保也, 卒貽後人之笑. 臣恐後之笑今, 猶今之笑古也. 董子^{董仲舒}
曰, '天心仁愛人君, 先出灾異, 以譴告之,'⁷⁰⁾ 欲其恐懼修省之也. 伏望殿下, 當用
人刑人之際, 不論其<u>親疏</u>^{親踈}貴賤, 一視其功罪之有無, 處之各當其可, 使不相陵.
則任用公而賞罰正, 人事得而天道順矣. ○伏讀教書曰, '民弊未除, 而財用妄費歟,
下情未達, 而冤抑未伸歟, 茂異之才未擧者, 誰歟, 讒佞之徒未斥者, 誰歟?'. 臣問,
三司會計, 佛神之用, 居多焉, 財用之妄費者, 莫斯若也. 然佛神之害, 自古難辨也.
爲其徒者曰, '此好事也, 善事也, 歸我者, 國可富也, 民可壽也'. 爲人君者, 聞是
說而樂之, 殫其財力, 詔事佛神. 人有言之者, 則以爲'我事佛, 而彼非之, 我善而彼
惡也, 我道而彼魔也. 我之事佛神, 爲富國也, 爲壽民也, 非爲我也'. 持是說以固其
心, 而人之言, 莫得而入也. 殿下卽位以來, 道場高峙於宮禁, 法席常設於佛宇, 道
殿之醮無時, 巫堂之祀煩瀆. 此殿下, 以爲善事, 而不知其實非善事, 以爲富國, 而

---

70) 이 구절은 다음의 자료에 의거한 것으로 추측된다.
  ·『書傳大全』권8, 多士, "董子曰, 天心仁愛人君, 必先出灾異, 以警戒之".
  ·『山堂考索』前集권57, 律曆門, 天文類, "<u>仲舒</u>曰, 天心仁愛人君, 必示出灾異, 以戒懼之".

不知國實瘠, 以爲壽民, 而不知民實窮. 雖有言之者, 擧皆不納, 不自以爲咈諫, 是臣所謂, 爲善福壽之說, 先入之也. ○昔梁武帝, 屈萬乘之尊, 三<u>舍身</u>^{捨身}, 爲寺家奴, 殫江南之財力, 大起佛塔, 其心豈以爲非利, 而苟爲之也. 匹夫作亂, 身遭羈辱, 子孫不保, 而國家隨之, 佛氏所謂修善得福者, 果安在哉, 此猶異代也. ○<u>玄陵</u>^{恭愍王}崇尙佛敎, 親執弟子之禮於髡禿之人, 宮中之百高座, 演福之文殊會, 無歲無之. 雲菴之金碧, 輝映山谷, 影殿之棟宇, 聳于霄漢. 財殫力竭, 怨讟並興, 而皆不恤, 事佛可謂至矣. 卒不獲福, 豈非明鑑乎? 周末, <u>神降于有莘</u>, 太史過曰, '國家將興, 聽於人, 國家將亡, <u>聽於神</u>'.⁷¹⁾ 周果以亡. 由是言之, 事佛事神, 無利而有害, 可知矣. 伏望殿下, 申命有司, 除祀典所載外, 凡中外淫怪謟瀆之擧, 一皆禁斷, 則財用節, 而無所妄費矣. ○殿下卽位以來, 人或犯罪, 有不問者, 有放免者, 疑若無冤抑之未伸者也, 然赦者, 姦人之幸, 良善之賊也, 則其數赦, 乃冤抑之所在也. 近者, 臺諫, 以宗社大計, 上書論執, 皆遭放逐. 臣恐冤抑之未伸, 茂才之未擧者, 此其時也. 至於讒佞之人, 蹤跡詭秘, 言語隱密, 難可得而料也. 大抵, 君有過則明爭之, 人有罪則面折之, 落落不合, 矯矯獨立, 不畏他人之議者, 正士也. 秘其蹤跡, 惟懼人知, 在衆不言, 獨對浸潤者, 讒佞之人也. 殿下, 於外而士大夫, 內而小臣宦寺, 試以臣言觀之, 讒佞之情, 可得矣. 人雖至愚, 皆知自愛, 至於妻子之計, 孰無是心.^{昔漢成帝時, 日有食之, 言者皆以爲外戚用事之象. 成帝疑之, 問於張禹, 以身老而子孫微弱, 恐得禍於外戚, 不明言其故, 卒使王莽移漢鼎. 谷永輩直攻成帝, 略無忌憚, 至於王氏之用事, 畏避不言, 漢室卒以亡. 亦爲妻子計, 而不暇及漢室也.} 臣雖狂妄, 不至病風, 敢不自恤乎. 臣以一身, 孤立於群怨之中, 非不知言出而禍至, 然殿下, 以不諱問, 臣敢不以切直對. 此臣所以寧得禍而不恤, 切言而不諱者也. 伏望殿下, 留神採擇, 以白臣忘身徇公之意, 萬死無憾". 王覽疏, 不悅. 道傳乃上箋辭, 不允:節要轉載].

[某日, 密直副使南誾上書曰, ^{"從諫如流, 人君之德, 責難於君, 臣子之恭. 昔高宗命<u>傅說曰</u>, 朝夕納誨,}

71) 이 구절은 다음의 자료에 의거한 것 같다.
· 『춘추좌씨전』傳, 莊公 32年 秋7月, "神居莘六月, 虢公使祝應·宗區·史嚚享焉. 神賜之土田. 史嚚曰, 虢其亡乎, 吾聞之, 國將興, 聽於民, 將亡, 聽於神". 이에서 莘은 地名(現 河南省 陜縣의 東南部), 祝應은 大祝인 應(人名), 宗區는 宗伯인 區(人名), 史嚚은 太師인 嚚(은)을 의미한다(鎌田 正 1971年 235面).
· 『춘추좌전정의』 권10, 莊公 32年, "史嚚曰, 虢其亡乎, 吾聞之, 國將興, 聽於民, 將亡, 聽於神".
· 『후한서』 권7, 孝桓帝紀第7, 永康 1년, 史論, "論曰, 前史^{東觀記}稱桓帝好淫樂, 善琴笙. 飾芳林, 而考濯龍之宮, 設華蓋以祠浮圖·<u>老子</u>, 斯將所謂聽於神乎. 左傳曰, 史嚚曰, 國將興, 聽於人, 將亡, 聽於神".

以輔台德. 說復于王曰, 惟木從繩則正, 后從諫則聖.[72] 古之君臣, 更相勉勵如此, 後之人君, 可不鑑哉. 近殿下, 坐正殿, 進百官, 以天之譴告, 與夫八事之弊自責, 下教求言. 然而直言極諫者, 非一而優游不斷者, 何歟?. 臣恐殿下, 內多欲而外施仁義也. 昔賈誼, 上書以爲, '有痛哭者一, 流涕者二, 長太息者三六',[73] 夫以文帝之時, 內外晏然, 紀綱備擧, 誼之言尙爾, 矧當今日, 有可言者多矣. 臣以庸劣之資, 荷殿下之重恩, 受殿下之厚祿, 凡所見聞, 不以上達, 是不忠也. 姑以數語, 不避群邪切齒陰中之禍, 敢冒聰聽, 仰備採擇之萬一. 嘗謂自甲寅^{禑王卽位年}以來, 忠臣義士, 常腐心於僞姓, 而不敢發, 辛禑之狂妄日熾, 遂有戊辰^{14年}犯遼之謬擧. 諸將仗義回軍, 退辛禑而黜崔瑩, 議立宗室之賢, 主將曹敏修, 不顧萬世之法, 力沮衆議, 謀於一大儒, 立禑子昌, 則忠臣·義士之憤, 益深切矣. 及見尹承順·權近, 陪來聖旨曰, '高麗國中多事, 爲陪臣者, 忠逆混淆, 雖假異姓爲之, 亦非三韓世守之良謀'. 於是, 九功臣慨然, 有拔亂反正之志, 出有死無生之計, 倡大義, 定大策, 而推戴殿下, 爲恭愍王後, 以奉王氏之祀, 此實祖宗在天之靈, 有以啓迪之也. ○逆臣邊安烈, 因權近之私坼, 預知密旨, 黨附外戚, 反欲迎辛禑, 永絶王氏, 幾使聖天子, 存亡繼絶之恩, 不得行. 其爲逆謀, 實金佇·鄭得厚, 所明言, 官吏·國人所共聞. 故臺諫交章論執, 而安烈伏辜, 餘黨免於鈇鑕, 國人靡不缺望. 向, 使安烈之計得行, 則殿下之大事去矣. 金宗衍, 潛結姦黨, 同惡相濟, 以圖不軌, 令尹彝·李初, 流言上國, 請親王動天下兵, 遂啓聖天子疑我之心, 罪莫大於此者. 而使臣王昉·趙胖之來, 辭證明白, ^{何置而不問乎. 使臣鄭道傳·韓尙質等,} ^{欽奉宣諭聖旨曰, 高麗有多少地方也, 有賢的也, 有愚的, 自要小見識, 使那小人來. 則其爲不軌之迹明矣, 始謀之黨見矣.}

誠宜命有司, 推鞫其狀, 明示重典, 奏聞于天子, 可也. 而罪同罰異, 或誅或免, 何哉. ○向, 使金宗衍之黨之計得行, 而天子, 不得明見萬里, 則三韓之民, 無遺類矣. 趙裕之言一也, 或遠竄, 或近流, 或有杖之者, 或有誅之者, 或有召還京師, 慰而安之者, 是亦何心哉?. 向, 使趙裕之黨之計遂行, 則忠義社稷之功臣, 不得保全矣. 戊辰回軍之際, 池湧奇乃曰, '有親王之子孫在焉', 其言果驗於王益富之時也. 然則

---

72) 이는 다음의 자료를 인용한 것이다.
• 『書經』, 說命上(僞古文), "… 王命之曰, 朝夕納誨, 以輔台德. … 傳說復于王曰, 惟木從繩則正, 后從諫則聖".

73) 이는 다음의 자료를 인용한 것이므로 添字와 같이 고쳐야 할 것이다.
• 『한서』권48, 賈誼傳第18, "… 是時, 匈奴疆, 侵邊. 天下初定, 制度疏闊. 諸侯王僭儗, 地過古制. 淮南·濟北王, 皆爲逆誅. 誼數上疏陳政事, 多所欲匡建, 其大略曰, 臣竊惟事勢, 可爲痛哭者一, 可爲流涕者二, 可爲長太息者六, 若其它背理而傷道者, 難徧以疏擧".

湧奇之扶擁益富, 而潛圖之跡, 甚明矣. 殿下殺益富而赤□其族, 活湧奇而全其首領, 則殊失用刑之公矣. 益富之死也, 爲有罪, 則湧奇之生也, 何幸歟, 湧奇之生也, 爲無罪, 則益富之族, 奚罪歟. 向, 使湧奇之計得行, 則殿下之享國, 未必保也. ○凡此大逆·不忠之黨, 乃皇天后土之所不容, 三韓臣子, 所不共戴天地讐也, 殿下烏得而私之. 管叔於成王, 叔父也, 將危周公而就戮, 上官安, 於昭帝親舅也, 以謀霍光而赤族. 假使周公·霍光, 見疑於成·昭, 則周·漢歷年之久, 未可期也. 殿下, 不以王法爲念, 牽於姑息之仁, 臺諫論劾, 而反見斥逐, 群邪保全, 而反蒙任用, 是勸不忠·不義於將來也, 忘祖宗五百年之社稷也. 然則其於皇天授命殿下之意何, 其於天子復立王氏之意何, 其於祖宗扶佑殿下之念何, 其於臣民共戴殿下之心何? ○臣恐三韓之人, 以姻婭之故, 有以窺殿下之私心也. 臣之所言公, 則殿下回日月之至明, 體春秋之大法, 其安烈·宗衍·趙裕之黨, 與夫湧奇等, 卽下憲司, 明正其罪, 布告中外, 以快人神之憤, 以懲亂賊之徒, 可也. 好惡出於一時, 是非公於萬世, 臣何惜一朝之命, 不顧萬世之法乎? 臣之所以極言不諱者, 寧得罪於殿下, 冀不獲罪於祖宗也. 又念君子陽類, 磊磊落落, 無所回互, 用之則升其國於明昌, 而衆臣和於朝, 萬物和於野, 蕭韶九成, 鳳凰來儀. 小人陰類, 唯唯諾諾, 變亂是非, 用之則降其國於昏暗, 而日月薄食, 水泉沸騰, 山谷易處, 霜降不節, 此必然之理也. ○伏惟殿下, 親君子, 訪以時政得失, 問以古今理亂, 從容談笑, 涵養德性. 無言不聽, 靡事不擧, 非法不道, 非禮勿行. 絶宦官, 遠小人, 斥異端, 存天理, 而滅人欲, 則可以共新於理化, 可以仰答於天心, 天災消, 地道寧, 賞罰明, 禮樂興, 陰陽和, 而風雨時, 天命益新, 人心益附, 隣國益慕之矣. ^{願殿下, 深思之, 熟慮之}": 節要轉載].[74]

[某日, ^{政堂文學}鄭道傳上書都堂, 請誅李穡·禹玄寶: 節要轉載].

[→而玄寶及李穡之黨亦惡道傳, 道傳又上書都堂, 請誅穡·玄寶曰, "宰相之職, 百責所萃也. 故石介甫^{石介}曰, '上則調和陰陽, 下則撫安黎庶. 爵賞刑罰之所由關, 政化敎令之所自出'.[75] 愚以爲, 宰相之任, 莫重於此四者, 而尤莫重於賞刑也. 所

---

74) 이 기사는 열전29, 南誾에도 수록되어 있는데, 자구에 출입이 있다. 또 添字는 이에 의거하였다.

75) 이 기사에서 밑줄(under line, 下部線)이 있는 句節은 다음의 자료를 인용한 것 같다.
· 『周易集解』 권6, 下經夬傳第6, 鼎, "彖曰, 鼎, 象也. 以木巽火, 亨飪也. [解]荀爽曰, 巽人離下, 中有乾象, 金在其內, 鼎鑊烹飪之象也. 九家易曰, 鼎言象者, 卦也木火, 互有乾兌. 乾金兌澤. 澤者水也. 爨以木火, 是鼎鑊亨飪之象, 亦象三公之位, 上則調和陰陽, 下而撫毓百姓, 鼎能熟物養人, 故云象也".
· 『歷代名賢確論』 권82, 代宗, 元載, "… 石守道^{石介}論曰, 宰相之任, 上則調和陰陽, 下則撫安黎

謂調和陰陽者, 非謂無其事而陰陽自調自和也. 賞而當其功, 則爲善者勸, 刑而當其罪, 則爲惡者懲矣. 竊謂, 刑之大者, 莫甚於簒逆, 其沮王氏而立子昌, 迎辛禍而絶王氏者, 簒逆之尤, 亂賊之魁也. 苟免天誅, 今已數年矣. 又飾其容色, 盛其徒從, 出入中外, 略無忌憚. 而其子弟甥姪, 布列要職, 莫敢誰何?, 則今居宰相之任, 守賞刑之柄者, 無所辭其責矣. 宜當具論罪狀, 啓于殿下, 與國人告于太廟, 數其罪而討之. 然後, 在天之靈慰矣, 臣民之忿雪矣, 天地之經立矣, 宰相之責塞矣. ○若曰, '人之罪惡, 非我所知也. 生殺廢置之權, 人主所司也, 宰相何與焉?', 則董狐豈以趙盾不討弒君之賊, 加惡名乎? 春秋之時, 晉趙穿弒君, 直史董狐書曰, '趙盾弒其君'. 盾曰, '弒君者, 非我也'. 史曰, '子爲正卿, 亡不越境, 返不討賊, 弒君者, 非子而何?' 孔子曰, '董狐良史也. 趙盾良大夫也, 爲法受惡'. 夫盾以正卿, 不討弒君之賊, 受弒逆之名而不辭.[76] 然後, 討賊之義嚴, 而亂賊之黨, 無所容於天地之間矣. 故曰, '爲人君父, 而不通於春秋之義, 必蒙首惡之名. 爲人臣子, 而不通於春秋之義, 必陷於簒弒之罪'. 此之謂也. 愚雖不才, 得從宰相之後, 與聞國政, 敢不以良史之譏, 自懼乎? ○若曰, '所謂罪人, 有儒宗焉, 有連婚王室者焉, 其法有難議者也'. 則昔林衍廢元王, 立母弟淐, 衍先定其謀, 而後告侍中李藏用, 藏用不知所爲, 但曰, 唯唯而已. 後元王反正, 以藏用位居上相, 不能寢其謀禁其亂, 廢爲庶人. 今李穡之爲儒宗, 孰與藏用? 其首唱邪謀, 沮王氏而立子昌者, 孰與藏用, 但唯林衍之謀而已. 胡氏^{胡寅}曰, '昔文姜與弒魯桓, 哀姜與弒二君. 聖人例以遜書, 若其去而不返, 以深絶之, 所以著恩輕而義重也. 夫弒桓者襄公也, 弒二君者慶父也, 文姜·哀姜, 疑若無罪焉, 聖人以二夫人與聞乎? 故深絶而痛誅之如此'.[77] 夫嗣君, 夫人所出也, 不以子母之私恩, 廢君臣之大義, 況其下者乎? ○或曰, '穡之言曰, 禍雖肫

庶, 內以平章百姓, 外以鎭撫四夷, 國家之爵賞, 刑罰所由淵也. 天下之政敎化令所由出也. …". 여기에서 石守道는 北宋의 학자인 石介(1005~1045)의 字이고, 石介甫는 오류일 것이다. 다(『徂徠文集』권).

76) 이 구절은 다음의 자료를 적절히 정리한 것으로 추측된다.
 · 『춘추좌씨전』傳, 宣公 2年 秋9月, '乙丑^{27日}, 趙穿殺靈公於桃園. 宣子^{趙盾}未出山而復. 太史^{董狐}書曰, '趙盾弒其君', 以示於朝. 宣子曰, '不然'. 對曰, '子爲正卿, 亡不越境, 反不討賊, 非子而誰'. 宣子曰, '嗚呼, 詩曰, 我之懷矣. 自詒伊慼, 其我之謂矣'. 孔子曰, 董狐, 古之良史也. 書法不隱. 趙宣子, 古之良大夫也, 爲法受惡. 惜也, 越境乃免".

77) 이는 다음의 자료를 적절히 정리한 것으로 추측된다.
 · 『呂氏春秋集解』권5, 莊公 1년 3월, "武夷胡氏傳, 夫人文姜也, 桓公之弒, 姜氏與焉, … 有司欲當以大逆, 孔季彦曰, 文姜與弒魯桓, 春秋去其姜氏傳, 謂絶不爲親禮也".

子, 玄陵^{恭愍王}稱爲己子, 封江寧大君, 又受天子誥命, 其爲君成矣. 又旣已爲臣矣而逐之, 大不可也. 此其說, 不亦是乎?' 則曰, 王位太祖之位也, 社稷太祖之社稷也, 玄陵固不得而私之也. 昔燕子之與燕少子噲, <u>或曰</u>, '燕可伐歟? 孟子曰, 不可. 子之不得與人燕, 子噲不得受燕於<u>子之</u>'.[78] 聖賢之心以爲, 土地人民, 受之先君者也, 時君不得私與人也. 又周惠王, 以愛易世子, 齊桓公率諸侯, 會王世子于首止, 以定其位. 當是時, 嫡庶之分雖殊, 其爲惠王之子一也. 且以天王之尊, 不得私與其愛子, 以諸侯之卑, 率諸侯之衆, 上抗天子之命, 聖人義之. 未聞, 世子拒父命, 桓公抗君命. 誠以天下之義大也. 玄陵豈以太祖之位之民, 而私與逆旽之子乎? ○又天子誥命, 一時權臣, 以爲玄陵之子, 欺而得之也. 後天子有命曰, '高麗君位絶嗣, 雖假王氏, 以異姓爲之, 亦非三韓世守之良謀'. 又曰, '果有賢智陪臣, 定君臣之位'. 則前命之誤, 天子亦知而申之矣. 安敢以誥命藉口乎? 其爲臣之說, 抑有辨焉. <u>綱目前書</u>, '<u>審食其</u>爲帝太傅, <u>周勃</u>·<u>陳平</u>爲<u>丞相</u>'.[79] 後書, '漢大臣等誅<u>子弘</u>, 迎代王

---

78) 이는 다음의 자료를 인용한 것이다.
 · 『孟子』, 公孫丑章句下, "齊<u>沈同</u>以其私問曰, 燕可伐與. <u>孟子</u>曰, 可. ^{燕王}子噲不得與人燕. <u>子之不</u>得受燕於<u>子噲</u>".

79) 이 구절은 紀元前 187년(高皇后1, 少帝恭1) 겨울[冬]에 高太后 呂雉가 즉위하여 呂氏들을 諸王으로 책봉하여 권력을 강화할 때, 反對意見을 가진 宰相을 교체한 것을 말한 것이다. 다음의 두 자료는 原典과 縮約本의 차이를 보여 주는데, 이것이 현존의 『고려사』와 『고려사절요』의 차이를 설명해 줄 수 있을 것이다.
 · 『자치통감』 권13, 漢紀5, 高皇后 1년(BC187), "冬, 太后欲立 諸呂爲王, 問右丞相^王陵, 陵曰, 高帝刑白馬盟曰, 非劉氏, 天下共擊之, 今王呂氏, 非約也. 太后不說, 問左丞相^陳平·太尉^周勃, 對曰, 高帝定天下, 王子弟, 今太后稱制, 王諸呂, 無所不可. 太后喜, 罷朝. … 王陵讓陳平·絳侯^{周勃}曰, 始與高帝喋血盟, 諸君不在邪, 今高帝崩, 太后女主, 欲王呂氏, 諸君縱欲阿意背約, 何面目見高帝於地下乎. 陳平·絳侯曰, 於今, 面折廷爭, 臣不如君, 全社稷, 定劉氏之後, 君亦不如臣. 陵無以應之. 十一月甲子, 太后以<u>王陵</u>爲帝太傅, 實奪之相權, 陵遂病免歸. 乃以左丞相<u>平</u>爲右丞相, 以辟陽侯<u>審食其</u>爲左丞相, 不治事, 令監宮中, 如郎中令. <u>食其</u>故得幸於太后, 公卿皆因而結事". 여기에서 絳侯는 周勃의 封君號이다.
 · 『사기』 권9, 呂太后本紀第9, 孝惠帝 7년 9월, "辛丑, 葬^{孝惠帝}. 太子卽位爲帝^{少帝恭}, 謁高廟. ^{高皇后}元年, 號令一出太后. 太后稱制, 議欲立諸呂爲王, 問右丞相<u>王陵</u>, <u>王陵</u>曰, 高帝刑白馬盟曰, 非劉氏而王, 天下共擊之, 今王呂氏, 非約也. 太后不說, 問左丞相<u>陳平</u>·絳侯<u>周勃</u>, <u>勃</u>等對曰, 高帝定天下, 王子弟, 今太后稱制, 王昆弟諸呂, 無所不可. 太后喜, 罷朝. <u>王陵</u>讓陳平·絳侯曰, 始與高帝喋血盟, 諸君不在邪, 今高帝崩, 太后女主, 欲王呂氏, 諸君從欲阿意背約, 何面目見高帝地下. 陳平·絳侯曰, 於今, 面折廷爭, 臣不如君, 夫全社稷, 定劉氏之後, 君亦不如臣. <u>王陵</u>無以應之. 十一月, 太后欲廢<u>王陵</u>, 乃拜爲帝太傅, 奪之相權, <u>王陵</u>遂病免歸. 迺以左丞相<u>平</u>爲右丞相, 以辟陽侯<u>審食其</u>爲左丞相, 左丞相不治事, 令監宮中, 如郎中令. <u>食其</u>故得幸於太后, 常用事, 公卿皆因而結事. …".

恒, 卽皇帝位’,[80] 其書曰帝·曰丞相者, 非爲臣之辭乎? 曰大臣, 曰誅子弘者, 非討賊之辭乎? 不獨此耳. 武才人稱帝已久, 狄仁傑薦張柬之爲宰相. 柬之廢武才人, 迎立中宗, 其薦爲宰相者, 豈非爲臣也? 廢武才人者, 亦討其爲賊也. 百世之下, 稱周陳安劉, 張柬之復唐之功, 未聞罪數公爲臣而廢舊主也. 穡與玄寶, 雖仁義未足, 皆讀書通古之士, 豈不聞此說乎? 其執迷不悟, 倡爲邪說, 以惑衆聽, 於此可見. 先王之法, 造言惑衆者, 在所當誅, 況敢倡邪說, 以濟亂賊之罪者乎? ○或曰, ‘其謀迎辛禑者, 正子昌在位之時, 雖無辛禑之迎, 王氏安得復興乎? 其曰迎辛禑而絶王氏, 以罪加之之辭也’. 當是時, 忠臣·義士奉天子之命, 議黜異姓, 以復王氏, 僞辛之黨, 先得禮部咨, 知天子之有命, 忠臣之有議. 謂子昌幼弱, 謀立其父, 以濟其私, 此非謀迎辛禑而絶王氏乎? 或曰, ‘穡與玄寶, 於行爲前輩, 有斯文之雅, 故舊之情, 子力攻之如此, 無乃薄乎?’ 昔蘇軾於朱文公爲前輩, <u>文公</u>以軾敢爲異論, 滅禮樂, 壞名敎, 深訶力詆, 無少假借. 乃曰, 非敢攻訶古人.[81] <u>成湯曰</u>, ‘予畏上帝, 不敢<u>不正</u>’.[82] 予亦畏上帝, 故不敢不論. 夫軾之罪, 至於立異論, 滅禮法耳, 以朱子之仁恕攻之, 至以成湯誅桀之辭, 並稱之. 況黨異姓而沮王氏者, 祖宗之罪人, 而名敎之賊魁也? 豈以前輩之故而貸之也? 況彼之言曰, ‘戊辰年廢立之時, 斯文有異議’. 所謂異議者, 議立王氏也. 又倡言於衆曰, ‘諸將議立王氏, 吾父沮之, 吾父之功大矣’. 此言流聞於禑·昌之耳者, 深矣. 使禑·昌得志, 斯文與諸將, 果得保其首領乎? 其自處之薄, 爲何如也? 自以立王氏爲異議, 沮王氏爲己功. 今以立僞辛爲異議, 沮王氏爲重罪, 不亦可乎? ○或曰, ‘子已上牋辭免, 獻書殿下, 論執罪人, 又告廟堂, 無乃已甚乎?’ 必若是言, 昔齊陳恒弑其君, <u>孔子</u>沐浴而朝曰, ‘陳恒弑其君, 請討之’. 又告三子曰, ‘陳恒弑其君, <u>請討之</u>’.[83] 弑君者在齊, 疑若無與於魯也, 孔子時

<hr />

80) 이 구절은 紀元前 181년(高皇后7, 少帝弘3) 이후 呂氏一族[諸呂]이 擅權用事할 때, 周勃·陳平 등이 呂氏勢力을 제거하고 代王 劉桓(劉邦의 4子, 후일의 文帝)을 옹립한 사실을 축약한 것이다.
 · 『자치통감』 권13, 漢紀5, 高皇后 7년(BC173) 7월, “辛巳, 太后崩, 遺詔, 大赦天下, 以<u>呂王産</u> 爲相國, 以<u>呂祿</u>女爲帝后. 高后已葬, 以左丞相<u>審食其</u>爲帝太傅. 諸呂欲爲亂, 畏大臣<u>絳</u>·<u>灌</u>等, 未敢發. …”.
81) 이 구절은 어떠한 典籍을 인용하였는지를 알 수 없다.
82) 이 구절은 다음을 인용한 것이다.
 · 『書經』, 湯誓, “<u>湯</u>王曰, 格爾衆庶, 悉聽朕言. 非台小子, 敢行稱亂. 有夏多罪, 天命殛之. 今爾有 衆, 汝曰, 我后不恤我衆, 舍我穡事, 而割正. 予惟聞汝衆言, 夏氏有罪, 予畏上帝, 不敢不正. …”.
83) 이 구절은 다음을 적절히 變改하여 注釋한 것이다. 여기에서 三子는 孟孫, 季孫, 叔孫 등의 3家 의 大夫를 가리킨다.
 · 『논어』, 憲問, “<u>陳成子</u>弑簡公, <u>孔子</u>沐浴而朝, 告于哀公曰, ‘<u>陳恒</u>弑其君, 請討之’. 公曰, ‘告夫

已告老, 疑若無與於魯之政也. 旣已請於君, 疑若不必告於三子也. 且以聖人宏大
謙容, 入而請於君, 出而告於三子, 必欲討其罪人而後已. 誠以弒逆之賊, 人人之所
得誅, 而天下之惡一也. 且在魯而不忍在齊之賊, 況在一國而忍一國之賊乎? 從大夫
之後, 而不忍隣國之政, 況在功臣之列, 而忍王室之賊乎? 春秋書'衛人殺州吁'.[84]
胡氏^{胡安國}[85]曰, '人衆辭. 其殺州吁, 石碏謀之, 使右宰醜涖. 變文稱人, 是人皆有
討賊之心, 亦人人之所得誅也. 故曰衆辭也'.[86] 且亂臣賊子, 人人之所得誅也, 而
宰相不行誅討之擧, 可乎? 況石碏以州吁之故, 幷殺其子厚, 君子曰, '石錯純臣也.
大義滅親', 以此言之. 亂賊之人, 不論親疎貴賤, 皆在誅絶也. ○或曰, '陳恒·州
吁, 身行弒逆者也, 穡與玄寶, 未嘗弒也. 比而同之, 不亦過乎? 又安知誣其罪而誤
蒙也', 則不有胡氏^{胡安國}之說乎? '弒君立君, 宗廟猶未亡也. 移其宗廟, 改其國姓,
是滅之也, 豈不重於弒也'. 今黨異姓, 而廢王氏之宗祀者, 實胡氏^{胡安國}所謂, 移其
宗廟, 而滅同姓也, 其罪亦不止於弒也. 又古之大臣, 人有告其罪者, 囚服請罪. 如
漢霍光, 以武帝顧命大臣, 擁立昭帝, 功德至大, 人有上書告其罪者, 不敢入禁中,
而待罪於外. 以此觀之, 苟有告罪者, 則當涕泣切請, 躬對有司, 辨明其罪, 然後其
心安焉. 豈有誘妻子上書, 假托疾病, 就醫於外, 不與明辨乎? 是則自知有罪, 辭屈
難辨, 必矣. 春秋討賊之法, 雖其蹤迹未著, 尙探其意而誅之, 況蹤迹已著如此者
乎? 昔高宗封武才人爲后, 褚遂良·許敬宗, 同爲宰相. 遂良力言不可, 卒至戮死,

三子', 孔子曰, 以吾從大夫之後, 不敢不告也".

84) 이는 다음을 인용한 것이다.
 · 『春秋左氏傳』傳, 隱公 4년, 經, "^{二月}, 戊申, 衛州吁弒其君完. … 九月, 衛人殺州吁于濮". 傳,
 "春, 衛州吁弒桓公而立., … 九月, 衛人使右宰醜涖殺州吁于濮". 이는 "9월에 衛人이 右宰로
 在職 중인 醜로 하여금 州吁를 濮(現 河南省 濮水)으로 데리고 가서 그대로 세워 놓고[涖, 臨]
 죽이게 하였다"로 번역하면 좋을 것이다(鎌田 正 1971年 72面).

85) 胡安國(1074~1138)은 建州 崇安縣(現 福建省 武夷山市) 출신으로 大學에 들어가 朱長文에게
 學問을 배웠고, 1097년(紹聖4) 進士 3人으로 합격하였다. 起居郎, 中書舍人 등을 역임하다가 衡
 州 南岳에 들어가 修身을 중시하며 經世致用을 주창하였다. 그의 아들 胡宏과 함께 湖湘學派를
 개창하고 理學을 더욱 발전시켜 후세인들로부터 武夷先生, 胡文定公(諡號)으로 불렸다(『송사』
 권435, 열전194, 儒林5, 胡安國).

86) 이는 다음을 인용한 것이다.
 · 『春秋胡氏傳』권2, 隱公中, 4년, "九月, 衛人[注, 石碏]殺州吁于濮[注, 伐鄭稱人責詞也, 殺州
 吁稱人衆詞也. … 其殺州吁, 石碏謀之, 而使右宰醜涖也. 變文稱人, 則是人皆有討賊之心, 亦
 夫人之所得討也. 故曰衆詞. 公羊子曰, 稱人者, 何討賊之詞也, 其義是矣. …]".
 · 『呂氏春秋集解』권2, 隱公 4년 2월, "戊申, 衛州吁弒其君完. … 九月, 衛人殺州吁于濮[注, 武
 夷'胡氏傳', 伐鄭稱人責詞也, 殺州吁稱人衆詞也]".

敬宗順高宗之旨曰, '此陞下之家事耳, 非宰相所得知也'. 高宗用敬宗之言, 卒立武后, 敬宗終享富貴. 五王同議反正, 同受戮死, 無一異焉. 自今觀之, 敬宗之計得, 而遂良與五王爲失矣. 然敬宗一時之富貴, 欻爾若飄風過耳, 泯然無迹. 遂良·五王之英聲義烈, 輝映簡策, 貫宇宙而同存. 愚雖鄙拙, 恥敬宗而慕遂良. 傳曰, '與之同謀, 終與之同死'.[87] 旣不以愚拙棄之, 得叅反正之議, 安敢畏奸黨之禍, 默然無言, 以苟免乎? 伏望□□殿下, 法春秋討賊之法, 以孔子·石碏之心爲心, 則宗社幸甚": 列傳32鄭道傳轉載].[88]

[○又政堂文學鄭道傳, 上箋辭曰, "臣之得謗, 難可悉陳, 請以殿下之所明知者言之. 殿下以臣充三軍都摠制府右軍摠制使, 臣面請曰, '諸將用軍士爲私屬, 其來尙矣, 一日革之, 舊家世族, 無其役而食其田久矣, 一日名屬軍籍, 役加於身, 臣恐大小歸怨於臣也'. 殿下曰, '將帥之革, 憲司言之, 三軍之設, 斷自予心, 卿何與焉, 保無此謗也'. 臣復曰, '臣若得謗, 必達於聰聞, 則殿下亦知臣無其事而得其謗'. 皆此類也, 而臣之他謗亦明, 豈非幸之中者乎, 臣受命後, 果有謗之者曰, '道傳回自中原, 而三軍之府遽設, 此以五軍都督之法而爲之也. 舊家世族, 自此皆服賤役矣'. 萬口一談, 牢不可破. 戶口成籍, 堂臣言之, 殿下可之, 其事出於臣在中原之時也. 刷盲人巫師之子, 充樂工典儀寺, 奉殿下之命而行之者也. 無籍冒名之徒, 怨戶籍之不便於己者曰, '道傳之所爲也'. 盲人巫師, 以此議爲出於臣而詛之. 革私田之議, 臣初以爲皆屬公家, 厚國用而足兵食, 祿士夫而廩軍役, 俾上下無匱乏之憂, 臣之志也. 而志竟不行, 尋請殿下, 免提調官, 久矣. 而分田不均之怨, 皆歸於臣. 然此小事也, 殿下之所明知, 臣不得辨焉, 況事之大而怨之深者, 雖非臣之所知, 臣何自而免也. 臣死於崔源之遣, 則內以正先君之終, 上以不欺於天子矣. 死於不肯署名之事, 則足以明僞辛非玄陵之後矣. 死於胡使之却, 則上以脫君父之惡名, 下以免一國臣民與弑之罪矣. 臣身雖死, 有不死者存, 豈非榮乎? 若夫陷於讒謗之口, 則上以遺君父不能保全功臣之累, 下以招不能明哲保身之議, 臣甚懼焉. 願殿下, 解臣見職, 以保餘生": 列傳32鄭道傳轉載].

[某日, 憲府啓, "宦官金師幸·金完, 嘗以巧侈, 得幸玄陵, 流毒生民, 不宜在左右, 請黜之". 不聽: 節要轉載].

---

87) 이 句節은 어느 典籍에서 引用된 것이지를 알 수 없다.

88) 이 기사는 열전32, 鄭道傳에도 수록되어 있다.

[→憲司奏, "宦者金師幸·金完, 嘗以巧倿, 得幸玄陵, 流毒生民. 不宜在左右, 請黜之". 諫官又上疏論之, 皆不聽. 自此以後, 入本朝:列傳35金師幸轉載].

乙卯[29日]晦, 罷修演福寺塔.[89]

[是月, 頒京外官解由格:選擧3選法轉載].[90]

[○僧月庵與門下侍中李成桂等造成法器數点, 藏於金剛山毗盧峰:追加].[91]

六月丙辰朔[大盡,乙未], 前典醫副正金玠上書曰, "太祖創業, 觀山水之逆順, 察地脉之續斷, 創寺造佛, 給民與田, 祈福禳灾, 此三韓基業之根本也. 比來, 無識僧徒,

---

89) 이 시기에 判密直司事 姜淮伯이 演福寺의 重修를 中止해 줄 것을 건의하여 왕의 허락을 받았다고 한다.
· 열전30, 姜淮伯, "陞判密直司事兼吏曹判書, 上疏曰, 吉凶非自外至, 禍福惟人所召. 安有憑佛敎信術數, 以冀福利之理乎. 佛氏之道, 淸淨寡欲爲第一義, 若窮竭民力, 造佛造塔, 則反得罪於佛氏, 而殃禍隨至矣. 近日演福之役, 民有破産失業, 是乃傷仁政之大端也. 天時地利, 不如人和, 一治一亂, 自然之理, 安有地氣衰旺, 而國祚有盛衰乎. 開國以來四百餘年, 何嘗巡住三京, 而朝三十六國乎. 辛禑信圖讖, 而移都南京矣, 未知何國朝於漢江乎. 災異之出, 實惟上天仁愛, 人君正當恐懼修省, 日愼一日, 檢身節用, 時使薄斂, 則上答天譴, 下慰民心. 何必遷都漢陽, 盡驅農民, 以供營繕之役, 科斂徵發, 使失耕穫之時, 以搖邦本而傷和氣乎. 宴安邪倿, 斲喪良心之斤斧也. 今殿下於宮中, 構新亭植花卉, 以爲宴安之所, 臣恐倿心自此而生矣. 又御衣襨, 令倉庫買賣供進, 一匹之絹價或倍蓰, 謀利之徒, 坐取重利. 乞令倉庫奴隷, 習織綾絹, 以供內用. ○王納之".
90) 解由에서 解는 官僚의 任期의 끝[秩滿]을, 由는 治績의 考課[殿最]를 가리키는 것으로 京外各司의 官員이 轉任할 때 前任者가 後任者에게 管掌하고 있던 물품을 인계하고 재직 중의 會計와 物品管理에 대한 책임을 면하는 것을 뜻한다. 이의 授受 및 施行節次에는 宋·元代에 만들어진 일정한 規式이 있는데, 이를 解由格이라고 하며, 이와 관련된 일련의 문서를 解由文書라고 한다 (張東翼 1984년).
· 『萬機要覽』財用篇4, 戶曹各掌事例, 會計司, "考滿職除曰解, 歷其殿最曰由".
· 『금사』권55, 지36, 百官1, "凡內外官之政績, 所歷之資考, 更代之期, 去就之, 故秩滿, 皆備陳於解由, 吏部據以定能否. 又撮解由之要, 於銓擬時讀之, 謂之銓頭. 又會歷任銓頭, 而書於行止簿. 行止簿者, 以姓爲類, 而書各人平日所歷之資·考功過者也".
91) 이는 1932년 10월 金剛山 月出峰에서 防火線을 조성하던 과정에서 발견된 여러 유물 중에서 白磁鉢 2点 중에 큰 것의 內面에 陰刻된 銘文에 의거하였다(國立中央博物館 所藏, 野守 健 1944年 48面 ; 鄭良謨 等編 1992년 158面 ; 國立春川博物館 2002년 118面 ; 李鍾玟 2008년).
· 內面銘文, "自釋迦如來入滅經二千四百」餘年,大明洪武二十四年辛未」五月日月菴與侍中」李成桂等萬人,同發誓願」謀藏金剛山侍□□」彌勒出世,奉以示人」助揚眞化,同成」佛道,此願堅固,」佛祖訂明,」辛未五月日誌」同發願野衲月菴,」同願施主門下侍中李成桂」同願三韓國大夫人康氏,」同願樂浪郡夫人金氏妙□,」同願江陽郡夫人李氏妙淸,」同願興海郡夫人裴氏,」同發願餘數多□□,不緣侍彌勒三會□□」瞻禮同成正□□」毗盧峰舍利安遊記」".
· 外面銘文, "辛未四月日,防山沙器匠 洗龍,」同發願比丘 信寬".

不顧創業之義, 收民土之產, 自營其業, 而上不供佛, 下不養僧. 嗚呼, 其徒之自滅其法也, 甚矣. 今狂儒之淺見薄識者, 不顧三韓之大體, 徒以破寺斥僧, 爲懷. 噫, 聖祖創業之深智, 反不如豎儒之計乎? 伏望殿下, 上順聖祖之弘願, 重營佛寺, 加給田丁, 以興釋敎".

○前戶曹判書鄭士偶亦上書, "以爲佛法, 福利國家, 宜當崇奉". 王嘉納其言, 時言者, 多斥王好佛之弊, 瑛及士偶, 以此, 中王心.[92]

己未[4日], 遣判繕工寺事楊天植·禮曹摠郎孔府等, 如京師, 獻馬一千五百匹. ○都評議使司申禮部曰, "敬奉權署國事言語, '除閹人另行推刷外. 竊照本國所産馬匹, 軀幹矮小, 其稍大者稀少, 然戰倭服遠, 負重耐苦, 小邦之人, 實以賴之. 近年以來, 遼東收買旣多. 時疫倒損不少, 難以一時措辦. 除已欽依行移, 在城官司, 幷府州郡縣, 儘力措辦, 陸續起解'. 聞又奉權署國事言語, '小邦貢獻, 合盡臣子之禮, 所進馬匹, 何敢受價? 可申覆禮部, 從容奏達, 停給價之命. 但令遼東都司[遼東都指揮使司], 隨到隨收, 庶表小邦之誠信'. 敬此, 先將辦到雜色馬一千五百匹, 管押前去, 遼東都司[遼東都指揮使司]交割".[93]

[某日, 憲府, 請復治李穡·王安德·李種學·李乙珍·李庚道等. 不從:節要轉載].[94]

[某日, 成均生員朴礎等上疏曰:節要轉載], ["伏惟, 國家自聖祖創業以來, 金枝玉葉, 繼繼承承, 無墜厥緖者, 幾五百年于玆矣. 中遭否運, 異姓之禍, 口不忍言. 惟我殿下, 以神聖之資, 應天順人, 掃除凶竪, 不勞兵刃, 誕受厥命, 克復宗社. 飛龍之初, 三韓億兆, 懽欣拭目, 想望太平, 此正復古中興, 以致雍熙之秋也. 臣等獲逢明時, 齒于胄學, 徒費廩祿, 踰蒙聖恩. 慨然有志於堯·舜君民, 排斥異端者, 有日矣. 然無路而不得行, 無位而不得達, 懷憤鬱抑, 竊議私嘆. 得通上聽, 一悟聖心, 雖被妖言之罪, 無所悔焉. 況今殿下發德音, 下明旨, 開廣言路, 求言如渴, 臣等安敢嘿嘿, 以負平生之志? 伏惟殿下. 更加優容, 不使盛朝有讜言而受戮者, 乃國家

---

92) 이상과 같은 大司成 金子粹를 위시한 여러 官僚들에 의한 上疏는 是年 4월 26일에 내려진 施政改革을 위한 恭讓王의 求言敎書에 副應한 것으로 보인다. 또 이와 관련된 기사로 다음이 있다.
　· 열전32, 鄭道傳, "當時, 上書者甚衆, 而道傳對爲第一, 王每稱之. 然以盡言不諱忤旨, 且以武三思, 比禹玄寶黨, 玄寶孫成範爲駙馬, 故王不悅道傳".
93) 楊天植은 8월 13일(丁卯) 馬 1,500匹을 遼東에 護送해 와서 向後 明을 섬기는데 정성을 다하겠다는 王命을 전하면서 倭寇로 인해 1萬匹의 要求에 副應할 수 없는 것은 此後에 바치겠다고 하여 明帝의 허락을 받았다고 한다(『명태조실록』 권211).
94) 이 기사는 열전28, 李穡에 "[恭讓]三年, 憲府請復治穡·種學, 不從"으로 수록되어 있다.

之幸也. ○臣等:列傳33金自粹轉載] [竊聞, 有天地然後, 有萬物, 有萬物然後, 有男女, 有男女然後, 有夫婦, 有夫婦然後, 有父子, 有父子然後, 有君臣, 有君臣然後, 有上下, 有上下然後, 禮義有所措, 此天下之達道, 古今之常經, 不可須臾離也. [苟或廢焉者, 則覆載所不容, 日月所不照, 鬼神所共殛, 天下萬世, 公論之所共誅也. 彼佛何人也? 以世嫡而叛其父, 絶父子之親, 以匹夫而抗天子, 滅君臣之義. 以男女居室, 爲非道, 以男耕女織, 爲不義. 絶生生之道, 塞衣食之源. 欲以其道, 思以易天下. 信如此焉, 則百年之後, 人類絶矣. 天行乎上, 地載乎下, 其所以生育於其間者, 惟草木·禽獸·魚鼈·龍蛇而止爾, 三綱五常之道, 竟何寓其於閒哉?:列傳33金自粹轉載]. ○佛本夷狄之人, 與中國言語不類, 衣服殊制, 不知夫婦·父子·君臣之倫. 僞啓三途^{三塗}, 謬張六道,⁹⁵⁾ 遂使愚迷, 妄求功德, 不憚科禁, 輕犯憲章. 且死生壽夭, 由於自然, 威福刑政, 關之人主, 貧富貴賤, 功業所招, 而愚僧矯詐, 皆云由佛. 竊人主之權, 擅造化之力, 塗生民之耳目, 溺天下於汚濁, 醉生夢死, 不自覺也. [以, 築樓殿宮閣以事之, 飾土木銅鐵以形之, 髡良人男女以居之. 雖桀之璿宮象廊, 紂之瓊宮鹿臺, 楚靈之章華, 呂政之阿房, 不加也. 是豈不出乎百姓之財力歟? 嗚呼痛哉, 其誰正之? 必也上之人, 德修於己, 教成於下, 以明禮義, 使斯民知天理之所在, 然後可以正之矣. ○洪惟, 我東方, 自新羅之季, 奉浮屠之法, 至於閭里, 比其塔廟. 佛氏之說, 洋洋乎盈耳, 淪於肌膚, 浹於骨髓, 未可以義理曉也, 亦未可以口舌辨也:列傳33金自粹轉載]. 惟我太祖, 統三之初, 深懲積弊, 禁後代君臣私立願刹. 於是, 太師崔凝, 請除佛法, 太祖以爲, '新羅之季, 佛氏之說, 入人骨髓, 人人以爲死生禍福, 悉佛所爲. 今三韓甫一, 人心未定, 若遽革佛氏, 必生駭心'. 乃作訓□^要曰, '宜鑑新羅多作佛事, 以至於亡'. 然則太祖之垂訓, 於後世者, 至深切矣. 歷代君臣, 不能體聖祖之遺意, 因循苟且, 營庵立塔, 無代無之, 式至于今, 爲弊滋甚, 爲人心世道計者, 可不痛心哉?:節要轉載].⁹⁶⁾ [傳曰, '一夫不耕, 或

---

95) 三塗(혹은 三途)·六道에 대한 설명으로 다음이 있다.
· 『자치통감』권191, 唐紀7, 高祖武德 9년(626) 4월 丁卯, "… 太史令傅奕上疏, 請除佛法曰, '佛在西域, 言妖路遠, 漢譯胡書, 恣其假託. 使不忠·不孝·削髮而揖君親, 遊手遊食易服以逃租賦. 僞啓三塗, 謬張六道[胡三省注, 釋氏以地獄·餓鬼·畜生爲三塗, 言人之爲惡者必墮此也. 又添阿修羅·天神·神祇 爲六道]. 恐惕^{恐喝}愚夫, 詐欺庸品, …'".

96) 이 구절은 다음의 자료를 적절히 전재한 것이다.
· 『세종실록』권23, 6년 3월 丁酉^{21日}, "藝文奉教梁鳳來等上疏曰, 臣等嘗聞, 樹德務滋, 除惡務本. … 前朝太祖深懲積弊, 禁後代群臣私作願刹, 其時功臣崔凝等請除其法, 太祖以謂, 新羅之季, 佛氏之說, 入人骨髓, 人皆以爲死生禍福, 悉佛所爲. 且今三韓甫一, 人心未定, 若遽革之, 必生

受之飢, 一婦不蠶, 或受之寒'.[97] 彼佛氏之徒, 不耕而飮食充, 不蠶而衣裳具, 安居自養者, 不知其幾千百萬, 由是而凍餓者, 不知幾何人矣. 彼雖飮風吸露, 巢居野處, 爲國家者, 所當斥之者也. 況坐華屋食精饌, 遊手而揖君親者, 其可一日容於天地之閒乎? 誠不共戴天者也. ○奈何:列傳33金自粹轉載]殿下, 以英明之資, 惑於浮屠讖緯之說, 往遷于南, 以國君之尊, 親幸檜巖,[98] 以倡無父無君之敎, 以成不忠不孝之俗, 以毁我三綱五常之典, 臣等爲殿下中興之美, 惜也. 且誕降之辰, □□^{殿下}宜率百官, 上壽太妃, 以示殿下中興孝理之盛德於三韓臣庶也, 此之不爲, 反遵胡敎, 區區於飯僧供佛, 以沮臣庶中興至理之望, 可乎? 至若窮人力, 斂人^{斂大}之怨, 督立演福塔廟之役, 中外嗷嗷, 士民缺望. [臣等未知, 所營之木, 鬼輸神轉歟, 所用之財, 天降地湧歟? 欲求福於冥冥之中, 反貽患於昭昭之際. 臣等意, 一旦風塵再擾, 霜雹荐臻, 沙彌不能操干戈, 塔廟不能禳飢饉:列傳33金自粹轉載]. 昔, 後周毁經像而修甲兵, 齊崇塔廟, 而弛刑政, 一朝合戰, 周興齊滅. 然則佛氏之不能作禍福於人世者, 可知也. ○伏惟殿下, 法堯舜・三代之所以興, 鑑齊陳梁蕭之所以亡,[99] 上繼聖祖之遺意, 下副吾儒之素望. 使彼佛者, 勒還其鄕, 人^大其人以充兵賦,[100] 盧其居以增戶口, 焚其書以永絶其根本. 而所給之田, 使軍資□^寺主之, 以瞻軍餉, □□^{所屬}奴婢, 使都官掌之, 以分各司各官. 其銅像・銅器, 屬於軍器寺, 以修甲兵, 其所用器皿, 屬於禮賓寺, 以分各司各官. 然後, 敎之以禮義, 養之以道德, 不數年間, 民志定, 而敎化行, 倉廩實, 而國用周矣. [然則向之背君父毁人倫逆天理者, 將去

反側. 乃作訓曰, 宜鑑新羅多作佛寺, 以底於亡. 此則示後世漸次除治之意也, 厥後非惟不能除治, 反崇信其敎, 日新月盛, 殫竭財力, 多置寺院, 凡有變怪, 輒作佛事, 名曰消災道場. 至於飯僧, 以三萬計者, 殆無虛月, 甚者, 設百高坐於宮中, 親執弟子之禮, 卒不獲福, 而遂至亂亡. 假令太祖盡拔根本, 則後世酷信之弊, 不至此極矣. 此近代之明鑑也".

- 『世宗實錄』 권82, 20년 7월, "辛卯^{9日}, 司諫院上疏曰, 臣等竊惟僧徒之政, 古無其制, 而非所以治天下國家之道也. 高麗太祖統一之初, 以術士壓勝之道, 山水背處, 營建寺社, 納田與奴, 安佛迎僧, 乃立共議之政. 而嘗謂功臣崔凝曰, '新羅之季, 佛氏之道, 入人骨髓, 今三韓甫一, 人心未安. 若遽去佛, 必致驚駭'. 乃作訓□^要曰, '宜鑑新羅之好佛以底於亡, 又禁後代君王私作裨補願刹'. 以此觀之, 則其所以營寺社設僧政者, 不越乎壓勝鎭服, 收合人心之術而已".

97) 이 구절은 다음의 자료를 인용한 것이다.
   - 『漢書』 권24上, 食貨志第4上, "管子曰, 倉廩實, 而知禮節, … 古之人曰, 一夫不耕, 或受之飢, 一女不織, 或受之寒".

98) 檜巖은 열전33, 金自粹에는 檜菴으로 되어 있으나 오자일 것이다(盧明鎬 等編 2016년 883面).

99) 齊陳梁蕭는 南朝의 齊王朝(蕭氏)→梁王朝(蕭氏)→陳王朝(陳氏)를 가리키는 것 같은데, 적절한 표현이 아닌 것 같다.

100) 여기에서 人은 入으로 고쳐야 옳게 될 것이다(孫曉 等編 2014年 3671面).

其舊染之汚, 以發其秉彝之良心, 知父子君臣之倫, 知夫夫婦婦之道. 男耕女織, 以生其生, 含哺鼓腹, 以樂其樂. 致理之豊, 可以肩三代, 而軼漢唐矣. ○且:列傳33金自粹轉載]今佞臣金瑞, [以不肖之資, 無知之見:列傳33金自粹轉載], 阿意順旨, 變亂是非, 欲興無父無君之敎, 以廢古今聖賢之道, 以爲‘太祖開國, 皆蒙佛力’, 以指闢佛者, 爲太祖之罪人:節要轉載]. [太祖聖德神功, 順乎天而應乎人, 心同堯·舜, 行法湯·武. 三韓之民, 其畏威也, 如雷霆, 其懷德也, 如父母. 雖盡誅境內沙門如元魏, 盡鑄佛像爲錢如周世宗, 彼佛者, 安能使太祖不能成統合三韓之功乎? 我國家:列傳33金自粹轉載]. [自庚寅^{毅宗24年}·癸巳^{明宗3年}而上, 通儒名士, 多於中國. 故唐家以爲君子之國, 宋朝以爲文物禮樂之邦, 題本國使臣下馬所曰‘小中華之館’. 自庚·癸以後, 不死兵亂, 則逃入山林, 通儒名士, 百無一二存者. 彼學佛者, 始倡邪說, 上誣君臣, 下誑愚民, 乃作太祖九世之像曰, ‘□□□□^{太祖前身}某生爲某院主, 某生作某塔, ^{某生造}某經, ^{至曰}’某生^{太祖,101)} 爲某寺之牛, 至某生, 乃得王位, 上賓之後‘, 今爲某菩薩, 成書開板, 藏于深山, 以欺萬世. ○玄陵^{恭愍王}見之, 深加敬信:節要轉載]. [於是, 內佛堂之法席, 演福寺之文殊會, 講經飯僧. 至屈千乘之尊, 拜髠爲師, 親執弟子之禮. 至于甲寅^{恭愍23年}, 未蒙事佛之福. 臣等未知, 太祖九世像, 釋迦·達摩復生於東方, 親見太祖於天堂佛刹, 而作此像歟? 太祖前身, 爲牛, 爲院主之時, 親見者何僧歟? 彼之邪說, 誣上以太祖爲牛, 此豈聖子神孫之所可開口者也?:列傳33金自粹轉載]. [○嗚呼, 正學不明, 人心不正, 不修德, 而惟福之是求, 不知道, 而惟怪之欲聞, 豈不惜哉? 豈不痛哉? 自孟子闢楊墨, 尊孔氏以來, 漢之董子, 唐之韓子, 宋之程·朱子, 皆扶斯道, 闢異端, 爲天下萬世之君子也, 王安石·張天覺等, 興佛敎, 易風俗, 而爲天下萬世之小人也:節要轉載]. [若董·韓·程·朱之輩, 安石·天覺之徒, 並生於今日, 則殿下, 用董·韓·程·朱, 爲天下萬世之法歟? 用安石·天覺, 倡夷狄禽獸之敎歟? 臣等, 未敢知也:列傳33金自粹轉載]. [殿下, 若遵安石·天覺之所好, 髠三韓之民, 棄國□^棄家, 弊屣王位, 入山求佛, 則納金瑞之言, 可也. 若尊董·韓·程·朱之學, 以正人心, 明人倫, 去民之蟊賊, 以興堯·舜三代之理, 以光中興與天無疆之業, 則彼金瑞者, 當轘諸都市, 以示三韓萬世中興大聖人之不惑於邪說可也. 殿下, 以金瑞爲忠於國家之臣, 則禑·昌父子, 絶我太祖列聖三十一代之祀之時, 彼瑞者, 能立興復王氏之策乎? ○^{政堂文學}兼大司成鄭道傳, 發揮天人性命之淵源, 倡鳴孔·孟·程·朱之道學, 闢浮屠百代之誑誘, 開三韓千古之迷惑. 斥異端, 息

---

101) 添字는 열전33, 金自粹에 의거하였다.

邪說, 明天理, 而正人心. 吾東方眞儒, 一人而已. 是上天授殿下, 以皐陶·伊傅之
佐, 以興堯·舜三代之盛, 於中興之日也. 殿下, 以道傳闢佛之策, 爲祖宗之罪人
歟?, 金琠奉佛之說, 爲殿下之忠臣歟? 臣等, 亦未敢知也. 殿下, 疑道傳之正學,
信金琠之邪說, 則豈不取笑於天下, 見譏於萬世哉? 此臣等, 所以敢言也:列傳33金
自粹轉載]. [今國家之事, 可言者多矣, 姑擧其大者言之. 爲理之本, 捨正人心, 何
以哉? 蓋人心之趨向不正, 則其本亡矣. 雖有屑屑於事爲之末, 皆爲苟而已. 未有
源未潔, 而流淸者也, 亦未有本未固, 而末茂者也. 故臣等, 獨以闢異端, 爲正人心
之本, 獻焉:節要轉載]. [惟殿下, 萬機之暇, 特留宸念, 擧而行之, 非特當今之幸,
抑亦永有辭于萬世矣. 若殿下, 以臣等之言, 勿以爲迂, 採而納之, 臣等更爲殿下,
陳理道之萬一":列傳33金自粹轉載].

[○疏上, 王大怒. 礎等將上書, 生員徐復禮, 不署名, 博士金貂等, 鳴鼓而黜之.
又司藝柳伯淳, 力止礎等上書不得, 言於知申事成石璟曰, "礎等疏, 請勿上聞. 礎
等知之, 共議將不受業". 大司成金子粹等, 惡其無禮, 且怒貂等, 不告長官, 擅黜
生徒, 囚貂等家奴, 召復禮還入學. 及子粹赴衙, 貂等不庭迎, 子粹上箋辭, 不允.
下貂等于巡軍:節要轉載].[102]

[→疏上, 王大怒. 初, 司藝柳伯淳, 知礎等將上疏, 招諸生止之曰, "天下旣廣,
雖有異端, 何害吾道?". 生員尹向曰, "天下安有二道?". 伯淳曰, "諸生之志則大
矣, 雖上書, 王必不聽, 何補於治?". 向曰, "孟子云, '吾君不能, 謂之賊',[103] 吾輩

---

102) 이때 朴礎가 處罰을 받지 않은 것을 들어 言路의 개방을 건의한 자료도 있다. 또 金子粹는 『조
　　선왕조실록』에서 金子粹 1回, 金自粹 7回로 달리 표기되어 있다.
　　· 『세종실록』 권121, 30년 7月 戊申[24日], "藝文奉敎李勿敏等上疏曰, 近日佛堂之役, 關國家治亂
　　　存亡之機, 擧國臣僚痛心刻骨, 連章合辭, 據太宗闢佛之訓, 陳歷代佞佛之禍, 盡言極諫, 皇皇
　　　栖栖, 至有涕泣而不能已者, 皆是出於至誠. … 今又命囚諸生之敢諫者, 臣等尤切痛心. 前朝恭
　　　讓王時, 生員朴礎等上書詆佛, 言語不恭, 恭讓終不之罪. 彼衰世暗君, 猶尙如此, 以殿下反欲
　　　居其下乎. 臣等重爲殿下惜之".
　　· 『연산군일기』 권2, 1년 1月 辛亥[27日], "直提學表沿沫等啓, 人君, 當以大舜爲法, 舜好問而好察
　　　邇言, 隱惡而楊揭善注云, 邇言者, 淺近之言, 猶必察焉, 其無遺善, 可知矣. 然於其言之善者,
　　　則播而不匿, 其不善者, 則隱而不宣, 其廣大·光明如此, 則人孰不樂告以善道哉? 伏願殿下, 以
　　　此爲法. 臺諫啓, 宋之陳東, 前朝朴礎, 皆直言, 而不之罪, 衰季尙如此. 今儒生, 非爲身計, 爲
　　　國家耳, 請優容. …".
　　· 『태종실록』 권26, 13年 11月 庚寅[14日], "前判江陵大都護府事金自粹卒".
103) 이 구절은 다음의 자료를 인용한 것이다.
　　· 『맹자』, 離婁章句上, "… 故曰, 責難於君, 謂之恭. 陳善閉邪, 謂之敬. 吾君不能, 謂之賊".

雖不才，安敢背前賢之格言，受賊君之名哉?". 伯淳竟不能禁. 唯礎·向及韓皐·許遲·金縊·李子撰等十五人上書，餘皆不從. 伯淳又言於知申事成石璔曰，"礎等疏，請勿上聞". 礎等知之，議欲不受業. 子粹等惡其無禮. 博士金貂·金租，學正鄭包，學錄黃喜等，以生員徐復禮不署名於疏，鳴鼓黜之. 子粹等又怒貂等，不告長官，擅黜生員，囚貂等家奴，召復禮還入學. 及子粹赴衙，貂等不庭迎. 子粹上箋辭職，略曰，"臣斗筲淺量，樗櫟微材，曾忝言官，旋竄邊陲之遠，暫爲郡守，遽罹縲紲之拘. 每因事而徑情，反招尤而速禍. 夤緣驟貴，超拜大司成，榮幸逾涯. 又兼左輔德，旣尸素而曠職，宜引退而避賢. 況爲下官之侵陵，能不中心之羞愧. 君子貴於見幾，小臣安於知止. 伏望，賜以兪音，遂其愚抱"，不允. 下貂等于巡軍，尋釋之:列傳33金自粹轉載].[104]

癸亥[8日]，知密直司事安叔老免. 時，上書者，多言逐禍姻黨，而^{前門下侍中}李琳等，又皆見竄，故叔老亦以姻親，不能自安，乞罷.[105]

甲子[9日]，惠濟庫令崔浩生·丞朴元祥等犯贓，事覺，配刑曹杖手.

乙丑[10日]，藝文春秋館劾金瑱佞佛媚王之罪.

戊辰[13日]，[大暑]. 流^{前判門下府事}李穡于咸昌，[106] 又流^{前厚德府尹}李種學·^{前知門下府事}李乙珍·李庚道于遠地.

[→憲府上疏，復論李穡之罪. 流于咸昌. 諫官又論李種學·李乙珍·李庚道等. 皆流遠地:節要轉載].

[→憲府復論穡罪，王勉從之，流于咸昌. 諫官又論種學，流遠地:列傳28李穡轉載.

己巳[14日]，下諸言事者所上章疏于都堂，令採擇以聞.

[○命申行家廟之制:禮5大夫士庶人祭禮轉載]

[某日，敎□^曰，"諸道有水旱·霜雹·蝗災州郡，驗覆免租":節要·食貨3災免之制轉載].

---

104) 이상과 같이 成均生員 朴礎의 上疏文은 『고려사절요』에서 삭제된 부분이 많으므로 열전33, 金自粹에 수록된 기사를 이용하는 것이 좋을 것이다.

105) 安叔老는 1394년(태조3) 7월 3일(庚子) 前知密直司事로서 逝去하였다(『태조실록』권6).

106) 李穡과 관련된 기사로 다음이 있는데, 黜陟使는 慶尙道都觀察黜陟使 安翊이다.
· 『목은집』연보, 洪武廿四年辛未^{恭讓3年}, "六月, 又貶咸昌".
· 『목은시고』권35, 咸昌吟, 寄黜陟使, [注, 辛未六月, 又貶咸昌作].

[辛未^{16日}, 初, 令成均館生員·五部生徒, 參朔望朝會, 從都堂之請也. 憲府, 以無依貼, 駁之. 竟不行:禮9一月三朝儀·節要轉載].

壬申^{17日}, 刑曹判書<u>李士穎</u>罷, 以具成祐, 代之. ^{前簽書密直司事}<u>河崙</u>爲全羅道<u>都觀察使</u>^{都觀察黜陟使}, <u>崔咸·金畝□</u>^旹爲司憲掌令, <u>安魯生</u>爲門下舍人.

癸酉^{18日}, 以旱, 赦二罪以下.

[某日, 復以<u>鄭道傳</u>, 爲政堂文學:節要轉載].

[→諫官言, "道傳功在社稷, 上箋辭職, 累日不答, 待功臣不可如此其薄". 乃復爲政堂文學:列傳32鄭道傳轉載].

丙子^{21日}, 遣門下贊成事<u>趙浚</u>如京師, 賀聖節, 判密直司事<u>金立堅</u>, 賀千秋.¹⁰⁷⁾

○^{明使}<u>韓龍·黃禿蠻</u>, 求本朝職. 王不從. 時托龍等幸妓, 受職者, 不可勝數.

戊寅^{23日}, 龍等, 詣闕辭, 王贈黑麻·白苧布各三十匹.

己卯^{24日}, 韓龍等還, 王及世子·都堂, 皆贐麻·苧細布, 又贈衣服·鞍子. 猶以不饋白金, 爲慊, 形於言色. 王遣人於路, 遺白金各五十兩, 及族人告身一百通.

庚辰^{25日}, 復修<u>演福寺塔</u>.¹⁰⁸⁾

[史臣<u>鄭井</u>曰,¹⁰⁹⁾ "聽群臣之諫, 而命罷之, 惑浮屠之說, 而尋復之, 不恤拒諫之

---

107) 이날(21일)은 趙浚의 파견이 결정된 날이 아니라 使行에 따른 儀式이 끝난 후 출발했던 날짜인 것 같다. 또 趙浚은 9월 1일(乙酉) 應天府에 도착하여 18일(壬寅) 奉天殿에서 表를 올리고 馬·方物을 바쳐 天壽聖節을 하례하였던 것 같다(『명태조실록』권212). 또 이때 조준과 관련된 기사로 다음이 있다.
   · 열전31, 趙浚, "尋陞贊成事·判禮曹事. 夢周嘗密白王曰, 定策之日, 浚不欲立殿下. 且浚爲大司憲, 論禹玄寶, 禹氏之黨皆疾之. 王右禹氏, 由是惡浚. 時, 奉使朝廷者, 多不見禮, 故遣浚賀聖節. 王聞其還曰, 予又見浚面. 尋判尙瑞□□^{司事}, 蓋踈之也".
   · 『송당집』권1, 辛未六月<u>二十日</u>, 奉使大明, 道過黃州, 贈尹觀察就. 여기에서 '二十日'은 '二十某日'의 오류일 것이다.
   · 『태종실록』권9, 5년 6월 辛卯^{27日}, 趙浚의 卒記, "辛未六月, 入賀聖節, 道經北平府, 太宗皇帝在燕邸, 傾意待之. 浚退語人曰, 王有大志, 其殆不在外藩乎?".
108) 이때 演福寺塔의 중수는 臺諫의 반대로 일시 중지되었으나 冢宰 李成桂의 건의로 다시 수리하게 되었다고 한다(『양촌집』권12, 演福寺塔重創記).
109) 鄭井은 1388년(창왕 즉위년) 10월 鄭道傳과 權近의 문하에서 丙科 5人으로 급제하여 1400년(정종2) 11월 知製敎로서 安魯生·金瞻 등과 함께 奴婢辨定都監의 사무를 겸임하다가 司憲府의 탄핵을 받은 인물이다.
   · 『정종실록』권6, 2년 11월 辛酉朔, "司憲府劾知製敎安魯生·金瞻·鄭井. 初魯生等以口傳, 仕於

名, 欲徼未必之福, 塔廟纔成, 而天命已去, 惜哉":節要轉載].

辛巳^{26日}, 臺諫交章, 請竄^{前判三司事}禹玄寶, 疏三上, 皆留中. 遣我太宗^{右副代言李芳遠}于我太祖^{門下侍中李成桂}第, 請禁止臺諫.[110]

[→臺省^{臺諫}交章, 請玄寶罪, 王以^禹成範故, 不聽. 使人於我太祖^{門下侍中李成桂}, 請禁臺省論奏. □我太祖嘆曰, "王曾謂我指揮臺省乎?". 時, 王忌□^{我太祖}^{李成桂}功高得衆心. 又舊家世族, 怨革私田, 多方誣毁, 禑·昌之黨, 連姻王室, 朝夕譖訴. 王信讒言, 日夜與左右, 潛圖除之. □我太祖困於讒說, 謂^鄭道傳·南誾·趙仁沃等曰, "吾與卿等, 戮力王室, 而讒言屢騰, 恐吾輩不得容. 吾當東歸以避之". 先令家人趣^促裝, 將行. 道傳等曰, "公之一身, 宗社·生靈之所係, 豈可輕其去就, 不如留相王室, 進賢退不肖, 以振紀綱. 如此, 則王庶幾有悟, 而讒言自息矣. 今若退居一隅, 彼讒者必誣, 以蓄異心, 禍且不測矣". □我太祖曰, "昔者, 子房^{張良}, 從赤松子遊, 高祖^{劉邦}不之罪. 我心無他, 王豈罪我哉".[111] 相與論議未決. 都鎭撫黃希碩, 因家臣金之景, 白夫人康氏^{神德王后}曰, "道傳·誾等, 勸公東歸, 事將非矣. 不如去此數人". 康氏信之, 告于□^我太宗^{李芳遠}曰, "道傳·誾等, 皆不可保". 對曰, "公困於讒說, 有引去之志". 道傳·誾等, 力陳利害, 以止其行者也. 乃責之景曰, "數人, 與公同休戚者也, 汝勿更言":列傳32鄭道傳轉載].

奴婢辨定都監, 視事數日. …".

110) 이와 관련된 기사로 다음이 있다.
· 『고려사절요』권35, "臺諫交章上言, 禹玄寶, 罪同李穡, 宜並竄逐, 疏凡三上, 皆留中".
· 열전28, 禹玄寶, "臺省交章, 論玄寶罪, 請削職遠流. 疏再上, 王以其孫成範爲駙馬, 故皆留中, 召臺諫曰, '玄寶罪狀, 雖或明白, 予必救之. 況罪狀未明, 曾被流放, 又在赦前, 其勿復論'. 臺諫退, 上疏又請, 不允. 知申事成石璘·代言柳廷顯等曰, '事關大體, 不可不聽'. 王仰而思之".
· 『태조실록』권1, 總書, 공양왕 3년 6월, "臺諫上言, '禹玄寶罪同李穡. 今穡旣貶, 宜幷竄逐'. 疏凡三上, 皆留中. 我殿下時爲右代言, 恭讓命遣太祖邸, 請令禁止臺諫".
111) 門下侍中 李成桂가 이 句節을 실제로 言及할 정도의 學識을 가졌다면, '史誅'가 무슨 뜻인지도 알고 있었을 것이다. 積德은 百年이 되어야 興盛할 수 있고, 積惡은 當代에 그 報答이 돌아오고, 그렇지 않으면 기필코 그 子孫에게 미치는데 '有德했다'는 神德王后 顯妃康氏는 무슨 생각을 하고 있었을까?(藉書堂人).
· 『자치통감』권11, 漢紀3, 高帝 5년(BC202) 5월, "張良素多病, 從上^{劉邦}入關, 卽道引, 不食穀[胡三省注, 孟康曰, '道, 讀導, 服辟穀藥而靜居行氣'], 杜門不出曰, '… 今以三寸舌爲帝者師, 封萬戶侯, 此布衣之極, 於良足矣, 願棄人間事, 欲從赤松子游矣'[胡三省注, 師古曰, 赤松子, 仙人號也, 神農時爲雨師, 服水玉, 教神農, 能人火自燒. 至昆山上, 常止西王母石室, 隨風雨上下. 炎帝少女追之, 亦得仙俱矣]".

癸未^{28日}, <u>我太祖</u>^{門下侍中李成桂}上箋乞退. 箋曰, "庶政惟和, 在明主之擇相, 百責所萃, 宜具臣之推賢. 苟忘義而好榮, 是徇利而累德. 伏念臣, 器小任大, 事修謗興. 雖非管仲之得專, 恐爲曾西之不取, 肆殫卑懇, 再瀆神聰. 三月二十八日^{乙卯}, 再除臣門下侍中, 寵渥則優, 淸議可愧. 每逢^丕違允之敎, 慙懼實深, 益貽曠職之譏, 畏憂彌重. 矧本有疾, 又當戒盈. 觀萬物之生成, 由四時之代序. 伏望殿下, 廓包容之度, 垂惻隱之端^也, 憐臣至情, 許臣乞骨. 則臣謹當投閑養病^疾, 永保中興之功, 守分齊^安心, 恒貢上壽之祝".

○命左代言李詹賚不允批答, 賜□<u>我太祖</u>^{李成桂}第曰, "一國安危, 所係者重, 大臣去就, 未可以輕. 何礪節於戒盈, 欲專身而求退? 卿山川閒氣, 日月孤忠. 仗義回軍, 則國家再寧^安, 正名定策, 則神人咸喜^{載悅}. 及玆新造之隙, 煩卿篤棐之材, 方將共政以致平, 豈可托辭而規^覬免? 謗興則可以理遣, 病革則當用醫治, 不必釋位以閑居. 乃能怡神而善保, 旣煩三讓, 惟冀小安".

○□<u>我太祖</u>^{門下侍中李成桂}曰, "國有大事, 使之與謀, 邊境有急, 使之禦侮, 責臣以所能, 則臣何敢辭. 今臣任大責重, 旣不能堪, 加以疾病交攻, 願就醫藥, 以自保養". 遂不出.

甲申^{29日}, [立秋]. 流^{前判三司事}<u>禹玄寶</u>于鐵原.[112]

乙酉^{30日}, 王使司楯黃雲起, 召<u>我太祖</u>^{門下侍中李成桂}. □<u>我太祖</u>^{李成桂}以病不能朝, 雲起強之. □<u>我太祖</u>□□^{使人}啓曰, "臣以病不能朝, 今雲起強之, 臣不知所以, 恐懼無地". 王怒, 下雲起于巡軍獄. 俄而□<u>我太祖</u>^{李成桂}使□<u>我太宗</u>^{右副代言李芳遠}上書, 辭職曰, "臣於戊辰^{禑王14年}, 仗義回軍, 廢僞立眞, 而因被國人猜忌. 又立昌迎禍, 彝・初同謀之人, 辭證已明. 故臺諫, 自上疏^章請罪耳, 臣何敢指嗾? 今命臣, 禁止臺諫, 是疑臣嗾之也. 臣顧不才, 不宜當大任, 宜選賢良代之". ○<u>王</u>覽之^{恭讓覽箋}, 謂□<u>我太宗</u>^{右副代言李芳遠}曰, "侍中辭狀^{箋中}所陳, 皆出予意料之外^{意表}. 予以無能, 在位^{濫居大位}, 惟侍中推戴之力^{也是賴}, 故仰侍中如父, 侍中何負我乎? 立昌迎禍, 彝・初同謀人等, 已於前年, 議謂, 情迹未明, 特赦之, 侍中亦然之. 今臺諫, 更擧赦前事, 請罪, 故令^使卿往告侍中, 若見臺諫, 請諭以此意耳. 卿言於侍中謂何, 侍中堅欲辭退. 若侍中辭職,

---

112) 이와 관련된 기사로 다음이 있다.
　　・『고려사절요』 권35, "臺諫復詣闕面請, 王勉從之, 流<u>玄</u>寶于鐵原".
　　・열전28, 禹玄寶, "臺諫復面請, 王勉從之, 命<u>玄</u>寶曰, '今有司强請卿罪, 卿宜歸所安處'. 乃流鐵原".

予亦豈敢居此位乎?". 因泣下, 指天爲誓, 辭旨甚切. 卽令□^我太宗^{李芳遠}, 往諭就職, □^我太祖^{李成桂}固辭, 且謂□^我太宗^{李芳遠}曰, "爾亦何不爲我請之?".¹¹³⁾

[→我太祖, 再上箋辭 皆不允:節要轉載].

[是月, 金瞻<u>等</u>上疏, 請元子及宗室子弟入學, 請擧用茂才孝廉:選擧2學校·選擧3薦擧轉載].

[○罷□□^{私學}十二徒:選擧2私學轉載].

[○都堂啓請, 停服制後行之命:刑法1職制轉載].

秋七月丙戌朔^{小盡,丙申}, 地震.

[某日, 王召政堂文學鄭道傳, 辭疾不赴, 遣代言安瑗敦諭, 乃至. 王問李穡·禹玄寶之罪, 道傳, 具對如前上疏意, 語若懸河. 王曰, "穡也, 罪狀稍著, 玄寶之罪, 猶未白也". 道傳對曰, "穡罪已著, 宜置極刑, 以示不忠, 若玄寶者, 罪狀未白, 故臺諫交章, 請流遠地, 臣亦以爲, 宜使淑慝異處". 王曰, "穡·玄寶之事, 寢之已久, 今有抗疏者, 必卿疏爲之階也. 卿近不見寡人者, 亦以此也". 道傳曰, "君臣之義, 情同父子, 譬如父責子不孝, 而明日又愛之如初者, 天理之不掩也. 殿下, 今雖責臣, 後若推誠任臣, 則敢不奮勵. 今當農月, 天久不雨, 殿下, 召臣面議, 天乃雨. 昔當霪霖, 禾穀不茂, 殿下召臣, 圖議政事, 陰雨乃霽, 殿下以爲何如. 脫有姦黨, 矯旨罪臣, 臣請面啓, 然後伏罪". 王<u>不悅</u>:節要轉載].¹¹⁴⁾

戊子^{3日}, 暹羅斛國<u>遣奈工</u>等八人來, 獻土物, 致書曰, "暹羅斛國王, 今差奈工等爲使, 管押舡隻, 裝載出產土物, 進奉高麗國王". 無姓名封識, 但有小圓印, 亦不可考驗. 國家疑其僞, 議曰, "不可以信, 亦不可以不信, 且來者不拒, 待之以厚, 以禮遠人, 不受其書, 以示不惑, 可也". 王引見勞之, 對曰, "戊辰年^{禑王14年}, 受命發船, 至日本, 留一年, 今日至貴國, 得見殿下, 頓忘行役之勞". 王問帆程遠近, 對曰, "北風四十日可至", 其人或袒或跣, 尊者用白布韜髮, 其僕從見尊長, 脫衣露身, 三譯而達其意.

---

113) 이상의 箋文과 批答은 『태조실록』 권1, 總書, 공양왕 3년 6월에도 수록되어 있지만, 이들 기사의 順序가 바뀌었다.

114) 이 기사는 열전32, 鄭道傳에도 수록되어 있다.

[某日, 王怒金貂毀佛, 將欲殺之, 而不得罪名. ○左代言李詹啓曰, "自我太祖以來, 歷代崇信佛法, 今貂斥之, 是破毀先王成典. 以此罪之, 不患無辭". 王然之. ○兵曹佐郞鄭擢上疏曰, "金貂, 排斥異端, 極言不諱, 上以口其破毀先王成典, 將置極刑, 臣竊爲殿下惜之. 書曰, 監于先王成憲, 其永無愆,[115] 所謂先王成憲者, 不過三綱五常, 而佛氏皆背之, 非貂毀先王成典, 乃殿下自毀之也,^{願赦貂狂直之罪}". 代言等畏王怒, 不敢啓. ○^{守門下侍中}鄭夢周^{與同列}上疏曰, "信者, 人君之大寶也, 國保於民, 民保於信.[116] 近日殿下, 特下敎求言曰, 言之者無罪, 於是, 朝官及閑·良人等, 交章抗論政事之得失, 民生之休戚, 眞所謂不諱之朝也. 有國子博士·生員等, 亦以排斥異端, 上書陳說, 言語不謹, 觸犯天威, 在朝之臣, 不勝恐懼. 臣等以謂^爲, 斥詆佛氏, 儒者之常事, 自古君王, 置而不論, 況以殿下寬大之恩^量, 蕞爾狂生, 在所優容. 乞需寬恩, 一皆原宥, 示信國人". 乃答貂等四十:節要轉載].[117]

[→會貂以陵辱長官下巡軍, 罪當笞. 王指貂名曰, "此人嘗上書, 詆毀佛法者也, 欲殺之而不得罪名". ^{左代言李}詹曰, "自我太祖以來, 歷代崇信佛法, 今貂斥之, 是破毀先王成典. 以此罪之, 不患無辭". 王然之, 命刑曹按律. 刑曹以貂罪輕, 遲留不決, 王益怒. 賴^{守門下侍中}鄭夢周論救, 只坐陵辱長官罪:列傳30李詹陽轉載].

庚寅^{5日}, ^{守門下侍中}鄭夢周與宰相等上疏, 請令省憲·刑曹, 議定立昌迎禑, 宗衍·彝·初·益富之黨五罪", 從之.[118]

[→鄭夢周與宰相等上疏曰, "賞罰國之大典, 蓋賞一人, 而千萬人勸, 罰一人, 而千萬人懼, 非至公至明, 不足以得其中, 而服一國之人心也. 自殿下踐祚以來, 省憲·法司, 交章擧劾, 以爲某人, 乃沮立王氏之議, 扶立子昌者. 某人, 與於逆賊金宗衍之謀, 於行在所, 爲內應者. 某人, 於諸將承天子之命, 以辛禑父子, 爲非王氏, 議復王氏之時, 謀迎辛禑, 永絶王氏者. 某人, 送尹彝·李初於上國, 請親王, 動天下兵者. 某人, 陰養先王孽孫, 潛謀不軌者. 章疏屢上, 雖勞聖慮之勤, 至今未見明

---

115) 이 구절은 『書經』, 說命下(僞古文)에 나오는 것이다("^傳說曰, … 監于先王成憲, 其永無愆").

116) 이 구절은 다음의 자료에서 따온 것인데, 秦에서 商鞅의 變法을 실시한 公孫鞅(BC395~BC338)의 刑名之學에 대한 司馬光의 史論이다.
　　· 『자치통감』 권2, 周紀2, 顯王 10년(BC359), "臣光曰, 夫信者, 人君之大寶野. 國保於民, 民保於信, 非信無以使民, 非民無以守國, 是故古之王者不欺四海, 霸者不欺四鄰, 善爲國者不欺其民, 善爲家者不欺其親. …".

117) 이 기사는 열전30, 鄭夢周에도 수록되어 있으나 자구에 출입이 있다.

118) 省憲은 門下府의 諫官[省郞]과 司憲府의 憲官의 合稱으로 추측된다.

白. 必於其間, 有罪者, 曲蒙肆宥, 無辜者, 未能昭雪, 其於公道, 似乎兩失. 是以言者紛紛, 至今不已. ○臣等以謂, 宜令省憲·法司, 共議商確, 將連涉人等獄詞文案, 更加詳覆. 某人罪在不宥, 宜置于法, 某人情在可疑, 宜從輕典, 某人無罪被誣, 宜令明辨^{辨釋}, 獄章既上, 殿下^{坐朝門}, 召宰輔臣僚, 親臨審錄, 使無冤抑, 然後, 加以罪黜, 施以肆宥, 則人心服, 而公道行矣", 從之:節要轉載].¹¹⁹⁾

[○於是, 省憲·刑曹論列五罪曰, "沮立王氏之議, 扶立子昌者, 曹敏修·李穡也. 與於金宗衍之謀, 爲內應者, 朴可興·池湧奇·李茂·鄭熙啓·李彬·尹師德·陳乙瑞·朴葳·李沃¹²⁰⁾·李仲華·陳元瑞·金軾·李龜哲也. 但湧奇·葳·茂·熙啓·彬·師德·乙瑞·元瑞·沃·仲華等, 皆不問流貶, 又無供辭, 情在可疑. 然湧奇·葳, 名在功臣之列, 位至將相, 宜盡心輔佐, 而多聚軍官, 使宗衍有所依賴, 欲遂其謀, 其情難測. 軾·龜哲等, 雖有供辭, 辭不分明, 情亦可疑. 謀迎辛禑, 永絕王氏者, 邊安烈·李乙珍·李庚道·元庠·李貴生·鄭地·禹玄寶·禹洪壽·王安德·禹仁烈及穡·熙啓也. 大逆安烈, 雖無供辭, 旣已伏誅, 然不籍產, 擧國歉望. 乙珍與安烈同謀, 擾亂國家, 供辭明白, 今據乙珍之辭, 則庚道之與謀, 亦無疑矣. 且以安烈腹心, 爲其都鎮撫, 豈有安烈謀事, 而庚道不知者乎? 宜與乙珍, 同處較間. 庠·貴生知情不首. 且據李琳父子供辭, 則洪壽雖涉迎禑, 而無供辭, 其情可疑. 以鄭地供辭觀之, 地之無罪被誣明矣. 以朴義龍供辭觀之, 則穡之謀迎辛禑, 固可罪也. 玄寶·安德·仁烈·熙啓等, 已皆免職, 分配于外, 皆無供辭. 故問其時問事巡軍官, 皆云, 玄寶等之與謀, 金佇已明言矣. 然不以其時, 與佇對辨, 又無供辭, 情在可疑. 而仁烈則以委官坐巡軍, 不明取佇之供辭. 安德則都屯串敗軍後, 往見禑於驪興, 累日之程, 其間難測. 又觀李琳父子供辭, 則安烈之欲使仁烈·安德迎禑, 明矣. 其見於彝·初書者, 邊安烈·金宗衍已伏誅, 李琳·曹敏修病死, 禹仁烈·鄭地·李崇仁·權近·李貴生·禹玄寶·權仲和·張夏·李種學·慶補已承服, 李穡·陳乙瑞·李仁敏·韓俊·鄭龍·仇天富·李大卿皆無供辭. 其不在彝·初書中, 而見於洪仁桂供辭者, 崔公哲已杖死, 崔七夕·安柱·公義·郭宣·鄭丹鳳·曹彦·王承貴·張忠立已承服, 趙卿病死. 陰養先王孼孫者, 亦池湧奇也, 湧奇陰養益富, 事狀明白, 其罪不可赦也". ○王御正殿, 召夢周及判三司事裵

<hr>

119) 이 기사는 열전30, 鄭夢周에도 수록되어 있다.

120) 李沃은 李春富의 長子이며, 李鍾學(李穡의 2子)의 妻男인데(열전38, 李春富 ; 「李穡神道碑」碑陰記), 조선왕초기에 原從功臣(原從功臣)으로 책봉되었다가 1409년(태종9) 9월 4일 開城留後(옛 開城留守)로 서거하였다(『태종실록』 권18, 9년 9월 癸酉^{4日}, 李沃의 卒記).

克廉, ^{門下評理}兼大司憲金湊, 門下評理柳曼殊, 左常侍許應, 右常侍全五倫, <u>諫議</u>^{左右}
^{司議大夫}朴子文·全伯英, 獻納權軫, 正言柳沂·金汝知, 掌令崔咸·金畝, 持平李元緝·
李作, 刑曹判書具成祐, 摠郎成溥, 正郎河係宗, 佐郎朴猗等, 議定五罪. 王曰, "自
寡人卽位以來, 臺諫每以五罪, 交章上疏, 然罪狀不白, 難可罪之. 不唯予之軫念,
臺諫因此或落職或左遷, 紛紛不已. 卽今, 宜以明辨, 其有罪者, 不可以私赦, 被誣
者, 亦不可不赦. 卿等毋面從退有後言". 乃問立昌迎禑之事, 欲寬李穡曰, "<u>戊辰年</u>
^{禑王14年}, 諸將回軍, 議立王氏, 問計於穡. 而曹敏修以辛昌外戚, 爲時大將, 穡實怯
懦, 故曰, '父廢子立, 有國之常'. 乃立昌襲位, 罪可恕也". 夢周對曰, "然. 但穡無
節操耳, 何有罪乎?". 湊駁曰, "當殿下龍潛之日, 僞辛稱玄陵之後. 穡知其非王氏,
而倡立子昌, 曰'父廢子立', 是成辛氏爲君也. 成辛氏爲君, 則殿下以辛氏之臣, 而
簒辛氏之位矣. 穡爲世大儒, 就斷國論, 貪生忘義, 罪可恕乎? 當時大將, 如諸軍
事, 可不恃賴, 而固畏敏修乎?". ○諸郎舍但唯唯, 汝知獨希旨曰, "臣亦以謂, 穡
等無罪也. 王又欲原禹玄寶·朴可興", 湊又曰, "殿下似有私意". 王勃然變色曰,
"卿以予私耶?". 遂釋穡·玄寶等, 以無供辭, 而但有金佇·鄭得厚之言也. 王命, 敏
修·安烈, 籍其家. 湧奇·可興, 依舊付處, 仁烈·安德·葳, 外方從便, 餘皆京外從便.
初, 安德亦在京外從便中, 湊曰, "安德, 藍浦之役, 專軍覆沒, 其還也, 必道驪興,
而謁辛禑議迎立, 謂之罪狀未白可乎? 外方從便, 其賜亦大矣", 王從之. ○^鄭<u>夢周</u>
啓王, <u>著令曰</u>,¹²¹⁾ "今後如有論上項人等罪者, 以誣告論":列傳30鄭夢周轉載].

[→省憲·刑曹言, "敏修沮王氏而立昌, 其罪固不容誅. 幸免刑戮, 得終天年, 保
全其家, 無以示後, 擧國缺望." 王召鄭夢周·裴克廉等, 同省憲·刑曹更議, 籍敏修
家:列傳39曹敏修轉載].

辛卯^{6日}, 諫官^{左散騎常侍}許應等上疏曰, "人君一身, 萬化之源, 出理之本, 而宗社之
安危, 生民之休戚, 係焉. 嚴九重, 設門禁, 所以尊其位也. 非禮, 勿視聽言動, 所
以正其心也. 故於接下之際, 必當以禮, 不可褻狎, 必當公正, 不可私昵. 願自今,
宗親大小臣僚及潛邸舊僚, 有所引見, 有所奏聞, 必於經筵公共之所, 毋得私. 於燕
安之時, 嚴內外之別, 定君臣之分, 則邪說自遠, 而忠言日進矣. 且自今, 臺諫之臣,
更日入侍經筵", 從之.

---

121) 著令은 特定의 典籍이 아니라 '文書로서 作成된 法令'을 指稱하기에 '著令曰'은 적절한 記述
(敍述)이 아닌 것 같다(→공민왕 20년 12월 20일의 脚注). 곧 "夢周奏曰, 今後如有論上項人等
罪者, 以誣告論, 又命宰樞議定著令"으로 改書하는 것이 좋을 것 같다.

壬辰^{7日}, [七夕:追加], 地震.

甲午^{9日}, 我太祖^{門下侍中李成桂}始出, 詣闕拜謝, 王勞慰甚勤. □^我太祖曰, "人主一身, 萬機所叢, 應接之際, 不可輕忽. 然其要, 只在虛心正志, 聽言納諫而已. 殿下以此爲念, 臣等亦以進賢退不肖爲任, 期在共成治道耳". 王深然之.

乙未^{10日}, 王幸我太祖^{門下侍中李成桂}第. 謂曰, "予不更事, 濫居寶位, 罔知攸措. 且今更新法制, 卿無退休, 以匡不逮". 置酒張樂, 夜分乃罷.

[某日, 都評議使司上書曰, "凡論國家利害, 軍機重務, 及告發姦狀者, 須要明注日月, 指陳實事. 其暗投匿名書, 及造言興謗, 攪亂國政者, 令憲府·法司, 嚴加體察, 敗露被劾者, 無問宗親·貴戚, 不待啓聞, 直收職牒, 鞫問論罪". ○王低回久, 乃許之^{王許之:節要轉載}].¹²²⁾

丁酉^{12日}, 削順寧君聃屬籍, 流見州, 杖流成均司藝柳伯淳于基州. 又以判典儀寺事柳伯濡, 非毀田法, 流于光州.

[→初, 成均司藝柳伯淳, 與順寧君聃, 言曰, "戊辰^{禑王14年}諸將, 受命攻遼, 逗留返旆, 宜若無功, 而今反受褒賞. 其回軍也, 沮王氏, 立子昌者, 亦勢之然也, 而大臣以此繫獄. 昔毅宗朝廷之亂, 宜可鑑也. 今儒者鄭道傳等, 謀弄國柄, 儻有前日之亂, 則吾等恐陷其禍. 至是, 臺諫·刑曹, 會慈恩寺, 執聃·伯淳, 訊之, 具伏. 遂流聃于見州, 削屬籍, 杖流伯淳于基州. 又以判典儀寺事柳伯濡, 非毀田法, 流于光州":節要轉載].

[→□□□□^{順寧君聃}, 與司藝柳伯淳, 犯造言謗國之罪, 臺省·刑曹, 會慈恩寺, 鞫之. 伯淳等不服, 及拷訊, 伯淳曰, "嘗與聃言, 諸將受命攻遼, 逗遛返旆, 宜若無功, 而今反受褒賞. 其回軍也, 沮王氏, 立子昌者, 亦勢之然也. 大臣以此繫獄, 昔毅宗武臣之亂, 宜可鑑也. 今儒者鄭道傳等, 謀弄國柄, 儻有前日之亂, 則吾等恐陷其禍". 聃亦具服. 臺省·刑曹請加聃罪. ○王曰, "聃宗室, 不忍加刑. 削屬籍, 流見州, 杖流伯淳基州":列傳3顯宗王子平壤公基轉載].

[某日, 都評議使司上書曰, "竊聞禹九年水, 湯七年旱, 以歷山·莊山之金, 並鑄弊, 以救民困. 至周太公, 又立九府圜法, 此錢貨之始也. 自漢至今代, 各有錢, 若

---

122) 이 구절은 지39, 刑法2, 禁令에도 수록되어 있는데, 添字는 달리 표기된 것이다(盧明鎬 等編 2016년 886面).

宋之會子, 元之寶鈔, 則雖變錢法, 實祖其遺意, 蓋亦莫非備灾患, 而便民用也. ○吾東方之錢, 如三韓重寶·東國通寶·東國重寶·海東重寶·東海^{海東}通寶, 載之於中國傳籍^{錢籍}, 蓋可考也. 近古, 又造銀瓶爲貨, 皆與布匹, 子母相權, 後因法弊, 銅錢·銀瓶, 俱廢不行, 遂專用五綜布爲貨. 近年以來, 布縷麤疎, 漸至於二三升, 女功雖勞, 而民用不便, 輸之則牛汗, 積之則鼠耗, 商賈不行, 米穀踊貴, 蓋由於此. ○今殿下, 勵精圖治, 政化更新, 唯此一事, 尙循舊弊, 如有一二年水旱之灾, 數十萬軍旅之費, 則將何以處之. 爲今之計, 銀·銅旣非本國所産, 錢瓶之貨, 卒難復行, 宜令有司, 參酌古今, 依倣會子·寶鈔之法, 置高麗通行楮貨, 印造流布, 與五綜布, 相兼行使". 又請置治官, 鑄鐵以資國用. 事竟不行:節要轉載].

[→都評議使司奏, 罷弘福都監, 爲資贍楮貨庫, 請造楮幣曰, "竊聞禹九年水, 湯七年旱, 以歷山莊山之金, 並鑄幣, 以救民困, 至周太公, 又立九府圜法, 此錢貨之始也. 自漢至今代, 各有錢, 若宋之會子, 元之寶鈔, 則雖變錢法, 實祖其遺意, 盖亦莫非備灾患, 而便民用也. ○吾東方之錢, 如三韓重寶·東國通寶·東國重寶·海東重寶·東海^{海東}通寶, 載之於中國傳籍, 盖可考也. 近古, 又造銀瓶爲貨, 皆與布匹, 子母相權. 後因法弊, 銅錢銀瓶, 俱廢不行, 遂專用五綜布爲貨, 近年以來, 布縷麤疎, 漸至於二三升. 女功雖勞, 而民用不便, 輸之則牛汗, 積之則鼠耗, 商賈不行, 米穀踴貴, 盖由於此. ○今殿下, 勵精圖治, 政化更新, 唯此一事, 尙循舊弊. 如有一二年水旱之災, 數十萬軍旅之費, 則將何以處之. 爲今之計, 銀銅旣非本國所産, 錢瓶之貨, 卒難復行, 宜令有司, 參酌古今, 依倣會子·寶鈔之法, 置高麗通行楮貨, 印造流布, 與五綜布, 相兼行. 使聽民間買賣諸物, 及赴京外倉庫場所, 折納諸色米貢物貨, 其疎縷之布, 一切禁之, 庶爲便益":食貨2貨幣轉載].

[○都堂啓請, 籍水陸軍丁, 仍帶號牌:節要·兵1五軍轉載], [○塩鐵, 國課之大者, 本朝鐵, 人皆私之, 而官未立法. 宜置冶官·鐵戶,¹²³⁾ 一如塩法, 以資國用. 上從之, 然事<u>不行</u>:食貨2塩法轉載]. [○都堂啓請, 禁巨家世族, 用金銀寫經. 命使臣

---

123) 고려시대의 鐵所, 鐵戶, 冶官은 조선 초기에 鐵場, 鐵干, 鐵場官으로 改稱되었고, 그 성격도 차이가 있었던 것 같다(『태종실록』 권13, 7년 6월 癸未朔;『세종실록』 권50, 12년 12월 丁卯朔). · 『삼봉집』 권7, '朝鮮經國典'上, 賦典, 金銀·珠玉·銅鐵, "… 況本國臣事天朝, 其歲時慶節之所修, 必以金銀將之. 盖金銀珠玉, 在奉先事大之禮, 不可無也. 至於銅鐵, 以爨以耕, 尤切於民用. 又鑄爲兵具, 軍國之須, 莫重於此. 前朝有金銀所, 官爲採之, 國家凡産鐵之處, 每置鐵場, 官集丁夫鑄冶之, 民所鑄冶則不課焉, 而採金銀之法, 今皆廢矣. 然金銀有見數, 事大之日無窮, 則其採之之法, 亦不可不講也. 臣於此取金銀所及鐵場, 悉著于篇, 以備參考焉".

宴享外, 油蜜果, 一皆禁止:刑法2禁令轉載].

己亥[14日], [處暑]. 禮曹判書韓理等上䟽曰, "今令世子朝見, 臣等竊以謂, 殿下卽位三歲, 朝廷[明]始遣使, 購馬萬匹, 國家所遣, 不滿二千匹. 遽以世子入朝, 若朝廷[明]責遲緩, 世子將何以對? 願殿下, 更令臣僚, 擬議施行". 命下都堂.

○我太祖[門下侍中李成桂]與神德王后[康氏]享王,[124] 王賜□[我]太祖衣襨·笠子·寶纓·鞍馬. □[我]太祖卽服以拜謝, 及夜, [門下評理商議]柳曼殊鎖門, 我太宗[右副代言李芳遠]潛白□[我]太祖請出, 乃以□[我]太祖命, 使金直開門,[125] 侍□[我]太祖還第. 馬上顧謂□[我]太宗[李芳遠]曰, "纓實奇品, 吾將傳之於汝".

明日[庚子15日], 王怒囚金直, □[我]太祖詣闕, 謝以不勝桮杓, 使開門, 王赦金直.

丙午[21日], 追諡[謚]王大妃·國大妃·順妃三代祖考, 王大妃考·竹城君克仁爲文貞公, 祖考·贈守門下侍中社卿爲僖靖公, 曾祖考·贈門下贊成事漢平爲襄景公, 國大妃考·延德□□[府院]大君墳爲良孝公, 妣趙氏爲安懿妃, 祖考·江陽公滋爲靖康公, 順妃考·昌城君稹爲齊孝公, 妣洪氏爲明懿妃, 祖考·政丞頙爲康平公, 妣祖王氏爲敬惠妃, 曾祖考·贈門下侍中穎秀爲懿烈公, 國大妃, 忠烈王之曾孫, 故只封二代.

[→追諡[謚]妃三代:列傳2恭讓王妃盧妃廉氏轉載].

[辛亥[26日], 大水:五行1水潦轉載].[126]

[某日, 兵曹上書, "定忠勇·近侍·別保三衛額數, 汰去老幼, 及無才者":兵1五軍轉載].

是月, [三道水軍都體察使王康, 請開漕堤渠, 以通漕運, 調發楊廣道丁夫, 浚之. 不克:節要轉載].

[→[三道水軍都體察使王]康獻議曰, "楊廣道泰安·瑞州之境, 有炭浦從南流, 至興仁橋百

---

124) 神德王后 康氏는 都僉議贊成事 康允成(前崇文監少監 伯顔帖木兒, Bayan Temur)의 딸로서, 康舜龍의 姉妹이며, 李成桂의 京妻[後娶 顯妃]로 불렸던 女人이다(『목은문고』 권15, 李子春神道碑).

125) 이와 같은 기사로 다음이 있는데, 金直에 대한 注도 있다.
- 『태조실록』 권1, 總書, 공양왕 3년 7월, "恭讓幸太祖第, 置酒張樂, 夜分乃罷. 太祖與康妃享恭讓. 恭讓賜太祖衣對[襨]·笠子·寶纓·鞍馬, 太祖卽服以拜謝. 及夜, 柳曼殊鎖門, 殿下潛白太祖請出, 乃以太祖命, 使金直[注, 掌管鑰者, 卽今司鑰]開門, 侍太祖還邸. …".

126) 이날 慶尙道 尙州牧 咸昌縣에서도 많은 비가 내렸다고 한다(『목은시고』 권35, 咸昌吟, 大雨歎).

八十餘里, 倉浦自北流, 至薴堤城下七十里. 二浦閒, 古有浚渠處, 深鑿者十餘里, 其未鑿者不過七里. 若畢鑿, 使海水流通, 則每歲漕運, 不涉^{泰安郡}安興梁四百餘里之險. 請始役於七月, 終於八月". 於是發丁夫浚之, 石在水底, 且海潮往來, 隨鑿隨塞, 未易施功, 事竟無成. 康, 嘗擧前牧使呂稱爲副使, 將代己任, 人以劉晏之徒目之:列傳29王康轉載].¹²⁷⁾

○我太祖^{門下侍中李成桂}獻議, 遣人賷牓文, 招諭東女眞地面諸部落. 於是, 女眞歸順者三百餘人.

[是月, 以朴貴生爲扶安縣監務:追加].¹²⁸⁾

八月^{乙卯朔大盡,丁酉}, [丙辰^{2日}, 全羅·楊廣道, 大風拔木:五行3轉載].

[丁巳^{3日}, 以秋丁祭文廟, 尙州儒學教授官致膰于咸昌謫居李穡:追加].¹²⁹⁾

戊午^{4日}, 始令諫官, 入侍經筵.

[某日, ^{門下評理兼}大司憲金湊等上疏, "請發五道丁夫, 築內城", 從之:節要轉載].

[→^{金湊,} 恭讓初, 進門下評理兼大司憲, 與同僚上書曰, "孟子曰, 天時不如地利.

---

127) 이와 관련된 기사로 다음이 있다. 劉晏(?~780)은 曹州 南華(現 山東省 菏澤市 東明縣) 출신으로 侍御史·領江淮租庸事·戶部侍郎兼御史中丞充度支鑄錢租庸等使 등을 거쳐 吏部尙書·同平章事·領度支鑄錢鹽鐵等使에 이르렀다. 그는 安史의 亂 이후에 唐의 經濟改革에 크게 寄與하였으나 誣告를 받아 帝命으로 自盡하였는데, 후일 鄭州刺史, 司徒 등에 추증되었다(『구당서』권123, 열전73, 劉晏 ; 『신당서』권149, 열전74, 劉晏). 또 이 시기에 王康의 건의로 陽根郡의 大灘을 開鑿하였으나 성공하지 못했던 것 같다. 그리고 18세기 후반에 堀浦의 始末을 기록한 자료로 『農圃問答』, 鑿漕渠가 있다.
· 『신증동국여지승람』 권19, 泰安郡 山川, 堀浦(→인종 12년 7월 是月의 脚注).
· 『신증동국여지승람』 권8, 陽根郡, 山川, "大灘, 在郡南十里, 卽驪江下流, 與龍津合. 有石橫截水中, 水漲則不見, 水淺則波濤衝激崩縮, 下道漕船往往漂沒. 高麗時, 王康建白, 稍鑿其石, 功未易就而罷, 自後水勢尤險. 本朝世祖時, 遣具達忠鑿之, 就水中設木樴, 圍其石, 令涸而鑿, 竟亦未就. 世以比灩澦堆云".
· 『세조실록』 권30, 9년 10월 庚子^{10日}, "成均司藝具達忠啓, '楊根大灘水中有積石, 阻礙船行, 臣願伐之'. 上善之, 命具器械伐之, 竟未成功".

128) 이는 『부안읍지』, 先生案에 의거하였다.

129) 이는 다음의 자료에 의거하였는데, 이때 尙州教授官은 李穡의 門生인 李汝信으로 7월 7일(壬辰) 이후에 李穡을 방문하였다.
· 『목은시고』 권35, 咸昌吟, 尙州□□^{牧事}授官李汝信來訪, 吾門生也 ; 八月初三日, 尙州儒學教授官送膰肉.

三里之城, 七里之郭, 環而攻之, 必有得天時者矣. 然而不勝者, 是天時不如地利也.[130] 夫彼衆我寡, 戰於平原曠野, 則勝敗存亡, 在於呼吸. 若堅壁固守, 則雖四面圍之, 曠日持久, 而不能下. 庚寅以來, 倭奴肆虐, 侵陵郡邑, 剽掠人民. 郡縣無城堡, 難以固守, 望風奔潰. 使賊如入無人之境, 以致四十年生民之患. 自修築城堡之後, 倭寇不能侵掠, 生民免於俘獲, 此目前之明效也. 夫人之一身, 腹心爲重, 而肢體次之. 以一國言之, 則都城腹心也, 郡縣肢體也. 肢體雖完而腹心苟虛, 則受病無日矣. 今郡縣雖有城郭, 而都城頹圮, 非所以爲社稷長遠之計也. 乞於農隙, 集諸道丁夫, 更廣內城舊基, 修築之". 王納之. ○復上疏曰, "頃陳修城之策, 卽賜兪允. 然只仍羅城舊基, 陜隘太甚, 徒勞無益. 萬有一朝不虞之變, 則王畿之民, 不知所止, 流移四散必矣. 願命攸司, 因舊基廣之. 今者諸郡民, 聞殿下修城之令, 受國廩至京都者亦多. 竊聞有還放之議, 是則失信於民也. 乞督攸司, 及期修築, 且停中外土木之役, 以專其事". 王以役巨, 命待後年:列傳27金湊轉載].[131]

[某日, 置澄源堂, 又立春坊院:節要轉載].

[某日, 慶尙道黜陟使安翊巡行管內, 過尙州牧咸昌縣德通驛, 謫居人李穡瞻望上書:追加].[132]

癸亥⁹日, 遣□□門下評理柳曼殊·知密直□□司事盧嵩授順妃册印.

○日本九州節度使源了浚今川了浚遣使來朝, 獻方物, 歸我被攎男女六十八人. 上侍中書曰, "予向貴國, 盡心交好, 今四十年矣. 越己巳昌王1年十月間, 敬奉禁賊之命, 以禁諸島賊黨. 於前年十月, 周能僧陪來書曰, '海賊今猶未絶, 若不堅禁, 彼此, 恐有損傷之事'. 予反爲慚愧, 稍有憤志, 遣使諸島, 捕捉海賊. 伏冀貴國大相各位, 俯鑑愚衷, 永爲和好".

甲子¹⁰日, 百官上箋賀册妃.

乙丑¹¹日, 地震.

---

130) 이 구절은 다음의 자료를 인용한 것이지만, 자구에 탈락이 있다.
 · 『맹자』, 公孫丑章句下, "孟子曰, 天時不如地利. 地利不如人和. 三里之城, 七里之郭, 環而攻之而不勝. 夫環而攻之, 必有得天時者矣. 然而不勝者, 是天時不如地利也".
131) 이 시기에 倭賊을 방어하기 위해 海美, 泰安, 瑞山 地域의 海岸에 축조된 城堡는 15세기 후반에도 남겨져 있었던 같다(『三灘集』 권4, 沿海之地, 城壘相望, 盖前朝之季, 以禦倭寇云).
132) 이는 다음의 자료에 의거하였다.
 · 『목은시고』 권35, 咸昌吟, 初七日, 聞黜陟使令公過德通, 以疾不克躬造上謁, 代書寄呈.

[某日, 憲府上疏曰, "先王之制, 謹嚴於嫡庶之分, 嫡子然後, 得以承襲父爵, 其餘支子, 則不得與焉. 若宗子無子而亡, 則衆子之次者, 乃得襲爵. 本朝, 先王親子之後, 不論嫡庶, 不辨親疎, 一皆封爵, 實非聖人制禮之意也. 且所謂承襲者, 父歿然後, 繼其位也, 今也, 父在, 而子亦封君, 一家之子, 不論多少, 皆得封君, 不惟嫡庶無等, 有乖於禮, 亦不可以有限爵祿, 封無窮之子孫也. 又恐其間, 賢不肖混淆, 不逞之徒, 以宗戚爲口實, 而禍亂或興也. 請令攸司, 考核宗籍, 凡爲先王親子之後, 正派嫡長者, 及殿下之伯叔親弟, 及親衆子, 乃許封君. 其封君之後, 許令長子襲爵, 其出入起居, 一依古制, 毋得輕易, 其族屬疏遠, 而已封君者, 悉收告身, 其中, 擇有才幹者, 於文武, 隨才任用, 以遵先王之制, 以別宗族之親". <u>不報</u>:節要轉載].[133]

[某日, 都評議使司上疏曰, "自古天子之配, 爲后, 諸侯之配, 爲妃, 天子之女, 謂之公主, 諸侯之女, 謂之翁主, 上下之禮, 不敢紊亂, 所以定名分, 而別尊卑也. 我國家, 近代以來, 紀綱陵夷, 不循禮制, 后妃·翁主·宅主之稱, 或出時君之所欲, 或因權勢之私情, 皆失其義, 至於臣僚妻室之封, 祖宗之贈, <u>俱無定制</u>, <u>乞皆更定</u>", 從之:節要轉載].

[→都評議使司上言, "自古天子之配, 爲后, 諸侯之配, 爲妃, 天子之女, 謂之公主, 諸侯之女, 謂之翁主, 上下之禮, 不可紊亂, 所以定名分, 而別尊卑也. 我國家, 近代以來, 紀綱陵夷, 不循禮制, 后妃翁主宅主之稱, 或出時君之所欲, 或因權勢之私情, 皆失其義. 至於臣僚妻室之封, 祖宗之贈, <u>皆無定制</u>. <u>願自今</u>, 定以王之正配, 稱妃, 冊授金印, 世子正配, 稱嬪, 冊授銀印, 衆王子正配, 稱翁主, 王女, 稱宮主, 並下批銀印. 王之有服同姓姊妹姪女, 及同姓諸君正妻, 稱翁主. 文武一品正妻, 封小國夫人, 二品正妻, 封大郡夫人, 三品正妻, 封中郡夫人, 母並大夫人. 四品正妻, 封郡君, 母郡大君, 五六品正妻, 封縣君, 母縣大君. 三子登科之母, 無職人妻, 特封縣君, 歲賜如舊, 有職人妻, 加二等. 凡婦人, 須自室女, 爲人正妻者, 得封, 父無官, 嫡母無子, 而次妻之子有官者, 許封嫡母. 其次妻, 雖不得因夫受封, 所生之子有官者, 當從<u>母以子貴</u>之例,[134] 受封縣君. 已上命婦, 夫亡改嫁者, 追奪封爵, 三

---

133) 이의 축약된 기사가 지29, 選擧3, 封贈에도 수록되어 있다.
134) 母以子貴는 다음의 자료에서 찾아진다.
· 『春秋公羊傳注疏』권1, 隱公 1년 1월, "<u>桓何以貴, 母貴也. 母貴則子何以貴, 子以母貴, 母以子貴</u>".

十歲前守寡, 至六十歲, 不失節者, 勿論存沒, 旌門復戶. 士大夫, 追贈祖考, 二品以上, 贈三代, 父准子職, 祖曾祖遞降, 妣並同. 三品, 贈二代, 四品至六品, 贈考妣, 並吏曹受判給牒", 從之:選擧3封贈轉載].

己巳^{15日}, [秋分]. 遣□□^{門下}贊成事偰長壽, 錫世子册印, 宴群臣.

○賜回軍功臣錄券, 唯^{前領三司事}邊安烈·^{前判三司事}池湧奇等, 以罪削之.

[→尋下敎, 錄^{前領三司事邊}安烈回軍功. 尋以辭連彝·初, 削功臣, 籍沒家産. 子顯·頤·預.:列傳39邊安烈轉載].

庚午^{16日}, 百官上箋賀册世子. 賜弟瑀及我太祖^{門下侍中李成桂}·^{守門下侍中}鄭夢周, 廐馬各一匹.

[○雨雹:五行1雨雹轉載].

癸酉^{19日}, 遣判內府寺事金之鐸如京師, 獻馬二千五百匹.¹³⁵⁾

乙亥^{21日}, 兀良哈來朝.¹³⁶⁾

戊寅^{24日}, 我太宗^{李芳遠}以神懿王后^{李成桂妻韓氏}病, 辭職. 不允. 時爲右代言.

己卯^{25日}, 世子謁大廟^{太廟}, 告受封册, 且告築城.

庚辰^{26日}, 發京畿·交州·西海道民丁及諸道僧, 築京都內城, 命判三司事裴克廉監之.

[某日, 王御經筵, 謂^{簽書密直司事}兼禮曹判書閔霽曰, "聞禮曹定服色, 删佛事, 然乎. 不貴異物, 實是良法, 予亦衣緜布矣. 若佛事, 乃先王所爲, 予何敢擅罷耶?":節要轉載].

[→王御經筵, 謂霽曰, "聞禮曹定服色, 省減佛事, 然乎?". 對曰, "服色, 欲禁異土之物, 佛事, 春秋藏經外, 當悉罷之". 王曰, "不貴異物, 實是美德, 予亦衣綿布. 若佛事, 先王所爲, 予何敢擅罷?":列傳21閔頔轉載].

[某日, 授妃竹册·金印:列傳2恭讓王妃盧妃廉氏轉載].

---

135) 金之鐸이 11월 17일(己亥) 購買[互市]한 馬 2,500匹을 遼東에 護送해 가자, 明帝가 定遼衛指揮僉事 張忠에 命하여 廣寧·中護 等衛에 보내 牧養하게 하였다(『명태조실록』권214).

136) 兀良哈(오랑캐, wuliangha, 蒙古 殘餘勢力)은 明代에 蒙古의 東部地域을 가리키는 용어이지만, 蒙古帝國의 말기에 滿州地域에서 강한 군사력을 지니고 있었던 몽골의 殘餘勢力을 지칭하는 개념으로도 사용되었다고 한다(賈敬顔 1993年).

九月乙酉朔^{小盡,戊戌}, 倭寇南陽, 楊廣道都觀察□□^{黜陟}使安景良遣兵擊, 却之, 擒十五人以獻. 賜宮醞·綵帛.

丙戌^{2日}, 御經筵, 謂門下舍人安魯生曰, "今世子朝見, 以爾爲書狀官, 盖爾爲郞舍, 欲以使檢察也. 法令雖嚴, 然一行人數旣多, 必有貪利貿易, 爲中國所笑者, 宜痛禁之".

[○是時, 置世子朝見色:百官2世子朝見色轉載].

庚寅^{6日}, 前全羅道都觀察□□^{黜陟}使金士安卒□□□^{於盆州}. 輟朝三日, 謚忠康.[137]

甲午^{10日}, 憲府^{司憲府}劾工曹摠郎朴全義, 不能防閑, 其母與僧私通. 王特命宥之.

[某日, ^{門下評理兼}大司憲金湊啓曰, "糾正朴子良等, 不迎執義禹洪得, 又譏憲官爲曠職, 以下陵長, 請罪之". 下子良等于巡軍, 鞫之, 子良曰, "李穡·禹玄寶, 本同一罪, 本府論穡謀絶王氏之罪, 不幷論玄寶, 以其子洪得, 爲執義也. 洪得, 論穡罪, 則是卽論其父也. 與同列論父之黨, 不卽辭去, 是不有其父也, 其父謀絶王氏, 知而不諫, 是不有王氏也. 是無父無君之人也, 何以迎爲? ○又頃者, 命省憲·刑曹, 議玄寶等罪, 乃以罪疑惟輕論, 然謀迎辛禑, 以絶王氏, 送彝·初於上國, 將害本國, 罪之大者, 省憲·刑曹, 不能糾治, 反從輕論, 故曰曠職". ^{門下評理}·萬戶柳曼殊, 謂子良曰, "所司論玄寶等罪, 密封以啓, 若等何由知之". 子良曰, "聞諸糾正安升慶". 乃收升慶鞫之, 升慶曰, "前此, 詣鄭道傳第, 問曰, '聞先生上書, 言事甚切, 然乎?'. 道傳曰, '然', 具言書中之事. 後又問道傳曰, '近者, 省憲·刑曹, 論禑昌彝·初之黨, 具密封以聞, 先生見乎? 否耶?'. 道傳曰, '若等, 以禑昌·彝初之黨, 爲大惡, 然其事已矣'. 吾所聞, 止此爾". 乃杖子良, 升慶配水軍:節要轉載].

[→^{司憲}糾正朴子良等, 相與譏議. 時玄寶子洪得, 爲執義赴衙, 子良等不庭迎. ^{門下評理兼}大司憲金湊言, "子良等不迎執義, 又譏憲官爲曠職, 以下陵長, 請罪之". 下子良等于巡軍鞫之. 子良曰, "沮王氏, 議立昌者, 穡也, 謀迎禑, 欲使王氏不立者, 玄寶也. 二人之罪, 同一律也, 本府論穡而不論玄寶, 其以子洪得爲執義也. 洪得論穡罪, 是卽論其父也. 與同列, 論父之黨, 而不卽辭去, 是不有其父也. 其父謀絶王氏, 知而不諫, 是不有王氏也. 是無父無君之人也, 何以迎爲. 頃者, 命省憲刑曹,

137) 이후 金士安은 開京으로 귀환하다가 益山에서 9월 6일 逝去하였고, 後任者인 河崙은 13일에 임명되었다. 이날은 율리우스曆으로 1391년 10월 4일(그레고리曆 10월 12일)에 해당한다.
· 『금성일기』, 辛未年^{恭讓三年}, "都觀察使金士安, 四月日下界, 九月日, 益山官到, 彼卒敎事".

議玄寶等罪, 乃以罪疑惟輕論. 然謀迎禑, 以絶王氏, 送彝·初於上國, 將害本國, 罪之大者. 省憲刑曹不能糾治, 反從輕論, 故曰曠職". ○萬戶柳曼殊曰, "所司論玄寶等罪, 密封以聞, 若等何由知之". 子良曰, "聞諸糾正安升慶". 乃囚升慶鞫之, 升慶曰, "前此, 詣鄭道傳第問曰, '聞公上書, 言事甚切, 然乎?', 道傳曰, '然'. 具言書中之事. 予聞之, 遂不迎洪得. 又見道傳問曰, '近者, 省憲刑曹, 論禑·昌·彝·初之黨, 具密封以聞, 見乎?'. 道傳曰, '若等以禑·昌·彝·初之黨爲大惡, 然其事已矣'. 吾所聞, 止此爾". 於是, 杖子良·升慶配水軍, 改洪得爲<u>典校令</u>:列傳28禹玄寶轉載].[138]

丁酉[13日], <u>我太祖</u>^{門下侍中李成桂}乞辭, 以弟瑀△爲領三司事, <u>我太祖</u>△爲判門下府事, 沈德符爲門下侍中, ^{前門下評理}鄭地△爲判開城府事, 柳珣爲藝文館大提學, ^{政堂文學}鄭道傳爲平壤府尹, <u>李居仁</u>爲慶尙道都觀察□□^{黜陟}使,[139] 李至爲江陵·交州道都觀察□□^{黜陟}使, 河崙爲全羅道都觀察□□^{黜陟}使, 卞玉蘭爲吏曹判書, 禹洪得爲典校令, 鄭熙爲司憲執義, [^{中顯大夫·試成均祭酒·寶文閣直提學}<u>劉敬</u>爲中正大夫·成均祭酒·世子右輔德:追加].[140]

[某日, 省憲·刑曹上疏, 劾鄭道傳, 陰誘糾正, 非毁臺諫, 請置極刑. 王以功臣宥之. 復疏論曰, "道傳, 濫居功臣之列, 內懷姦惡, 外施忠直, 染汚國政, 請加<u>其罪</u>":節要轉載].[141]

[辛丑[17日], 雨雹:五行1雨雹轉載].

甲辰[20日], 諫官^{左散騎常侍}<u>許應</u>等上疏曰, "殿下, 慨念商賈之弊, 遣使禁斷, 實斯民務本捨末之秋也. 今遣金仁用等商賈之徒, 前去北平貿羊, 竊恐非殿下崇節儉之美

---

138) 이때 鄭道傳과 관련된 기사로 다음이 있다.
· 열전32, 鄭道傳, "憲司劾糾正<u>朴子良</u>等不迎執義<u>禹洪得</u>, 下獄鞫之. 辭連^{政堂文學鄭}<u>道傳</u>, 出爲平壤府尹".

139) 이때 李居仁은 匡靖大夫·慶尙道都觀察黜陟使兼監倉·安集·轉輸·勸農·管△^勾學事·提調刑獄·兵馬公事에 임명되었고, 10월에 부임하였던 것 같다(『경상도영주제명기』).

140) 이는 「劉敞政案」, "洪武二十四年九月十二日^{十三甲}, 批中正大夫·成均祭酒·世子右輔德"에 의거하였는데, 添字와 같이 고쳐야 옳게 될 것이다.

141) 이와 관련된 기사로 다음이 있다.
· 열전28, 禹玄寶, "省憲·刑曹上疏, 劾<u>流道傳</u>于奉化縣".
· 열전32, 鄭道傳, "^{省憲·刑曹上疏,} 復論<u>道傳</u>濫居功臣之列, 內懷奸惡, 外施忠直, 染汚國政, 請加其罪, 王放歸其鄕奉化縣".

意也. 況當世子朝見之日, 商賈之徒, 繼踵而行, 又違殿下爲萬民, 遣世子朝覲之意. 臣等, 恐中國之人, 將以爲世子今日之行, 欲階商販之路也. 且貿羊一事, 非今日急務. 願殿下, 毋令仁用等有此行也. 夫完城郭·練士卒, 實先王安不忘危, 理不忘亂之道也. 方今殿下, 慮及不虞, 修葺都城, 城基已定, 器械俱備. 三韓萬民之命, 實繫於此, 豈不偉歟. 今年, 水旱霜雹之災, 飢饉疾疫之患, 並起. 又有貢馬萬匹之命, 使中外騷然, 加之以葺城開河之役, 民之憔悴, 莫甚於今日. 其都城之役, 一皆停罷, 以待明年農隙. 況秋霖連日, 天譴難諶. 臣等恐秋霖一霽, 霜雪繼至, 凍餒之徒, 相枕於道路矣. 伏惟殿下, 哀此民生, 及時放遣, 則秋耕拾栗, 備荒之計, 未爲晩也. 願殿下留意焉". 命下都堂, 擬議施行.

○放鄭道傳于奉化縣.

丙午22日, 遣世子奭如京師, 賀正, □門下侍中沈德符·贊成事偰長壽·密直副使閔開等從行. 其表箋·奏啓, 皆稱長男定城君奭.[142]

○遣前祥原郡事李龍華, 宣慰斡都里兀良哈, 斡都里, 卽東女眞也.[143]

[○虎入城:五行2轉載].

庚戌26日, 籍前門下侍中曹敏修·前領三司事邊安烈家, 前門下贊成事禹仁烈·前判三司事王安德·門下評理朴葳, 外方從便.[144]

[→省憲·刑曹論列, 立子昌迎幸禑, 及宗衍·彛·初·益富之黨, 以聞. 王召鄭夢周·尹虎·門下評理柳曼殊·門下評理兼大司憲金湊等議. 湊曰, "曹敏修, 回軍, 問於李穡, 穡曰, '父有國而傳子, 理之常也', 敏修從其言而立昌, 則穡之罪明矣". 夢周及□左正言金汝知等曰, "敏修, 昌之近親, 欲立昌者, 敏修之志. 當是之時, 穡, 雖欲立宗室, 敏修之志, 其可奪乎? 則穡之罪, 應未減矣". 王然之. 命曹敏修·邊安烈, 籍其家, 李乙珍, 照律斷罪, 池湧奇·朴可興, 依舊付處, 禹仁烈·王安德·朴葳, 外方從便, 餘皆京外從便. 夢周, 啓王著令曰, "今後, 復有論劾者, 以誣告論":節要轉載].

---

142) 世子 奭과 偰長壽는 12월 21일(癸酉) 應天府에서 表를 올리고 馬·方物을 바쳐 明年 正旦을 賀禮하고 金織文綺衣服을 받았다(『명태조실록』 권214).

143) 斡都里[오돌리, 斡朶里·吾都里·烏道里]는 女眞族의 한 갈래로서 地名에서 由來하였다고 한다 (史志宏 1980年 ; 김주원 2012년 55面).
· 『세종실록』 권22, 8년 8월 丁丑8日, "… 吾都里亦是女眞之種, 只以居吾都里城, 故因以爲號耳".

144) 王安德에 관한 기사는 그의 열전에도 수록되어 있다(열전39, 王安德, "未幾, 定迎禑之罪, 外方從便").

辛亥²⁷日, 憲府司憲府鞫前判事安中夏室女, 與婢堦相奸, 罪之.

[○長興府中寧山城工畢:追加].¹⁴⁵⁾

[是月, 慶尙道都觀察黜陟使安翊進重刊陳澔'禮記集說箋':追加].¹⁴⁶⁾

[秋某月, 以司設署令權遇爲典儀主簿, 李仁實爲盈德縣令:追加].¹⁴⁷⁾

冬十月甲寅朔小盡,己亥, 己未⁶日, 親祀大廟太廟, 還享國大妃.

[辛酉⁸日, 大霧:五行3轉載].

[癸亥¹⁰日, 鎭星出大微太微右掖門, 犯上相:天文3轉載].

甲子¹¹日, 遣判宗簿寺事宋文中, 報聘于日本九州節度使源了浚今川了浚.

[丙寅¹³日, 大雨, 震電:五行2轉載].¹⁴⁸⁾

丁卯¹⁴日, 以我太祖判門下府事李成桂 及守門下侍中鄭夢周·密直使金士衡, 爲人物推辨都監提調官.

[是時, 置人物推辨都監:百官2轉載].

戊辰¹⁵日, 判開城府事鄭地卒, [年四十五:追加].¹⁴⁹⁾ [地, 少有大志, 姿魁偉, 性

---

145) 이는 『동문선』권76, 中寧山皇甫城記에 의거하였다.

146) 이는 다음의 자료에 의거하였는데(李仁榮 1993년 3책 133面 ; 南權熙 2002년 69面 ; 郭丞勳 2021년 554面), 이는 元代人 陳澔(1260~1341)의 『禮記集說』을 重刊한 『進重刊陳澔集說禮記箋』(李崇仁撰)을 安翊이 朝廷에 바쳤다는 의미인 것 같다.
   · 『陶隱集』권5, 進重刊陳澔集說禮記箋.
   · 『淸芬室書目』3冊, 末尾, "洪武二十肆年玖月,慶尙道都觀察使安翊進重刊陳澔集說禮記箋".

147) 이는 다음의 자료에 의거하였다.
   · 『梅軒集』권6, 梅軒先生行狀, "辛未秋, 移典儀主簿".
   · 『양촌집』권12, 盈德客舍記 "… 洪武辛未秋, 鷄林李君仁宲李仁實爲令于玆, 政修訟簡, 一邑稱治, 乃謀於衆, 欲營公館". 이 자료는 『신증동국여지승람』권25, 盈德縣, 宮室, 客館에도 인용되어 있는데, 添字는 이에 의거하였다.

148) 이때 明의 北平(現 北京市), 河間(현 河北省 滄州市의 서북쪽 河間市) 地域에서도 큰 水災[大水]가 있었다.
   · 『명태조실록』권213, 홍무 24년 10월, "丁巳⁴日, 北平·河間二府水, 詔免今年田租".
   · 『憲章錄』권9, 홍무 24년 10월, "□□丁巳, 北平·河間大水, 詔免今年田租".

149) 이는 다음의 자료에 의거하였다. 또 鄭地의 鐵板과 鐵製 고리로 만들어진 갑옷[環衫]은 고려후

寬厚. 爲將, 好讀書通大義, 凡出入, 常以書籍自隨. 彜·初之獄, 逮繫淸州, 不服
曰, "李侍中^{成桂}仗義回軍, 吾以伊·霍故事, 諷侍中, 深有意爾, 復何黨彜·初歟?".
言必誓天, 辭旨感慨. 竟以水災免, 退居光州. 至是, 被召, 未赴而卒:節要轉載].

[→召判開城□□^{府事}, 未赴病卒, 年四十五. 諡景烈, 子耕:列傳26鄭地轉載].

辛未^{18日}, 押馬使楊天植還自京師, 帝歸我被倭俘十餘人.[150]

壬申^{19日}, 罷築內城.

[某日, 御經筵, 講'貞觀政要', 至唐太宗欲重討^{再代}高麗, 房玄齡上表諫之之語.
左代言李詹白王曰, "我國自古, 能守臣節. 昔梁武帝, 爲侯景所逼, 而我遣使往朝,
至則市朝^{朝市}鞠爲茂草. 使者見而泣, 侯景, 執之以問. 答曰, '不如古昔盛時, 是以

기 武裝을 보여주는 하나의 사례가 될 것이다(光州市立歷史博物館 所藏, 보물 336호, 國立博
物館 2009년 199面). 이날(戊辰, 15일)은 율리우스曆으로 1391년 11월 11일(그레고리曆 11월
19일)에 해당한다.

· 『自著』準本2, 鄭地神道碑, "… 辛未十月卒, 壽四十五, 墓在光州東大谷面墳土洞壬坐之原. 至
我太宗, 又以協贊功, 諡公景烈, 命環其墓十五里, 官禁樵牧, 賜祭田一結". 이 자료는 鄭地의
經歷을 제대로 정리하지 못했다.

150) 이때 明의 禮部가 過去의 符驗을 가져와 前年(홍무23, 1390, 공양왕2))에 改造한 符驗으로 交
換하라는 咨文을 보냈다. 이 符驗이 昌德宮에 보관되어 있었던 '達字參拾號'(秦弘燮 1962년),
조선후기까지 尙瑞院에 보관되어 있던 '通字 六十七號, 六十八號, 七十號'의 3道인 것 같다
(『熱河日記』, 口外異聞皇明牌 ; 『燃藜室記述』別集권8, 官職典故, 察訪 ; 別集권12, 政敎典
故, 符璽 ; 『約軒集』 권10, 尙瑞院重修先生案·式例跋 ; 『艮翁集』 권4, 尙瑞院見洪武·萬曆二
帝, 頒賜給馬符帛璽書, 感懷有賦). 여기에서 達字는 雙馬를, 通字는 單馬를 가리키는 것 같다.

· 洪武 23년의 符驗, "皇帝聖旨公差人員,經過」驛分,持此符驗,方許」應付馬疋,如無此符,」擅使
給驛,各驛官吏,」不行執法,循情應付」者,俱各治以重罪,宜令」準此"(繪畵 駿馬 2匹), 洪武二
十三年 月 日」(小字)達字參拾號」".

· 『吏文』 권2, 咨奏申呈照會20, "禮部洪武二十四年八月十九日辰時, 准兵部咨, '爲符驗事該照
舊有符驗, 已行各處拘收改造, 所有高麗國原領安字等號符驗, 理合一體拘繳, 當月十七日, 本
部官於奉天門奏聞訖, 爲照本國見差繕工寺事楊天植到京, 煩爲移文就付差來使臣賷回本國, 遇
有順便差使人員, 將前項符驗, 盡數解來倒換'. 今照前事, 理合備咨, 本國將前項符驗, 順便解
來倒換施行, 須至咨者, 右咨高麗國, 洪武二十四年八月二十日".

· 『명사』 권74, 지50, 職官3, 尙寶司, "凡金牌之號五, … 符驗之號五, 曰馬, 曰水, 曰達, 曰通,
曰信[注, 符驗之制, 上織船馬之狀, 起馬用馬字, 雙馬用達字, 單馬用通字, 起船者用水字, 並
船用信字], 親王之藩及文武出鎭撫, 行人通使命者, 則給之, 御史出巡察, 則給印, 事竣, 咸驗
以納之, 稽出入之令, 而辦其數, 其職至邇, 其事至重也".

· 『인조실록』 권23, 8년 7월 辛卯^{14日}, "備局啓曰, '洪武二十三年, 奏請符驗元數七部內, 柳瀾·朴
彝叙·尹安國之行, 已淌失三部, 只餘四部, 而一部則李忔齎去未還, 一部則鄭斗源, 一部則高用
厚, 今當齎去, 而時存者只一部. 前頭如復有使行, 則事極難便, 宜以補賜三部之意, 具奏於赴京
之行'. 上從之".

泣’, 侯景, 義而釋之.[151] 唐玄宗, 被□安祿山之禍, 西幸蜀道, 而我使往蜀, 玄宗喜, 親製詩□□十韻賜之.[152] 此皆載在簡編, 昭然可觀. 至若元末, 北遷上都, 而奔問猶謹, 此臣等所親見也. 故固守臣節, 他國莫及, 況乎今堂堂天朝, 安敢稍違臣節?”. 知門下□□府事金士衡□亦曰, “我國僻在遐陬, 山川險阻, 若能謹修守侯度, 誰敢侮之”. ○王深納其言:節要轉載].[153]

甲戌[21日], 日本國僧玄敎遣僧道本等四十餘人來, 獻土物. 稱臣奉表曰, “天地崇高而博厚, 所以覆載萬物也. 日月麗明而騰照, 所以輝華萬方也. 孔孟本仁而祖義, 所以敎養萬俗也. 若此三者, 古今罕有齊其功者也. 竊聞高麗國王殿下, 德普天地, 明逾日月, 道超孔孟. 自古至今, 四夷萬國, 草木禽獸, 霈然霑其大恩大澤, 未有如殿下齊其功者也. 故瑞應有感, 麟鳳呈祥, 郊藪和鳴. 伏念玄敎, 遠居日下夷地, 至愚至陋, 不堪荒眼. 但遠啓華封千秋萬歲萬萬歲, 禮小逃逋悞之愆”. 道本等言, “中國嘗責日本, 以不稱臣之故, 我國對曰, 天下者, 天下之天下, 豈一人之天下? 終不稱臣, 今乃稱臣於大國, 乃慕義也”.

乙亥[22日], 省憲上書, 論開城尹趙胖, 擅奪公田之罪. 王曰, “予卽位之初, 胖奉使上國, 且辨彛·初誣罔, 以釋帝疑, 止停職流外”. ○省憲又上疏曰, “臣等以趙胖之

---

151) 이때 南朝의 梁에 파견된 使臣은 549년(聖王27) 百濟가 파견한 사신이었다. 또 朝市는 市朝로도 表記하는데, 朝廷과 市場을 가리킨다.
  · 『南史』 권80, 열전70, 賊臣, 侯景, “太淸3年十一月, 百濟使至, 見城邑丘墟, 於端門外號泣, 行路見者莫不灑泣, 侍中侯景聞大怒, 收小莊嚴寺, 禁不聽出入”.
  · 『삼국사기』 권26, 百濟本紀第4, 聖王 27년, “冬十月, 王不知梁京師有寇賊, 遣使朝貢. 使人旣至, 見城闕荒毁, 並號泣於端門外, 行路見者, 莫不灑淚. 侯景聞之大怒, 執囚之. 及景平, 方得還國”.
  · 『사기』 권70, 열전第10, 張儀, “… 苴·蜀相攻擊, 各來告急於秦, 秦惠王欲發兵以伐蜀, … 張儀曰, … 今夫蜀, 西僻之國而戎翟之倫也. 敝兵勞衆不足以成名, 得其地不足爲利. 臣聞, 爭名者於朝, 爭利者於市, 今三川·周室, 天下之朝市也. 而王不爭焉, 顧爭於戎翟, 去王業遠矣”. 여기에서 巴郡[苴]은 현재의 泗四省 重慶市 지역에, 蜀은 四川省 成都市 지역에 있었던 국가이고, 三川은 伊水·洛水·河水를 指稱한다.
  · 『禮記注疏』 권10, 檀弓下, “… 哀公使人弔蕢尙, 遇諸道, 辟於路, 畫宮而受弔焉. 曾子曰, ‘蕢尙不如杞梁之妻知禮也. 齊莊公襲莒于奪, 杞梁死焉, 其妻迎其柩於路, 而哭之哀. 莊公使人弔之’. 對曰, ‘君之臣不免於罪, 則將肆諸市朝, 而妻妾執’[鄭玄注, 肆, 陳尸也, 大夫以上于朝, 士以下于市, 執拘也]. 君之臣免於罪, 則有先人之敝廬在, 君無所辱命”. 여기에서 杞梁의 妻에 관한 내용은 『춘추좌씨전』傳, 襄公 23년 10월도 수록되어 있다.
152) 唐 玄宗이 安祿山의 叛亂으로 인해 蜀에 播遷한 것은 756년(天寶15, 경덕왕15) 6월이고, 이해[是年]에 신라가 사신을 파견하였다(『삼국사기』 권9, 신라본기9, 경덕왕 15년).
153) 이 기사는 열전30, 李詹에도 수록되어 있는데, 添字는 이에 의거하였다.

罪, 敢瀆天聰, 殿下論其細功, 止令停職流外. 雖殿下好生之德, 至矣, 然非賞罰之
公道也. 胖恣行姦貪之狀, 實殿下之所明知也. 且胖於中路, 奪所司付處妓, 又家奴
犯罪繫獄, 潛令逃匿. 其大惡不悛, 大毁國法, 陵慢所司, 誠不容誅之罪也. 今田禁,
有匿田二結者, 處死之律, 況一州之內, 擅奪公田數十結, 則其罪之不可輕宥, 明
矣. 伏惟殿下, 勿拘姑息, 斷以公道, 令攸司, 收其職牒功卷, 明正其罪. 籍沒家產,
以懲貪惡之輩, 以快臣民之望". 於是, 削職流于竹林. 時以謂, 胖發彝·初之事, 其
黨忌惡, 諷憲司, 中之.

丙子^{23日}, 收鄭道傳職牒·錄券, 移配羅州, 幷削其子津·湛職. 密直副使南誾稱疾, 免.[154]

己卯^{26日}, 遣判軍器寺事金久住如京師, 獻火者二十人.[155]

[某日, 頒封倉祿, 一品至三品, 各賜一石, 其餘各品不及:食貨3祿俸轉載].

[某日, 郎舍上疏曰, "殿下卽位, 首革私田之弊, 明立差科, 肅淸訟源, 誠三韓風
俗之萬幸也. 但有民口者, 本無限際, 又謂之私財, 爭訟萬端, 有甚於爭田之弊也.
歲在丁未^{己亥},[156] 元朝遣闊里吉思平章, 本朝儀制, 一皆革正, 幷擧一國之爭田民者,
推覈明正, 而尙有更改之煩. 故丙申年^{恭愍5年}宣旨一款內, 忠烈王丁未年^{33年}以前事,
雖祖業田土人口, 毋得爭訟, 又以五決從三, 三決從二, 每降宣旨, 以遏爭訟之風.
○頑貪未革, 爭訟蠭起, 而聽之者, 亦媚權勢, 牽於朋比, 不論前判所禁. 又不覈事
之是非, 互相更改, 而簿書山積, 爭訟無窮. 至於骨肉, 反爲仇讎, 多興謗毁之俗,
而無敦篤之風, 和氣不達, 妖孽屢警, 此殿下之深慮也. 今縱令都官, 每衙朝獻課,
訟者雲屯, 頗有積年未決者, 豈可以都官, 遽絶其冤訟乎? ○伏惟殿下, 命立別司,

154) 이와 관련된 기사로 다음이 있다.
· 『고려사절요』 권35, "省憲交章, 再論鄭道傳曰, '道傳家風不正, 派系未明, 濫受大職, 混淆朝廷,
請收告身及功臣錄券, 明正其罪'. 王命收職牒·錄券, 移配羅州, 其子津·湛, 亦皆廢爲庶人. 密
直副使南誾, 力不能救, 稱疾自免".
· 열전32, 鄭道傳, "臺省交章曰, '道傳家風不正, 派系未明, 濫受大職, 混淆朝廷, 請收告身及功
臣錄卷, 明正其罪'. 王只收職牒·錄卷, 移配羅州. ^{門下評理兼}大司憲金湊等上疏, 論其子典農正津·
宗簿副令湛, 廢爲庶人".
· 열전29, 南誾, "^鄭道傳以罪配羅州, 誾力不能救. 且自上書後, 怨謗旁興, 王亦忌之, 故稱疾自免".
155) 이때 明에 들어간 火者들은 帝王을 위시하여 諸王, 功臣에게 分給되었던 것 같고, 그중의 1人
이 藍玉家의 趙帖木兒[趙帖木]로 추측된다(川越泰博 2008年).
· 『逆臣錄』, "一. 名趙帖木, 高麗人氏, 係藍玉家火者, 逐招於後. …".
156) 闊里吉思[Georgius]가 고려에 파견되어 온 것은 1299년(己亥, 충렬왕25) 10월 17일(甲子)이므
로 丁未는 己亥의 오류이다. 당시의 郎官[郎舍]이 錯覺하였을 가능성이 있다.

擇其才幹明正, 授以其任, 幷及主掌官, 仍令臺省各一員, 爲之考察. 自今限三年, 除丁未年^{忠烈33年}前事, 五決之三, 三決之二, 及戊辰年^{禑王14年}以後, □□^{世民}辨正都監決外, 皆令限日, 納狀推明, 以解冤濫, 以正風俗. 但令遠方人等, 取正於京師, 則往還之勞, 留京之苦, 必有含冤未告者矣. 命考察臺省中一員, 幷主掌官, 分遣各道立司, 中央大官, 令觀察使, 擇其守令之可任決訟者, 幷差參決. 凡京外訴訟者, 如有僥倖妄告, 卽令考察官, 照以竊盜, 計民多少輕重, 論罪, 聽訟, 或徇於人情, 顚倒是非者, 亦從重論. 其在京外, 不告限內者, 及限內已決正者, 皆不許更考, 違者, 俱以判旨不從, 論罪", 從之:刑法2訴訟轉載].

[□□□^{是月癀}, 許^{李穡}京外從便. 穡上書謝曰, "臣以不才, 幸遇殿下入繼正統, 卽於初政, 叨受判門下事. 滿溢是懼, 愈增兢惕, 未浹旬日, 遽被彈劾. 連章累牘, 請置極刑. 閱歲三改, 益峻不衰, 臣之性命, 在於朝夕. 苟非殿下好生之德與天同功, 臣豈能得至今日, 以沐聖上作解之澤哉? 臣聞命之日, 急於謝恩, 卽離貶所. 踰嶺而北, 蒙犯風雪, 忠驪之間, 宿疾發動, 難於跋涉. 致此淹留, 未得逕造闕庭. 伏望, 憐臣衰憊, 永示好生之德":列傳28李穡轉載].

十一月癸未朔^{大盡,庚子}, 親祀積慶園.

戊子^{6日}, 以^{前門下贊成事}權仲和·^{三司左使}成石璘爲三司左·右使,¹⁵⁷⁾ 安翊△^爲判開城府事, 趙仁瓊爲密直副使, 許應爲右副代言, 全五倫·金震陽爲左·右散騎常侍. 仲和與^{前門下評理}鄭地, 坐彝·初事, 得罪, 至是皆復職, 蓋欲官禹氏之漸也.

○日本國^{九州節度使}源了浚^{今川了浚}遣使來, 獻方物.

己丑^{7日}, 宥陳義貴·鄭習義^{鄭習仁}·李混·權湛·禹洪富·孟思誠·宋愚·尹珪·尹須, 京外從便.¹⁵⁸⁾

[壬辰^{10日}, 鎭星出大微^{太微}左掖門, 犯上相:天文3轉載].

丙申^{14日}, 設八關會, 如法王寺.¹⁵⁹⁾

---

157) 이때 成石璘은 "三司右使·寶文閣大提學·同判都評議司事·知春秋館事"에 임명되었다(『獨谷集』行狀).

158) 鄭習義는 鄭習仁의 오자이다(→공양왕 3년 3월 7일 ; 東亞大學 2008년 12책 259面).

159) 添字와 같이 고쳐야 實相과 같이 될 것이다.

己亥^{17日}, 召^{前判門下府事}李穡·^{前簽書密直司事}李崇仁·^{前厚德府尹}李種學.

[→王覽^{李穡}書, 卽命驛召穡及崇仁·種學. 穡還京, 謁我太祖^{判門下府事李成桂}于私第, □^我太祖驚喜, 迎之上座, 跪進酒. 請穡立飮, 穡^皆不讓, 人皆非之. 極歡而罷.¹⁶⁰⁾ 王聞之曰, "此二公, 疇昔之情好也". 王嘗謂左右曰, "向者, 省憲數上疏, 請誅穡子. 以爲穡嘗事玄陵, 言事忤旨, 雖怒甚, 猶待以禮. 又爲僞朝, 奉使大明, 帝寵待優渥, 召待便殿, 屢賜宴慰, 天下想望其爲人. 以玄陵之睿鑑, 皇帝之威靈, 禮貌如彼, 況如寡人, 其敢害之?". 居數日, 穡與崇仁·種學, 詣闕謝恩, 召入內殿, 賜酒慰之. 命還告身:列傳28李穡轉載].

[某日, 左代言李詹獻九規. "一曰, 養德. 三代之時, 人君, 必有師·傅·保之官, ^{師導之敎訓, 傅傅之德義, 保保其身體,} 故周官曰^{書曰} '立太師·太傅·太保, 玆惟三公, 論道經邦, 爕理陰陽'.¹⁶¹⁾ 易曰, '果行育德'.¹⁶²⁾ 又曰, '節飮食, 愼言語'.¹⁶³⁾ 蓋事之至近, 而所係至重者, 莫過於飮食·言語^{而已}, 在身爲言語, 於天下則凡命令·政敎, 出於身者, 皆是愼之, 則必當而無失, 在身爲飮食, 於天下則凡貨財·資用, 養於人者, 皆是節之, 則適宜而無傷, 推養身之道, 而養德, 養天下, 莫不然也. 後世, 作事無本, 知求理而不知正君, 知規過而不知養德. 殿下, 旣以經筵官爲師, 當委以傅·保之任, 凡宮中言動·服食, 皆使經筵官知之, 戲言過擧, 應時諫止, 隨事箴規, 則可以涵養氣質, 薰陶德性矣.

○二曰, 慮事. 臣聞幾者, 動之微, 善惡之所由分也. 蓋動於人心之微, 則天理固當發見, 而人欲亦萌動乎其間矣. 書曰, '惟幾惟康'.¹⁶⁴⁾ 又曰, '勅天之命, 惟時惟幾'.¹⁶⁵⁾ 易曰, '作事謀始',¹⁶⁶⁾ 又曰, 幾也, 故能成天下之務'.¹⁶⁷⁾ 夫事有先後, 而慮

---

160) 이 구절은 『태조실록』 권1, 總書, 공양왕 3년 11월에도 수록되어 있는데, 添字는 이에 의거하였다.

161) 이 구절은 『書經』, 周官에 나오는 것이다("立太師·太傅·太保, 玆惟三公, 論道經邦, 爕理陰陽. 官不必備, 惟其人").

162) 이 구절은 『周易下經』, 蒙, 坎下艮上에 나오는 것이다.

163) 이 구절은 다음의 자료에서 따온 것이다.
· 『周易上經』, 頤, 震下艮上, "象曰, 山下有雷, 頤. 君子以愼言語, 節飮食".

164) 이 구절은 『書經』, 皐陶謨에 나오는 것이다.

165) 이 구절은 『尙書』 권2, 益稷第5, 虞書, "帝庸作歌曰, 勅天之命, 惟時惟幾"에서 따온 것이다.

166) 이 구절은 『周易上經』, 訟, 坎下乾上, "象曰, 天與水違行, 訟. 君子以作事謀始"에서 따온 것이다.

167) 이 구절은 『周易傳義』 권10, 繫辭下, "又曰, 惟幾也, 故能成天下之務"에서 따온 것이다.

者, 處事精詳之謂也. 事物之來, 有以應接, 而於獨知之地, 尤加省察, 然後, 事得
其序, 物得其和, 禮樂興焉, 鬼神感焉. 不然, 則反是矣. 嗚呼, '不慮胡獲', 伊尹告
太甲. '慮善以動', 傅說戒高宗. 今玆小臣所陳, 亦不爲無據. 伏惟殿下, 裁之.

○三曰, 改過. 易益卦, 象曰, '君子以見善則遷, 有過則改'.[168] 夫人孰無過, 過
而能改, 善莫大焉. 昔者, 成湯改過不吝, 孔子曰, '過則勿憚改'.[169] 人主居萬民之
上, 享一國之榮, 驕奢逸至, 滛泆^{淫佚}易來, 此或不察, 必至於過差矣. 謂宜出一言,
而宰相^{大臣}不可, 則當察之, 委身而順之, 若黽勉順之, 而曰姑且如是, 而事終不爾,
則是吝之也. 行一事, 而省憲不可, 則當察之, 捨己而從之. 若隱忍從之, 而曰業已
爲之, 而不宜中止, 則是憚之也. 人莫難於知過, 莫甚難於改過. ^{孟子曰, '古之君子, 過則改}
^{之, 今之君子, 過則順之. 豈徒順之, 又從而爲之辭'.[170] 子夏曰, '小人之過也必文'.[171] 若有一毫吝憚之心, 必至文過, 遂}
^{非之地矣..} 伏惟殿下, 愼其所存而已.

○四曰, 敦本. 天爲萬物之本, 而物亦各自有本, 論一己, 則身爲理天下之本, 論
五常, 則孝悌爲行仁之本, 論爲天下國家, 則誠爲九經之本, 且民爲邦本, 而農爲養
民之本也. 有子曰^{孔子曰}'君子務本, 本立而道生',[172] 正謂此耳. 夫禮失之奢, 喪失
之易, 而其本則儉戚而已. 仁流於姑息, 孝敗於狎褻, 而其本則愛敬而已. ^{是故, 人君必}
^{敦本抑末, 而後民不偸薄矣.} 恭惟殿下, 立法祛弊, 以布初政, 而有獻議者,^{而有司以}省傜役, 禁
滛祀^{淫祀}□□^{獻議}, 且請行三年之喪, 以敦愼終之義, 而其儉戚之風, 則殊未之見也.
頃者, 殿下憫囚徒之冤滯, 數布寬恩, 且令中外, 始置家廟之法, 以勸追遠之道, 而
其愛敬之實, 則抑未可知也. 法制之類此者, 率多, 竊思而有得焉^{臣竊思之}, 夫上所以
使下者, 信也, 故曰, '信者, 人主之大寶也'.[173] 今玆國大妃^{太妃}, 尙强無恙, 殿下誠
能夙夜問安, 以行文王之孝, 以勸之, 則民化而敬矣. 常時供御, 務令裁損, 罷無名

---

168) 이 구절은 『周易下經』, 益, 震下巽上에 나오는 것이다.

169) 이 구절은 『논어』, 學而第1에 나오는 것이다.

170) 이 구절은 다음의 자료에서 따온 것이다.
   · 『맹자』, 公孫丑章句下, "^{眞賈.} 見孟子問曰, 周公何人也? 曰, 古聖人也. … 且古之君子, 過則改
   之. 今之君子, 過則順之. 古之君子, 其過也, 如日月之食, 民皆見之. 及其更也, 民皆仰之. 今
   之君子, 豈徒順之, 又從而爲之辭".

171) 이 구절은 『論語』, 子張第19에 나오는 것이다.

172) 이 구절은 『논어』, 學而第1에 나오는 것이다. 그러므로 有子(有若, B.C.518~?, 孔子의 弟子)는
   孔子의 오자이다(『說苑』 권3, 建本, "孔子曰, 君子務本, 本立而道生").

173) 이 句節은 是年 7월 某日의 脚注에서 典據가 제시되었다.

之費, ^仍停不急之務, 則寧儉之風, 興矣. 竊惟, 孝愼之殿, 遺像儼然, 陟降左右, 顧瞻而興哀, 則寧戚之化行矣. 儉戚愛敬, 乃喪禮仁孝之本, 信之一字, 所以, 行儉戚愛敬之本也. 其法制之未盡行者, 當躬行以率之, 堅如金石, 信如四時, 務敦本之敎, 行抑末之令, 則浮靡之俗, 可變, 而澆訛之風, 可弭也. ^{伏惟, 殿下留意焉.}

○五曰, 謙己. 天道, 虧盈而益謙, 人道, 惡盈而好謙, 故聖人序卦, 大有之後, 受之以謙. 古之明君, 卑以自牧, 虛以受物, 故高而不危, 滿而不溢, 以致國祚之綿長也, 不然則反是^矣. 今殿下每出言, 必先曰, '予不敏, 且不讀書, 不更事, 何足以知之?' 然後人及他說. 臣愚以爲, 是乃自知明, 而無矜己誇人之失也, 人亦孰不樂告以善哉? 一言可以興邦, 是心足以王矣. 臣猶記在玄陵^{恭愍王}朝, 爲正言, 以臨報平近, 史官具疏以聞, 時方興土木, 役民於影殿, ^故疏未坼, 而臆以爲多是事也, 怒氣甚盛, 及坼而^視之, 乃他事也, 則反曰, '吾固知竪儒淺近之言耳'. 當時^雖勉强從之, 逆料物情而不中, 不嗜善言而自足, 是乃驕吝之心也. 誠願殿下, 秉心^不^無驕, 行己謙抑, 終始不渝, 則謙而又謙, 忽自不知其入於道矣.

○六曰, 施仁. 仁^{者天地生物之心,} ^{而人所得以生者也.} ^{論其體則五常之一,} ^{論其用則愛之理,} ^論其施之之方, ^則自親親而仁民, 仁民而愛物, 自有等殺, 不可混施也. 殿下常自謂, '予之過, 固在於仁慈', 臣愚以^謂^爲, '此誠天地生物之心, 生民永賴之本, 非過失也'. 但有優游與果斷之異耳. 譬如^之仁慈, 路頭也, 優游果斷, 二岐也. 從仁慈而出於果斷, 則應機酬酢, 事無執迷之惑矣, 入於優游, 則臨事罔知所措, 終爲倒行逆施之擧矣. 殿下^旣有仁慈之美意, 當兼行制事之義, 節文之禮, 是非之智, 一日萬幾, 惟斷^乃成, 則民安物阜, 開壽域於四方矣. 昔帝堯, 克明^俊^峻德, 以親九族, 平章百姓, 以致時雍, 是乃施仁之序也. 齊宣王, 功不至於百姓, 而不忍過堂之一牛, 是乃仁之失序也. ^{大本已失,} ^{豈可謂之仁哉}?, 伏惟殿下, 法帝堯而戒齊宣, 捨優游而取果斷, 則施仁之序不紊, 仁慈之路不差, 可以入德矣.

○七曰, 比類. 臣竊見, 殿下, ^嘗有意於貞觀之理, 讀政要者, 于今二年矣. 凡物必有其類, 比而同之, 則未有大相遠者. 切惟, 太宗之爲燉煌公, 卽殿下之爲定昌君時也, 貞觀元年, 卽殿下卽位之年也. 比古死刑, 除其大半, 卽殿下之仁慈也. 上畏皇天, 下憚群臣, 卽殿下之謙己也. 引諸學士, 講論文籍, 卽殿下之經筵也, 呑蝗數枚, 卽殿下之憂旱也. 樂聞諫諍, 卽殿下之求言也. 群臣之馨竭心力, 知無不爲, 如玄齡者有之, 轉籌帷幄, 坐安社稷, 如如晦者有之, 處繁理劇, 如戴冑者有之, 以諫諍爲己任, 如魏徵者有之, 激濁揚淸, 嫉惡如讎, 如王珪者有之矣. 然太宗自武德以前, 經略四方, 戰勝攻取, 則與殿下潛邸時異矣, 除隋之亂, 草創唐室, 則與殿下一姓再興異矣. 貞觀中, 終歲斷死刑, 纔二十九人,[174] 則今日之麗刑者多矣. 弘文之講論, 或至夜分, 而今日之經筵, 或作或輟矣, 殿下之謙己, 果以未副天意人望爲念乎? 殿下之憂旱, 果能如忘物之成疾乎? 太宗末年, 諫者頗有忤旨, 殿下之求言, 果不如是乎?. 群臣之陳事千里, 如對面語, 果如玄齡乎? 勸行仁義, 綽有成效, 果如魏徵乎? 犯顔執諫, 果如戴冑乎? 一言而感人主, 果如王珪乎? 今旣比類而同之, 而其異者, 不可不慮也. 太宗末年, 魏徵上疏, '論比貞觀初, 漸不克終□者, 凡十條'.[175] 今日卽貞觀之初, 今日以後, 則卽不克終之幾也. 詩曰, '靡不有初, 鮮克有終'.[176] 伏惟殿下, 自謂與太宗孰愈? 以太宗之英明, 而魏徵之說, 如是之切也, 臣竊比焉, 伏惟殿下, 裁之.

○八曰, 明政. 賞罰國之大柄也, 賞當功則千萬人勸, 罰當罪則千萬人懼, 苟或僭濫, 民無所措手足矣. 古先哲王, 爵人於朝, 刑人於市, 皆與衆共之, 故賞者不德君, 罰者不怨上, 以其功罪之攸當也. 後世公道日昧, 爲善者不必蒙賞, 爲惡者不必獲戾, 混於所施, 變亂是非, 良可嘆已. 伏惟, 殿下鑑古今之得失, 秉心平直, 如持權衡, 無有此低彼昂之殊, 則賞之者如庶草之過春陽, 自生自長而造化自若也, 罰之者如衆卉之値秋霜, 自凋自瘁而玄天幽嘿也. 故賞曰天命, 刑曰天討. 言天以賞罰之柄, 付之人君, 爲人君者, 代天而行耳. 今殿下之賞善罰惡, 未盡出於天道之無爲, 抑有說乎? 今人謂事之無大得失者, 曰'可東可西', 臣竊以爲甚無謂也. 此必求售其所欲者, 說闊大以瞞人耳. 夫天下之理, 公私而已耳. 天下之道, 善惡而已耳. 其兩立而不相容, 如薰蕕泳炭之相反也, 而共泛指而通稱之可乎? 有議人者曰, '某人雖有某功可賞, 然有某罪可罰也'. 則人主罔知所施. 若其功輕罪重, 罰之可也, 罪輕功重, 賞之可也, 功罪相等, 較其錙銖, 斷之可也. 殿下當於賞善罰惡之時, 心無二致, 務要果斷, 則可東可西之說, 何足慮乎 自不行矣. 伏惟殿下, 防其害隙, 開其利本, 顯罰以威之, 明賞以化之, 則威立則而惡者懼, 化行

---

174) 이 구절은 다음의 자료를 인용한 것 같다.
· 『唐鑑』 권3, 태종1, 貞觀 4년(630), "是歲, 天下大稔, 流散者咸歸鄕里, 米豆不過三四錢, 終歲斷死刑, 纔二十九人, …".
· 『자치통감』 권193, 唐紀9, 太宗上之中, 貞觀 4년 12월, "是歲, 天下大稔, 流散者咸歸鄕里, 米斗不過三四錢, 終歲斷死刑, 纔二十九人, …".

175) 이와 관련된 기사로 다음이 있다.
· 『자치통감』 권195, 唐紀11, 太宗中之上, 貞觀 13년(639), "五月, 旱, 甲寅, 詔五品以上, 上封事, 魏徵上疏, 以爲陛下志業, 比貞觀之初, 漸不克終者, 凡十條. 其間一條, …".

176) 이 구절은 『시경』, 大雅, 蕩之什, 蕩에 나오는 것이다("靡不有初, 鮮克有終").

則善者勸矣.

○九曰, 保業. 國家重器也, 得之至難, 守之甚^至艱, 要在夙夜兢惕, 修德行仁, 以保先王之業而已. 夫保業之術, 無他, 如守臣室. 今人有巨室於此, 將以傳之子孫, 爲無窮之規, 則必固其堂基, 壯其柱石, 强其棟梁^{棟樑}, 厚其茨蓋, 高其垣墉, 嚴其關鍵. 旣成, 又擇子孫之良者, 使謹守之, 日省而月視, 欹者扶之, 弊者補之. 如是, 雖千百年, 無頹毁也. 夫民者國之堂基也, 禮法者柱石也, 大臣者棟梁^{棟樑}也, 百吏者茨蓋也, 將帥者垣墉也, 甲兵者關鍵也. 是六者, 不可不朝念而夕思也. 夫人君, 謹守祖宗之成法, 苟不隳之以逸, 欲敗之以讒諂, 則世世相承, 無有窮期. 及夫^若逸豫以隳之, 讒諂以敗之, □^則神怒民怨, 遂至顚沛而不振矣. 臣不敢遠引古昔, 請以僞朝之事言之, 僞辛以猜忌狂暴^{之資}, ^{當王氏不弔之時,} 竊我重器, 恣行無度. 又不量力, 師出無名, 至使生釁於大國, 罪盈惡積, 以底滅亡. 向使僞辛, 小心恭己, 謹守法度, 而不借大臣回軍之力·定策之功, 則天命未可知也, 殿下之今日, 亦未可期也. 詩曰, '殷鑑不遠, 在夏后之世'.[177] 伏惟殿下, 遵聖祖之成憲, 戒僞朝之覆轍, 以保中興之業, ^{以固後世之基, 則人道順於下, 而天變弭於上矣}”:節要轉載].[178]

戊申^{26日}, 以苦寒, 放二罪以下.

[是月, 民間訛言, 帝使求童女而來. 擧國疑懼, 嫁女之家, 燈燭相連, 輝暎街里, 其不備禮而婚者, 不可勝計:五行2轉載].

[○都堂啓曰, “三載考績, 三考黜陟, 是古今通規. 本國選官之制, 京外官員三十箇月, 吏員九十箇月已滿者, 許遷轉, 自事元以來, 官制紊亂, 用人無法, 數相遞代, 因此, 成効未著, 曠廢官職. 願令都堂與吏·兵曹·尙瑞寺^{尙瑞司}, 參酌古今, 定爲選法, 今姑依舊制, 京外官, 滿三年, 成衆愛馬別差, 及各司人吏, 滿九年者, 許錄用”, 從之:選擧3選法轉載].

[○令臺省·六曹, 各擧賢良三人:選擧3薦擧轉載].

[是月頃, 以李耆爲知永州事:追加].[179]

---

177) 이 구절은 『시경』, 大雅, 蕩之什, 蕩(『毛詩』 권18, 蕩之什, 詁訓傳第25)에 나오는 것이다(“殷鑑不遠, 在夏后之世”).

178) 이 기사는 열전30, 李詹에도 수록되어 있는데, 添字는 이에 의거하였다. 『고려사절요』에는 脫落된 字句가 있으므로 李詹列傳을 이용하는 것이 좋을 것이다. 李詹의 忌日은 율리우스曆으로 1405년 4월 28일(그레고리曆 5월 7일)에 해당한다.

十二月癸丑朔^{大盡,辛丑}, <u>憲府</u>^{司憲府}劾漢陽府尹柳爰廷, 媒其子而自娶, 又奉使京師, 恣行買賣, 削職, 流于南原府, 爰廷本無子者也.

[→^{門下評理兼大司憲金湊}, 又論漢陽府尹柳爰廷, 媒子自娶, 以亂風俗之罪, 流之. 然湊亦不能齊家, 妻女皆有醜聲:列傳27金湊轉載].

○遣前義州牧使<u>曹仲生</u>如京師, 獻馬一千匹.

[丁巳^{5日}, 木稼, 三日:五行2轉載].

甲子^{12日}, 帝遣宦者前元承徽院使<u>康完者篤</u>等三人來, 詔曰, "三韓之地, 君臣悖亂, 二紀于玆. 幸爾無爭城野之戰, 民安市鄉. 舊歲來告, '乃王氏苗裔, 君主斯民'. 今特遣使往勞, 以觀署政如何?".¹⁸⁰⁾ ○又曰, "比聞, 高麗閹寺鮮少, 爲朕割勢遣之, 如有之, 使禁. 約馬匹又少, 則不必牡馬, 如牝馬·騸馬, 不愈已乎?". 因賜紵絲·綾絹二百匹. 王分賜宰相, 有差.

丁卯^{15日}, 宴使臣于壽昌宮.

癸酉^{21日}, 唐山君<u>洪尙載</u>卒.¹⁸¹⁾

丙子^{24日}, 以^{前判門下府事}<u>李穡</u>爲韓山府院君·領藝文春秋館事,¹⁸²⁾ ^{前判三司事}<u>禹玄寶</u>爲丹山府院君, 韓蕆△爲判開城府事, ^{判密直司事}<u>姜淮伯</u>爲政堂文學兼司憲府大司憲, 尹就△爲知密直司事, 安景恭爲藝文館提學, 禹洪壽△爲同知密直司事, 成石瑢爲密直副使, 李士渭爲西海道都觀察□□^{黜陟}使, 姜隱爲楊廣道都觀察□□^{黜陟}使, 朴永忠爲漢陽府尹, ^{同知密直司事}<u>兪光祐</u>爲雞林府尹,¹⁸³⁾ <u>皇甫琳</u>爲全羅道□□^{兵馬}節制使,¹⁸⁴⁾ ^{左副代言}

---

179) 이는 『영천선생안』에 의거하였다.

180) 明太祖 朱元璋은 10월 1일(甲寅朔) 禮部에 명하여 왕위계승으로 분란이 있었던 고려에 王氏의 後裔로 즉위한 王瑤에게 禮物을 내리고 그 施政을 살펴보게 하여, 지난날 몽골제국의 承徽院使 康完者篤(康Öljeitu) 등을 派遣하여 禮物을 가져가 下賜하게 하였다(『명태조실록』 권213).

181) 이날은 율리우스曆으로 1392년 1월 15일(그레고리曆 1월 23일)에 해당한다.

182) 이때 李穡과 관련된 기사로 다음이 있다.
   · 『목은집』 연보, 洪武卄四年辛未, "… 十二月, 蒙召還, 封壁上三韓三重大匡·韓山府院君, 功臣號如故".

183) 이때 兪光祐는 宣力翊衛功臣·匡靖大夫·雞林府尹이었다(『동도역세제자기』).

184) 이는 『금성일기』에 의거하였다. 또 皇甫琳은 조선왕조 초기에 知中樞院事에 임명되었다가 61歲로 서거하였다고 한다.
   · 『태조실록』 권6, 3년 6월 己丑^{21日}, 皇甫琳의 卒記, "… 上^{李成桂}卽位, 召拜知中樞院事, 至是病卒, 年六十二. 致賻以禮, 二子瑛·仁".

李詹[△]爲知申事,¹⁸⁵⁾ 李士穎爲右副代言, 韓理·鄭寓並爲吏曹判書, 鄭洪爲兵曹判書, 全五倫爲刑曹判書, <u>洪彦脩</u>爲工曹判書,¹⁸⁶⁾ 金震陽·李擴爲左·右散騎常侍, 全伯英·李來爲左·右司議□□^{大夫}, 徐甄爲司憲堂令, 金爾音爲門下舍人, 李敢·權弘爲左·右獻納, 李申爲持平, 安從約爲右正言.

○加賜<u>我太祖</u>^{判門下府事李成桂}及^{門下侍中}沈德符·^{守門下侍中}鄭夢周, 安社功臣, ^{門下贊成事}偰長壽·^{門下贊成事}趙浚·^{三司右使}成石璘, 定難功臣^{定祚功臣}之號.¹⁸⁷⁾

[○月犯<u>大微</u>^{太微}上相:天文3轉載].

[己卯^{27日}, 亦如之^{木稼}:五行2轉載].

[某日, 量移<u>鄭道傳</u>于奉化□^縣:節要轉載].¹⁸⁸⁾

[是月辛巳^{29日}, 明禮部言, "明年正旦朝賀及筵宴, 其高麗國權國事<u>王瑤</u>子<u>奭</u>班次, 宜列於六部尙書之次, 其從臣於中左門序坐, 凡諸番國使臣悉以此爲序", 從之:追加].¹⁸⁹⁾

[冬某月, 以^{典儀主簿}<u>權遇</u>爲禮曹佐郎·知製敎兼尙瑞錄事, 賜緋魚袋:追加].¹⁹⁰⁾

[是年, 都堂啓請, 於司水寺, 依漢都船令例, 置都船指諭, 依齊官船典軍例, 置官船典軍, 從之:百官1司水寺轉載].

[○罷奉醫署, 併於典醫寺:百官2奉醫署轉載].

[○罷掌服署, 併於工曹:百官2掌服署轉載].

---

185) 이때 李詹은 正順大夫·密直司知申事·經筵參贊官兼判典儀寺事·右文館直提學·知製敎充春秋館編修官·知□□□事에 임명되었던 것 같다(『쌍매당협장집』 연보).

186) 洪彦脩(洪奎의 孫)는 檢校參知門下府事에 이르렀다고 한다(열전19, 洪奎, 戎).

187) 定難功臣은 다음의 기사와 같이 定祚功臣일 가능성이 높다(東亞大學 2006년 26책 206面).
   · 열전31, 趙浚, "加賜忠勤勵節佐命定祚功臣號, 移三司左使".
   · 열전30, 成石璘, "尋以疾辭不允, 加賜定祚功臣號".
   · 『獨谷集』行狀, "辛未春, 除三司左使, 餘如古. 冬, 改稱端誠保節贊化定祚功臣".

188) 이 기사는 열전32, 鄭道傳에도 수록되어 있다.

189) 이는 『명태조실록』 권214, 홍무 24년 12월 辛巳를 전재하였다.

190) 이는 다음의 자료에 의거하였다.
   · 『梅軒集』 권6, 梅軒先生行狀, "^{辛未}冬, 遷禮曹佐郎·知製敎兼尙瑞錄事, 賜緋魚袋".

[○罷奉車署, 併於重房:百官2奉車署轉載].

[○罷掌冶署, 併於工曹:百官2掌冶署轉載].

[○罷都校署, 併於繕工寺:百官2都校署轉載].

[○別置雅樂署, 習宗廟樂歌:百官2典樂署轉載].

[○併義濟庫, 於惠濟庫:百官2義濟庫轉載].

[○併供辦署‧濟用庫於寶源解典庫[恭讓, 曾罷准備色, 置濟用庫]:百官2寶源解典庫轉載].

[○罷四面都監:百官2四面都監轉載].

[○罷刪定都監:百官2刪定都監轉載].

[○罷勾覆院:百官2勾覆院轉載].

[○罷都祭庫:百官2都祭庫轉載].

[○罷奉先庫:百官2奉先庫轉載].

[○罷倉庫都監:百官2倉庫都監轉載].

[○罷幞頭店:百官2幞頭店轉載].

[○罷書籍店:百官2書籍店轉載].

[○罷鹵府都監:百官2鹵簿都監轉載].

[○罷濟危寶:百官2濟危寶轉載].

[○改惠民局, 爲惠民典藥局:百官2惠民局轉載].

[○罷東西材場:百官2東西材場轉載].

[○罷淨事色, 尋復置:百官2淨事色轉載].¹⁹¹⁾

[○罷正陵‧仁熙殿供辦都監:百官2轉載].

[○改漢語都監, 爲漢文□□^{都監}, 置敎授官:百官2漢文都監轉載].

[○置忠淸道通津縣監務, 以童城縣‧守安縣爲通津屬縣. 置鐵場于忠淸道砥平縣境, 設監務, 以兼之. 又築城新昌縣西獐浦,¹⁹²⁾ 收旁近州縣租, 載舟浮海, 達于京

---

191) 이에서 '尋復置'는 筆者가 追加한 것이다. 淨事色은 1392년 3월 15일(丙申)에도 存續하고 있었다.

師, 始置萬戶, 兼監務. ○降慶尙道固城知郡事官爲固城縣令官, 以安東大都護府府任內奉化縣置監務, 安東大都護府任內禮安兼義仁縣置監務, 京山府任內仁同縣合若木縣, 置仁同監務. ○以全羅道朗山監務, 兼任礪良縣, 又兼公村皮堤勸農使. 以鎭安監務, 兼任馬靈縣. 以高山監務, 兼任雲梯縣. 以長水監務, 兼任長溪縣. 以雲峯監務, 兼任阿容谷勸農·兵馬使. 以務安監務, 兼城山極浦勸農·防禦使. 以潭陽監務, 兼任原栗縣. 以昌平監務, 兼長平甲鄕勸農使[甲鄕本昌平屬縣, 後移屬羅州, 又移屬光州, 至是, 復來屬]. 以咸豊監務, 兼永豊·多景·海際縣勸農防禦使. 又泰州管內撫州, 別置監務, 又以朱溪縣, 合屬于茂豊縣. 以全州屬縣豊儲, 移屬咸悅縣. ○置西北面殷州監務, 以安州屬縣孟州, 析置縣令. 又以舊虜川府, 始稱甲州, 置萬戶府:轉載].[193]

[○都評議使司獻議, 以京畿根本之地. 困於差役, 日就彫廢, 置左·右道廉問使. 兩府, 謂之都廉問使, 奉翊□□大夫·通憲□□大夫, 謂之廉問使, 四品以上, 謂之廉問副

---

192) 이와 관련된 기사로 다음이 있다. 이때 獐浦에 築造된 城은 漕運[漕轉]을 보호하기 위한 漕轉城이고, 그 지역은 揷橋川의 지류인 道高川이라고 한다(韓禎訓 2013년 283面).
- 지10, 지리1, 楊廣道 天安府 新昌縣, "恭讓王三年, 築城縣西獐浦, 收旁近州縣租, 載舟浮海, 達于京師, 始置萬戶, 兼監務".
- 『세종실록』 권149, 忠淸道 淸州牧 新昌縣, "恭讓王三年辛未, 築漕轉城於縣西獐浦, 始置萬戶兼監務".
- 『신증동국여지승람』 권20, 충청도 新昌縣, 建置沿革, "恭讓王三年, 築城於縣西獐浦, 漕城. 收旁近州縣租稅, 浮海達于京師, 始置萬戶兼監務", 山川, "獐浦, 在縣西十五里, 源出道高山, 入井渡".

193) 이는 다음의 자료를 전재하였다.
- 『경상도지리지』, 晉州道, 固城縣, "高麗恭讓王代, 洪武辛未[3年], 降爲固城縣令".
- 『경상도지리지』, 安東道, 奉化縣, "恭讓王時, 辛未, 置監務".
- 『경상도지리지』, 安東道, 安東大都護府, "禮安兼宜仁縣, 恭讓王代, 歲在辛未, 各置官".
- 『경상도지리지』, 安東道, 禮安縣, "辛未, 置禮安縣監務".
- 『경상도지리지』, 安東道, 兼義仁縣, "恭讓王代, 辛未, 合屬禮安".
- 지11, 지리2, 禮安郡, "恭讓王二年[三年?], 置監務, 以宜仁縣, 屬之". 여기에서 恭讓王二年은 恭讓王三年의 誤字일 가능성이 있는데, 이는 『경상도지리지』에서 공양왕 2년(庚午)과 3년(辛未)의 郡縣升降을 분명히 辨別하고 있음을 통해 유추할 수 있다.
- 『경상도지리지』, 安東道, 仁同縣, "恭讓王代, 歲在辛未, 合若木縣, 置仁同監務".
- 『경상도지리지』, 安東道, 兼若木縣, "恭讓王代, 歲在辛未, 合屬仁同縣". 이에 비해 尙州道, 星州牧官에는 1390년(공양왕2, 庚午)으로 되어 있다("仁同·若木, 恭讓王時, 洪武庚午[2年], 兼設監務").
- 지12, 지리3, 甲州府, "本虜川府, 久爲女眞所據, 屢經兵火, 無人居. 恭讓王三年, 始稱甲州, 置萬戶府".
- 지12, 지리3, 孟州, "恭讓王三年, 析置縣令". 이하 典據를 생략함.

使. 其刑名·錢穀·軍情事務, 以至官吏殿最, 民間詞訟, 無不糾理:百官2外職轉載].

[○以門下評理姜筮爲慶尙道兵馬都節制使:追加].[194]

[○以高敏爲知寧海府事:追加].[195]

[○全羅道都觀察使盧嵩移牒錦州曰, "今國家下令立家廟, 無一人行之者, ^{前判典農寺事}尹龜生, 自未令前, 立廟修祀, 敬事祖考, 其孝實爲衆人之標準. 先王之政, 旌別淑慝, 樹之風聲, 今宜旌表門閭, 立孝子碑, 給復其家, 以勸諸人. 龜生, 贊成事澤之子, 退居錦州, 立祠宇, 以朔望·四仲·俗節祭三代, 冬至祭始祖, 立春祭先祖, 一用朱文公家禮. 考妣祖考妣墓, 立石誌其忌日, 又於考墓立碑, 墓南作齋室. 刻高曾以下忌日于石, 俾後世不忘". 尹龜生,^子昌宗·紹宗·會宗, 紹宗別傳:列傳34尹龜生轉載].[196]

[○宜州有大樹, 枯朽累年. 至是, 復條達敷榮. 時人以爲我太祖^{判門下府事李成桂}開國之兆:節要·五行2轉載].[197]

[增補].[198]

[是年頃, 以於世麟爲蔚珍縣令, 是時, 連年倭寇, 人民流散, 閭里荒墟. 世麟到任, 修葺城堡, 撫安遺民, 流亡四集:追加].[199]

---

194) 이는 다음의 자료에 의거하였다.
   · 『세종실록』 권26, 6년 10월 庚申^{6日}, 姜筮의 卒記, "… 己未^{禑王5年}, 密直副^使事, 壬戌^{8年}, 判密直司事, 甲子^{禑王10年}, 門下評理, 辛未^{恭讓王3年}, 慶尙道兵馬都節制使, 癸未^{太宗3年}, 判承寧府事, 移判漢城府事, …".
195) 이는 『영해선생안』에 의거하였다.
196) 이는 열전34, 孝友, 尹龜生에 의거하였다.
197) 이 문장은 原文에 "宜州有大樹, 枯朽累年. 是年, 復條達敷榮, 時人以爲開國之兆"로 되어 있으나 變造하였다. 여기에서 '復條達敷榮'은 '다시 氣脈이 疏通되어 開花하였다'라고 理解하면 [讀] 좋을 것이다.
   · 『淮南子』 권2, 俶眞訓, 13項, "… 若夫神無所俺, 心無所載, 通洞條達, 恬漠無事, 無所凝滯, 虛寂以待, 勢利不能誘也, 辯者不能說也, 聲色不能淫也, 美者不能濫也, 智者不能動也, 勇者不能恐也, 此眞人之道也".
198) 이해의 12월 12일 일본의 僧侶 良賢이 1310년(충선왕2) 5월 淑妃[王淑妃]의 發願에 의해 만들어진 楊柳觀音圖(水月觀音圖)를 鏡神社(現 佐賀縣 唐津市 鏡町 大字鏡 鏡神社)에 寄贈하였다(『測量日記』 권4, 文化 9년 9월 7일 ; 李領 2008년).
199) 이는 다음의 자료에 의거하였다.

壬申[恭讓王]四年, 明洪武二十五年, [西曆1392年]

1392년 1월 25일(Gre2월 2일)에서 1393년 2월 11일(Gre2월 19일)까지, 13개월 384일

春正月癸未朔^{小盡,王寅}, 王率群臣, 賀帝正于壽昌宮, 宴使臣^{前承徽院使康完者篤}及群臣, 夜分乃罷.

[→宴詔使^{前承徽院使康完者篤}于壽昌宮:節要轉載].

○全羅道都觀察□□^{黜陟}使河崙獻無逸·立政二簇.

壬辰^{10日}, 杖流密直使李恬于合浦.

[→下密直使李恬于巡軍. 先是, 八關會, 重房不禮於密直司, 遂構隙, 交章相訟, 王皆留中不下, 恬, 深嗛之. 至是, 王宴罷, 將入內, 恬, 因醉跪王前, 引王裾曰, "殿下不念定昌君時歟. 國事將日非矣, 何信豎兒之言, 而輕大臣之書乎?". 遂脫帽投地曰, "願還王此帽". 王益怒, 蹴破之, 厲聲曰, "恬使酒乃爾耶?". 遂下獄. 恬謂^{門下評理}·巡軍萬戶柳曼殊曰, "爾位至宰相, 負不孝不友之名, 臺省再論汝矣, 何罪我歟? 我敢諫非罪, 亦非使酒". 曼殊慚赧俯首. 旣而, ^{判三司事}·萬戶裴克廉等至, 恬, 迎謂曰, "曼殊幾殺我, 今見公輩, 吾得生矣". 遂加鞫問, 恬, 尙以爲宥君之禮, 當如是耳. 克廉等, 啓王曰, "恬實使酒". 王怒, 囚千戶金龜聯·提控鄭之度, 罷克廉·曼殊等萬戶, 以贊成事趙浚·判開城□□^{府事}安翊·藝文館大提學柳珣·知門下□□^{府事}金士衡代之. 命省憲, 與巡軍同鞫:節要轉載].²⁰⁰⁾

- 『신증동국여지승람』권45, 蔚珍縣, 名宦, "於世麟, 麗季, 連年倭寇, 人民流散, 閭里荒墟. 洪武辛未^{恭讓3年}年間, 世麟爲縣令, 修葺城堡, 撫安遺民, 流亡四集".

200) 이와 관련된 기사로 다음이 있다.
- 열전18, 柳璥, 曼殊, "^{門下評理商議柳}曼殊嘗爲巡軍萬戶, 鞫密直使李恬不敬之罪, 恬謂曼殊曰, '爾位至宰相, 負不孝不友之名, 臺省再論之, 何鞫我爲'. 曼殊慚赧".
- 열전27, 李壽山, 恬, "恭讓時, 進知司事. 八關會, 重房不禮於密直司, 遂構隙, 交章相訟, 王皆留中不下. ^{密直使李}恬心嗛之, 一日, 王宴群臣, 夜分乃罷, 將入內. 恬醉引王裾曰, '殿下不念定昌君時歟, 國事將日非矣, 何信豎兒, 而輕大臣乎?'. 遂脫帽投地曰, '願還王此帽. 以手壞之'. 王怒蹴其帽, 厲聲曰, '恬使酒乃爾耶'. 宦官姜仁富·大護軍金鼎卿, 執退之, 命下巡軍鞫之. 恬謂萬戶柳曼殊曰, '爾爲宰相, 負不孝不友之名, 臺省再論汝矣, 何鞫我歟. 敢諫非罪, 亦非使酒'. 旣而萬戶裴克廉等至, 恬迎謂曰, '曼殊幾殺我, 今見公輩, 吾得生矣'. 克廉等鞫問, 恬尙以謂, 諫君當如是. 克廉等白王曰, '恬實使酒'. 王怒, 囚千戶金龜聯·提控鄭之度, 罷克廉·曼殊等萬戶, 以趙浚·安翊·柳珣^{柳珣}·金士衡, 代之. 召散騎金震陽·執義鄭熙曰, '恬予之潛邸交遊也, 雖自擬於朱雲·子陵, 固不如恬之頑率也'. 命震陽·熙同巡軍鞫之. 恬曰, '密直十三人, 上章請罪重房, 而左

[某日, 宥王安德·禹仁烈·朴葳, 任便居住, 朴可興·池湧奇, 外方從便:節要轉載].[201]

[某日, 諫官上疏, 論^{前密直司使}李恬不敬, 請置極刑. 我太祖^{判門下府事李成桂}啓曰, "恬實有罪, 然其言出於狂直, 請貸之". 王杖恬一百, 流合浦:節要轉載].

[→諫官又上疏, 請置於法. 我太祖白王曰^{啓曰},[202] "恬實有罪, 然其言出於狂直, 請貸其死". 王杖恬一百, 流合浦, 笞維等九人:列傳27李恬轉載].

[某日, 憲府劾^{門下評理}柳曼殊, 不侍母奉養, 奪諸弟田民, 請治其罪. 不聽. 憲府再論, 只削鷹揚軍上護軍:節要轉載].[203]

癸巳^{11日}, 前判開城府事尹承順卒,[204] 謚^諡忠簡.

己亥^{17日}, 以國大妃^{太妃}生日, 赦二罪以下.

乙巳^{23日}, 新置朔方道鎭溟倉.

己酉^{27日}, 以^{前門下贊成事}權仲和爲門下贊成事, 趙浚爲三司左使, 安翊爲門下評理·鷹揚軍上護軍, ^{門下評理}柳曼殊△爲判開城府事, 朴遠爲密直使, 李崇仁△爲知密直司事·同知春秋館事, 金受益△爲同知密直司事, 康儒爲戶曹判書. 儒, ^{明使}完者篤之兄也, 完者篤等, 各以親戚, 請除官, 凡六百三十餘人, 或補外, 或授護軍·中郎將·郎將者三百餘, 皆未久見罷. 其餘, 並拜添設職.

○同知密直司事張思吉辭疾, 免.

[某日, 初置書籍院, 掌鑄字印書籍:節要轉載].

[→置書籍院, 掌鑄字印書籍, 有令·丞:百官2書籍店轉載].

右皆重房故不聽. 信竪兒輕大臣, 國將不國, 謂此也'. 震陽等言, '李恬之發狂也, 備身扶策之人, 不得捍禦, 請令有司, 明斷其罪'. 王下上護軍權維·盧弼, 大護軍洪恕·洪原誠等于巡軍".

201) 王安德에 관한 기사는 그의 열전에도 수록되어 있다(열전39, 王安德, "尋許任便居住"). 또 朴葳(1332~1397)는 1397년(태조7) 8월 26일(己巳) 李芳遠이 쿠데타를 일으켜 景福宮을 점령할 때 鄭道傳·南誾·柳曼殊 등과 함께 피살되었다. 그는 慶尙南道 密陽市 武安面 鼎谷里 74의 莘南書院에 祭享되어 있고(具山祐 2008년 152面), 아들 耆는 南陽府使에 이른 것 같다(『태조실록』권14, 7년 8월 己巳).

202) 添字와 같이 고쳐야 事實에 가까울 것이다.
 ·『태조실록』권1, 總書, 공양왕 4년 1월, "密直使李恬因醉, 不禮於王, 諫官請置極刑. 太祖啓曰, '恬雖有罪, 其言出於狂直, 請貸'. 遂杖流之".

203) 이와 같은 기사가 열전18, 柳璥, 曼殊에도 수록되어 있다.

204) 이날은 율리우스曆으로 1392년 2월 4일(그레고리曆 1월 12일)에 해당한다.

[是月, ^{高麗使世子㬚賀正旦} 帝寵待, 序次公侯下. 宴內殿者五, 又命朝官, 日開宴慰之. 賜黃金二錠·白金十錠·段絹百匹, 從官以下, 賜銀帛有差. □□^{是時}, 世子, 以支俸之餘, 密令貿布, 遣嬖妾:列傳4恭讓王王子㬚轉載].

[是月頃, 以^{匡靖大夫}兪光祐爲雞林府尹:追加].²⁰⁵⁾

二月^{壬子朔大盡,癸卯}, 甲寅^{3日}, 守侍中鄭夢周進所撰'新定律', 王命知申事李詹, 進講凡六日. 屢嘆其美, 謂侍臣曰, "此律, 須要熟究刪定, 然後可行於世也. 苟不熟審, 一切判付, 恐有可刪之條也. 法律一定, 不可變更. 講至以樂人·倡妓爲室者, 杖八十, 離異, 政曹外敍用". 乃曰, "世實多有此等人". 深嘉納之.

[→^{守侍中鄭}夢周, 取大明律·至正條格, 本朝法令, 叅酌刪定, 撰新律以進:列傳30鄭夢周轉載].

丙辰^{5日}, 王以誕辰, 幸壽昌宮, 受朝賀, 宴群臣.

[→^{恭讓王}四年, 宴群臣于壽昌宮, 稽醉發聲大笑. 侍近大護軍金鼎卿止之, 稽惶恐趨出. 鄭夢周·柳曼殊等, 醉輒喧呼. 是日, 稍戢, 盖懲於^{密直使}李恬使酒得罪也:列傳28李穡轉載].

○全羅道都觀察使^{都觀察黜陟使}河崙書朱文公仁字說, 作屛以獻. 下敎褒奬曰, "在江湖, 憂君之志, 發爲箴規, 集聖賢垂鑑之言, 代充玉帛. 前旣筆之於簇, 今又著之于屛, 尋常布置于左右, 觀覽修省乎心衷. 因以繩愆而糾謬, 何須顯諫而明爭. 外則觀風俗之盛衰, 內則慮君心之善惡, 賀予誕辰者雖衆, 如卿稱職者無多. 念焉在玆, 嘆嘉不已".

○太白晝見.

辛酉^{10日}, 藝文春秋館上疏曰, "人君, 布政敎於一時, 史臣垂勸戒於萬世, 故古之王者, 莫不以史臣, 置諸左右. 禮曰, 動則左史書之, 言則右史書之,²⁰⁶⁾ 傳曰, 君擧必書,²⁰⁷⁾ 良以此也. 竊惟殿下, 順天應人, 入承正統. 凡所施爲, 動法皇王, 賞罰明, 禮樂興, 此正大書特書, 垂耀無窮之秋也. 臣等, 濫居史職, 每侍經筵, 其於殿

---

205) 이는 『동도역세제자기』에 의거하였다.
206) 이 구절은 『禮記』, 玉藻第13의 冒頭에 나오는 말이다.
207) 君擧必書는 공양왕 2년 3월 某日의 脚注에서 典據를 제시하였다.

下嘉言善行, 靡不直書. 然經筵之御, 日不過數刻, 纔入輒出, 逡巡於外, 其關宗社, 係國家者, 槩乎其未有聞也. 臣等, 恐殿下之德業, 後世無傳焉. 伏望, 遵禮傳之格言, 每於御殿之際, 令臣等八人, 日更二人, 入侍左右, 事無大小, 咸使與聞. 則殿下之德, 無讓於古, 可傳於後, 而臣等之職分, 亦庶乎其盡矣". 王只令經筵及衙日各司啓事時, 入侍左右.

[某日, 人物推辨都監, 定奴婢決訟法:節要轉載].

[→人物推辨都監, 定決訟法, 一. 近年以來, 戶口法弊. 有戶口者, 失於兵亂, 權奸之輩, 揣知其然, 拘占良民, 妄稱父祖奴婢. 被拘之人, 訴良無據, 官司, 亦不能辨, 淹延歲月, 冤抑滋甚, 以傷和氣. 自今, 訴良者, 雖無良籍, 其賤籍不明者, 良之. 本主, 雖無賤籍, 累代驅使明白者, 決給, 在前載未辨帳者, 亦當良之. 一. 凡公私奴婢決斷文案, 分作二本, 一給其主, 一置於官, 以憑考驗, 永爲恒式. 一. 丙申年^{恭愍王5年}前, 無爭訟明文, 丁未年^{忠烈王33年}前事, 及戊辰年^{禑王14年}以後, □□^{田民}辨正都監及都官, 已決者, 不許陳告. 五決從三度, 三決從二度, 一依判旨不動. 其決數雖多, 不覈兩邊文證假決者, 不在此限. 妄告者反坐. 一. 凡告官訟奴婢者, 並於都監, 聽候陳訴, 不得於私門, 似前爭訟, 違者論罪:刑法2訴訟轉載].[208]

[一. 凡訟奴婢者, 其事不直, 除兩府以上, 申聞科罪外, 奉翊□□^{大夫}以下, 就便鞫問, 如有沮毀公事者, 依律論罪:刑法2禁令轉載].[209]

[一. 良賤相婚, 自今, 依律禁斷. 如有洪武二十五年^{恭讓王4年}正月以後, 違律相婚者, 主奴論罪, 所出之子, 亦許爲良, 其主不知者, 不坐:刑法2奴婢轉載].

[一. 將自己奴婢, 投贈權勢, 施納佛宇神祠者, 痛行禁理:刑法2奴婢轉載].

[一. 同宗之子, 及三歲前, 遺棄小兒, 戶口付籍, 爲收養者, 卽同己子傳給外, 自今窺得奴婢, 冒稱收養者, 一切禁之. 無子孫, 無收養者, 使孫, 告官平分, 其成文契, 錄恩功, 與他人者, 雖親戚, 毋得爭訟:刑法2奴婢轉載].

---

208) 이 구절은 지39, 刑法2, 禁令에도 수록되어 있다("一. 凡告官訟奴婢者, 並於都監, 聽候陳訴, 不得於私門, 爭訟, 違者論罪"). 또 奴婢訴訟을 私門에서 爭訟하지 못하게 하는 措置는 1399년 (정종1) 10월 簽書中樞院事 權近에 의해 再次 강조되었다(蔡雄錫 2009년 579面).
   · 『정종실록』권2, 1년 10월 甲辰^{8日}, "… 其兩府以上辨訟之法, 前朝舊制, 兩府招致聽訟官於其家, 告其事狀, 聽訟官聞訖, 坐於本司而決. 及至衰季, 詞訟甚煩, 奸僞日滋, 聽訟官不得進於兩府之門, 兩府乃反往於聽訟者之家, 識者, 猶以爲非".
209) 이 기사의 原文의 冒頭에 '人物推辨都監上書'가 있다.

[一.　奴婢役價，依成王五年判，年月雖多，不過其直．其容隱役使他人奴婢者，依律論罪:刑法2奴婢轉載].

[一.　今後奴婢，買者無孫，許親戚，無親戚者，沒官，賣者，毋得還執:刑法2奴婢轉載].

[一，　奴婢放賣，痛行禁理，其爲飢寒所迫，及因公私宿債，勢不得已者，具狀告官，方許買賣，如以酒色·博弈·狗馬·財貨之故，放賣者，奴婢沒官:刑法2奴婢轉載].

[一.　財主未分奴婢合執者，微劣人奴婢奪占者，派別奴婢濫執者，他人奴婢容隱者，文契僞造使用者，壓良爲賤者，典當奴婢永執者，中國人拘占役使者，官司決後仍執者，京中以當年二月爲限，外方以三月爲限，一皆放還．自首者，免罪，其出限外者，以不從判旨論．其內，雖有合使奴婢，亦令<u>沒官</u>:刑法2奴婢轉載].[210]

[某日，都官上書曰，"國家創制立法，設官分職，各有攸司，凡事之難者，當理處決．歷年旣久，隨事弊生，弊之巨者，無若爭訟．以今日納司文契觀之，皆援引數百年間，玄遠事迹，則知訴訟所由，古矣．近來，人不習法，先王法制，懵然莫知，訟者，由是而背理，聽者，以之而致疑．若不更新條令，習人耳目，則爭訟之弊，未易遽革．今遵先王判旨內事意，附以一二淺見，條列于後．一．爭訟者，或相爭，或訴良，多者，十餘年，小者，不過五六年．官司雖得正決，强者仍執而不許，弱者冤抑而更訴，以致爭訟日繁，姦僞日滋．願自今，決後仍執者，免賤不放者，令刑曹，接狀推考，痛行禁理．一．凡相爭，及訴良者契卷，豈皆均敵．必有一正一邪之辨，閒有奸貪之輩，冒謂誤決，還受原卷，不一二年，飾辭更呈，以致爭訟，曲直循環無窮．願自今，決絶後，其不正文契，令憲司，推考，以防紛爭．一．近年以來，貪風未戢，爭奪愈起，援引久遠，爲謀百端，爭訟盈庭，聽者不能兼聽，簿書連屋，觀者不能遍觀，以致辨析訛誤，訴訟未弭，願自今，擇告狀年月久遠者，一房各十件，合議出榜，以簡辭訟，其出榜已決者，屬議充數．一．辛丑^{恭愍王10年}冬，賊犯京城，公私文卷，亡失殆盡，奸凶貪緣，擬生爭端．或無契籍者，冒受許文，或實有原卷者，反爲無文，以致眞僞難覈，決絶未當．願自今，無辛丑年爭訟明文者，不許陳告．一．僞朝十六

---

210) 이 시기 이후에 人物推辨都監이 司憲府로부터 移關받은 恭讓王의 判旨가 朝鮮 初에도 남아 있었던 것 같다(蔡雄錫 2009년 619面).
　　· 『태조실록』 권12, 6년 7월 甲戌^{25日}, "辨定都監因憲司受判移關，將壬申年^{恭讓4年}以來各年所申條目與都監已曾受判禁令，參酌合行事宜，疏上十九條曰，…".

年間, 大小人員, 希望恩德, 權奸所贈奴婢, 其一族還受爲要, 妄稱合執, 亂雜呈省.
今後告者, 無傳繼明文, 一皆禁斷. 一. 奴婢爭訟所起, 多原於合執, 願自今, 財主
未分奴婢合執者, 或分執而不均者, 許人陳告. 一. 父祖奴婢, 爲人所有, 其子孫能
爭訟得決者, 理合全執. 願自今, 其他使孫, 不與同訟者, 一禁爭望. 一. 無子息者,
因一時喜怒, 將自己奴婢, 互相贈與, 後日爭端, 由玆以興. 願自今, 無子息人員,
已許他人奴婢, 更與他人者, 具錄辭緣告官, 然後, 方許成文. 一. 凡奴婢被奪, 陳
告爭訟, 其執持者, 利於役使, 多方規避. 願自今, 不曾對辨者, 京中限三朔, 外方
限五朔, 給暇原告, 以沮奸黠. 一. 凡告官爭訟, 兩邊文契, 披閱間備, 言辭窮盡,
得失明白, 然後, 出等掛榜. 其中奸惡者, 將欲延援, 面對官員, 詆毀百端. 願自今,
如此等人, 令憲司, 將兩邊文契, 辨明是非, 如其正決, 痛懲詆毀者, 若有違誤, 責
及官吏", 從之:刑法2訴訟轉載].

[一. 無子孫身死者, 其夫得全妻之奴婢. 其妻, 守信則, 亦得全夫之奴婢, 止許
終身, 沒後, 各歸本孫, 其別有文契者, 不在此限:刑法2奴婢轉載].

[一. 奴婢放役者, 不慮後弊, 有放至子孫者. 其子孫閑役, 因有非分之心, 冒名
受職, 結婚良族, 以致名器混淆, 或謀害本主, 不畏官法, 敢於訴訟, 願自今, 論情
愛功勞, 而放役奴婢, 但止其身, 勿及子孫:刑法2奴婢轉載].

癸亥[12日], 作解慍亭.

[○鎭星犯上相:天文3轉載].

[丁卯[16日], 月食, 旣. 鎭星犯大微太微:天文3轉載].[211]

[戊辰[17日], 月犯左角:天文3轉載].

辛未[20日], 遣永福君崲·□□門下贊成事權仲和如京師, 謝恩.[212] 表云, "聖謨諄至,
明示遠人, 天眷便蕃, 蔑超前古, 實踰涯分, 宋劇凌兢. 伏念, 猥將瑣末之資, 權襲
祖先之構, 孤忠耿耿, 惟天日之有臨. 四載悠悠, 諒絲毫之無補, 何期詔諭之切, 而

---

211) 이때 明에서 3월 15일(丙寅) 월식이 있었다고 하지만(『명태조실록』 권204, 홍무 25년 3월 丙
寅), 3월은 2월의 오류이다. 일본에서는 戊辰(日本曆의 16일)에 월식이 있었다고 한다. 또 이날
(丁卯)은 율리우스력의 1392년 3월 9일이고, 월식 현상이 심했던 때의 世界時는 16시 6분, 食分
은 1.51이었다(渡邊敏夫 1979년 486面).
· 『續史愚抄』30, 明德 3년 2월, "十六日戊辰, 月蝕, 蝕御祈權僧正尊俊奉仕".
212) 이 기사는 열전3, 顯宗王子, 平壤公基에도 수록되어 있다.

又錫賚之多. 優渥非常, 粉糜難報. 玆盖伏遇, 仁敦育物, 度擴包荒, 憐臣脫出於積亂之餘, 謂臣紹復於已墜之緖, 乃令駑鈍, 獲被鴻私. 臣謹當載寢載興, 情益感於挾纊, 時萬時億, 壽切祈於如岡. 仍獻火者五人, 及白黃苧布·黑麻布各五十匹·人蔘六十觔·豹皮十領·鞍子四面·馬十匹".[213]

[○鎭星犯紫薇紫微上相:天文3轉載].

癸酉22日, 禮曹□士啓, 每受朝訖.

[→禮曹□士言, "每當朝會, 禮畢, 上坐殿, 而百官先出, 非禮也. 請自今禮畢, 上起入內, 群臣鞠躬祗送訖, 以次出, 又上:節要轉載]御報平廳, 令刑官親啓斷獄", 從之.[214]

乙亥24日, 肆宥.

丙子25日, 彗見竟天.

丁丑26日, 遣前典工判書劉信如京師, 獻馬一千匹.

[□□是時, 令百官出馬有差, 以充進獻:食貨2科斂轉載].

○兀良哈及斡都里等來朝, 爭舍館. 斡都里曰, "吾等之來, 非爭長也, 昔侍中尹瓘平吾土, 立碑曰, 高麗地境. 今境內人民, 皆慕諸軍事判門下府事李成桂威信而來耳. 雖處以諸軍事之第, 馬廐之側, 猶感其厚, 況華屋, 何有東西之異哉? 第願利見主上與諸軍事耳". 遂不與爭.

○倭寇慶尙道, 仇羅島萬戶李興仁擊破之, 獲戰艦以獻. 賜米二十石. 興仁曰, "是豈臣之獨力耶?". 盡爲酒, 以飮士卒.

戊寅27日, 斡都里·兀良哈詣闕, 獻土物. 王素聞爭長, 故使謂之曰, "古語云, 山有木, 工則度之, 賓有禮, 主則辨之. 凡向化來者, 先服者爲長". 兀良哈遂推斡都里爲長. [斡都里, 卽東女眞也:節要轉載].

---

213) 永福君 鬲[昻]과 權仲和는 5월 30일(庚戌) 應天府에서 表·箋을 올려 禮幣의 下賜를 謝恩하고 馬·方物을 바쳐 賜宴과 禮物을 받았다(『명태조실록』 권217). 또 이들은 같은 해 8월 26일(乙亥)에 귀국하여 4월 25일 皇太子 標가 죽고(諡號 懿文太子), 그의 아들인 允炆이 皇太孫(後日의 建文帝)에 책봉된 것을 보고하였다(『태조실록』 권1, 1년 8월 26일).

214) 이와 같은 내용의 기사가 지21, 禮9, 王太子節日受宮官賀幷會儀에도 수록되어 있지만, 字句의 출입이 있다.

○我太祖^{判門下府事李成桂}乞退, 王爲設宴留之.

庚辰^{29日}, 慧見^{彗見}.

[是月頃, ^{政堂文學兼大司憲姜淮伯,} 與同列言, “人事乖於下, 天變應於上. 今星失其躔, 月有食旣, 又當農月耕播之時, 寒冰未解, 候如隆冬. 必有召致, 不可不慮. 願殿下, 恐懼修省, 明其政刑, 恪勤天戒, 以答天心. 仍勅京外不急土木之役, 一皆停罷, 以弭怨氣”, 王從之:列傳30姜淮伯轉載].

[○以^{奉翊大夫}金稇爲安東大都護府使:追加].²¹⁵⁾

三月^{壬午朔大盡,甲辰}, 甲申^{3日}, 修昌陵^{世祖}.²¹⁶⁾

[○雨雪:五行1雨雪轉載].

乙酉^{4日}, 我太祖^{判門下府事李成桂}享王.

戊子^{7日}, 我太祖^{判門下府事李成桂}享斡都里·兀良哈於第.²¹⁷⁾

辛卯^{10日}, 通事李玄回自京師, 報世子還期, 賜玄廐馬一匹, 國大妃^{太妃}·王妃·世子嬪, 亦皆厚賜.²¹⁸⁾

丙申^{15日}, 親醮三界于淨事色.

戊戌^{17日}, 命弟瑀及我太祖^{判門下府事李成桂}出迎世子于黃州, □我太祖^{判門下府事李成桂}畋于海州, 墜馬病篤.

庚子^{19日}, 斡都里·兀良哈諸酋長, 皆授萬戶·千戶·百戶等職有差, 且賜米穀·衣服·馬匹, 諸酋感泣. 皆內徙爲藩屛. 又牓諭諸部落曰, “洪武二十四年^{恭讓王3年}七月,

---

215) 이는 『안동선생안』에 의거하였다.

216) 三月은 東亞大學本에는 二月과 같이 잘못 인쇄되어 있다(東亞大學 2008년 12책 364面).

217) 女眞人 斡都里·兀良哈가 고려에 도착한 기사는 『태조실록』에는 공양왕 3년 12월에 수록되어 있으나 시기의 정리[繫年]에 실패하였다.
    · 『태조실록』 권1, 總書, 공양왕 3년, “十二月, ^王加賜太祖安社功臣之號. 兀良哈及斡朶里來朝, 爭長. 斡朶里曰, 吾等之來, 非爭長也. 昔侍中尹瓘平吾土立碑於, 高麗地境. 今境內人民, 皆慕諸軍事^{李成桂}威信, 而來耳. 遂不與爭. 太祖享兀良哈·斡朶里於邸, 以其誠服也”.

218) 通事 李玄은 1274년(충렬왕 즉위년) 齊國大長公主(忠烈王妃)를 받들고 고려에 온 畏吾兒國人 大都路總管 伯顏[Bayan]의 曾孫으로, 이때 通譯으로 공로가 있어 林川郡을 本貫으로 下賜받은[賜貫] 인물이다(『신증동국여지승람』 권17, 林川郡 姓氏 ; 『태종실록』 권12, 6년 12월 9일).

差李必等, 賫牓文, 前去女眞地面, 豆萬等處招諭, 當年幹都里·兀良哈萬戶·千戶·頭目等, 卽便歸附, 已行賞賜名分, 俱各復業, 所有速頻·失的覓·蒙骨·改陽·實憐·八隣·安頓·押蘭·喜刺兀 喜刺无·兀里因·古里罕·魯別·兀的改地面, 原係本國公嶮鎭境內, 旣已曾經招諭, 至今未見歸附, 於理不順, 爲此再差李必等, 賫牓文, 前去招諭, 牓文到日, 各各來歸, 賞賜名分, 及凡所欲, 一如先附幹都里·兀良哈例".

壬寅^{21日}, 慶尙道水軍萬戶<u>車俊</u>, 獲倭船一艘以獻. <u>王賜帛</u>.²¹⁹⁾

甲辰^{23日}, <u>王御經筵</u>, 聞我太祖^{判門下府事李成桂}<u>墜馬</u>, <u>遣醫饋藥</u>.²²⁰⁾ 講讀官李擴曰, "<u>諸軍事</u>^{李成桂}國之長城也, 馳騁田獵, 萬有傷殘, 非國之福也". 王廢書不答, ^{守門下侍中}鄭夢周聞之, 亦有喜色.

乙巳^{24日}, <u>世子</u>至自京師, 都堂迎于<u>金郊</u>, 百官班迎于<u>宣義門</u>外. [帝特加寵待, 序世子於公侯之次, 賜宴內殿者凡五, 又命千官, 日開宴慰, 賜黃金二錠, 白金十錠, 表裏百匹, 從官以下, 賜銀帛有差:節要轉載].

○帝置前元梁王子孫<u>愛顔帖木兒</u>等四人于耽羅, 使與<u>拍拍</u>太子等, 完聚居住.²²¹⁾

丁未^{26日}, 王以帝賜世子金二錠·銀七錠, 下都堂, 以充國用.

○司幕<u>韓幹</u>於本闕遺址,²²²⁾ 得新埋骨一岾. 題其背曰, "作明堂之主. 幷得假金

---

219) 이 기사와 다음의 기사에서 '王'字는 필요 없이 들어간 글자이다[衍字].

220) 遣醫饋藥은 『고려사절요』 권35에는 '王連遣中使問候''로 되어 있다(盧明鎬 等編 2016년 894面).

221) 前梁王의 孫인 愛顔帖木兒[Ayantemur]는 1월 14일(丙申) 고려의 耽羅에 있는 親族들에게 보내지게 되고, 旅費로 鈔 50錠을 받았다(『명태조실록』 권215, 홍무 25년 1월 14일). 또 伯伯(拍拍, Baibai)太子는 1395년(태조4) 5월 5일 米豆 400斛·苧麻布 30疋[匹]을, 梁王의 孫 愛顔帖木兒은 米豆 100斛·苧麻布 10疋[匠]을 하사받았다. 그는 1400년(정종2) 9월 16일 王室에 馬·金環 등을 바치기도 하였고, 1404년(태종4) 10월 4일에 逝去하였다고 한다. 이들 梁王의 親屬과 隨從人의 後孫들은 戶籍에 鄕貫[本貫地]을 雲南(現 雲南省, 貴州南部, 四川東部 地域)으로 記載하면서 살았던 것 같다.
·『태조실록』 권7, 4년 5월 庚子^{8日}, "賜<u>伯伯</u>太子米豆四百斛, 紵·麻布三十匹, 梁王孫子米·豆百斛, 紵·麻布十匠^疋".
·『정종실록』 권5, 2년 9월 丁丑^{16日}, "濟州<u>伯伯</u>太子遣宦者, 獻馬三匹及金環".
·『태종실록』 권8, 4년 10월 壬申^{4日}, "<u>伯伯</u>太子卒于濟州".
·『세종실록』 권103, 26년 3월, "癸丑^{4日}, 傳旨兵曹, <u>伯伯</u>太子妻年老貧窮, 生理可恤. 其令濟州, 每年給衣糧及惠養之物, 特加存恤. 且外甥<u>林鬱</u>, 勿差軍役, 專委奉養".
·『신증동국여지승람』 권38, 濟州牧, 姓氏, "… 梁·安·姜·對[雲南]. 大明初, 平定雲南, 徙梁王家屬, 安置于州".

222) 司幕은 韓幹이 上林園의 別坐와 같은 宮中의 各種 給事를 담당하던 內僚[內竪]임을 통해 볼

銀三四錠". 以啓. 王曰, "汝從傍覘之". 果有人來視, 乃故洪州判官李深女壻司衣金梱及其子僧玄悟也, 下巡軍鞠之. 深在利川, 病且死, 謂梱及玄悟曰, "我死葬於扶蘇山穴". 梱與玄悟函骨來葬, 纔三日矣. 並杖一百, 充水軍, 藉梱家以賞幹.

○郎舍上疏曰, "郎舍詞臣也, 職親華近, 掌製敎令, 獻可替否, 不可與他吏員比. 今者, 或差諸都監, 或爲都堂首領官, 而任使之, 甚非置詞臣於左右之本意也. 伏望, 但令臣等, 親近耿光, 以盡職分, 毋兼吏務", 從之.

戊申^{27日}, 刑曹請繫獄者, 免囚供役, 決笞者, 還任勿收告身, 從之.

己酉^{28日}, 幸賞春亭, 宴勞世子.

[某日] 憲司^{司憲府}上疏, 言時事. "一. 擅入宮殿門, 旣有其律, 見今宮門不嚴, 大小員, 將引伴倘奴隷, 無時出入, 甚至雜亂. 或有司門者阻當, 反致陵辱, 無有懲禁. 至如御殿宴享賓客, 臨朝聽政之際, 僕從雜類, 闌入混雜, 朝儀不肅, 若不嚴切禁理, 誠爲未便. 願自今, 除特奉宣喚, 及應直宿衛人員·啓稟公事官吏外, 其餘閑人, 毋得擅入. 其應入者, 二品以上, 將引根隨人^{跟隨人}二名,²²³⁾ 四品以上, 一名, 其餘, 毋得將引輒入, 違者治罪. 車沙兀及各門把直人員,²²⁴⁾ 不能禁禦者, 幷罪之. 一. 都城之虛實, 係乎人家之多少. 自辛丑年後, 人家半爲空基, 强者多兼幷, 反爲穀田, 弱者, 無容膝之地, 雖欲造家, 焉能得乎. 是故, 民居日減, 誠不可不慮也. 乞令開城府, 踏驗空基, 俾其主定基造家, 若於期限內, 不肯營造, 將兼幷之基, 以給自望造家者, 則戶口日增矣. 其受田而不造家者, 空家而不接者, 壞家而爲田者, 痛繩以法. 一. 醫官之設, 本爲民生. 近來, 醫業之人, 居官食祿, 不顧其任, 妄自尊大, 出入自尊, 人有告疾, 雖呼而救之, 非豪富之家, 自不往救, 甚非先王分職之意也. 自今, 一切患病之人, 奔告請救, 醫官似前自尊, 不卽奔救者, 許諸人陳告, 痛行以

때 南班職의 하나로 추측된다.

· 『太宗實錄』 권11, 6년 2월 丁卯^{6日}, "流韓幹于驪興. 檢校工曹參議韓幹, 本內竪也. 以善烹飪見幸, 爲上林園別坐, 盜用其司米穀. 司憲府劾之請罪, 命囚于巡禁司, 徵所竊米穀, 流之".

223) 根隨人은 跟隨人[跟從人, 隨從人]의 다른 표기일 것인데, 跟隨는 根隨와 通用되었던 것 같다.

224) 車沙兀은 朝鮮 初에 司禁으로 名稱을 바꾸었다는 점을 통해 볼 때 高麗後期에 사용된 蒙古語로 추측된다. 또 司禁은 各種 官舍의 門을 閉鎖하던 官員 또는 御街를 扈衛하던 官員으로 추측된다.

· 『太祖實錄』 권6, 3년 7월 戊申^{11日}, "改車沙兀爲司禁, 東山色爲上林園".

· 『太祖實錄』 권17, 9년 5월 丙申^{25日}, "囚前上護軍趙末通·上護軍車指南于巡禁司. 末通以順和堂兄弟, 知情不告, 指南以司禁之長, 不能禁駕前汎濫申呈也".

法:刑法2禁令轉載].²²⁵⁾ [□¯. 典獄, 罪人所聚, 厲氣蒸染, 疾病易生, 死非其罪, 甚可恤也. 乞醫官一員, 六朔相遞, 全仕典獄, 每日, 察病囚證候, 劑藥救療, 以備橫禍. 又令刑曹正·佐郞一員, 於月令內, 并下提牢官, 考察獄官·醫員勤慢":刑法2 恤刑轉載].

[是月, 知申事<u>李詹</u>, □□□□□^{掌成均館試}, 取<u>李孟畯</u>等九十九人:選擧2國子試額 轉載].²²⁶⁾

[□□□^{是月嶺}, ^{門下評理兼大司憲金湊}, 又言, "世子朝見之時, 侍御僕從, 當用正人. 司僕 副正邊伐介在僞朝, 多行不義, 再被竄逐. 中興之後, 全軀足矣, 又求爲內乘官, 從世 子入朝. 請奪告身, 明正其罪". ○命削內乘職. 自此以後, 入本朝:列傳27金湊轉載].

夏四月壬子朔^{小盡,乙巳}, 前門下評理致仕<u>朴林宗</u>卒.²²⁷⁾

[○諫官^{左散騎常侍}<u>金震陽</u>·^{右散騎常侍}<u>李擴</u>·^{右司議大夫}<u>李來</u>·^{左獻納}<u>李敢</u>·^{右獻納}<u>權弘</u>·^{右正言}<u>柳沂</u> 等, 論三司左使<u>趙浚</u>·前政堂文學<u>鄭道傳</u>·前密直副使<u>南誾</u>·前判書<u>尹紹宗</u>·前判事<u>南</u> <u>在</u>·淸州牧使<u>趙璞</u>等曰, "<u>鄭道傳</u>, 起身賤地, 竊位堂司, 欲掩賤根, 謀去本主, 無由 獨擧, 織成婁斐之罪, 連坐衆多之人. 又有<u>趙浚</u>, 亦於一二卿相間, 偶起嫌儳, 與<u>道 傳</u>同心, 相扇變亂, 賣弄權勢, 誘脅諸人. 於是, 患失乾沒之輩, 希旨生事之徒, 響 應而作. 其中, <u>南誾</u>·<u>南在</u>等, 爲扇亂之羽翼, <u>尹紹宗</u>·<u>趙璞</u>等, 爲造言之喉舌, 唱和 而起, 廣張罪網, 施刑於不可刑之人, 求罪於本無罪之地, 衆心危懼, 咸怨咨嗟. 一. 以傷天地生物之和, 二.以傷殿下好生之德. 歲庚午^{恭讓2年}淸州大水, 辛未^{3年}城市乘 桴, 天災荐至, 年穀不登, 豈非所召也. ○殿下若曰, '<u>浚</u>爲功臣, 雖有罪當恕', 則

225) 이때 司憲府가 恭讓王의 裁可를 받은 判旨는 朝鮮 初에도 遵用되었던 것 같다(蔡雄錫 2009년 508面).
  · 『세종실록』 권10, 2년 11월 辛未^{7日}, "禮曹啓, 元續六典內, 各年判旨, 中外官吏或不奉行. 其不 奉行條件, 謹錄以聞, 請申明擧行, 違者論罪. … 洪武二十五年司憲府受判, 醫官之設, 本爲救 病, 當勿論貴賤, 來告卽往救治. 如有自重不往者, 許計人陳告, 痛繩以法".
  또 이때 司憲府의 上疏에는 불법적인 農牛의 賣買와 屠殺의 금지를 건의한 항목도 있었던 것 같다("一, 洪武二十五年司憲府受判, 節該, 無識之人, 以農牛賣於韃靼·禾尺, 賣者買者, 皆以宰 殺律論").
226) 이와 관련된 기사로 다음이 있다.
  · 『태종실록』 권9, 5년 3월 乙丑^{30日}, 李詹의 卒記, "壬申春, 以知申事, 掌監試".
  · 『쌍매당협장집』연보, "壬申, 掌監試, 取<u>李孟畯</u>等九十九人".
227) 이날은 율리우스曆으로 1392년 4월 23일(그레고리曆 5월 1일)에 해당한다.

臣等, 又竊聞, 去年戊辰^{禑王14年}, <u>開國伯</u>^{李成桂}立殿下之心, 已發於回軍之日, 而浚不在軍中, 其不參其議, 亦明矣. 至己巳^{昌王1年}冬, <u>開國伯</u>^{李成桂}立殿下之策已定矣, 浚則却之而言他, 賴開國伯不許之, 故殿下得以立焉. 執此論之, 前不參^謀於始議之日, 後欲沮其旣定之策, 謂之殿下^之功臣, 可乎?. 浚若曰, '吾嘗無此言', 不惟左右諸相聞之, 天高聽卑, 昭然可畏. 焉能庾哉. ^{至哉, 開國伯之忠也. 遏僞朝猾夏之擧, 而活斯民也如彼. 拒趙浚立他之謀, 而立殿下也如此. 其忠之至, 可謂貫乎日月矣. 向若行兵萬里, 挑戰上國, 則斯民之衣食, 於斯含飽鼓腹於壽城之中, 其可得乎? 況天子特遣使介, 錫以內帑之珍, 寵遇世子, 序於諸侯之上, 又可得乎?} 若浚者也, 其言如彼, 其心可知. 然則不惟不得爲功臣, 實爲大不忠之臣也. 夤緣僥倖, 反得功臣之名, 齒於功臣之列, 寫容垂耀, 與大功臣無異, 超資受職, 與眞功臣十倍, ^而榮莫大焉. 曾不思遷善掩罪, 猶復陰與羽翼喉舌之輩, 無時聚謀, ^{豈徒然哉?} 臣等切畏, 必有不遂所圖之恨, 而^{又有}不忠之論, 有所生焉, 不如早爲之所, 無使滋蔓也. <u>臣等又聞</u>^{又臣等聞}, 浚於上前, 詐泣詐哀, 外示遷善之狀, 內要寬罪之計, 此乃僞悔也. 殿下, 天性正直, 以爲實, 然臣切恨之. 浚當姦計方肆之初, 天誘其衷, 遂悟昨非而悔之, 如是則其悔也, 誠眞矣, 厥今, 其同惡唱和^{唱亂}之輩, 幾乎垂翅, 而衆怒群猜, 極矣, 安得不如是, 而免其罪乎? 此實不得已而然也, 非僞悔而何哉? 若他日, 幸復乘勢, 其生變, 有甚於前必矣. 伏望殿下, 毋恃而早圖之可也. ○又臣等聞, 誾嘗陳言曰, '殿下內多欲, 而外施仁義', 此言何謂也? 且誾於國家, 別無殊功, 驟登台府, 殿下之賜大矣, 乃因希合浚與道傳之心爲重, 故曾無感謝知足之心, 敢發輕辱不敬之言, 所以激上意, 而遑其欲也. 其用意, 姦惡如此, 誠可畏哉. 蓋此人輩, 厥罪惟均, 殿下, 若因循不斷, 不惟天怒人怨, 恐有不可及之後悔也. ^{臣等本非故欲害人者也, 安敢效彼輩, 私讎未報, 勞心切切者爲哉. 但以公義如此, 事勢如此, 故不敢不請也. 此言如飾, 皇天上帝, 實先誅臣等, 可不畏哉, 可不畏哉.} 伏望, 令所司, 收浚與誾·在·紹宗·璞等職牒·功券, 而鞠問其罪, 明正典刑, 其道傳, 仍於貶所典刑, 鑑^{垂戒後來}後". ○疏上, ^{留中不下. 震陽之疏, 雖尊我太祖, 其實將欲危之也. 震陽等牒憲司, 發吏卒守浚·誾于家, 浚讀書不輟曰, "吾爲社稷耳, 又何憂乎?:節要轉載].}[228]

---

228) 이 기사는 열전30, 金震陽에도 수록되어 있는데, 添字는 이에 의거하였다. 또 이와 관련된 기사로 다음이 있다.

· 열전29, 南誾, "諫官金震陽等劾論, 削職流遠地".
· 열전31, 趙浚, "移三司左使. 爲金震陽所劾, 繫水原獄".
· 열전32, 鄭道傳, "鄭夢周, 嗾諫官金震陽等上疏曰, '鄭道傳, 起身賤地, 竊位堂司, 欲掩賤根, 謀去本主. 無由獨擧, 織成蔓斐之罪, 連坐衆多之人. 請於貶所典刑, 垂戒後來'. 初, 玄寶族人金戩嘗爲僧, 私其奴樹伊妻, 生一女. 人皆以爲樹伊女, 戩, 獨以爲己女, 密加愛護, 以嫁士人禹延. 生女, 女適云敬, 生道傳故云".

세가12책(공양왕 4년, 1392) 245

[□□^{明日2日}, 知申事<u>李詹</u>啓王依申. 流浚遠地, 削誾·紹宗·在·璞職, 亦流遠地. 道傳亦在流中, 而詹遺忘不錄, 震陽等據依申, 遣人于奉化, 執道傳囚于<u>甫州</u>:節要轉載].²²⁹⁾

○流^{三司左使}<u>趙浚</u>·^{前政堂文學}<u>鄭道傳</u>于遠地. 削^{密直副使}<u>南誾</u>·^{禮曹判書}<u>尹紹宗</u>·^{前判典校寺事}南在·^{門下舍人}趙璞職, 亦流遠地.

[→^{明日癸丑2日}, 震陽等伏閤更請, 王召侍中沈德符·^{守侍中}鄭夢周議, 遂依申流浚遠地, 削誾·紹宗·在·璞職, 亦流遠地. 道傳亦在流中, 而知申事李詹遺忘不錄, 震陽等據依申, 遣人于奉化, 執道傳囚于甫州:列傳30金震陽轉載].

癸丑^{2日}, 削判典校寺事吳思忠職, 遠流.

[→^{憲府劾判典校寺事吳思忠}, □□□^{士奏曰}, "罪與尹紹宗同, 乞幷究理". 命削職流遠:節要轉載].

[→^{政堂文學·}司憲府大司憲姜淮伯, 執義鄭熙, 掌令金畝·徐甄, 持平李作·李申, 又上疏請浚等罪, 幷劾判典校寺事吳思忠, "罪與紹宗同, 乞幷究理". 命削職遠流:列傳30金震陽轉載].²³⁰⁾

[○省郎又上疏, 以爲浚等與道傳, 厥罪惟均, 昨上章請誅, 而唯道傳特蒙兪允,

· 열전33, 尹紹宗, "諫官承鄭夢周指嗾, 上疏論劾, 削職遠流, 及夢周誅, 乃宥. 入本朝, 拜兵曹典書修文殿學士同知春秋館事卒. 子<u>進</u>".
· 『태조실록』 권1, 1년 8月 壬申^{23日}, 禹洪壽의 卒記, "初, 禹<u>玄寶</u>族人<u>金戩</u>者, 嘗爲僧, 潛奸其奴<u>樹伊</u>之妻, 生一女. 戩之族人, 皆謂<u>樹伊</u>之女, 獨戩謂爲己女, 密加愛護. 戩後爲俗, 逐樹伊而奪之爲妻, 以其女嫁士人禹延, 盡給奴婢田宅. 延生一女, 適貢生鄭云敬. 云敬, 積官至刑部尙書, 生三子, 長卽<u>道傳</u>. 方其始仕, <u>玄寶</u>子弟皆輕侮之, 每遷除臺省, 不署告身. <u>道傳</u>意玄寶子弟使然, 嘗憤怨. 及恭讓君立, 以洪壽子<u>成範</u>爲駙馬. <u>道傳</u>懼<u>成範</u>等, 乘勢發其原, 凡可以陷<u>玄寶</u>一門者, 靡不圖之. 及開國之際, 構殺<u>成範</u>, 遂構<u>玄寶</u>父子, 欲寘於死".

229) 이 기사는 1일(壬子)의 사실이 아니고, 2일(癸丑)에 있었던 일인 것 같다.
230) 이와 관련된 기사로 다음이 있다.
· 열전29, 南誾, "諫官<u>金震陽</u>等劾論, 削職流遠地".
· 열전30, 姜淮伯, "諫官<u>金震陽</u>等承鄭夢周指嗾, 劾<u>趙浚</u>·鄭道傳等罪, <u>淮伯</u>亦率臺官上疏, 論劾<u>浚</u>等".
· 열전31, 趙浚, "移三司左使. 爲金震陽所劾, 繫水原獄".
· 열전33, 吳思忠, "^{吳思忠}尋判典校寺事, 諫官承鄭夢周指嗾, 論趙浚·尹紹宗等, 請置極刑, 憲府乃劾思忠, 罪與紹宗同, 乞幷究理, 命削職遠流".
· 『태종실록』 권9, 5년 6月 辛卯^{27日}, 趙浚의 卒記, "壬申三月, 夢周乘<u>太上^{李成桂}</u>墜馬病篤, 乃使臺諫, 劾浚及<u>南誾</u>·鄭道傳·<u>尹紹宗</u>·<u>南在</u>·<u>吳思忠</u>·<u>趙璞</u>等, 指爲朋黨亂政, 悉竄于外. 尋逮水原府, 欲置之極刑. 四月, 我主上^{右代言李芳遠}使趙英珪, 擊死<u>夢周</u>, <u>浚</u>得免, 復贊成事".

餘只貶外, 罪同罰異, 請將浚等, 並置極刑. 王愕然曰, "我初無誅道傳之語, 命楊廣道觀察使^{姜隱}, 先鞫誾等諸人, 辭連浚道傳然後, 可並鞫之":節要轉載].

[→^金震陽等又言, "古人曰, 去草不去根, 終當復生, 去惡不去根, 其惡長. 浚·道傳惡之根也, 誾·紹宗·在·璞, 養其根而滋蔓者也. 昨臣等上章請誅, 而惟道傳特蒙允許, 餘止貶外, 罪同罰異. 請將浚等並置極刑". 王愕然曰, "我初無誅道傳之語. 命移流道傳于光州, 浚于泥山, 誾·在·璞·紹宗·思忠, 皆聚水原". 遣^{司平}巡衛府千戶金龜聯·刑曹正郎李蟠, 與楊廣道觀察使姜隱同鞫. 未行:列傳30金震陽轉載].

[□□^{是時}, 守門下侍中鄭夢周嗾省憲, 交章請誅趙浚·鄭道傳等. 判門下府事李成桂遣其子芳果·姪壻李濟及麾下黃希碩·趙英珪等, 詣闕啓曰, "今省憲論趙浚於立殿下之際, 有立他之議, 而臣沮之. 浚之所議者何人? 聞臣之沮之之言伊誰, 請召浚等, 與臺諫廷辨. 往復再三, 不聽:追加].²³¹⁾

○我太祖^{判門下府事李成桂}自海州輿疾, 夜還于邸.

[→我太祖自海州, 至碧瀾渡, 將宿焉. □^我太宗^{右代言李芳遠}馳至, 告曰, "守門下侍中^鄭夢周必陷我家". □^我太祖不答, 又告不可留宿於此, □^我太祖不許. 强請然後力疾, 遂以肩輿, 夜還于邸:節要轉載].²³²⁾

---

231) 이는 다음의 자료에 의거하였다.
· 『태조실록』 권1, 總書, 공양왕 4년 3월, "^{守門下侍中鄭}夢周嗾省憲, 交章請誅浚·<u>道傳</u>等. 太祖遣子[恭靖王諱]·弟和壻<u>李濟</u>及麾下<u>黃希碩</u>·趙珪^{趙英珪}等, 詣闕啓曰, 今省憲論<u>浚</u>於立殿下之際, 有立他之議, 而臣沮之. <u>浚</u>之所議者何人. 聞臣之沮之之言伊誰, 請召<u>浚</u>等, 與臺諫廷辨. 往復再三, 恭讓不聽".

232) 이때 李成桂가 被害者의 立場에 있었다고 기록한 자료도 있다.
· 『태조실록』 권1, 總書, 공양왕 4년 3월, "世子奭朝見而還, 太祖^{李成桂}出迎于黃州, 遂畋于海州. 將行, 有巫方兀言於康妃^{神德王后}曰, '公之此行, 譬如人升百尺之樓, 失足而墜, 幾至于地, 萬人聚而奉之'. 妃深憂之. 及太祖射獵逐禽, 馬陷泥淖而躓, 遂墜失豫, 肩輿而還. 恭讓連遣中使問候. 初, 鄭夢周忌太祖威德日盛, 中外歸心, 及聞太祖墜馬, 有喜色, 欲乘機去之. 嗾臺諫曰, '先剪羽翼趙浚等, 然後可圖也'. 乃劾太祖所親信三司左使趙浚·前政堂文學鄭道傳·前密直副使南誾·前判書尹紹宗·前判事南在·淸州牧使趙璞, 恭讓下其書都堂. 夢周從中扇之, 將浚等六人, 並流遠地, 分遣其黨金龜聯·李蟠等, 就浚·道傳·誾貶所鞫問, 欲殺之. 龜聯等臨發, 我殿下^{李芳遠}方居^外_內憂, 廬于粟村墓側. 李濟具茶果以往, 殿下語濟曰, '夢周必不利於我家, 當先除之'. 濟唯唯. 及太祖至碧瀾渡次宿, 殿下馳至告曰, '夢周必陷我家'. 太祖不答. 又告以宜即入京, 不可留宿. 太祖不許. 强請, 然後太祖力疾夜行, 殿下扶持至邸. ○□□^{先是}, 殿下爲代言時, □^李達衷之弟密直提學<u>誠中</u>使其子携, 進家傳金飾寶劍, 殿下與王妃同坐受之. 王妃笑曰, '不知送寶劍何意耶'. 翌日, 殿下至誠中家謝曰, '吾儒生也. 何爲送寶劍乎?' 誠中對曰, 寶劍, 非小人所用, 明公所當用也, 敢進".

○前判開城府事柳源卒, 諡^謚良景.

○前判三司事王安德死.²³³⁾ [諡貞襄:列傳39王安德轉載].

[→鄭夢周·李穡·禹玄寶等以謂, 若劾浚·誾置極刑, 則璞·紹宗·思忠之輩, 不足制也. 陰誘臺諫, 連日交章, 伏閣廷諍, 請誅浚·道傳等. 王命先鞫誾等諸人, 辭連浚·道傳, 然後可並鞫之:列傳30金震陽轉載].

甲寅^{3日}, 遣宦者金師幸, 賜我太祖^{判門下府事李成桂}白銀一錠·紗羅各一匹.

[○省憲交章, 又請誅浚·道傳等. 時夢周忌我太祖^{李成桂}威德日盛, 中外歸心, 知浚·道傳·南誾等, 始有推戴之意, 欲乘□我太祖病篤圖之. 嗾臺諫, 劫浚·道傳·南誾及所素歸心者五六人, 將殺之. 以及□我太祖, □我太宗白□我太祖曰, "勢已急矣, 將若何". □我太祖曰, "死生有命, 但當順受而已". □我太宗與□我太祖弟和·壻李濟等, 議於麾下士曰, "李氏之忠於王室, 國人所知, 今爲夢周所陷, 加以惡名, 後世誰能辨之". 乃謀去夢周. □我太祖兄元桂之壻卞仲良, 泄其謀於夢周:節要轉載].²³⁴⁾

---

233) 이에서 같은 날짜에 逝去한 柳源은 卒로, 王安德은 死로 기록한 것은 『고려사』를 편찬한 인물들의 偏頗的인 敍述[狹小한 度量]을 보여주는 좋은 사례일 것이다. 王安德은 武將으로 恭愍王 死後에 禑王의 擁立에 찬성하였고, 李成桂의 반대편에 서있던 李穡·邊安烈 등과 去就를 같이한 인물이다(열전39, 王安德). 이날은 율리우스曆으로 1392년 4월 24일(그레고리曆 5월 2일)에 해당한다.

234) 이때 李成桂의 凶謀를 제지하려는 諫官들의 움직임은 密直使 李恬(李壽山의 子)을 제거할 때인 1월부터 있었던 것 같고, 이에 대처하려는 이성계 휘하의 노력도 있었던 것 같다. 또 3월 3일(甲寅) 李成桂 側의 動向을 구체적으로 기록한 기록도 있다.

· 『태조실록』 권1, 總書, 공양왕 4년 1월, "太祖功高, 且得衆心, 恭讓忌之. 又舊家世族怨革私田, 知恭讓忌之, 多方誣毁, 禑·昌之黨, 連姻王室, 朝夕譖訴. 恭讓反信讒言, 日夜與左右潛圖除之. 太祖麾下士, 憤其所爲, 欲上書辨其誣妄, 書成未上. 太祖庶兄壻卞仲良居中觀變, 知恭讓猜嫌已極, 恐禍及已. 素與恭讓壻益川君王緝, 結同庚契, 至是, 以麾下士成書告緝, 欲爲他日之地. 故恭讓知之, 謂太祖曰, '聞卿麾下士, 欲爲書論禹玄寶等, 卿亦知耶'. 太祖愕然對以不知. 退召麾下士, 始知其情, 止之".

· 『태조실록』 권1, 總書, 공양왕 3년 3월, "… 群小^{省憲}, 讒構愈急, 禍且不測. 我殿下^{李芳遠}請殺^{守侍中鄭}夢周, 太祖不許. 殿下出, 與上王^{李芳果}及和·濟議. 又入白太祖曰, '今夢周等遣人鞫道傳等, 欲其辭連我家也. 勢已急矣, 將若之何'. 太祖曰, '死生有命, 但當順受而已'. 命我殿下速還廬次, 終汝大事. 殿下請留侍疾再三, 竟不許. 殿下不得已出, 至崇教里舊邸, 坐於斜廊, 憂虞未決. 俄有叩門聲, 急出視之, 廣興倉使鄭擢也. 擢極言, '生民利害, 決於斯時, 而群小之構亂如彼, 公何去也. 王侯將相, 寧有種乎'. 殿下卽還太祖第, 與上王及和·濟, 欲使李豆蘭擊夢周. 豆蘭曰, '我公不知之事, 予何敢爲'. 殿下曰, '父公不聽吾言, 然夢周不可不殺. 我當任其咎'. 召麾下士趙英珪曰, '李氏之有功於王室, 國人皆知之, 今爲小人所陷. 若不自辨, 束手就戮. 彼小人必加李氏以惡名, 後世誰能知之. 麾下士多矣, 其無一人爲李氏効力者乎?'. 英珪慨然曰, '敢不惟命'.

乙卯[4日], 世子謁積慶園及孝愼殿.

○判典客寺事趙英珪等, 殺守侍中鄭夢周.[235)]

[○流金震陽·李擴·李來·李敢·權弘·鄭熙·金畝·徐甄·李作·李申及李崇仁·李種學·趙瑚等→5日로 옮겨감].

[→[判門下府事]李成桂之子右代言李芳遠, 使麾下士趙英珪·趙英茂·高呂·李敷等, 殺守門下侍中鄭夢周:追加].[236)]

[→[守門下侍中鄭]夢周詣□[我]太祖[判門下府事李成桂]邸, 欲觀變, □[我]太祖待之如初. □[我]太宗

使[英珪·趙英茂·高呂·李敷]等, 入都評議使司, 擊[夢周]. [卞仲良洩其謀於夢周]. 夢周知之".

235) 鄭夢周의 畫像은 현재 開城市의 東部에 위치한 善竹洞(前 院洞)의 嵩陽書院(국보유적 제128호)에 奉安되어 있으며(『연려실기술』별집4, 書院), 그를 隨從하다가 피살된 錄事 金慶祚는 珍島金氏라고 한다. '아름다운 사람의 옆에는 그와 같은 사람이 함께 서있기에 더욱 빛이 난다'는 말이 사실인 것 같다. 또 다른 하나의 肖像은 國立慶州博物館에 委託保管되어 있고(보물 제1110호), 조선시대에 제작된 肖像畵는 日本 奈良縣 天理市 天理大學에 소장되어 있다.

· 『警修堂全藁』 권11, 嵩陽人求書高麗金錄事慶祚紀實碑, 寫旣訖, 題後二首幷序.

· 『谷雲集』 권3, 遊松都錄(1670年撰), "… 又行十餘里, 過善竹橋, 橋邊有圃隱殉節碑, 刻曰'高麗忠臣圃隱鄭先生成仁之碑', 又有'一代忠臣,萬古綱常'八字, 下馬敬玩而行, 歷謁嵩陽書院, 此實先生故宅, 而祠宇是家廟舊基云. 我王考曾在萬曆丁未[宣祖40年], 任經歷於本府, 府中章甫, 前年奉位版, 配享院中". 여기에서 章甫는 儒學者[儒子, 儒生]를 가리킨다.

· 『淵齋集』 권19, 自海州歷延安, 至松都記, 高宗 3년 11월, "… 拜嵩陽書院, 奉像于夾室, 貌甚魁偉, 滿面有慘怵之狀, 可見先生貫日月之誠矣. 東十步許石崖上, 立短碑, 書高麗忠臣鄭某之閭. 又東一里, 爲善竹橋, 卽先生受命之地也. 橋檻四面作架, 令人不得踐, 血痕淋漓, 沁入石心, 而注于罅, 厥色朱殷. 取水沃之, 愈益分曉. 東竪二碑, 一書橋名, 一書高麗侍中鄭先生成仁碑, 而下有'一代忠義, 萬古綱常'八字. 傍又立先生祿仕金公慶祚碑. …". 여기에서의 橋檻은 橋梁의 欄干(欄, 軒의 欄)을 指稱하는 것 같다.

· 「圃隱錄事記實碑」, 1797年(開城市 善竹洞 善竹橋 동쪽 위치), "高麗侍中圃隱鄭" 先生,錄事珍島金" 公慶祚紀實碑"".

236) 이 기사는 당시의 자료에도 수록되어 있는데, 이날(乙卯, 4月)은 율리우스曆으로 1392년 4월 26일(그레고리曆 5월 4일)에 해당한다.

· 『태조실록』 권1, 總書, 공양왕 4년 3월, "… [右代言李芳遠]使[英珪·趙英茂·高呂·李敷]等, 入都評議使司, 擊[夢周], [卞仲良洩其謀於夢周]. 夢周知之, 詣太祖第問疾, 實欲觀變也, 太祖待之如初. [李和]白我殿下曰, '誅[夢周], 此其時矣', 旣定計. [和]復曰, '公怒可畏, 奈何?', 議未決. 殿下曰, '機不可失, 公之怒, 吾當陳大義以慰解之', 乃謀擊於路上. 殿下更命[英珪]與[上王][李芳果]邸取劍, 直抵[夢周]家洞口以要之, [呂·敷]等數人隨之. 夢周入, 不留卽出. 殿下恐事不濟, 欲親往指揮出門, 有麾下士之馬具鞍在門外, 遂乘之, 馳至[上王]邸問, 夢周過否, 曰未也. 殿下更授方略而還. 時前判開城府事柳源死, [夢周過弔]其家遲留, 故[英珪]等得備兵器以候之. 夢周至, [英珪]馳擊不中, 夢周叱之, 策馬而走. [英珪]追擊馬首, 馬蹶, 夢周墜地, 起而急走, [呂]等追殺之. [英茂還白殿下][李芳遠], 殿下入告, □□□□[於李成桂] …".

^{李芳遠}曰, "時不可失". 及夢周還, 乃遣趙英珪等四五人, 要於歸路, <u>殺之</u>:節要轉載].

[→^{守門下侍中鄭}夢周, 詣□^我太祖邸, 欲觀變, □^我太祖待之如初. □^我太宗曰, "時不可失". 及夢周還, 乃遣趙英珪等四五人, 要於路擊殺之, 年五十六. □^我太宗入告, □^我太祖震怒, 力疾而興, 謂□^我太宗曰, "汝等擅殺大臣, 國人以我爲不知乎? 吾家素以忠孝聞, 汝等敢爲不孝乃爾". □^我太宗對曰, "夢周等將陷我家, 豈可坐而待亡? 此乃所以爲孝也, 宜召麾下士備<u>不虞</u>":列傳30鄭夢周轉載].[237]

[□□^{丙辰5日}:追加], □^我<u>太祖</u>^{李成桂}不得已, 使黃希碩^{白啓}王曰, "夢周等 黨庇罪人, 陰誘臺諫, 誣陷忠良, 今已伏罪. 請召浚·誾等, 與臺諫辨明". 於是, 鞫臺諫流之, 幷流其黨:列傳30鄭夢周轉載].

[→□^我太宗^{右代言李芳遠}又與和等議, 遣恭靖王^{判門下府事李芳果}, 啓曰, "若不問夢周之黨, 請罪臣等". 王不得已, 下臺諫于巡軍獄, 且曰, "流之於外可矣, 不必鞫問":節要轉載].

[→及夢周誅, 我太宗^{李芳遠}與太祖弟和議, 令恭靖王^{李芳果}啓曰, "若不問夢周之黨, 請罪臣等". 王不得已下臺諫于巡軍, 且曰, "流之於外可矣, 不必問也":列傳30金震陽轉載].

丙辰^{5日}, 召還^{前三司左使}趙浚等.

[○流^{左常侍}金震陽·^{右常侍}李擴·^{右司議大夫}李來·^{左獻納}李敢·^{右獻納}權弘·^{司憲執義}鄭熙·^{司憲掌令}金畝·^{司憲掌令}徐甄·^{持平}李作·^{持平}<u>李申</u>及^{知密直司事}李崇仁·^{前厚德府尹}李種學·^{前判事}趙瑚等←4

---

237) 이때 李成桂 一族의 모습은 다음과 같지만, 實相을 그대로 기술한 것은 아니었을 것이다.
- 『太祖實錄』권1, 總書, 恭讓王 4년 3월, "… ^趙英茂還白殿下^{右代言李芳遠}, 殿下^{芳遠}入告. 太祖^{判門下府事李成桂}震怒, 力疾而興, 謂殿下曰, '吾家素以忠孝聞. 汝等擅殺大臣, 國人以我爲不知乎? 父母敎子經書, 欲其爲忠爲孝也. 汝乃敢爲不孝乃爾, 予欲仰藥而死也'. 殿下對曰, '夢周等將陷我家, 豈合坐而待亡, 此乃所以爲孝也'. 太祖怒氣方盛, 康妃在側不敢言. 殿下曰, '母何不解說'. 妃屬色告曰, '公常以<u>大將軍</u>^{大丈夫}自處, 何乃驚懼, 至於如此'. 殿下謂宜召麾下士, 以備不虞, 卽召<u>張思吉</u>等, 率麾下兵環守". 여기에서 添字와 같이 고쳐야 옳게 될 것이다.
- 『孟子』, 滕文公章句下, "<u>景春</u>曰, <u>公孫衍</u>·張儀. 豈不誠大丈夫哉? 一怒而諸侯懼, 安居而天下熄. 孟子曰, 是焉得爲大丈夫呼? 子未學禮呼? 丈夫之冠也, 父命之, 女子之嫁也, 母命之. 往送之門, 戒之曰, '往之女家, 必敬必戒, 無違夫子'. 以順爲正者, 妾婦之道也. 居天下之廣居, 立天下之正位, 行天下之大道, 得志與民由之, 不得志獨行其道. 富貴不能淫, 貧賤不能移, 威武不能屈, 此之謂大丈夫".
- 『玉壺淸話』(玉壺野史) 권10, 江南遺事, "<u>孫忌</u>, 高密人, 孤貧好學, 喜縱橫奇詭, … ^{舒州觀察使忌}謂賊曰, '爾輩殺吾未晚, 大丈夫視死若婦, 無名而歸死, 然亦可惜, 吾死爾輩必不免', …".

日에서 옮겨옴].[238]

[→翌日^{丙辰5日}, 兩府詣闕請鞫, 命判三司事裴克廉·門下評理^{兼大司憲}金湊, 同巡軍提調金士衡等治之. 臺官曰, "據門下府移牒爲之, 非吾等本意也". 震陽曰, "鄭夢周·李穡·禹玄寶, 使李崇仁·李種學·趙瑚, 謂臣等曰, 判門下李[太祖舊諱]^{成桂}, 恃功專擅, 今墜馬病篤, 宜先翦羽翼趙浚等, 然後可圖也". 於是, 囚崇仁·瑚, 種學與其弟種善, 夢周弟禮曹判書過, 司宰令踏, 及其黨鄭寓·李堂, 鞫之皆服. 乃召浚還, 思忠·在·璞並復職, 宥道傳·誾·紹宗, 流震陽·擴·來·敢·弘·熙·畝·甄·作·申·崇仁·瑚·種學·種善·寓·過·踏·堂于遠地. 按律者言, "震陽等罪當斬". □^我太祖^{李成桂}曰, "予不好殺久矣. 震陽等承夢周指嗾耳, 豈可濫刑?". 曰, "然則宜痛杖之". □^我太祖曰, "旣已寬之, 何杖之有?". 震陽等由是得免,[239] 玄寶孫成範, 淮伯弟淮季, 皆王愛壻, 故玄寶之黨及淮伯, 皆不坐, 沂亦以病免. 又流詹及代言李士穎于外: 列傳30金震陽轉載].

[→旣而, 命判三司事裴克廉·門下評理金湊, 同巡軍提調官金士衡等鞫之. 左常侍金震陽曰, "夢周·李穡·禹玄寬, 遣李崇仁·李種學·趙瑚, 謂臣等曰, "李判門下□^{事李成桂}, 恃功專擅, 今墜馬病篤, 宜先翦羽翼趙浚等, 然後可圖也". 於是, 囚崇仁·種學·瑚于巡軍獄. 旣而, 流震陽及右常侍李擴·<u>右諫議□□</u>^{大夫}李來·左獻納李敢·右獻納權弘及執義鄭熙·掌令金畝·徐甄·持平李作·李申及崇仁·種學于遠地. 按律者言, "震陽等罪當斬", □^我太祖曰, "予不嗜殺久矣, 震陽等, 承夢周指嗾耳, 豈可濫刑". 曰, "然則^宜痛杖之". □^我太祖曰, "旣已寬之, 何杖之有". 震陽等, 由是<u>得免</u>: 節要轉載].[240]

238) 이 기사는 原文에 4일(乙卯)에 수록되어 있으나 金震陽의 列傳과 같이 5일(丙辰)에 해당하는 사실일 것이다[校定事由]. 또 司憲持平 李申(본관은 載寧)은 이후 配所에서 逝去하였고, 그의 後裔는 현재의 密陽郡 召音里에서 咸安郡 茅谷里로 移住하였다고 한다(朴勇國 2014년).

239) 이 句節은 事實이 아니거나 잠시 留保된 狀態일 것이고, 조선왕조가 개창 후 金震陽 등은 거의 모두가 먼 곳에 安置되어 杖殺되었다(→是年 6월 25일).

240) 4월 5일에 이루어진 事件의 展開는 이성계 측의 입장에서 기록된 것이 보다 말끔하게 정리되었다. ·『태조실록』 권1, 總書, 공양왕 4년 3월, "明日^{丙辰5日}, 太祖^{判門下府事李成桂}不得已召黃希碩曰, '夢周等, 黨比罪人, 陰誘臺諫, 誣陷忠良, 今已伏罪. 宜召浚·誾等, 與臺諫辨明, 卿其往白于王'. 希碩疑懼, 默然仰見. 李濟在側, 厲聲叱之, 希碩詣闕具告. 恭讓曰, '臺諫不可與被劾者對辨. 吾將出臺諫于外, 卿等勿復言'. 時太祖因怒病劇, 至不能言. 殿下^{右代言李芳遠}曰, '事急矣'. 密遣李子芬諭浚·誾等以召還之意, 又與上王^{判密直司事李芳果}及和·濟等議, 遣上王白恭讓曰, '若不問夢周之黨, 請罪臣等'. 恭讓不得已下臺諫巡軍獄. 且曰, 宜流于外, 不必鞫問".

[○^{政堂文學}·大司憲姜淮伯, 以^{駙馬}進季之兄, 得不坐. 右正言柳沂, 亦以病免:節要轉載].²⁴¹⁾

丁巳^{6日}, [立夏]. 以裴克廉△爲守門下侍中, 趙浚·柳曼殊△並爲門下贊成事, 偰長壽△爲判三司事, 李元紘·金士衡爲三司左·右使, 李豆蘭△爲知門下府事^{同判都評議使司事}²⁴²⁾, 我恭靖王^{李芳果}△爲判密直司事, 趙珪爲密直副使^{密直使}²⁴³⁾ 尹德△爲知密直司事, ^{密直副使}閔開△爲兼大司憲, 李廷堅·^{判典校寺事}金子粹爲左·右常侍^{左·右散騎帶侍}, 崔云嗣·李文和爲左·右司議□□^{大夫}, 權總爲司憲執義, 朴貫·柳珣△並爲掌令, 宋因·全順爲左·右獻納, 鄭擢·金陞△並爲持平, 崔宏爲右正言.

[○梟^{前門下守侍中}夢周首于市. 揭榜曰, "飾虛事, 誘臺諫, 謀害大臣, 擾亂國家".²⁴⁴⁾ 夢周, 迎日縣人, 爲人豪邁絶倫, 有忠孝大節. 少好學不倦, 精硏性理之學, 深有所得, 講說發越, 超出人意. 我太祖^{李成桂}素器重, 每分閫, 必與之偕, 屢加薦擢, 同升爲相. 時國家多故, 機務浩繁, 夢周處大事, 決大疑, 不動聲色, 而左酬右答, 咸適其當, 多所張設. 時稱王佐之才:節要轉載].

[→梟夢周首于市, 揭榜曰, "飾虛事, 誘臺諫, 謀害大臣, 擾亂國家". 夢周, 天分至高, 豪邁絶倫. 有忠孝大節, 少好學不倦, 硏窮性理, 深有所得. □^我太祖素器重, 每分閫, 必引與之偕, 屢加薦擢, 同升爲相. 時國家多故, 機務浩繁, 夢周, 處大事決大疑, 不動聲色, 左酬右答, 咸適其宜. 時俗, 喪祭專尙桑門法, 夢周, 始令士庶倣朱子家禮, 立家廟奉先祀. 又以守令, 雜用帛外吏胥, 秩卑人劣, 始選用帛官有淸望者, 嚴其黜陟. 又以金穀出納都評議□^使司錄事, 白牒施行, 事多猥濫, 始置經歷都事, 籍其出納. 又內建五部學堂, 外設鄕校, 以興儒術. 其他如立義倉賑窮乏, 設水站便漕運, 皆其畫也. 所著詩文, 豪放峻潔, 有'圃隱集', 行于世. 本朝, 贈

---

241) 姜淮伯과 관련된 기사로 다음이 있다.
   · 열전30, 姜淮伯, "及^{守門下侍中}鄭夢周誅, ^金震陽等皆杖流, 進伯以王瑈進季兄, 得不坐, 遂稱疾辭職".

242) 이때 李豆蘭은 知門下府事·同判都評議使司事에 임명되었다고 한다(열전29, 李豆蘭, "進知門下府事·司判都評議使同事^{同判都評議使同事}". 이는 乙亥字로 『고려사』를 組版할 때 글자의 순서가 뒤바뀐 것이다).
   · 『澤堂集』續集권4, 送北靑鄭半剌時望[注, 北靑, 有開國元勳李豆蘭遺骨石塔, 甚靈異云].

243) 趙珪는 1388년(우왕14) 6월 2일 밀직부사에 임명되었고, 이 시기에 李成桂의 手足으로 활약하고 있었기에 이날 密直副使가 아니라 密直使에 임명되었을 것이다. 만약 密直副使에 임명되었다면 知密直司事에 임명된 尹師德의 앞에 기록될 수 없을 것이다.

244) 이날(丁巳, 6日)은 율리우스曆으로 4월 28일(그레고리曆 5월 6일)에 해당한다.

大匡輔國崇祿大夫·領議政府事·修文殿大提學兼藝文春秋館事·益陽府院君, 謚文忠. 子宗誠·宗本:列傳30鄭夢周轉載].[245)

[→後^{霸家臺人}聞^{守門下侍中鄭}夢周卒, 莫不嗟惋, 至有齋僧薦福者:列傳30鄭夢周轉載].

戊午^{7日}, 流知申事李詹于結城,[246) 右副代言李士穎于南原.

○^{前判三司事}池湧奇死于貶所.[247)

[某日, 門下侍中沈德符·守侍中裴克廉, 請罷諸道觀察□□^{黜陟}使, 復按廉使, 罷節制使□^產經歷·都事, 復掌務·錄事. 且罷新定監務·諸驛丞·諸道儒學敎授官·資瞻楮貨庫·人物推刷都監·東西遞運所水站及戶口成籍·牛馬烙印·州郡鄉社長等法. 又令各司凡受稟□^令事, 皆令直報都堂, 勿隷六曹:節要轉載].[248)

---

245) 鄭夢周의 墓所는 京畿道 龍仁市 慕賢面 陵院里 山3 번지에 있고, 그 자신은 경상북도 永川市 臨皐面 良巷里 臨皐書院에 配享되어 있다(龍仁市 2001년 146面, 경상북도 기념물 제62호). 또 아들인 宗誠과 宗本은 조선왕조에서 仕宦하였다.
  · 『세종실록』 권67, 17년 1월 丙戌^{14日}, "… 又以判中樞院事許稠言啓曰, '當本朝開國之初, 愚夫愚婦, 皆知天命人心之向背, 以鄭夢周之賢, 豈不知之. 然不貳其操, 終守臣節. 若在朝者, 皆以夢周爲心, 可謂忠義之臣矣. 夢周之後, 特加擢用, 以奬其節'. 上曰, 予當用之, 然其子宗本, 旣爲守令, 長子宗誠, 亦爲顯官, 何汲汲擢遷乎?".
  · 『신증동국여지승람』 권10, 龍仁縣, 塚墓, "鄭夢周墓, 在縣東十五里".

246) 이때 李詹이 安置된 지역은 結城(現 忠淸南道 洪城郡 結城面)과 靈山縣 桂城(현 慶尙南道 昌寧郡 桂城面)의 두 지역으로 달리 표기되어 있지만, 판가름하기 어렵다(東亞大學 2006년 26책 199面).
  · 열전30, 李詹, "… 陞知申事, 以事流于桂城".
  · 『쌍매당협장집』연보, "壬申, 掌監試, 取李孟畇等九十九人. 上箋請辭, 不允批答. 夏□□^{四月}, 以言事貶靈山, 冬□□^{十月}從便".
  · 『태종실록』 권9, 5년 3월 乙丑^{30日}, 李詹의 卒記, "壬申春, 以知申事, 掌監試, ^{夏四月}及金震陽等杖流, 詹亦流于結城. 冬得自便". 여기에서 添字가 추가되면 理解하기에 좋을 것이다.
  · 『쌍매당협장집』 권24, 文類, 祭亡姊文, "… 壬申夏, 以儻罪貶于光州, 光於彰平爲近, 故數相見而仰給焉, 尋蒙宥赴京".

247) 池湧奇는 쿠데타에 반대하였던 인물이었기에 『고려사』世家編의 撰者가 死로 기록하였던 것 같다. 이날은 율리우스曆으로 1392년 4월 29일(그레고리曆 5월 7일)에 해당한다.
  · 열전27, 池湧奇, "^{恭讓}四年, 許外方從便, 尋卒于貶所. 子有容".

248) 이 기사는 열전29, 沈德符에도 수록되어 있다. 또 이와 관련된 기사로 다음이 있다.
  · 지31, 百官2, 外職, 按廉使, "^{恭讓}四年, 罷諸道觀察使, 復按廉使".
  · 지31, 백관2, 人物推考都監, "^{恭讓}四年, 罷之, 委主掌都官".
  · 지31, 백관2, 外職, 節制使, "^{恭讓}四年, 罷經歷·都事, 復置掌務·錄事".
  · 지31, 백관2, 외직, 館驛使, "^{恭讓}四年, 罷驛丞, 分定別監, 尋復置驛丞".
  · 지31, 백관2, 외직, 儒學敎授官, "^{恭讓}四年罷, 尋復之".

[壬戌^{11日}, 雨. 自正月不雨, 至于是月:五行2轉載].

甲子^{13日}, 放^{領藝文春秋館事}李穡于韓州.²⁴⁹⁾

[→誅^{守門下侍中鄭}夢周, 鞫諫官金震陽等, 辭連^李穡·種學·種善, 流種學·種善于外. 王使□□^{中官?}謂穡曰, "卿之二子, 得罪於朝, 卿其去矣. 兩江之外, 惟卿所適". 穡 憮然曰, "臣顧無田宅, 果安歸乎?". 遂貶衿川, 尋徙驪興. ○入本朝, 封韓山伯, 卒 年六十九, 賜祭贈禮葬之, 諡文靖. 穡天資明敏, 博覽群書, 爲詩文, 操筆卽書, 略 無凝滯. 勉進後學, 以興起斯文爲己任, 學者皆仰慕. 掌國文翰數十年, 屢見稱中 國. 平生無疾言遽色, 不露圭角, 不治生產, 雖至屢空, 不以爲意. 然志節不固, 無 大建白, 學問不純, 崇信佛法, 爲世所譏. 有'牧隱集'五十五卷, 行于世, 子種德·種 學·種善. 種德官至同知密直司事, 種學簽書密直司事:列傳28李穡轉載].²⁵⁰⁾

· 지31, 백관2, 都評議使司, "各司受稟公事, 皆令直報都堂, 勿隷六曹". 添字는 이에 의거하였다.

249) 이때 李穡은 王命에 의해 江外로 出居되어 衿州에 머물다가 6월 초순에 驪興으로 옮겨졌고, 7 월12일 恭讓王이 廢位되자 生死를 가늠하지 못하다가 長興府로 貶黜되었다. 10월 12일 赦宥를 받아 鄕里인 韓山(韓州)에 歸鄕하였다(『양촌집』 권40, 李穡行狀). 그러므로 이 기사의 韓山은 적절한 표현이 아니므로 b와 같이 고쳐야 좋을 것이다.
· a 『목은집』연보, 洪武廿五年壬申^{恭讓4年}, "四月, 有旨出去江外, 至衿州. 六月, 移驪興. 七月, 國 家革命, 貶長興府, 十月, 蒙宥歸于韓州".
· b 『목은집』연보, 洪武廿五年壬申^{恭讓4年}, "四月十四日, 有旨出去江外, 至衿州. 六月七日以前, 移驪興. 七月十三日, 國家革命, 三十日, 貶長興府, 十月十二日, 蒙宥外方從便, 歸于韓州"[追 冊, 校正].

250) 14世紀 後半에 韓·中 兩國에서 著名하였던 儒者 李穡에 대한 후대의 사실로 다음이 있는데, 一部는 添字가 추가되어야 理解[讀]하기 쉬울 것이다.
· 『태조실록』권9, 5년 5월 癸亥^{7日}, "韓山伯李穡卒于驪興神勒寺. 訃聞, 上輟朝, 致祭賜賻, 諡文 靖. 穡, 字穎叔, 號牧隱, 韓州人, 征東行中書省郎中·都僉議贊成事·諡文孝公穀之子. 自幼聰慧 異常, 年十四, 中成均試. 至正戊子^{忠穆4年}, 穀在元朝, 爲中瑞司典簿, 穡以朝官子, 補國子監生 員. 辛卯^{忠定3年}正月, 穀還本國卒, 奔喪終制. 癸巳^{恭愍2年}, 恭愍王設初科, 知貢擧李齊賢等, 擢穡 爲魁 秋中征東省解元^{鄕試壯元}. 甲午^{3年}中會試, 對策殿庭, 中□□^{左榜}第二甲第二名. 讀券官參知政 事杜秉彝·翰林承旨歐陽玄諸公, 大加稱賞, 勑授應奉翰林文字·□□□^{承事郎}同知制誥兼國史院 編修官. 東歸須次, 王就加典理正郎·藝文應敎兼春秋編修□^官. 乙未^{4年}陞內史舍人^{試內書舍大}, 夏如 京仕翰林院. 丙申^{5年}以母老棄官東歸, 秋拜吏部侍郎, □□^{戊戌7年}再遷至右副承宣. 由是, 昵居喉 舌凡七年. 辛丑^{10年}紅賊陷京城, 王南行. 穡從王行, 弼成克復, 策勳一等, 賜以鐵券. 癸卯^{12年}宣 授征東行中書省儒學提擧, 拜本國密直提學, 賜端誠保理^{輔理}功臣之號. 丁未^{16年}, 宣授征東省郎 中. 以本國判開城兼成均大司成, 擧一時通經術者鄭夢周·李崇仁等六七人, 皆兼學官, 分經授 業, 常與論難, 各盡其極. 穡辨析折衷, 竟夕忘倦. 於是, 記誦之習, 功利之說稍息, 而性理之學 復興. [己酉,同知貢擧,與知貢擧李仁復請王,始用中朝科擧之法.穡凡主貢擧四次,人服其公→옮겨 감]. □□^{戊申17年}, 王構魯國□□^{公主}影殿, 窮極侈麗, 侍中柳濯上書請止, 王怒, 欲誅濯, 命穡製諭 衆文. 穡請罪名, 王數濯四罪. 穡對曰, '此非可殺之罪, 願更思之'. 王益怒, 促愈亟, 穡曰, '臣寧

乙丑[14日], [我太祖[判門下府事李成桂]麾下軍官上疏□[曰], "請籍[守門下侍中]鄭夢周家産, 并治其黨". ○從之:節要轉載].[251]

得罪, 安敢爲文, 以成其罪'. 王遂感悟, 濯得全. [己酉[18年], 同知貢擧, 與知貢擧李仁復請王, 始用中朝科擧之法. 穡凡主貢擧四次, 人服其公←옮겨옴]. 辛亥[20年]丁母憂. 壬子[21年]王命起復政堂文學, 以疾辭. 甲寅[恭愍23年]王薨, 穡方疾篤, 杜門七八年. 壬戌[禑王8年]拜判三司事. 戊辰[14年]崔瑩請攻定遼衛, 禑命耆老兩府會議可否, 皆希旨, 否者少而可者多. 穡亦附衆議, 退謂子弟曰, '今日, 我爲汝輩, 從逆義之論'. 及上回軍, 執退瑩等, 起穡爲門下侍中. 自恭愍之薨, 天子每徵執政大臣入朝, 皆畏懼不敢行, 及穡爲相, 欲廢王昌親朝, 又欲王官監國, 自請入朝, 遂以穡爲賀正使. 太祖[李成桂]稱之曰, '慷慨哉是翁. 穡以太祖[李成桂]威德日盛, 中外歸心, 恐其未還乃有變, 請一子從行', 太祖[李成桂]以殿下[李芳遠]爲書狀官. 天子[朱元璋]素聞穡名, 引見從容語曰, '汝仕元朝爲翰林, 應解漢語'. 穡遽以漢語對曰, '親朝'. 天子未曉其志, 問曰, '說甚麼?', 禮部官傳奏之, 穡久不入朝, 語頗艱澁. 天子笑曰, '汝之漢語, 正似納哈出'. 穡還語人曰, '今皇帝, 心無所主也. 我意帝必問此事, 帝不之問, 而所問皆非我意也'. 時, 論譏之曰, '大聖人度量, 俗儒可得而議乎?', 冬恭讓王立, 穡以時論不與, 見貶至于五次. 及太祖卽位, 以故舊原之, 每進見, 退語子弟曰, '眞受命聖明之主也'. 又嘗請止營繕, 及退, 人有問之者, '創業之主, 廟社·宮室·官府·城郭, 不可緩也'. 乙亥[太祖4年]秋, 請遊關東, 入五臺山, 因欲留居, 十一月上遣使召. 至封韓山伯, 穡進見曰, '開國之日, 何不使我知之?, 我若知之, 當行揖讓之禮, 更有光矣, 豈若[哥]使馬賈爲首乎?', 指裴克廉也. 南誾曰, '何得使汝老腐儒知之', 上叱誾使不復言, 待以故舊之禮, 送至中門. 後有議之者, 南在召穡子種善謂曰, '尊公發狂言, 有議之者, 不去必受禍'. 丙子[5年]夏五月, 請避暑神勒寺, 將行疾作, 旣至疾革. 有僧進欲有言, 穡擧手揮之曰, '死生之理, 吾無疑矣'. 言訖而卒. 穡, 天資明睿, 學問精博, 秉心寬恕, 處事詳明. 爲宰相, 務遵成憲, 不喜紛更, 勉進後學, 孜孜不倦. 爲文章, 操筆卽書, 辭意精到. 有集五十五卷行于世. 爲家不問有無費, 平生無疾言遽色, 樽俎之間, 油油然處之不及亂. 襟懷灑落, 言動從容, 久居寵利, 而不以爲喜, 再遭屯亂, 而不以爲感. 晩年奉旨, 銘指空·懶翁二浮圖, 其徒因來往于門, 頗有佞佛之譏. 穡聞之曰, '彼謂追福君親, 予不敢拒也'. 穡三男, 長種德, 次種學, 皆官至密直, 先歿. 次種善, 今爲兵曹參議".

· 『목은집』, 李穡神道碑, 碑陰記, "… 且洪武乙丑[禑王11年]秋, 大明國子學錄張溥·典簿周卓, 奉使而來, 望見我祖[李穡]於稠人之中, 問諸譯者曰, 彼立第幾者, 精粹有道人也, 不是李先生某也. 譯者答曰是, 卽前相語甚敬. 歲戊辰[昌王卽位年], 以明年賀正使赴京師, 高皇帝[朱元璋]一見知其賢, 賜語移時, 及退, 目送之, 堪畫, 皆美其風度也"(牧隱의 孫, 李孟畇 撰). 여기에서 張溥와 周卓이 李穡을 쉽게 인지하였던 것은 그의 文名을 이미 中原에서 들었던 결과일 것이다. 또 明太祖 朱元璋도 使臣으로 도착할 李穡의 身上을 事前에 청취하고 厚待하였을 것이다. 그런데 上記의 卒記를 찬한 人物은 朱元璋을 大聖人으로, 李穡을 俗儒로 置簿하였고, 이 내용이 맹목적으로 明帝國을 崇慕하던 조선 시기의 儒學者들에게 널리 膾炙되었다. 그렇지만 당시 君主로서 品性을 갖추지 못해 和平을 청하는 使臣을 處刑, 流配하고, 疑獄을 만들어 수많은 臣僚를 誅殺하였던 朱元璋의 變化無常한 樣態를 李穡은 순간의 對話에서 囑目하였던 것 같다.

· 『목은집』연보, 洪武廿八年乙亥, "[太祖4年]五月, 避暑驪江. 秋遊關東, 入五臺山, 因留居. 十一月, 遣使召迎, 封特進輔國崇祿大夫·韓山伯".

· 『목은집』연보, 洪武廿九年丙子, "[太祖5年]公年六十九, 五月, 乞退, 遊暑驪江, 初七日□□[癸亥], 病卒[於神勒寺]. 訃聞, 上悼甚, 徹膳停朝, 遣使奉敎書致祭賻贈, 命攸司庀葬, 諡文靖公. 十月, 子孫奉柩歸于韓州, 十一月甲寅, 葬于加智之原". 여기에서 李穡이 逝去한 날은 율리우스曆으로 1396년 6월 12일(그레고리曆 6월 20일)에 해당한다.

○廢^{前知密直司事}李崇仁·^{前判事}趙瑚·^{前厚德府尹}李種學·種善·^{前左散騎常侍}金震陽·^{前右散騎常侍}李擴爲庶人.[252]

[某日, 晴, 日中小雨. 使衛士, 傳旨前判門下府事李穡, 命居江外. 穡卽出至普賢院:追加].[253]

丁卯[16日], 命復諸神祠.

○世子問疾於我太祖^{判門下府事李成桂}第.

戊辰[17日], 宥^{前知申事}李詹, 任便居住.[254]

[庚午[19日], 雨雹:五行1雨雹轉載].

壬申[21日], 南陽府院君洪永通享王, 賜馬一匹.

癸酉[22日], [小滿]. 以^{前門下侍中}沈德符△爲判門下府事, 我太祖^{李成桂}爲門下侍中, 李元紘爲政堂文學, 鄭熙啓△爲判開城府事, ^{簽書密直司事?}閔霽爲開城尹, 崔乙義爲密直使, ^{前知密直司事}李彬·張思吉·金仁贊並△爲同知密直司事, 起復我太宗^{李芳遠}爲密直提

---

251) 이와 관련된 기사로 다음이 있다.
· 열전18, 柳璥, 曼殊, "^{守門下侍中}鄭夢周旣誅, ^{門下贊成事柳}曼殊以□^我太祖麾下率二百七十餘人上疏, 請籍夢周家產, 幷治其黨, 從之".
· 열전30, 鄭夢周, "□^我太祖麾下士又上疏, 籍其家".
· 열전30, 金震陽, "太祖麾下柳曼殊·尹虎·黃希碩等上書, 請籍夢周家, 幷治其黨, 王從之".

252) 이와 관련된 기사로 다음이 있다. 또 趙瑚는 조선왕조에서 檢校參判議政府事에 이르렀으나 체포되어 獄死하고, 그 一族은 모두 處罰을 받았으나 후일 용서를 받았다(『태종실록』 권19, 10년 3월 丙申^{30日}).
· 열전28, 李崇仁, "又以^{守侍中}鄭夢周黨, 削職遠流, 尋卒. 崇仁, 天資英銳, 文辭典雅, 穡每歎賞曰, '此子文章, 求之中國, 世不多得'. 高皇帝嘗覽崇仁所撰表, 嘉之曰, '表辭誠切'. 中原士大夫觀其著述, 亦莫不歎服. 有陶隱集行于世, 子次點·次若·次騫·次參".
· 열전30, 金震陽, "··· 奪震陽·擴·崇仁·瑚·種學·種善告身".

253) 이는 다음의 자료에 의거하였다.
· 『목은시고』 권35, 衿州吟, 洪武壬申夏四月十四日」, 上使司楯郎傳」旨二子與於言事, 失實之罪, 今皆例貶矣, 卿心豈得安, 可居江外, 穡踏舞謝」恩, 卽出至普賢院, 有雨小留.

254) 이와 관련된 기사로 다음이 있는데, 添字와 같이 고쳐야 옳게 될 것이다(→是年 4월 7일).
· 열전30, 李詹, "··· 以事流于桂城^{結城}, 未幾釋之, 任便居住. 自此以後, 入本朝".
· 『태종실록』 권9, 5년 3월 乙丑^{30日} 李詹의 卒記, "··· 戊寅^{太祖7年}秋七月, 起爲吏曹典書, 陞中樞院學士, 同知壬午貢擧^{壬午;同知貢擧}, 以知議政府事, 從河崙入賀皇帝登極, 奏于帝, 請改賜誥命印章. 使還, 以功賜田口, 進階正憲^{大夫}. 卒年六十一, 輟朝三日, 賜棺槨, 贈諡文安. 詹, 天資厚重, 力學能文, 手不釋卷. 一子小畜". 여기에서 添字와 같이 고쳐야 옳게 될 것이고, 添字를 추가하면 理解하기 좋을 것이다.

學,[255] ^{前知申事}李行·趙仁沃並爲吏曹判書, 李懃·柳亮△^並爲戶曹判書, 李稷爲刑曹判書, 安瑗△^爲知申事, 安景恭·朴錫命爲左·右副代言, 金子粹·金希善爲<u>左</u>·右常侍^{左·右散騎帶侍}, 趙璞爲三司右尹, 金若恒爲司憲執義, 李興爲持平.

[甲戌^{23日}, 除軍官三年喪:禮6五服制度·節要轉載].

丁丑^{26日}, 命禮曹勿禁神事.

[某日, 侍中沈德符等上言, "一曰, 革資贍楮貨庫, 其已印楮貨, 還合作紙, 其印板, 則令燒毀之. 二曰, 國家錢財出納, 都評議使司, 於該司, 直行文牒, 而該司, 以其原額, 及糜費之數, 每當月晦, 輒報三司":食貨2貨幣轉載].

五月^{辛巳朔大盡,丙午}, 壬午^{2日}, 我太祖^{門下侍中李成桂}辭, 不允.

乙酉^{5日}, 賜金縉等及第.[256]

○我太祖^{門下侍中李成桂}又上書辭, 不允.

[丁亥^{7日}, 獐入孝思觀:五行2轉載].

[某日, 罷給田都監, 歸之戶曹:節要轉載].[257]

癸巳^{13日}, 演福寺塔成.[258]

[丙申^{16日}, 蟲食松岳松葉:五行2轉載].

丁酉^{17日}, <u>司憲府兼大司憲</u>^{密直副使兼司憲府大司憲}<u>閔開</u>等上疏曰,[259] "開國伯李^[太祖舊諱]

---

255) 李芳遠이 密直提學에 임명된 것과 관련된 자료도 있다(『용비어천가』 권9, 제81장, "及拜提學 [注, 洪武壬申, 拜密直提學], 太祖甚喜, 令人讀官敎, 至于再三[注, 官敎卽告身也]").

256) 이와 관련된 기사로 다음이 있다.
 · 지27, 선거1, 科目1, 選場, "^{恭讓王}四年五月, 判三司事偰長壽知貢擧, 政堂文學李元紘同知貢擧, 取進士, ^{乙酉}, 覆試, 賜金縉等三十三人及第".
 · 『양촌집』 권40, 李穡行狀, "… 公^{李穡}三男, 長曰種德, … 密直^{種德}男四, … 曰孟畹, 壬申^{恭讓4年}, 進士".
   이때 金縉·金問·^{進士}李孟畹·^{進士}梁允若 등이 급제하였다(『등과록』; 『전조과거사적』, 朴龍雲 1990년; 許興植 2005년).

257) 이와 같은 기사로 지31, 百官2, 給田都監, "恭讓王四年, 罷倂於戶曹"가 있다.

258) 演福寺의 塔이 重修된 것은 이해의 12월이며 明年 봄에 丹靑이 이루어졌다고 한다(『양촌집』 권12, 演福寺塔重創記).

259) 添字와 같이 고쳐야 옳게 될 것이다.

^{成桂}, 秉心忠直, 好賢樂善, 見危授命, 臨亂不避. 戊辰^{禑王14年}之夏, 倡義回兵, 以安社稷, 己巳^{昌王1年}之冬, 奉詔定策, 興復王室, 功烈落落, 永世不忘. 門下贊成事趙浚, 性本勁直, 好善疾惡, 國耳忘家, 臨事盡節. 當開國伯, 定策之時, 奮義贊襄, 以立殿下, 功高山斗, 帶礪難忘. 並皆誠心奉上, 不計功利, 進賢退不肖, 一革舊弊, 復正三韓, 一心夾輔. 而被誅^{守門下侍中}鄭夢周, 本係庸人, 開國伯以爲達古書生, 屢加薦引, 代以己任. 夢周貪饕富貴, 恣行貨賄, 抗直忤己者, 一皆斥去, 阿諛諂^諂己者, 布列<u>朝延</u>^{朝廷},²⁶⁰⁾ 無欲不遂. 猶以爲不得縱情逞欲, 忌憚開國伯, 所與同心同力, <u>恊贊</u>^{協贊}王室. ^{門下贊成事}趙浚·^{前密直副使}南誾等, 陰誘臺諫, 喉而論罪, 置之極刑, 將及於開國伯. 欲以專權自恣, 植黨謀亂, 萬一得成其計, 專擅國柄, 則不唯濁亂朝廷, 必將傾危社稷, 禍在不測. 同謀黨與, 置而不問, 他日禍階, 愈可畏焉. 其黨與判三司事偰長壽, 奸猾無節, 唯事貨殖, 謬爲國許, 得與卿相. 知密直司事李茂·同知密直司事李彬, 再干罪犯, 幸蒙寬宥, 獲保性命. 禮曹判書金履, 自少附勢, 別無才行, 濫受官爵, 以至六部. 並皆受國厚恩, 宜其盡心勉力, 圖報聖恩, 而與夢周, 交結黨附, 欲以誣詔忠良, 擾亂國家, 宜收職牒, 鞠問論罪, 鑑後. 兵曹摠郎安魯生·禮曹摠郎崔關·親禦軍護軍金瞻, 素無節行, 濫居顯秩, 貪冒利祿, 詔事夢周, 雜亂橫行, 宜收職牒遠流, 懲戒後人".

○疏上, 罷^{判三司事}偰長壽·^金履, 命歸田里, 其餘並罷遠流.

戊戌^{18日}, 流^{前政堂文學}姜淮伯·^{前左正言}柳沂于外.

[→<u>左常侍</u>^{左散騎常侍}金子粹等上疏曰, "前^{政堂文學兼}大司憲姜淮伯等, 羅識無辜, 欺罔宸聰, 而殿下, 命一二大臣, 窮問得情, 金震陽·鄭熙等十人, 皆服厥辜, 遠竄于外. 獨淮伯, 與□□^{前左}正言柳沂等, 幸免在家, 若不與於其議者, 罪同而罰異. 願殿下, 斷以大義, 削職遠流, 以正邦憲. 王不得已, 只令<u>流外</u>":節要轉載].²⁶¹⁾

---

260)『고려사절요』권35에는 바르게 되어 있다.

261) 이와 같은 기사로 다음이 있다.

· 열전30, 姜淮伯, "<u>左常侍</u>^{左散騎常侍}金子粹等上跪曰, '<u>姜淮伯</u>等羅織無辜, 欺罔宸聰, 而殿下命一二大臣, 窮問得情, ^金震陽·鄭熙等十人, 皆服厥辜, 遠竄于外. 獨<u>淮伯</u>與柳沂, 苟免在家, 若不與於其議者, 罪同罰異. 願殿下, 斷以大義, 削<u>淮伯</u>·<u>沂</u>職, 流遠地, 以正邦憲'. 王不得已從之, 流<u>淮伯</u>于晋陽. 入本朝, 爲東北面都巡問使, 卒年四十六. 子<u>宗德</u>·<u>友德</u>·<u>進德</u>·<u>碩德</u>·<u>順德</u>".

·『태종실록』권4, 2년 11월 戊戌^{19日}, "前參判承樞府事姜淮伯卒. … 壬申^{太祖1年}夏, 貶于晋陽, 七年庚辰, 授東北面都巡問使, 階正憲□□^{大夫}, 尋拜參判承樞府事, 以疾卒于第, 年四十六. <u>淮伯</u>, 聰明過人, 慷慨老成, 所至有聲績. 五子<u>宗德</u>·<u>友德</u>·<u>進德</u>·<u>碩德</u>·<u>順德</u>".

庚子^{20日}, 慶尙道按廉□^使崔咸, 坐^{前判三司事}偰長壽姻親, 罷, 以左司議□□^{大夫}崔云嗣, 代之.²⁶²⁾

壬寅^{22日}, 王與順妃, 引見僧自超^{無學自超}于解慍亭.²⁶³⁾

[丙午^{26日}, 蟲食大廟^{太廟}松. 旣蟲之食松, 五六年 于兹, 而大廟^{太廟}之松, 未嘗食. 至是, 始食之:五行2轉載].

是月, 遣司僕正任光義如京師, 獻馬一千匹, 又遣判禮賓寺事任壽, 獻一千匹.

[○取□□□^{升補試}許遏等一百二十人:選擧2升補試轉載].

[是月頃, 以^{通直郞·禮曹佐郞}金汝知爲雞林府判官, ^{承奉郞}辛候爲安東大都護府判官:追加].²⁶⁴⁾

六月^{辛亥朔小盡,丁未}, [丙辰^{6日}, 鹿入京城:五行2轉載].

- 『虛白亭集』권3, 姜元範墓碣銘, "…恭穆^{義著}有子曰進伯, 辛禑朝登第, 官至密直提學. 入本朝爲正憲大夫·東北面都巡問使, 有'通亨集', 行于世".
  또 이 시기에 左散騎常侍 金子粹 등이 올린 上疏로 다음이 있다.
- 열전33, 金子粹, "金子粹, 轉^{左常侍}^{左散騎常侍}, 與同列上疏曰, '年前朝廷所遣宦官十人, 皆是本國之人. 乃有僥倖冒進之徒, 或依倡妓或聯親戚, 邀請官爵. 殿下一皆曲從, 眞差·添設, 動以百數, 名器之濫, 廉恥之喪, 一至於此. 乞付攸司, 盡奪其職, 以徼後來. 又三司官數至十五, 署祿牌外無餘事. 自今, 凡中外錢穀出納, 先報都評議使司, 使司移文, 三司使精核會計, 量入爲出, 則庶幾財用, 有所撙節, 且無曠官之誚矣', 王從之".
262) 『경상도영주제명기』에 의하면 崔云嗣는 6월에 부임하였고, 前任者인 崔咸은 탈락되어 있다.
263) 이때 恭讓王과 順妃는 無學自超를 王師로 삼으려고 하였으나 그가 사양하였다고 한다. 또 無學의 出生地는 瑞山郡 看月島였다고 한다. 그리고 解慍亭의 解慍은 忿怒를 스스로 解消한다는 뜻을 가지고 있는데, 당시의 事情에 걸 맞는 扁額을 내건 壽昌宮 闕內의 작은 亭子였던 것 같다.
- 『조선불교통사』권상, 朝鮮王師妙嚴尊者^{無學}, "洪武壬申五月, 高麗恭讓王與順妃引見, 欲封爲王師, 師辭".
- 『定齋集』권4, 看月菴重修記, "看月菴者, 在西寧郡看月島中, … 且島北有古村, 高麗禪師無學, 實生此地, 師幼時常獨遊島中, 父母問其故. …".
- 『孔子家語』권8, 辯樂解第35, "子路鼓琴. 孔子聞之, 謂冉有曰, 甚矣由之不才也. … 昔者, 舜彈五絃之琴, 造'南風'之詩. 其詩曰, '南風之薰兮, 可以解吾民之慍兮. 南風之時兮, 可以阜吾民財兮'. 唯修此化, 故其興也勃焉".
- 『태종실록』권27, 14년 6월 戊午^{17日}, "改^{昌德宮東北隅}解慍亭爲愼獨亭, 上謂河崙曰, '前朝之季, 宮中有小亭曰解慍, 今亭名相似, 欲改以愼獨如何?', 崙曰, 此亭在宮北, 非群臣侍從之處, 名以愼獨甚美".
264) 이는 『동도역세제자기』; 『안동선생안』에 의거하였다.
- 『세종실록』권27, 7년 1월 壬申朔, "前參贊金汝知卒. … 明年, 徵拜右正言, 遷禮曹佐郞, 出爲雞林府判官".

己未^{9日}, 都評議使司流前判三司事禹玄寶及宗室南平君<u>和</u>·宦者<u>姜仁富</u>等于遠地.²⁶⁵⁾

[→^{守門下侍中}鄭夢周誅, 鞫諫官金震陽等, 辭連玄寶, 王以成範故, 釋不問. 都評議使司, 執前判三司事禹玄寶及其子知密直司事洪壽·典醫副令洪富·判事洪康·上護軍洪得·正郎 洪命·宗親南平君和·壽延君珪·寧原君琦·益山君敍·<u>福原君誴</u>·<u>順寧君聃</u>·保寧君福及門下贊成事安翊·判開城府事金南得·密直使崔乙義·前清州節制使王承貴·前密直副使都興·知申事安瑗·左代言柳廷顯·右代言許膺·判事朴興澤·前延安府使安俊·內府令<u>申元弼</u>·摠郎崔咸·內官姜仁富, 流于遠地. 使^{都評議使司}經歷張至和, 啓王曰, "玄寶等屢干罪犯, 過蒙寬宥, 猶不改心, 乃更謀亂, 禍機急迫, 未及啓聞, 將玄寶等, 分配于外. 臣等聞亂臣·賊子, 人得而誅之, 故敢用先發, 後聞":節要轉載].²⁶⁶⁾

[→都評議□^使司執玄寶與其子知密直洪壽·典醫副令洪富·判事洪康·上護軍洪得·禮曹正郎洪命及宗室南平君和·壽延君珪·寧原君琦·益山君敍·福原君誴·順寧君聃·保寧君福·門下贊成事安翊·判開城府事金南得·密直使崔乙義·前清州節制使王承貴·前密直副使都興·知申事安瑗·左代言柳廷顯·右代言許應·判事朴興澤·前延安府使安俊·內府令申元弼·兵曹摠郎崔咸·宦官姜仁富, 流遠地, 使^{都評議使司}經歷張至和, <u>白</u>王曰, "玄寶等, 屢干罪犯, 過蒙寬宥, 猶不改心, 乃更謀亂. 禍機急迫, 未及上聞, 將玄寶等, 分配于外. 臣等聞, 亂臣賊子, 人得而誅之, 敢用先發, 後聞":列傳28禹玄寶轉載].

庚申^{10日}, [都評議使司上言, "禹玄寶·洪壽父子, 本以邪媚之行, 依阿取容, 竊位苟祿, 但知其家, 不知有國, 無一念及於生民, 無一言及於公道. 頃在僞朝, 黨於林·廉, 廣行賄賂, 占奪田民, 免於戊辰^{禑王14年}之誅, 幸也. 而又玄寶, 參於金佇·得厚之謀, 洪壽與於迎立辛禑之議, 屢被彈劾. 窺免己罪, 陰遣尹彝·李初等, 造飾大言, 訴於上國, 請親王動天下兵, 謀害本國, 此實萬世不赦之罪也. 近年以來, 臺省

---

265) 南平君 和의 流配에 대해서는 열전4, 神宗王子, 襄陽公恕에도 수록되어 있다. 또 姜仁富는 新王朝가 開創된 후 召還되어 宦官으로 在職하다가 神德王后 顯妃康氏의 陵을 3년간 侍墓한 후 商議中樞院事에 임명되었다(『태조실록』 권14, 7년 8월 丙辰^{13日}).

266) 이때 禹玄寶와 관련되어 유배된 인물에 관한 기사로 다음이 있다.
　· 열전3, 顯宗王子, 平壤公基, 順寧君聃, "^{恭讓}四年, 聃流遠地".
　· 열전4, 神宗王子, 襄陽公恕, 福原君誴, "恭讓四年六月, 流遠地".
　· 열전37, 申元弼, "^{申元弼} 驟遷禮曹摠郎, 轉內府令, 皆帶經筵. 經筵官更日侍講, 唯元弼日侍左右, 以詔佞得幸, 士大夫多趨附者. 後以禹玄寶黨, 流遠地".

抗疏論罪者數矣, 但賴殿下寬慈, 幸蒙原免, 誠宜改行易慮, 以報聖恩. 顧乃深銜, 向之論己者, 擬欲報仇, 朋比夢周, 援引私昵諂妄之徒, 布列攸司, 又與宗親等, 無時聚謀, 誣陷忠良, 擾亂國家, 罪不容誅. 臣等備員相府, 以社稷大計, 不可坐視而不言, 故於前日, 將罪魁玄寶及其子洪壽等五人, 黨與南平君和等二十人, 已皆迸斥于外, 而罪惡貫盈, 未厭衆心. 伏望, 明正其罪, 籍沒家産". ○王命皆削職, 遠流:節要轉載].

[→^{都評議使司}又上疏曰, "賞罰, 人主之大柄也, 賞罰不明, 則善惡混淆, 紀綱紊亂, 而危亡隨之. 伏見禹玄寶·洪壽父子, 本以邪媚之行, 依阿取容, 竊位苟祿. 但知其家, 不知有國, 無一念及於生民, 無一言及於公道. 頃在僞朝, 黨於林·廉, 廣行賄賂, 占奪民田, 免於戊辰^{禑王14年}之誅幸也. 而玄寶則參於金佇·得厚之謀, 洪壽則與於迎立辛禍之議, 屢被彈劾, 窺免己罪, 陰遣彝·初, 造飾大言, 訴於上國, 請親王動天下兵, 謀害本國. 此實萬世不赦之罪. 近年以來, 臺省抗疏論罪者數矣, 但賴殿下寬慈, 幸蒙原免, 誠宜改行易慮, 以報聖恩. 顧乃深銜向之論己者, 擬欲報仇, 朋比夢周, 援引私昵諂佞之徒, 布列攸司. 又與宗親等, 無時聚謀, 誣陷忠良, 擾亂國家, 罪不容誅. 臣等備員相府, 以社稷大計, 不可坐視而不言. 故於前日, 將罪魁玄寶及其子洪壽等五人, 黨與南平君和等二十人, 已皆迸斥于外, 而罪惡貫盈, 未厭衆心. 伏望明正其罪, 籍沒家産, 以明國家罰惡之典". ○王命流玄寶于雞林, 皆削職遠流:列傳28禹玄寶轉載].

○召還^{前政堂文學}鄭道傳·^{前密直副使}南誾.[267]

○流^{門下贊成事}柳曼殊于外, 削^{前判三司事}偰長壽·^{前禮曹判書}金履職, 亦流遠地.

[→憲府□^士言, "近來臺諫, 屢上章疏, 論柳曼殊不孝不友之罪, 上慈不問, 寵遇日隆. 宜其改心革慮, 勵節奉上, 猶不懲艾, 驕暴日甚, 今若置而不問, 懲惡無門, 他日禍階, 誠可畏焉. 請收職牒, 鞫問正罪, 以快衆心. 王只令流外. 又論偰長壽·金履, 責罰大輕, 請收職牒遠流. 王不得已", 從之:節要轉載].[268]

---

267) 이와 관련된 기사로 다음이 있다.
· 열전32, 鄭道傳, "後^{守侍中鄭}夢周誅, 召還, 賜米豆百石, 給其子告身, 復封忠義君".
268) 이 기사의 縮約이 열전18, 柳璥, 曼殊에도 수록되어 있다. 또 柳曼殊는 1397년(태조7) 8월 26일(己巳) 李芳遠이 쿠데타를 일으켜 景福宮을 점령할 때 鄭道傳·南誾·朴葳 등과 함께 피살되었다. 아들은 中樞院副使 源之·同知中樞院事 隱之·兵曹參判 衍之 등인 것 같다(『태조실록』 권14, 7년 8월 己巳).

[○憲府□^十言, "殿下卽位以來, 變故相仍, 朝廷不睦, 此無他焉, 賞罰不明, 恩義不分之致然也. 禹玄寶, 素無節義, 阿世取容, 位至宰相, 洪壽, 姦回謟媚, 一無所稱, 貪緣戚里, 寵待優渥, 並宜誠心戮力, 恭謹守職, 以輔王室也. 旣與安烈逆亂之謀, 又與夢周陰謀構亂. 所犯屢著, 罪在難宥, 特殿下數宥之恩, 忽社稷安危之計, 會無戒愼, 日益驕矜, 謀去忠臣, 惟事報復, 遂使中外相疑, 臣隣不戢, 竊爲, 殿下痛心. 法者, 國家之大柄, 不可以私撓也. 今都評議使司, 各名其罪, 上疏論列, 而殿下屈法寬貸, 以缺衆心. 伏望殿下, 計以社稷, 斷以大義, 名正其罪, 垂戒萬世". ○王只令削職, 流于遠地:節要轉載].

[→憲府上疏曰, "殿下卽位以來, 變故相仍, 朝廷不睦, 此無他, 賞罰不明, 恩義不分之致然也. 禹玄寶素無節義, 阿世取容, 位至宰相, 洪壽姦回謟媚, 一無可稱, 貪緣戚里, 寵待擾渥. 並宜恭謹守職, 以補王室也, 旣與安烈逆謀, 又與夢周, 陰謀構亂. 所犯屢著, 罪在難宥, 特殿下數宥之恩, 忽社稷安危之計. 曾無戒懼, 日益驕矜, 謀去忠臣, 惟事報復. 遂使中外相疑, 臣隣不輯, 竊爲殿下痛甚. 法者, 國家之大柄, 不可以私撓也. 今都評議使司, 上疏論列, 而殿下屈法寬貸, 以缺衆心. 伏望殿下, 計以社稷, 斷以大義, 明正其罪, 垂戒萬世". ○郎舍亦上疏, 請一依都堂所啓, 皆不報:列傳28禹玄寶轉載].

○日本遣使□^幷, 求藏經, 仍獻方物.

丙寅^{16日}, 順平君^{·前門下評理}<u>文達漢</u>卒. [子繼宗·孝宗:列傳27文達漢轉載].[269]

○以^{門下贊成事}趙浚爲京畿左右道節制使, ^{前密直副使}南誾爲慶尙道節制使, 各道皆如之, 使掌其道戎馬.

丁卯^{17日}, 遣門下評理<u>慶儀</u>如京師, 賀聖節, 開城尹<u>趙仁瓊</u>, 賀千秋節.[270]

○王如<u>壽昌宮</u>,[271] 拜表箋. 遂幸我太祖^{門下侍中李成桂}第, 問疾, 仍置酒言曰, "予雖

---

269) 이날은 율리우스曆으로 1392년 7월 6일(그레고리曆 7월 14일)에 해당한다.

270) 慶儀는 9월 18일(丙申) 奉天殿에서 天壽聖節을 하례하였던 것 같고, 9월 20일(戊戌)에 趙胖(9월 12일 恭讓王의 廢位를 보고한 使臣)과 함께 鈔錠을 차등있게 下賜받았다(『명태조실록』 권221).

271) 15세기 후반에 痕迹만 남겨진 壽昌宮의 모습은 다음과 같았다고 한다.
· 『濡谿集』 권7, 遊松都錄(1477년 4월), "甲子^{27日}, 早見經歷林斯文, 卽命衙吏掃空館, 安下馬, 遂刺謁留守成相公, 出與房敎授<u>玉精</u>踰沙峴, 訪壽昌宮, 蓋成·穆間所建也, 重棲複殿, 膠葛櫛比者, 已掃無餘, 只有鉤陳一面而已. 今爲府義倉, 螭階花礎, 埋沒草莽間, 老樹槎牙如列戟, 烏鵲

無厚報, 何至忘德". 因泣下, 遂歡飮, 及罷, 以琴瑟等樂器, 遺之曰, "病中可養耳目, 其速治療, 爲寡人出視事".

[→王幸太祖第問疾. □^初, 南誾自威化島回軍之時, 與趙仁沃等密議推戴. 及還, 以告殿下^{典理正郎李芳遠}, 殿下^{李芳遠}曰, "此大事, 不可輕言". 時衆心爭相推戴, 或有於稠人廣衆中揚言曰, "天命人心, 已有所屬, 何不亟爲勸進". 至是, 殿下^{密直提學李芳遠}乃與誾定計. 誾密與素相歸心趙浚·鄭道傳·趙仁沃·趙璞等五十二人協謀推戴, 然畏太祖^{門下侍中李成桂}震怒, 不敢以告. 殿下^{芳遠}入告康妃^{神德王后}, 以達于太祖^{成桂}, 康妃^{神德王后}亦不敢告. 殿下^{芳遠}出謂誾等曰, "宜卽備儀勸進":追加].[272]

[某日, 臺諫交章, 請禹玄寶罪. 留中不下, 伏閤力爭:節要轉載].

[→憲府復上疏曰, "天祐聖神, 以復王室, 而殿下勵精圖理, 幾至昇平, 實三韓萬世之幸也. 而禹玄寶父子, 前日所犯, 皆關國體, 法不當宥, 賴上寬仁, 獲全性命. 而乃懷報復之志, 日肆姦邪之計, 朋比夢周, 連結宗親, 陰圖構亂, 貽患國家. 是誠宗社之罪人, 恐殿下不得而私也. 竊念殿下卽位以來, 禍亂相繼, 迨今不解, 無非此人之爲也. 薄昭文帝之親舅也, 一犯法而文帝不小暇貸, 以存漢法. 楊妃玄宗之寵姬也, 一有變而玄宗割愛正法, 以安衆心, 盖不得已也. 願殿下, 深思熟慮, 斷以大義, 永絶禍階. ○郞舍^{左散騎常侍}金子粹等言, 禹玄寶構釁生事之罪, 在所不赦. 輔臣·憲臣, 上章請罪, 而殿下不以大義, 處之務從寬典. 是愛克厥威, 流於姑息, 而大有乖於從諫之美意也. 願明示威斷, 一依前日所奏, 以快衆心. 王命永不敍. ○臺諫復交章請罪, 留中不下. 伏閤力爭, 王曰, 玄寶父子罪雖重, 予本惡殺, 不忍加誅. 且予旣從臺諫之言, 已遠流矣, 臺諫宜亦從予言, 毋强言也. 臺諫又言, ^金震陽等獄辭云, 洪壽·洪富指嗾上疏, 請明正其罪. 於是, 更流洪壽·洪寶遠地, 永不敍". ○玄寶, 入本朝, 封丹陽伯. 卒年六十八, 輟朝三日, 賜賻致祭, 官庀葬事, 謚忠靖:列傳28禹玄寶轉載].[273]

己巳^{19日}, 以^{門下贊成事}趙浚△^爲判三司事, 我恭靖王^{李芳果}爲三司右使, ^{前密直副使}南誾△^爲同知密直司事,[274] 權仲和△^爲商議贊成事^{門下贊成事商議},[275] 尹虎·成石璘並爲^{門下}贊成

巢其頭, 西邊, 有蓮塘可數十畝, 翠綃萬本, 交映鏡面, 蝦蟆數部閣閣, 甚可憎".
272) 이는 『태조실록』 권1, 總書, 공양왕 4년 6월에 의거하였는데, 數字를 적절히 交替하였다.
273) 禹玄寶는 1400년(정종2) 11월 13일 68歲로 逝去하였다(『정종실록』 권6, 2년 11월 癸酉^{13日}, 禹玄寶의 卒記). 이날은 율리우스曆으로 1400년 11월 20일(그레고리曆 12월 7일)에 해당한다.
274) 이 시기에 李芳遠·南誾 등은 공양왕의 폐위를 위한 여러 가지의 획책을 꾸미고 있었던 것 같다

事, 李仁敏△^爲判開城府事, 慶儀·鄭熙啓並爲門下評理, ^{三司右使}金士衡爲三司左使,[276] 尹師德△^爲判密直司事, 金用超·金乙貴·李薿, ^{典法判書}金樞並爲密直副使, ^{吏曹}^{判書}李行·^{同知密直司事?}王康並爲藝文館提學,[277] 李穡△^爲知申事, 安景恭·李懃爲左·右代言, 南在·韓尙敬爲左·右副代言, ^{右副代言}朴錫命爲兵曹判書, 慶習爲司憲掌令, 甲孝昌爲持平, 王裧爲右正言.

[○鎭星犯大微^{太微}, 又犯東蕃上相:天文3轉載].

[庚午^{20日}, 大雨, 雷電, 震城中人畜:五行2轉載].[278]

乙亥^{25日}, [^{臺諫上疏曰}, "^{前左散騎常侍}金震陽輩, 構釁生事, 以致禍亂者, 其謀非一日, 其黨非一人. 今又因仍姑息, 置而不問, 則臣等恐群疑無自而釋, 衆心無自而安, 變故之生, 姦邪之作, 將不弭矣. 願^{殿下令巡軍萬戶府}, 將震陽等, 究問罪狀, 隨其輕重, 以明其罪, 以斷厲"階. 王命更勿鞫訊, 但據前日獄辭, 分其輕重以聞. 臺諫, 論劾不置, 於是:節要轉載], 杖金震陽一百, 移流遠方, 禹洪富·禹洪壽依舊削職遠流, 永不敍用.[279]

(『太祖實錄』 권14, 7년 8월 己巳^{26日}, 南誾의 卒記, "壬申, 恭讓信讒疑忌, 事且不測, 殿下^{李芳遠}乃召誾, 令與素歸心者, 密議推戴").

275) 權仲和(權漢功의 子)는 1393년(태조2) 9월 이후의 어느 시기에 判門下府事에 임명된 후 徐贊으로 하여금 고려후기의 醫書인 『三和子鄕藥方』을 보완하여 『鄕藥簡易方』을 편찬하였으나 당시에 널리 유통되지 못하였다고 한다(『양촌집』 권17, 鄕藥濟生集成方序, 李泰鎭 1988년).

276) 이때 金士衡은 三司左使·同判都評議使司事에 임명되었던 것 같다(열전17, 金方慶, 士衡).

277) 王康과 그의 父인 順興君 昇은 恭讓王이 廢位된 7일 후인 1392년 7월 20일(己亥)에 고려의 왕족들이 집단적으로 강화·거제도에 追放되며 絶望할 때 살아남았다. 그렇지만 이후 臺諫과 刑曹의 계속된 탄핵에 의해 王康은 1395년 2월 26일(丙申) 公州에 安置되었던 것 같다.

　· 『太祖實錄』 권1, 1년 7월 己亥^{20日}, "司憲府大司憲閔開等請置前朝王氏于外, 上曰, 順興君王昇及其子康有功於國, 定陽君王瑀及其子珇·琯將使奉前朝之祀, 勿論. 餘皆分置于江華·巨濟".

　· 『太祖實錄』 권5, 3년 2월 丙申^{26日}, "臺諫·刑曹同章上言, 昨以去王氏一事, 連章上請, 卽未蒙允, 屢瀆聰聞, 不勝隕越. … 卽令臺諫·法官, 就將恭讓三父子, 置之於法, 其王康·王琚·承寶·承貴幷其同姓弟姪, 屛諸海島, 其江華付處王氏, 亦竄海島, 以絶中外虞疑之心. 上不允. 臺諫·刑曹皆不視事, 上召康等曰, '卿等有功於國家, 不置貶例. 今臺諫上疏論之, 而予不從, 臺諫皆不視事, 不得已而從之. 卿等各歸貶所, 予亦不忘卿等之功', 賜之酒. 乃流康于公州, 琚于安邊, 承寶于永興, 承貴于合浦".

278) 이때 한반도와 일본열도에 걸쳐 熱帶性低氣壓이 머물고 있었던 것 같다(高麗曆과 同一, 日本史料7-1冊 68面).

　· 『東院每日雜々記』, 明德 3년 6월, "廿四日, … 雷鳴甚雨, 雷落禪定院殿云々, 珍事無申計, 法蓮湯屋在家小々, 流失云々".

[己亥^{乙亥}, 寒風起, 終夜大吹, 候如九秋:五行1恒寒轉載].²⁸⁰⁾

丁丑^{27日}, 遣門下評理金湊如京師, 表請誥命. 書^表曰,²⁸¹⁾ "高麗國宗親·大小臣僚·閑良·耆老等, 竊惟小邦, 自始祖王建以來, 正派相承, 將五百年. 及至洪武七年九月, 恭愍王不幸無嗣薨逝, 國人議立宗親之賢. 有奸臣李仁任, 欲固權寵, 不聽衆議, 却將辛旽之子禑, 詐稱恭愍王後, 繼立王位. 而禑荒淫^{荒淫}自恣, 昵狎群小, 遊畋沉酗, 不恤國政, 神怒人憤, 十有六年. 至洪武二十一年^{禑王14年}六月, 禑乃自知人心不順, 辭位於子昌, 昌亦幼弱, 不諳國事, 擧國憂懼, 無可奈何. 開洪武二十二年^{昌王1年}九月二十八日, 陪臣門下評理尹承順等回自京師, 賫到禮部咨文. 欽奉聖旨, 節該, '高麗國中多事, 爲陪臣者, 忠逆混淆, 所爲皆非良謀. 君位, 自王氏被弑絶嗣之後, 雖假王氏, 以異姓爲之, 亦非三韓世守之良謀, 童子不必赴京. 果

---

279) 添字는 筆者가 追加하였다. 이때 유배된 禹洪壽·李崇仁·金震陽·禹洪命, 李擴·禹洪得 등은 유배가 집행된 7월 30일(己酉)에서 8월 23일(壬申) 사이의 20餘日 이내에 모두 被殺되었던 것 같다. 그러므로 이들이 絶命한 시기는 율리우스曆으로 1392년 8월 18일에서 9월 10일 사이일 것이다. 이것은 그레고리曆으로 8월 26일에서 9월 18일 사이로 계산된다.
· 열전30, 金震陽, "… 於是, 杖震陽一百, 徙流遠地, 尋卒".
· 『太祖實錄』 권1, 1년 7월, "己酉^{30日}, 都評議使司請前日教書所載流放遐方者, 分徙武陵·楸子島·濟州等處. 上^{李成桂}曰, '教書旣曰予尙憫之, 今又分徙諸島, 是失信也. 且徙諸無人之地, 衣食何得. 必皆飢寒而死. 此輩雖居畿內, 更何爲謀, 遂令分配諸州'. 於是, 禹玄寶徙海陽, 李穡徙長興府, 偰長壽徙長鬐, 其餘皆徙沿邊州縣. 遣使各道, 杖禹洪壽已下有差. 楊廣道上將軍金輅, 慶尙道上將軍孫興宗, 全羅道判軍器監事黃居正, 西海道西北面判軍資監事張湜, 交州·江陵道禮賓卿田易. …".
· 『太祖實錄』 권1, 1년 8월 壬申^{23日}, "孫興宗·黃居正·金輅等還朝. 慶尙道流人李種學·崔乙義, 全羅道流人禹洪壽·李崇仁·金震陽·禹洪命, 楊廣道流人李擴·江原道流人禹洪得等八人死. 上^{李成桂}聞之, 怒曰, 杖一百已下者, 皆死, 何故也. …".
· 『太祖實錄』 권1, 1년 8월 壬申, 李崇仁의 卒記, "壬申春, 復知密直^{司事}, 夏, 貶順天. 至是, ^黃居正至羅州, 杖其脊, 遂卒于南平, 年四十六. 子四人, 次點·次若·次騫·次參".
· 『太祖實錄』 권1, 1년 8월 壬申, 李鍾學의 卒記, "壬申, 又貶咸昌. 至是, ^孫興宗至雞林, 欲行脊杖, 門生金汝知方爲判官, 陰戒吏不得行法外刑, 因是僅活. 移置長沙縣, 興宗遣人, 追至茂村驛, 乘夜縊之, 年三十二. 子六人, 叔野·叔畦·叔當·叔畝·叔福·叔時".
· 『太祖實錄』 권1, 1년 8월 壬申, 禹洪壽의 卒記, "壬申夏, 貶順天, 亦因^黃居正杖脊而死, 年三十九. 子四人成範·承範·興範·希範".

280) 原文에는 "恭讓王四年六月己亥^{乙亥}, 寒風起, 終夜大吹, 候如九秋"로 되어 있으나 己亥는 乙亥의 誤字일 것이다. 또 九秋는 秋九月, 곧 늦가을인 9월을 가리키는 季秋, 暮秋의 다른 表記일 것이다.
· 『初學記』 권3, 歲時部上, "秋第三, … 南朝梁元帝'纂要'曰, 秋曰白藏, 亦曰收成, 亦曰三秋, … 九月季秋, 亦曰暮秋, …"(四庫全書本14右末行).

281) 書는 表의 오자일 것이다.

有賢知隣臣在位, 定君臣之分於上, 造安民之計於國, 雖數十歲不朝, 亦何患哉? 連歲來朝, 又何厭哉?′, 欽此, 伏念聖神, 明察萬里, 眞僞判然, 一國感懼, 無所逃罪. 啓奉恭愍王妃安氏之命, 告于祖廟, 擇于宗親, 以始祖王建正派之傳, 神王^{神宗}晫第二子襄陽君恕六代嫡孫定昌府院君王瑤, 最親且賢. 於洪武二十二年^{昌王1年}十一月十五日, 承恭愍王後, 權署國事, 以定人心. 當差順安君王昉等, 賷擎實封奏本, 已經奏達, 及今四年. 臣等伏見, 權國以來, 事大之誠, 愈加恭謹, 政敎修明, 人民安業. 乃緣未蒙襲爵明命, 擧國遑遑, 顒望德音. 伏望聖慈, 特賜明降, 襲封王爵, 以慰遠人之心″.

○湊至肅州, 聞王廢, 乃還.

己卯^{29日晦}, ^{開城尹}趙仁瓊至西京, 聞皇太子^標薨, 乃還.

[○王, 聞皇太子^標薨, 欲發喪. 廷臣啓曰, "皇太子未成, 爲君, 不可服喪". 於是, 輟朝三日, 百官布帶:禮6上國喪·節要轉載].[282]

○以^{左散騎常侍}金子粹·金希善△^並爲刑曹判書, 吳思忠·李舒爲^左·右常侍^{左·右散騎常侍}, 安束爲門下舍人, 沈孝生爲司憲掌令, 盧湘爲持平, 尹須爲左正言.[283]

○蓬原君鄭良生卒.[284]

[○復置諸道州郡^{牧府}儒學敎授官:節要轉載].[285]

[○鴝鵒鳴於^{闕內}解慍亭:五行1轉載].

[是月, 群烏集于演福寺及花園·白鹿山, 其飛蔽天:五行1轉載].[286]

---

282) 皇太子 標(懿文太子)는 4월 25일(丙子) 逝去하였다.
· 『명태조실록』 권217, 홍무 25년 4월, "丙子^{25日}, 皇太子薨, 命禮部議喪禮. …".
· 『憲章憲錄』 권9, 홍무 25년 4월, "丙子^{25日}, 皇太子薨, 上哭之慟, 命禮部議喪禮".
283) 이때의 인사와 관련된 기사로 다음이 있다.
· 열전33, 吳思忠, "及夢周誅, 召還任轉左常□□^{散騎}侍. 自此以後, 入本朝".
· 열전33, 金子粹, "尋拜刑曹判書. 自此以後, 入本朝".
284) 이날은 율리우스曆으로 7월 19일(그레고리曆 7월 24일)에 해당한다.
285) 州郡은 다음의 記事에는 牧府로 되어 있는데, 後者가 옳을 것이다(盧明鎬 等編 2016년 900面). 곧 이 制度를 계승했던 조선왕조 초기에도 漢城府의 5府, 各道의 都護府와 府에만 유학교수관이 파견되었던 것 같다.
· 지31, 百官2, 外職, "儒學敎授官. 恭讓王三年, 置各道牧府儒學敎授官, 四年罷, 尋復之".
286) 15세기 후반에 퇴락한 演福寺와 花園의 모습은 다음과 같았다고 한다.
· 『懶齋集』 권1, 遊松都錄(1477년 3월), "癸未^{16日}, 周覽城中, 成如晦與弟世源亦來從, 初到演福

[夏某月, 以^{禮曹佐郞·知製敎兼尙瑞祿仕}權遇爲吏曹佐郞·知製敎兼尙瑞錄事:追加].²⁸⁷⁾

秋七月^{庚辰朔大盡,戊申}, 甲申^{5日}, 知密直司事金繼生卒.²⁸⁸⁾

○王命召我太宗^{密直提學李芳遠}及司藝趙庸曰, "予將與李侍中^{李成桂}同盟, 卿等以予言, 就傳侍中, 聽侍中言, 草盟書而來". 且曰, "必有故事". 庸對曰, "盟不足貴, 聖人^之所惡. 若列國同盟, 則古有之, 君與臣同盟, 則無經籍故事, 可據". 王曰, "第草之. 庸與我太宗^{李芳遠}, 就□我太祖^{門下侍中李成桂}, 傳如王敎". □我太祖^{李成桂}曰, "予何言哉? 汝當以上敎起草". 庸退, 草之曰, "不有卿, 予焉至此? 卿之功與德, 予敢忘諸? 皇天后土, 在上在旁, 世世子孫, 無相害也. 予所有負於卿者, 有如此盟". 庸與□我太宗^{李芳遠}進草於王. ○王曰, "可". [庸, 時兼史官, 書曰, "上^{恭讓王}於侍中^{門下侍中李成桂}, 扶立之功未報, 反害之意已萌. 天命已去, 人心已離, 區區之盟, 不可賴也":追加].²⁸⁹⁾

乙酉^{6日}, 復以^{前政堂文學}鄭道傳爲奉化郡忠義君, 趙胖△^爲知密直司事, ^{前密直司使}李恬爲慶尙道都節制使, [金用超爲全羅道兵馬都節制使:追加],²⁹⁰⁾ 柳龍生爲東北面都節制使兼和寧府尹.²⁹¹⁾

寺, 登層閣, 俯瞰都城, 閣西樹大碑, 陽村^{權近所製}, 而獨谷^{成石璘}所書, 閣東懸大鍾, 稼亭^{李穀}所銘. 至花園, 園已荒廢, 唯入角殿巋然獨存, 年久半摧, 殿後聚石爲假山, 花卉猶在, …".

· 『濯纓集』 권7, 遊松都錄(1477년 4월), "甲子^{27日}, … 由十川橋, 直抵演福寺, 中峙五層閣, 盡壓城闉, 罘罳舭稜, 錯落彩霞, 眞壯構也. 正西, 樹一碑, 陽村撰, 獨谷書, 正東曰能仁殿, 有三大士軀, 住僧云, '此佛本在花山, 賊^辛旽專國時, 以舟移安焉', 更東一閣, 懸大鍾, 追蠡甚古, 鍾面鏤記, 稼亭製也".

287) 이는 다음의 자료에 의거하였는데, 權遇(權僖의 5子, 近의 弟)는 1419년(세종1) 3월 14일 藝文館提學으로 逝去하였다.
· 『梅軒集』 권6, 梅軒先生行狀, "壬申夏, 轉吏曹佐郞, 餘並如古".
· 『세종실록』 권3, 1년 3월 戊午^{14日}, 權遇의 卒記, "藝文提學權遇卒".

288) 이날은 율리우스曆으로 7월 24일(그레고리曆 8월 1일)에 해당한다.

289) 이는 『태조실록』 권1, 總書, 공양왕 4년 6월에 의거하였는데, 이 자료는 朝鮮王朝의 創業主인 李成桂·芳遠 父子의 行實을 美化하려는 意圖로 執筆되었을 것이다. 여기에서도 王字는 필요가 없는 글자이다[衍字].

290) 이는 『금성일기』에 의거하였다.

291) 柳龍生(柳淵의 子)은 恭愍王의 姻戚으로 宮中에서 성장하였다고 하는데, 그의 外祖父 洪彦博은 恭愍王의 外四寸이다.
· 『세종실록』 권63, 16년 2월, "壬申^{24日}, 前刑曹判書柳龍生卒, 輟朝致弔. 龍生, 高麗門下贊成淵之子也. 以屬連恭愍王, 長于宮中, 弱冠筮仕, 早登兩府, 爲慶尙道節制使兼任水陸, 捕倭獻功者

[丙戌[7日], 鎭星入大微[太微], 又犯東蕃上相:天文3轉載].

[○凄風起, 氣候如秋, 塵沙大起, 行路爲之目, 百穀焦槁:五行1恒寒轉載].

戊子[9日], 以苦熱, 放輕繫.

[某日, 時右侍中裴克廉等, 奉王大妃[太妃]敎將廢王, 事旣定, 乃白我太祖[李成桂], □[我]太祖怒曰, “廢之而將立誰耶?”. 誾對曰, “我等必得明主, 願勿憂”:列傳29南誾轉載].

辛卯[12日], [隕霜最寒:五行1轉載].[292]

○王在北泉洞宮, 將幸我太祖[門下侍中李成桂]第, 置酒, 與之同盟, 儀衛已列, 百官就班.

○右侍中[守侍中]裴克廉等白王大妃[太妃定妃]曰,[293] “今王昏暗, 君道已失, 人心已去, 不可以爲社稷生靈主, 請廢之”. 遂奉妃敎廢王事, 旣定, 同知密直□□[司事]南誾與門下評理鄭熙啓, 賫敎, 至時坐宮, 令右副代言韓尙敬讀敎. 王俯伏聽命. 又令獻納宋因, 下庭讀之, 曉諭百司. 遂廢王, 放于原州, 妃·世子及嬪從行.

[→遂廢王. 王將出, 誾跪曰, “禹玄寶父子, 謀迎辛禑, 又黨於金宗衍, 欲危社稷. 於是, 大臣·省憲, 以宗社大計, 請罪玄寶父子, 姻婭之故, 優游不斷, 曾未知五百年三韓之業, 在禹氏之生死也. 昔, 商王太甲, 欲敗度縱敗禮, 伊尹放之桐宮, 旣而太甲處仁遷義, 伊尹迎太甲, 復紹成湯之業. 今上若能遷善改過, 則不待朝夕而復矣”. 王曰, “予本不欲君爾等也, 而群臣强立之. 且予不敏, 未諳事機, 豈無忤群下之情乎”. 因泣下曰, “禹氏於我爲仇讎矣”. 遂行:列傳29南誾轉載].[294]

○尋移杆城郡, 封恭讓君.

○後三年甲戌[朝鮮太祖3年], 薨于三陟府, 在位四年, 壽五十. 後追封恭讓王.[295]

凡五次. 解官居家數十年, 日與耆英優遊自樂. 卒諡良靖”.

292) 공양왕이 이성계에 의해 폐위된 이날(辛卯, 12日)은 율리우스曆으로 1392년 7월 31일(그레고리曆 8월 8일)에 해당한다(高麗王朝 滅亡).

293) 右侍中은 守侍中의 오자일 것이다.

294) 이 시기의 기사에 曲筆이 심하므로 과연 恭讓王이 南誾에게 이와 같은 綸音을 내렸을까 하는 의심을 가지지 않을 수 없다. 이와 관련된 자료로 다음이 있으나 첨자와 같이 고쳐야 옳게 될 것이다.
· 『國史紀聞』 권3, 홍무 25년, “二月[七月], 高麗李成桂幽其主瑤而自立”.

295) 恭讓王의 王陵[高陵]은 京畿道 高陽市 德陽區 元堂洞 山 65-1번지(史蹟 第191號)와 江原道 三陟市 近德面 宮村里 178번지(江原道 記念物 第71號)의 두 곳에 있었다고 한다(張慶姬 2013년 ; 洪榮義 2018년). 또 조선 초에 成俔, 南孝溫이 前, 後者의 부근을 통과하였던 것 같다.
· 『虛白堂集』詩集권5, 謁抱川高祖昌寧府院君墓. 過恭讓王陵. 重到富平, 夜聞雨用韻(以上 三首

[→後甲戌三年四月丙戌[17日],[296]　　中樞院副使鄭南晋·刑曹議郞咸傅霖等至三陟, 傳新王李成桂敎命於王曰, "臣民推戴, 以予[李成桂]爲君, 實惟天數. 令君就居關東, 其餘同姓, 各歸便處,[297] 保安生業. 今東萊縣令金可行·鹽場官朴仲質等欲圖不軌, 以君及親屬之命, 卜於盲人李興茂, 事覺伏罪. 君雖不知, 事至如此, 臺諫·法官, 連章上請, 至于十二次, 累日固爭, 大小臣僚又上書爭之, 予[李成桂]不獲已, 勉從其 請, 君其知悉". 遂絞之, 及其二子[奭·芮]及親屬等:追加].[298]

　　○□□[是月辛卯12日], 百官奉國璽, 置于王大妃[太妃安氏]殿, 聽政.[299]

에서 詩文 省略).
· 『秋江集』 권3, 過杆城陵, 日暮不克訪, 有懷三首.
296) 이날은 율리우스曆으로 1394년 5월 17일(그레고리曆 5월 25일)에 해당한다.
297) 便處에 대한 설명으로 다음의 자료가 있는데, 珠厓郡은 漢 武帝가 南越을 멸망시키고 설치한 郡縣이다(→성종 10년 2월 是月條의 脚注).
· 『자치통감』 권28, 漢紀20, 元帝初元 3년(BC46), "春, 詔曰, 珠厓虜殺吏民, 背畔爲逆. … 其罷 珠厓郡, 民有慕義欲內屬, 便處之[注, 師古曰, 欲有來入內郡者, 所至之處卽安置之. 余[胡三省]謂 便處者, 各隨其所便而處之也".
298) 이는 다음의 자료에 의거하여 추가하였다. 여기에서 恭讓王의 두 아들[二子]이 함께 絞殺되었다 고 하지만, 次子의 이름은 宗室列傳에 수록되어 있지 않아 알 수 없다. 또 현재의 三陟市 所在 의 恭讓王陵에는 네 무덤[四塚]이 있다고 하지만, 이때 공양왕과 함께 安置되었던 眷屬들이 모 두 處刑되어 平葬되었을 것이다. 또 이때 巨濟島에 安置되었다가 모두 處刑되었을 王族[宗室] 들은 屯德歧城(朝鮮後期의 屯德面, 現 巨濟市 屯德面에 위치)에 監禁되어 있었던 것 같다.
· 『태조실록』 권5, 3년 4월, "癸未[14日], 癸未, 臺諫·刑曹進曰, '臣等願允前日之請', 上曰, '三官同 章, 已曾禁之, 不從何耶?' 初臺諫·刑曹雖屢上疏請去王氏, 上心不忍, 不允其請. 至是, 伏閤力 爭者累日, 上敎都評議使司曰, '去王氏, 予所不忍, 宜集大小各司·閑良·耆老, 各陳可否, 實封 進呈'. 都評議使司會百司·耆老於壽昌宮, 告之曰, '前朝王氏, 天命已去, 人心已離, 自速天討. 殿下以好生之德, 保全性命, 恩德至重, 而王氏等反生疑貳, 潛謀不軌, 於法不容. 其區處王氏 者, 實封啓聞'. 於是, 兩府·各司·耆老等皆以爲, '盡去王氏, 以防後患'. 惟書雲·典醫·料物庫員 等數十人言, '宜流海島'. 命使司更議以聞. 使司啓曰, '宜從衆議', 上從之. 傳旨曰, '王氏區處, 一依各司實封, 以王瑀三父子奉祀先祖, 特宥之'. 遣中樞院副使鄭南晋·刑曹議郞咸傅霖于三陟, 刑曹典書尹邦慶·大將軍吳蒙乙于江華, 刑曹典書孫興宗·僉節制使沈孝生于巨濟島". 여기에서 王瑀는 恭讓王의 弟이며 李成桂의 査頓(撫安君 芳蕃의 丈人)이다(『태조실록』 권11, 6년 2월 丁未[24日]).
· 『태조실록』 권5, 3년 4월 丙戌[17日], "中樞院副使鄭南晋·刑曹議郞咸傅霖等至三陟, 傳旨於恭讓君曰, '臣民 推戴, 以予[李成桂]爲君, 實惟天數. 令君就居關東, 其餘同姓, 各歸便處, 保安生業. 今東萊縣令金 可行·鹽場官朴仲質等欲圖不軌, 以君及親屬之命, 卜於盲人李興茂, 事覺伏罪. 君雖不知, 事至 如此, 臺諫·法官, 連章上請, 至于十二次, 累日固爭, 大小臣僚又上書爭之, 予[李成桂]不獲已, 勉 從其請, 君其知悉. 遂絞之, 及其二子'".
· 『신증동국여지승람』 권32, 巨濟縣, 古跡, "屯德歧城, 在縣西三十七里. 石築, 周一千二尺, 高九 尺, 內有一池. 世傳本朝初, 高麗宗姓來配之處".

○都堂移牒諸道, 前月流外者, 皆令繫獄待決.

○斬^{駙馬}丹陽君禹成範, ^{駙馬}晋原君姜淮季于會賓門外. 我太祖^{門下侍中李成桂}聞之, 大怒止之, 不及.³⁰⁰⁾

○流□^{門下}贊成事成石璘·政堂文學李元紘·菁城君姜蓍·藝文館大提學韓蕆·密直提學成石瑢.³⁰¹⁾

[壬辰^{13日}, 大妃^{大妃定妃}宣敎, 以門下侍中李成桂監錄國事:追加].³⁰²⁾

癸巳^{14日}, 又流前密直^{前判厚德府事}柳惠孫³⁰³⁾·軍資□^寺尹姜淮仲·開城少尹柳珦·繕工□^寺副令金允壽·護軍姜餘于外.³⁰⁴⁾

[某日, 以崔云嗣爲慶尙道按廉使, ^{司憲持平}李源^{李原}爲全羅道按廉使:慶尙道營主題名記·錦城日記].³⁰⁵⁾

[是年, 以王祖妣申氏之鄕, 陞永昌監務官爲南川郡:地理1利川郡轉載].

---

299) 添字는 『고려사절요』 권35에 의거하였다. 또 이와 관련된 기사로 다음이 있다.
  · 『태조실록』 권1, 1년 7월 丙申^{17日}, "先是, 是月十二日辛卯^{12日}, 恭讓將幸太祖第, 置酒與之同盟, 儀仗已列. 侍中裵克廉 等白王大妃曰, 今王昏暗, 君道已失, 人心已去, 不可爲社稷生靈主, 請廢之. 遂奉妃敎廢恭讓. 事旣定, 南誾遂與門下評理鄭熙啓齎敎, 至北泉洞時坐宮宣敎, 恭讓俯伏聽命曰, 余本不欲爲君, 群臣强余立之. 余性不敏, 未諳事機, 豈無忤臣下之情乎. 因泣數行下, 遂遜于原州. 百官奉傳國璽, 置于王大妃殿, 庶務就稟裁決".

300) 이날은 恭讓王이 李成桂 一黨에 의해 廢位된 날로서 율리우스曆으로 7월 31일(그레고리曆 8월 8일)에 해당한다.

301) 이와 관련된 기사로 다음이 있고, 成石瑢은 成三問의 曾祖父이다(『成謹甫集』 권3, 世系).
  · 열전30, 成石璘, "拜門下贊成事. 以李穡·禹玄寶之黨, 與弟石瑢流于外. 自此以後, 入本朝".

302) 이는 『태조실록』 권1, 1년 7월 丙申^{17日}, "先是, 七月十二日辛卯^{12日}, … 宣敎, 以太祖監錄國事" 에 의거하였다.

303) 柳惠孫은 知密直司事 李鍾德(李穡의 長子)의 丈人이다(「李穡神道碑」 碑陰記).

304) 고려왕조가 멸망한 후 70餘年이 경과한 1469년(예종1)까지도 開城府의 都城 안에는 舊家의 遺址가 많이 남아 있었다고 한다.
  · 『예종실록』 권6, 1년 6월 辛酉^{9日}, "… ^{伴送使申}叔舟亦啓, 開城舊都, 不可不仍舊, 且其都中, 舊家遺基, 尙多有之, 須待年豊修築".

305) 崔云嗣는 是年 5월 20일에 의거하였고, 『錦城日記』의 李源은 李原의 誤字일 것이다.
  · 『태종실록』 권22, 11년 7월 丙戌^{27日}, "司憲府上疏請黃居正·孫興宗擅殺李崇仁·李種學之罪. 疏曰, 壬申年^{太祖1年}敎書使孫興宗, 今在豊海道新恩縣. 本府令其道監司, 問以絞殺李種學之實, … 鐵城君李原, 亦壬申全羅道按廉使也. 夫豈不知, 予問之而皆以不知爲答, 亦非矣".

[○以閔壽生爲延安府使:追加].[306]

[○以^{成均直學}安純爲司宰寺主簿:追加].[307]

[○安邊管內道昌寺大樹, 禑王戊辰年間^{14年}盡枯, 至是年, 復條達敷榮:追加].[308]

史臣贊曰, "當禑盜據王位, 是時, 已無王氏矣. 歷十有六年之久, 禑淫酗肆虐^{淫酗肆虐},[309] 昌又昏弱. 天不使狂狡之童, 奸穢名器, 待有德而畀之, 其意昭然. 忠臣·義士, 必欲求王氏之後, 而立之. 於是, 恭讓王不離軒席之上, 起而登寶位. 王氏之祀, 旣絶而復續, 王氏之國, 旣亡而復興. 是宜推誠勳賢, 納忠容諫, 相與共圖惟新之治也. 奈何, 惟姻婭挾憾之訴, 婦寺徇私之請, 是聽是信, 疎忌元勳, 陷害忠良. 政事悖亂, 人心自離, 天命自去. 使王氏五百歲^年之宗社, 不祀忽諸, □□^{嗚呼}, 悲夫".[310]

[以後, 高麗王朝, 七月乙未^{16日},[311] 裵克廉^{裴克廉}·趙浚, 與鄭道傳·金士衡[312]·李

---

306) 이는 『延安府志』에 의거하였다.

307) 이는 다음의 자료에 의거하였다.
· 『敬齋遺稿』 권1, 安純墓誌銘, "壬申, 注司宰寺簿".

308) 이는 다음의 자료에 의거하였다.
· 『세종실록』 권155, 지리지, 安邊都護府, 宜川郡, "靈異, 道昌寺大樹, 洪武戊辰年間^{禑王14年}盡枯, 至辛未·壬申, 復條達敷榮, 此正與漢時僵柳更生同符, 時人以謂開國之兆".

309) 여기에서 淫酗肆虐(음후사학)은 '술을 과다하게 마시고, 마음대로 사람을 劫迫하고 죽인다'라는 의미를 가지고 있는 것 같다.
· 『書經』, 泰誓中(僞古文), 冒頭, "惟戊午, 王次于河朔, 群后以師畢會. 王乃徇師而誓, 曰, 嗚呼, 西土有衆, 咸聽朕言, 我聞, 吉人爲善, 惟日不足, 凶人爲不善, 亦惟日不足. 今商王受, 力行無度. 播棄黎老, 昵比罪人, 淫酗肆虐, 臣下化之[注, 孔穎達疏, 言飮酒過多也]". 이를 筆者의 신통 찬은 능력으로 한번 번역해 보겠다. "어느 戊午日에 周의 武王이 黃河의 북쪽[河朔]에 幸次하자, 諸侯들이 軍士를 이끌고 모여 들었다. 왕이 軍隊를 査閱하고, 誓約하여 말하기를 '아아, 서쪽의 사람들이여, 모두 나의 말을 들어라. 내가 듣건대, 착한 사람은 좋은 일을 하는데 하루가 바쁘고, 악한 사람은 나쁜 일을 하루 종일 하여도 부족함이 있다고 한다. 지금 殷王 紂[商王受]는 힘써 헤아릴 수 없는 나쁜 짓을 자행하고, 耆老들을 내쫓고 나쁜 놈[罪人]들을 가까이에 두고서 陰凶肆虐하니 臣民들이 이에 물들고 있다".

310) 添字는 『고려사절요』 권35에 의거하였다. 이때 中國 측의 자료에서 다음의 사실이 찾아진다.
· 『明鑑綱目』 권1, 太祖 洪武 25년, "[綱], 秋七月, 高麗李成桂, 逐其君瑤, 而自立. [目], 成桂在國, 威權日盛, 瑤雖爲所立, 慮禍必將及己, 與近臣圖之, 事泄, 成桂遂逐瑤, 而自立. [注, 王氏, 自五代時得國, 傳數百年, 至是遂絶]. 尋以國人表請命, 帝以高麗僻在海隅, 非中國所治, 詔聽之. 旣而成桂, 又請更國號, 帝命仍古號曰朝鮮".

311) 7월 16일(乙未) 以下의 記事를 통해 高麗王朝가 멸망할 때 그 臣僚들의 政治的 性向을 분석해

濟·李和·鄭熙啓·李之蘭·南誾·張思吉·鄭摠·金仁贊·趙仁沃·南在·趙璞·吳蒙乙·鄭擢·尹虎·李敏道·趙狷·朴苞·趙英珪·趙胖·趙溫·趙琦·洪吉旼·劉敬[313]·鄭龍壽·張湛·安景恭·金稇·柳爰廷·李稷·李懃·吳思忠·李舒·趙英茂·李伯由·李敷·金輅·孫興宗·沈孝生·高呂·張至和·咸傅霖·韓尙敬·黃居正·任彦忠·張思靖·閔汝翼等大小臣僚及閑良·耆老等奉國寶詣太祖^{門下侍中李成桂}邸, 塡咽閭巷. ^{密直副使兼}大司憲閔開獨不悅, 形於容色, 欲首不言. ^南誾欲擊殺之, 殿下^{密直提學李芳遠}曰, '義不可殺', 力止之:追加].[314]

[以後, 高麗王朝, 七月丁未^{28日},[315] 教中外大小臣僚·閑良·耆老·軍民. 有司上言, "禹玄寶·李穡[316]·偰長 壽等五十六人, 在前朝之季, 結黨謀亂, 首生厲階, 宜

볼 수가 있을 것이다. 또 新王朝의 開創에 적극적으로 참여했던 貳臣들이 臣節을 다했던 忠良들을 處刑, 貶黜하고 高官大爵이 되기도 하였지만, 7년 후의 쿠데타로 逆轉되는 경우도 있었다.

312) 이때 金士衡과 관련된 자료로 다음이 있다.
· 『태종실록』 권14, 7년 7월 辛巳^{30日}, 金士衡의 卒記, "壬申七月, 與諸將相推戴太上, 進門下侍郎贊成事, 兼判尙瑞司事, 兼兵曹典書鷹揚衛·上將軍, 錄功一等, 賜奮義佐命開國功臣之號".

313) 劉敬은 1395년(태조4) 5월 11일(癸卯) 이후 1401년(태종1) 윤3월 23일(壬子) 사이에 劉敏으로 改名하였다.

314) 이는 다음의 자료를 轉載하였고, 이와 관련된 자료도 찾아진다.
· 『태조실록』 권1, 1년 7월 丙申^{17日}, "先是, 七月十二日辛卯^{12日}, … 乙未^{12日}, 裴克廉·趙浚與鄭道傳 …".
· 『태조실록』 권10, 5년 12월 丁亥^{3日}, 閔開의 卒記, "漢城尹閔開卒. 開, 驪興人, 典理判書抃之季子. 稟資聰明, 立志慷慨, 揚歷臺諫, 至爲知申事, 出納惟允. 當恭讓遜位之日, 開爲大司憲, 欲執不可, 見於辭色. 南誾等謂趙浚曰, '開可斬', 浚不可乃止. 後爲觀察慶尙·忠淸, 皆有成績. 卒年三十七, 士林惜之. 開, 觀察之日, 自奉甚薄約, 以致成疾, 上聞之, 許令各道觀察使, 一日四時進饌, 永爲恒式".

315) 이날 處罰을 받은 사람 중 일부는 脚注를 追加하였는데, 이미 提示된 것도 있다[重復].

316) 李穡의 肖像과 神道碑는 韓山의 永慕庵에 있었던 것 같고(『梅溪集』 권2, 謁韓山永慕庵, [注, 有牧隱像, 又有神道碑]), 肖像畵는 조선시대에 제작된 것이 전국 각지에 10여점이 소장되어 있는 것 같고(崔淳雨 1964년a), 日本 奈良縣 天理市 天理大學에도 所藏되어 있다. 또 그의 出生地[初度處]는 寧海府 동쪽 2里에 있었다고 한다.
· 『記言』 권9, 牧隱畵像記, "牧隱李文靖公圖像, 在湖西韓山郡之文獻書院, 其贊, 權陽村之作也. 書其後曰, '永樂甲午^{太宗14年}九月下澣, 門人權近記'. 德山縣李氏舊莊, 又有文靖公影堂, 其影子所記年月, 正德甲戌^{中宗9年}云, 不知其初傳畵在某年. 我太祖受禪之明年, 公歿, 當洪武二十六年癸酉, 陽村之贊, 蓋在數十餘年之後. 自永樂甲午, 至正德甲戌, 其間一百二十四年, 自洪武癸酉, 至于去崇禎已十年, 蓋三百年. 影子初有二本, 一本多冠犀帶緋袍, 鬐髮斑白, 今書院所藏本是也. 影堂本, 從此本傳之也. 一本田野之服, 悲夫, 嘗誦流離感懷詩, 亡國之後, 自同田父野老, 見當時之畵可知, 恨此本不傳. 書院本, 當萬曆兵亂失之, 後有奉使者得於日本, 其國之父老持贈曰, 此古貴人圖畵, 還寄其子孫云. 異哉, 此鬼神爲之, 非人事之所期者也. 古畵淪落歲久, 絹剝裂, 亡其下一半矣. 五年冬, 子姓諸族, 奉圖像入京, 摸寫二本. 一本, 奉安於太倉洞李中樞舊

置於法, 以戒後來". 予尙憫之, 俾保首領. 其禹玄寶·李穡·偰長壽等, 收其職貼, 廢爲庶人, 徙諸海上, 終身不齒. 禹洪壽·姜淮伯[317]·李崇仁·趙瑚·金震陽·李擴·李種學·禹洪得等, 收其職貼, 決杖一百, 流于遠方. 崔乙義·朴興澤·金履·李來·金畝·李種善·禹洪康·徐甄[318]·禹洪命·金瞻·許膺·柳珦·李作·李申·安魯生·權弘·崔咸·李敢·崔關·李士穎·柳沂·李詹·禹洪富·康餘·金允壽等, 收其職貼, 決杖七十, 流于遠方. 金南得[319]·姜著·李乙珍·柳廷顯·鄭寓(鄭寓)[320]·鄭過[321]·鄭蹈·姜仁甫·安俊·李堂·李室等, 收其職牒, 放置遠方. 成石璘·李允紘·柳惠孫[322]·安瑗·姜淮中·申允弼·成石瑢·全五倫[323]·鄭熙等, 各於本鄉安置. 其餘凡有犯罪者, 除一罪常宥不原外二罪已下, 自洪武二十五年七月二十八日昧爽已前, 已發覺未發覺, 咸宥除之. ○教書, 鄭道傳所製, 道傳與禹玄寶有宿怨, 凡可以陷禹氏一門者, 無所不圖, 未稱其情. 至是, 以十餘人爲援例, 謀置極刑, 以爲條畫末節以進. 上使都承旨安景恭讀之, 驚駭曰, "此輩何至極刑, 宜皆勿論". 道傳等請減等科罪, 上曰, "若韓山君·禹玄寶·偰長壽, 雖減等, 亦不可加刑, 愼勿再言". 道傳等再請餘人杖決, 上(李成桂)謂受

第, 一本, 幷舊本, 還奉文獻祠堂. 甲午(孝宗5年)冬日至, 外裔子孫陽川許穆, 謹識. 仲弟懿(重林)□□獘時, 所撲畫, 李司藝(檀幹)此事". 添字가 추가되어야 쉽게 理解[讀]할 수 있을 것이다.

· 『佔畢齋集』詩集권3, 寧海府, 懷牧隱三首[注, 牧隱宅基, 在府東二里許, 公之初度處也. 公嘗築無價亭于宅後小麓, 遺址存焉.

317) 政堂文學兼大司憲 姜淮伯이 修學時節에 심은 斷俗寺(現 慶尙南道 山淸郡 丹城面 雲里)의 梅花는 현재까지 命脈을 유지하면서 政堂梅로 불리고 있다.
· 『錦溪集』外集권1, 頭流山紀行篇(1545年 4月), 次武陵退溪所名諸峯韻[注, 右政堂梅, 姜淮伯所植, 逮事前朝云].

318) 徐甄에 관한 기사로 다음이 있다.
· 『記言』 권58, 節行, 高麗徐掌令墓石記, "高麗掌令徐公甄, 利川人, 當麗之末世, 見危不去. 恭讓四年, 掌令, 與省憲金震陽·李擴諸官, 罪狀趙浚·鄭道傳·南誾. 及益陽(鄭夢周)被誅, 指爲儻與, 諸論法者皆放流之. 其年, 恭讓遷原州高麗亡, 居衿陽, 坐不北向, 終身不對漢陽城郭, 托物吟哦以自傷, 執法論以謳歌思亂, 當抵法. …".

319) 金南得(金畝의 父)과 관련된 기사로 다음이 있는데, 그는 本貫이 義城이라고 한다. 또 金畝의 관직인 司諫은 太宗代의 職名이다(『태종실록』 권20, 10년 10월 乙卯[21日]).
· 『西山集』 권16, 金宜碑陰記, "… 生四子, 曰麒芝, 後賜名南得, 門下評理·判開城府事, 以推忠輔祚功, 封高陽府院君, 恭讓末年, 以黨鄭文忠(夢周), 與子司諫(掌令)畝, 幷流荒外".

320) 前吏曹判書 鄭寓는 조선 초에 前任官僚[品官]들을 漢城에서 點考할 때 期日이 미치지 못해 巡軍獄에 감금되었다가 석방되었던 것 같다(『태조실록』 권12, 6년 10월 丙午[28日], 11월 甲寅[6日]).

321) 前禮曹判書 鄭過(鄭夢周의 弟)는 조선 초에 泥城兵馬使를 역임하고 外方에 居住하고 있었던 것 같다(『태종실록』 권26, 13년 7월 己丑[12日]).

322) 柳惠孫은 李穡의 査頓(李鍾德의 丈人)인데, 이후의 行蹟은 不明이다.

323) 全五倫은 李穡의 妻姪인데, 이후의 行蹟은 不明이다.

杖者, 不至於死, 不强止之:追加].[324)

[前慶北大學校師範大學歷史教育科教授張東翼與其妻徐松枝拜上].

---

324) 이는 『태조실록』 권1, 1년 7월 丙申[17日], "先是, 七月十二日辛卯[12日], … 丁未[28日], … 敎中外大小臣僚·閑良·耆老·軍民, …"의 一部를 轉載하였다. 이때 處罰받은 文臣[儒臣]들의 行方에 대한 연구도 찾아진다(류주희 1998년).

新編高麗史全文

세가12책 창왕–공양왕

초판 1쇄 인쇄 | 2023년 05월 23일
초판 1쇄 발행 | 2023년 05월 30일

지은이 | 張東翼
발행인 | 한정희
발행처 | 경인문화사
편집부 | 김지선 유지혜 한주연 이다빈 김윤진
마케팅 | 전병관 하재일 유인순
출판번호 | 제406-1973-000003호
주소 | 경기도 파주시 회동길 445-1 경인빌딩 B동 4층
전화 | 031-955-9300   팩스 | 031-955-9310
홈페이지 | http://www.kyunginp.co.kr
이메일 | kyungin@kyunginp.co.kr

ISBN 978-89-499-6717-2 94910
      978-89-499-6754-7 (세트)
값 22,000원